Subleyras
1699-1749

L'atelier,
Vienne, Akademie.

Paris,
Musée du Luxembourg
20 février - 26 avril 1987

Rome,
Académie de France, Villa Médicis
18 mai - 19 juillet 1987

Subleyras

1699-1749

Ministère de la Culture et de la Communication
Editions de la Réunion des musées nationaux

Cette exposition a été organisée
par la Réunion des musées nationaux
et l'Académie de France à Rome,
avec le concours, pour la présentation parisienne,
des services techniques du Sénat
et du Musée du Louvre.

La présentation de Paris a été conçue
et réalisée par Isabelle Crevier.

L'exposition de Rome a bénéficié
d'une aide d'Olivetti

Couverture: Cat. n° 28
ISBN 2-7118-2.088-2

10, rue de l'Abbaye - 75006 Paris

Commissaire général:
Pierre Rosenberg
Conservateur en chef au Département
des peintures du Musée du Louvre

Commissaires:
Olivier Michel
chargé de recherche au CNRS

Philippe Morel
chargé de mission pour l'Histoire de l'Art
à l'Académie de France à Rome

que toutes les personnalités qui ont permis par leur généreux concours la réalisation de cette exposition, trouvent ici l'expression de notre gratitude et tout particulièrement:

le Professeur Italo Faldi, Mme Béatriz Patino,
les Amis du Dessin (A.S.D.L.) Bruxelles,

ainsi que toutes celles qui ont préféré garder l'anonymat.

Nos remerciements s'adressent également aux responsables des collections suivantes:

	Autriche
Vienne	Graphische Sammlung Albertina
	Etats-Unis d'Amérique
Baltimore	Walters Art Gallery
Boston	Museum of Fine Arts
New York	Metropolitan Museum of Art
Northampton	Smith College Museum of Art
Worcester	Worcester Art Museum
	France
Agen	Musée municipal
Aix-en-Provence	Musée Granet
Ajaccio	Musée Fesch
Amiens	Musée de Picardie
Besançon	Musée des beaux-arts
Bourg-en-Bresse	Musée de Brou
Caen	Musée des beaux-arts
Carcassonne	Musée des beaux-arts
Châlons-sur-Marne	Musée municipal - Musée Garinet
Fontainebleau	Musée national du Château
Montauban	Musée Ingres
Montpellier	Musée Atger - faculté de médecine de Montpellier
	Musée Fabre
Nantes	Musée des beaux-arts
Nîmes	Musée des beaux-arts
Orléans	Musée des beaux-arts
Paris	Musée Carnavalet,
	Musée du Louvre, Département des arts graphiques
	Département des peintures
Roanne	Musée Joseph Dechelette
Toulouse	Musée des Augustins
Versailles	Musée national du Château
Vesoul	Musée municipal Georges Garret

	Grande-Bretagne
Birmingham	Birmingham Museum and Art Gallery
Leeds	Leeds City Art Gallery
Londres	Courtauld Institute Galleries
New Castle upon Tyne	Hatton Gallery - University of New Castle upon Tyne
	Italie
Florence	Gabinetto Disegni e Stampe degli Uffizi
Milan	Pinacoteca di Brera
Pérouse	Galleria nazionale dell'Umbria
Poli	Chiesa di San Pietro
Rome	Accademia nazionale di San Luca
	Chiesa di Santa Francesca Romana
	Galleria nazionale d'Arte Antica - Palazzo Barberini
	Museo di Roma - Palazzo Braschi
Turin	Galleria Sabauda
Venise	Ca' Rezzonico
	R.D.A.
Dresde	Staatliche Kunstsammlungen
Leipzig	Museum der Bildenden Künste
	R.F.A.
Dusseldorf	Kunstmuseum
Munich	Bayerische Staatsgemäldesammlungen
	U.R.S.S.
Leningrad	Musée de l'Ermitage
Moscou	Musée Pouchkine

Paris, Rome :
la promesse et l'accomplissement.

Deux étapes essentielles de la vie du peintre Pierre Subleyras, un artiste du XVIIIe siècle, trop oublié, que la collaboration de deux institutions, la Réunion des musées nationaux à Paris et l'Académie de France à Rome, permet aujourd'hui de faire connaître au public, avec un concours du Centre National de la Recherche Scientifique et du Département des peintures du Musée du Louvre pour la partie scientifique.

Nombreux sont les peintres français dont la carrière s'est entièrement — Poussin ou Claude Lorrain — ou pour une grande part — Natoire — déroulée à Rome pour ne citer que les noms d'artistes auxquels la Villa Médicis a récemment consacré des expositions. Le cas de Subleyras est particulier. Sa formation est toulousaine. A Paris, il ne fait que passer, le temps de remporter le Grand Prix. Son temps de Rome se divise en deux moments : à l'Académie de France alors installée au Palais Mancini, sur le Corso où Subleyras complète sa formation, travaille pour le Palais, pour l'ambassadeur de France, Saint-Aignan ; puis la carrière romaine proprement dite, courte, guère plus de dix ans, du *Repas chez Simon* de 1737 à la *Messe de saint Basile* commandée par Benoît XIV pour Saint-Pierre. L'unique est que l'artiste a, tour à tour, su imposer sa manière de peindre et sa conception artistique si particulière, à Rome, puis à Paris, après sa mort il est vrai, à un moment où une nouvelle génération de peintres recherchait cette sobriété, ce dépouillement, cette sévérité qui caractérisent le génie de Subleyras.

Jean-Marie Drot
Directeur de l'Académie de France à Rome

Hubert Landais
Directeur des musées de France

Remerciements

Subleyras n'est aujourd'hui guère plus qu'un nom de l'histoire de la peinture. Si les auteurs des ouvrages généraux sur le XVIIIe siècle ne l'ignorent pas, ils citent quelques tableaux, la *Messe de saint Basile, l'Atelier,* toujours les mêmes, admirent la beauté de son coloris, la qualité de ses blancs, de ses noirs et de ses roses et lui accordent une place honorable parmi les artistes de mérite de son temps.
Mais on sent leur embarras, un embarras justifié, tant la vie de Subleyras, sa carrière entre Toulouse, Paris et Rome restent mal connues, tant sa nationalité embarrasse, tant son œuvre, sa place et son importance dans son siècle dérangent.
Nous espérons apporter dans ce catalogue une réponse à bien des interrogations, nous réservant de revenir plus en détail sur tel ou tel point et de développer dans la monographie que nous consacrerons prochainement à Subleyras tel aspect de son œuvre négligé ici.
La seconde moitié du XIXe siècle a redécouvert Chardin. La seconde moitié de notre siècle se doit de faire connaître Subleyras, son exact contemporain et son contrepoint romain. Le présent catalogue n'aurait pu être mené à bien sans l'aide de nombreux amis et collègues et tout particulièrement de :

Cesare Alpini
Noël Annesley
M. et Mme d'Aram

Roseline Bacou
Colin Bailey
Pierre Barousse
Mme Barutel
Laure Beaumont
Ségolène Bergeon
Dante Bernini
Mme L. de Bethmann
Irène Bizot
Pierre Bordeaux-Groult
Georges Borias
† Jean Boutet
Edgar Peters Bowron
Jean-Claude Boyer
Dominique Bozo
Arnauld Brejon de Lavergnée
Giuliano Briganti
Marie-France Brouillet
Georges Brunel
Andrea Busiri Vici

Yveline Cantarel Besson
Prince Caracciolo di Forino
Philippe Carlier
Vittorio Casale
Henri de Cazals
Jean Cazaux
Jean-Pierre Changeux
Maurice Chauvet
Andrew S. Ciechanowiecki
† Anthony M. Clark
Yves Cluzel
Denis Coekelberghs
Ute Collinet
Isabelle Compin
Philip Conisbee
Bruno Contardi
Denis Coutagne
Maria Vera Cresti
Georges Cugnier
Jean-Pierre Cuzin

Françoise Debaisieux
Françoise Delaroche-Vernet
France Dijoud
Gemma di Domenico Cortese
Suzanne di Domenico Petrassi
Comte Renaud Doria
Isabelle du Pasquier
Marie-Anne Dupuy
Louis Duval Arnould
Marc Dykmans

Jean-Jacques Echinger
M. et Mme Raoul Ergmann
Guglielmo Esposito

Lola Faillant Dumas
Italo Faldi
Oreste Ferrari
Claire Filhos-Petit
Jeannine Flaugere
Sir Brinsley Ford
Jacques Foucart

Thomas Gaehtgens
Jörg Garms
Pierre Gérard
Alvar Gonzalez Palacios
Michel Goodison
Dieter Graf
Guy Grieten
Fausta Gualdi Sabatini
Jeanne Guillevic

Christel Haffner
Brigitte et Joseph Hahn
Michel Hayez
Friedrich W. Heckmann
Hermann Hoberg
M. et Mme Pierre Hottinguer
Viviane Huchard
Heribert H. Hutter

Michael Jaffe
Jean-Pierre Jauneau
Roswitha Juffinger
Isabelle Julia

Othon Kaufmann
Dr. Eckhardt Knab
Irena Kouznetsova
Jacques Kuhnmunch
Rolf Kultzen

Mme Labat
Alastair Laing
Don Emiliano Landre
Duc et duchesse de La Roche-Aymon
Georges de Lastic
Elisabeth Launay
Sylvain Laveissière
Thierry Lefrançois
Avv. Fabrizio Lemme
Michel Le Moel
Pierre Lemoine
M. et Mme Lepavec
Jean Lionnet
James Lomax
Boris Lossky

Jacques Lugand
Juan Jose Luna

Giuseppina Magnanimi
Sir Denis Mahon
Edda Maillet
Jean Patrice Marandel
Dr. Harald Marx
Thomas McCormick
Jean-François Méjanès
Bruno Mentura
Josette Meyssard
Denis Michaud
Christian Michel
Geneviève Michel
Denis Milhau
† A.P. de Mirimonde
Eric Moinet
Jennifer Montagu
Philippe Morel
Jean-François Mozziconacci
Nicole Munich

Inna Nemilova
C. Nicq
A. Normand

Général O'Mahony

Nicole Parmantier
Jean Pauc
Beatriz Patino
Jean Penent
Marie-Félicie Pérez
Arnaud de Pesquidoux
Mme Peyroche d'Arnaud de Sarazignac
Gianna Piantoni de Angelis
Prof. Carlo Pietrangeli
Terisio Pignatti
Sandra Pinto
Mathias Polakovits
Herveline Pousse
Maxime Préaud
Maurice Prin
Wolfgang Prohaska
Pierre Provoyeur

Jean-Pierre Ravaux
M. Richard
Marianne Roland Michel
Giovanni Romano
Serena Romano
Donald A. Rosenthal
Steffi Röttgen
Mlle Rousseau
Stella Rudolph

Jean-Pierre Samoyault
Gabriel Sarraute

Joseph Sauget
Peter Schatborn
François Schlageter
Erich Schleier
Antoine Schnapper
Helge Siefert
Aldo Sisinelli
Nicola Spinosa
Emmanuel Starky
Marion Stewart
Claudio Strinati
Meier Stein
Peter Sutton

Rosalba Tardito
Claudia Tempesta
Bernard Terlay
Dominique Thiébaut
Maria Elisa Tittoni Monti
Lawrence Turčić
Nicholas Turner

Udo Van de Sandt
Domenico Valentino
Colette Vasselin
Dominique Viéville
Camille Viguier
Patrick Violette
Jacques de Virieu
Peter Volk

Jean Walter
Zygmund Waźbinski
James A. Welu
Matthias Winner
Derick Worsdale

Eric Zafran
Silla Zamboni
Federico Zeri
Youri Zolotov

Catalogue rédigé par :
Olivier Michel et Pierre Rosenberg

Chronologie

Vie de Subleyras	Evénements artistiques	Evénements historiques
1699 Naissance à Saint-Gilles le 25 novembre, fils de Mathieu Subleyras et de Laurette Dumont		
1700-1715 Il vit à Uzès	1704-1725 Charles Poerson, directeur de l'Académie de France à Rome	1700-1721 Clément XI Albani
1708 Copie de la Transfiguration de Raphaël par Mathieu Subleyras	1708-1736 Le duc d'Antin Surintendant des Bâtiments 1713 A. Rivalz, *La paix d'Utrecht* 1715 A. Rivalz, *L'avènement de Louis XV*	1715 Mort de Louis XIV (régence de 1715 à 1722)
1716 Il est à Carcassonne		
1717-1719 Il est à Toulouse dans l'atelier d'Antoine Rivalz (il peint à 17 ans une *Adoration des Mages* et une *Adoration des Bergers*)		
1719-1722 Il est à Uzès où le 1er janvier 1722 il est le parrain de Pierre Subleyras, fils de Joseph		1719 Guerre franco-espagnole, prise de Fontarabie, Saint-Sébastien et Urgel 1720 Peste de Marseille 1721-1724 Innocent XIII Conti
1722 Portrait de ses parents		1722 Couronnement de Louis XV
1722-1726 Il est à Toulouse		
1722 Le *Sacre de Louis XV* (payé le 23 décembre à Rivalz)		
1724 Plafond de l'Opéra		1724-1730 Benoît XIII Orsini 1724-1732 Le cardinal de Polignac, ambassadeur de France à Rome
1725 Portrait de *Pierre Lucas*, plafond des Pénitents Blancs	1725-1737 Nicolas Vleughels, directeur de l'Académie de France à Rome	1725 Mariage de Louis XV avec Marie Lesczynska
1726-1728 Il est à Paris, *Portrait de Dufrèche*, deux médailles de quartier		
1727 Le 30 août, premier Grand Prix : *le Serpent d'airain*	1727 Concours à Paris entre douze peintres de l'Académie	
1728 Il reçoit le 20 mars à Paris la médaille du Grand Prix A Toulouse, dessin pour la façade du Capitole ; *Portrait de Daram* A Carcassonne, portrait de *Mme Poulhariez* Arrive à Rome fin octobre	1729 Carle Vanloo, voûte de l'église de Saint-Isidore (gloire de saint Isidore) Benefial, chapelle de Sainte-Marguerite de Cortone à l'Aracoeli 1731 Milani, fresque à l'abside de la Madeleine	1730-1740 Clément XII Corsini 1731 Traité de Vienne, Parme à Don Carlos, fils d'Elisabeth Farnese
1732 Dessus de porte pour le Palais Mancini *(Amour et Psyché)*. En mars il « copie un beau tableau »	1732 Masucci, *Saint Andrea Corsini* à Saint-Jean-de-Latran 1733 Trémolières copie la *Chute de Simon le magicien* de Francesco Vanni ; Giaquinto peint la coupole de Saint-Nicolas des Lorrains	1732-1741 Le duc de Saint-Aignan, ambassadeur de France 1733 Campagne de Villars en Italie. Traité de Turin 1734 Batailles de Parme et de Guastalla
1734 Il copie l'*Ecce Homo* de l'Albane de la collection Colonna entre le 5 mai et le 31 août 6 septembre, mariage de Pierre-Charles Trémolières et d'Isabella Tibaldi ; ils quittent Rome peu après		

Vie de Subleyras	Evénements artistiques	Evénements historiques
1735 Il refuse de rentrer à Toulouse succéder à Rivalz 12 septembre, le curé de Saint-Gilles établit un extrait de son acte de baptême Il quitte le Palais Mancini en octobre	1735 Mort d'Antoine Rivalz à Toulouse le 11 décembre Balestra, maître-autel de Saint-Grégoire au Coelius 1735-1736 Achèvement de la décoration de SS. Celso e Giuliano (Batoni, Caccianiga, Lapis, Triga, Valeriani)	
1736	1736-1745 Philibert Orry, surintendant des Bâtiments	
1737 Subleyras et L.G. Blanchet habitent ensemble dans la paroisse de S. Salvatore ai Monti *Le repas chez Simon*	1737 A la mort de Vleughels, Pierre de Lestache assure l'intérim. Jean-François de Troy est nommé directeur de l'Académie de France	1737 Le 15 septembre, le duc de Saint-Aignan remet le Cordon bleu de l'ordre du Saint-Esprit au prince Vaini
1739 Le 23 mars il épouse Maria Felice Tibaldi *Portrait de Frédéric-Christian de Saxe* *Vision de saint Jérôme*	1739 Parrocel, coupole de Santa Maria Maddalena De Troy, *La Résurrection* à Saint-Claude des Bourguignons	1739-1742 Le cardinal de Tencin chargé d'affaires
1740 Le 25 février l'avocat Domenico Bagnara épouse Giovanna Tibaldi Le 14 février, il est élu académicien de Saint-Luc Le 9 novembre, naissance de Carlotta Trois *Portraits du père Léonard de Port-Maurice* *Portrait de Benoît XIV*	1740 Conca, *La Vierge et saint Sébastien* à Saint Luc-et-Martine	1740 Mort de l'empereur Charles VI (d'où jusqu'en 1748 la guerre de succession d'Autriche) 1740-1758 Benoît XIV Lambertini
1741 *L'Assomption* pour la cathédrale de Grasse *La Sainte Famille* pour la cathédrale de Toulouse	1741 Chapelle de saint Charles Borromée à Sainte Praxède (Stern, Parrocel)	
1742 Le 8 avril, Maria Felice Tibaldi est élue à l'Académie de Saint-Luc La famille s'installe Casa Stefanoni, via Felice Naissance de Luigi *Portrait du P. Benvenuti*	1742 Giaquinto, décoration du chœur de Saint Jean Calybite Costanzi, *Saint Camille de Lellis* pour la Madeleine Pozzi, *Mort de saint Joseph* pour le Saint-nom-de-Marie	1742-1745 L'abbé de Canillac chargé d'affaires
1743 Naissance de Maria-Clementina Contrat le 29 août pour la *Messe de saint Basile* (il avait fait des esquisses pour ce tableau et pour la *Crucifixion de saint Pierre*)	1743 « Caffé Haus » du Quirinal (Batoni, Masucci, Panini) Giaquinto, voûte de Sainte-Croix de Jérusalem San Lorenzo in Damaso, Cappella Ruffo (Conca, Giaquinto)	
1744 Benefial, élu gardien des peintures de l'Académie de Saint-Luc, choisit Subleyras comme adjoint *Christ en croix* (Milan) *Saint Benoît guérit un enfant*	1744 Conca, fresques de la chapelle de saint Camille de Lellis à la Madeleine Conca, *La Trinité,* église des Trinitaires de la mission	
1745 Naissance de Giuseppe *Saint Jean d'Avila* *Saint Ambroise absout Théodose*	1745 Mancini, chapelle de Sainte-Thérèse à Santa Maria della Scala 1745-1751 Lenormand de Tournehem surintendant des Bâtiments	1745-1748 Le cardinal de La Rochefoucauld ambassadeur
1746 Pour la canonisation : les deux faces de la *bannière de saint Camille de Lellis* et deux tableaux destinés au pape représentant une *Vision de saint Camille* et une *Vision de sainte Catherine de' Ricci* D'octobre 1746 à juin 1747 il va à Naples pour sa santé	1746-1747 Fresques de la Biblioteca Corsiniana (Conca, Guglielmi, Meucci, Parrocel)	
1747 Portraits d'*Horace Walpole* et du maréchal *Eustache de La Vieuville à la prise de Plaisance le 12 septembre 1745* Rentré à Rome il achève la *Messe de saint Basile* qui lui est soldée le 29 décembre	1747 Exposition, avant son envoi à Lisbonne, de la chapelle Saint-Roch (Batoni, Conca, Giaquinto, Masucci) Décoration de l'église de Saint-Pascal-Baylon (Fusi, Krahe, Monosillo, Preciado, Tosi)	
1748 Le 16 janvier, la *Messe de saint Basile* est exposée trois semaines sur un autel de Saint-Pierre avant d'être transposée en mosaïque Réplique du portrait de La Vieuville	1748 Achèvement de Saint-Apollinaire (Costanzi, Graziani, Lapis, Mazzanti, Pozzi, Zoboli) Guglielmi, voûte de la Trinité des Espagnols	1748 Paix d'Aix-la-Chapelle 1748-1749 L'abbé de Canillac chargé d'affaires
1749 Il meurt le 28 mai		1749 Le duc de Nivernais, ambassadeur de France

Table des abréviations

A.	Architecte
A.	Arnaud (Odette) « Subleyras 1699-1749 » dans *Les peintres français du XVIIIe siècle*..., Paris, 1930, II, pp. 49-92), (A. 38 renvoie au n° 38 du catalogue raisonné des œuvres de Subleyras)
AAF	*Archives de l'art français*
AC	Auditor Camerae
AD	Archives départementales
A.d.	Arnaud, catalogue des dessins
AE	Affari esteri
AFSP	Archivio della Rev. Fabbrica di San Pietro
A.g.	Arnaud, catalogue des gravures
AM	Archives municipales
AMAE	Archives du Ministère des affaires étrangères
A.N.	Archives nationales, Paris
AS	Archivio di Stato
ASL	Archivio dell'Accademia di San Luca, Roma
ASR	Archivio di Stato di Roma
attr.	attribué à
AVR	Archivio del Vicariato, Roma
B.A.V.	Biblioteca Apostolica Vaticana
BSHAF	*Bulletin de la Société de l'histoire de l'art français*
cat.	catalogue
CD	*Correspondance des directeurs de l'Académie de France*
CDA	*Connaissance des Arts*
chap.	chapitre
col.	colonne
coll.	collection
CP	Correspondance politique
d.	dessin
éd.	édition
exp.	exposition
fig.	figure
G.	Goldschmidt (Ernst), *Le peintre Pierre Subleyras*, Paris, 1925
g.	gravure
GBA	*Gazette des Beaux-Arts*
G.N.S.	Gabinetto Nazionale delle Stampe, Roma
H.	hauteur
HC	hors catalogue
ICCD	Istituto centrale per il catalogo e la documentazione, Roma
id.	idem
ill.	illustration
inv.	inventaire
L.	largeur
libr. bapt.	liber baptizatorum
libr. matr.	liber matrimoniorum
libr. mort.	liber mortuorum
LSA	liber status animarum
ms	manuscrit
NAAF	*Nouvelles Archives de l'art français*
n.p.	non paginé
n°	numéro (notices du présent catalogue)
ns	nouvelle série
Ors.	Orsay
Ottob. lat.	manuscrit du fonds Ottoboni écrit en caractères latins
P.	peintre
p.	page
part.	particulière
pl.	planche
pp.	pages
R.	Réau (Louis) « Une biographie italienne de Pierre Subleyras », dans BSHAF, 1924, pp. 189-201.
R.D.	Robert-Dumesnil
S.	sculpteur
s.d.	sans date
s.l.	sans lieu
s.n.	sans numérotation
sq	sequentes
T.	toile
t.	tome
30 not. cap.	Trenta notai capitolini
Uff.	Ufficio
vol.	volume

à Hubert Landais,
Directeur des musées de France

Préface

« Un artiste qui fait,
même à Rome, tant d'honneur à la nation »

(lettre de d'Angiviller,
surintendant des Bâtiments, à Vien,
Directeur de l'Académie de France à Rome,
7 juillet 1777)

Pourquoi Subleyras est-il, aujourd'hui encore, un peintre méconnu ? N'avait-il pas été considéré, durant les dix dernières années de sa courte carrière, comme le premier peintre de Rome ? Les deux biographies de l'artiste, publiées dans deux journaux romains en 1786, ne prouvaient-elles pas que Subleyras gardait sa célébrité dans sa patrie d'adoption à une date où, en France, dictionnaires et ventes publiques consacraient sa réputation ? Et n'est-il pas décevant que les travaux de Louis Réau, du Danois Ernst Goldschmidt et surtout d'Odette Arnaud, auteur d'une excellente thèse de doctorat partiellement publiée en 1930, n'aient pas assuré à Subleyras le premier rang auquel il nous paraît avoir droit ?

Il est, à cela, plusieurs explications. Subleyras, dont la santé était fragile, mourut alors qu'il n'avait pas cinquante ans. Sa formation — sa triple formation, Toulouse, Paris, Rome — fut longue. Il s'affirma sans facilité et travaillait lentement. Rien, dans sa vie sage et laborieuse, n'appelle l'anecdote. Subleyras n'a rien d'un artiste maudit, rien du génie incompris, rien non plus de l'artiste extraverti qui sait faire parler de lui. Benoît XIV, dont il peignit le portrait lors de son élection pontificale et qu'il pratiqua passablement, ne se baisse pas pour ramasser ses pinceaux. Aucun cardinal ne s'étonne de ce qu'il ait si peu de serviteurs et aucun auteur ne fait de ces rapprochements pleins de sous-entendus entre ses lestes saynètes inspirées des *Contes* de La Fontaine et sa vie privée, qui abondent lorsque l'on aborde Boucher ou Fragonard.

De ces raisons, il en est une qui l'emporte. « Bien que la majeure partie de son œuvre ait été exécutée à Rome où il s'était établi, l'école italienne ne peut le revendiquer pour sien, car lorsqu'il vint en Italie, il était déjà formé et il demeura fidèle au style qu'il avait adopté en France en se contentant de le perfectionner » écrit en 1786 le rédacteur des *Memorie*. A une date voisine (1764), La Live de Jully notait « on ne soupçonneroit pas à son pinceau qu'il fut d'une autre Ecole que celle d'Italie ».

En d'autres mots, les historiens d'art italiens ont vu en Subleyras un peintre français, leurs collègues français ont été trop heureux de le considérer comme italien. Sa double nationalité a fait de Subleyras un « apatride » de l'histoire de l'art, souvent maltraité par elle.

Un rappel historique donnera tout son poids à cette amère constatation. On sait l'oubli dans lequel, durant la première moitié du XIXe siècle, l'art du XVIIIe siècle français était tombé, dans quel mépris il était tenu. On se souvient du rôle des frères Goncourt dans sa redécouverte. Grâce à eux, grâce à une poignée de collectionneurs (La Caze qui avait un Subleyras sans le savoir, n° 70 ; les frères Lavallard qui pensaient en posséder plus qu'ils n'en avaient...), quelques conservateurs et quelques critiques (Ch. Blanc, Thoré...), Watteau et Boucher, Chardin et Fragonard comptent aujourd'hui parmi les artistes les plus aimés de l'histoire de la peinture. Pourquoi les Goncourt, pour ne citer qu'eux, ne se sont-ils pas consacrés à Subleyras plutôt qu'à Eisen ou à Gravelot ? N'ont-ils pas connu et apprécié ses œuvres ? Le beau dessin pour le *Faucon* (n° 27) que nous exposons ici ne leur appartenait-il pas ?

La réponse est simple, donnée, comme par inadvertance, par les Goncourt eux-mêmes : dans leur admirable réhabilitation de Gabriel de Saint-Aubin et à propos du concours pour le Grand Prix auquel l'artiste participa à trois reprises, en vain, les deux frères se réjouissent de ses échecs répétés. S'il avait obtenu le Grand Prix, s'il était parti pour Rome et s'il avait séjourné au Palais Mancini, Saint-Aubin, écrivent-ils (voir Dacier, 1929, I, p. 30), ne serait-il pas devenu un second Subleyras ? Rome, en d'autres mots, l'aurait dévoyé. En défendant Saint-Aubin et Chardin, les Goncourt voulaient prouver qu'il existait, au même titre qu'une école espagnole ou qu'une école hollandaise, une école de peinture française autonome et indépendante. De cette école, qui veut rompre avec les exemples nordiques et les précédents italiens et qui leur doit — pour les meilleurs de ses peintres — bien peu (aux yeux des Goncourt du moins), Subleyras le Romain, Subleyras le peintre de tableaux religieux de grand format, bien évidemment ne peut faire partie.

Mais, dira-t-on, et Poussin !

Du vivant de Subleyras déjà, on rapprochait les deux noms (lettre de Lironcourt du 10 août 1748) et la comparaison au XVIIIe siècle revient sous toutes les plumes (Delamonce, 1753 ; Pasqualoni, 1786 : « Pussino moderno »). Depuis, érudits français et italiens, allemands et anglais n'ont jamais négligé le maître des Andelys. Comment justifier dès lors que la double nationalité de Poussin l'ait servi, alors qu'elle a tant nui à Subleyras? L'explication est, hélas, simple. Poussin ne relève ni de la France ni de l'Italie. Il est de ces grands génies qui n'ont pas de pays. Il n'appartient ni à Rome ni à la France. La place de Subleyras est plus modeste. S'il ne compte pas parmi les plus grands de son siècle, il mérite d'être reconnu — et d'être connu —, ses œuvres — nous en sommes convaincus — le prouvent amplement.

Goldschmidt, dans sa belle étude sur Subleyras, le rapproche de Chardin (né lui aussi en 1699), un Chardin romain. C'était comparer deux artistes aux ambitions bien divergentes. Subleyras, certes, a peint une nature morte (au moins), quelques scènes de genre (qui n'ont rien de familières!) et des portraits (aucun de ses portraits au pastel n'a été, à ce jour, identifié). Les deux peintres sont des coloristes raffinés, ils fuient le geste et aiment les compositions statiques. Là s'arrête la comparaison.

Si l'on doit à Subleyras quelques tableaux mythologiques (le plus beau, le *Diane et Endymion* de la collection Sir Brinsley Ford, ne nous a malheureusement pas été prêté), des nus qui savent ne pas être de banales études académiques comme le *Charon* du Louvre (n° 11) ou le *Nu de femme* du Palais Barberini (n° 59), des paysages (nous n'en avons, hélas, retrouvé aucun), l'artiste s'est avant tout partagé entre le portrait et le tableau religieux.

Dès Toulouse, en tout cas dès le séjour à l'Académie de France à Rome, le portraitiste est remarqué: « Il fait à présent du portrait et a un peu de vogue » (Vleughels à d'Antin le 6 janvier 1735). Mais qu'admire-t-on dans ses portraits? Une lettre du comte Porta, agent du roi de Naples à Rome, qui recherche un portraitiste capable de représenter le roi, va nous éclairer. Il vient d'attentivement examiner le *Portrait de l'Electeur de Saxe, Frédéric Christian* (n° 64). « Pour dire vrai », écrit-il le 14 août 1739, « le portrait plaît car il est admirablement bien peint et *non pour sa ressemblance* » (« *non già per esser riuscito perfettamente simile all' originale* », c'est nous qui soulignons). Et quand, l'année suivante, Subleyras s'impose avec son *Portrait de Benoît XIV* (n° 69), c'est sans doute parce qu'il sait peindre un portrait ressemblant, mais c'est avant tout parce qu'on le sait capable de donner du nouveau pape une image qui symbolise sa fonction. A l'inverse d'un Chardin qui a toujours peint d'après le modèle, d'après nature, « sur le vif », qui dans ses derniers pastels cherche à rendre la vérité du modèle, sa nature, son individualité profonde, Subleyras fuit la ressemblance physique, idéalise, en un mot (qu'il conviendra de nuancer) préfère le beau au vrai ou, pour être plus exact, à la réalité.

Dans son jugement sur le pensionnaire résidant (encore! semble sous-entendre le Directeur) à l'Académie en 1735, Vleughels avait prédit: « Son fort sera le portrait. » Il ajoutait imprudemment, « l'histoire est trop difficile ». Le vieil artiste n'avait pas prévu, deux ans avant qu'il ne mette la dernière main à son *Repas chez Simon* (n° 33), que Subleyras allait s'imposer grâce à quelques — moins de dix! — grands tableaux à sujets religieux. Insistons sur deux points: leur taille — le *Repas chez Simon* (n° 33) mesure 2,15 m de hauteur sur 6,77 m de large; la *Messe de saint Basile* (voir n° 116) 7,40 m de haut sur 4,30 m environ de large — et le fait qu'une seule de ces compositions, l'*Assomption* de la cathédrale de Grasse (voir n° 70), est restée en place, mal éclairée et difficilement visible au fond du chœur. Le *Repas chez Simon,* à l'origine à Asti en Piémont, au Louvre depuis la Révolution et en réserve depuis la guerre, restauré à l'occasion de l'exposition, en sera, nous en sommes sûrs, une des révélations. La *Vision de saint Jérôme* et le *Christ en croix* (n°s 66 et 85) sont entrés à la Brera sous l'Empire, peu après la *Sainte Famille* peinte pour la cathédrale de Toulouse aujourd'hui au musée des Augustins (voir n° 74). La Révolution (du moins ses conséquences) a déplacé vers la pinacothèque de la ville *Saint Ambroise absout Théodose* (n° 96) peint pour Monte Morcino nuovo de Pérouse, alors que son pendant, *Saint Benoît* (n° 91), est peu accessible dans la sacristie de l'église de Sainte-Françoise-Romaine de Rome. Quant à la *Messe de saint Basile,* elle a très vite gagné Sainte-Marie-des-Anges de Rome, remplacée à Saint-Pierre par une copie en mosaïque.

Ces immenses tableaux, le meilleur de l'œuvre de Subleyras, que nous admirons aujourd'hui loin de leur contexte originel, de leur localisation première, n'ont pas grand-chose à voir avec le monde de Chardin. La génération qui découvrit ce dernier et remit à l'honneur ses tableautins ne pouvait aimer les grandes compositions de Subleyras. De celui-ci, elle acceptait à la rigueur les esquisses rapidement brossées (dont fort peu lui reviennent tant elles furent souvent répétées par ses élèves), quelques œuvres exceptionnelles et marginales, ses nus, sa nature morte, quelques dessins, mais pas ce qui constitue son apport le plus original à la peinture de son temps...

Mais n'anticipons pas. Il n'est pas de notre propos de nous pencher ici sur la vie du peintre, émouvante tant elle s'est voulue discrète, d'évoquer sa formation toulousaine, parisienne et romaine, de brosser un tableau du milieu qu'il a pu fréquenter, du rôle de l'Eglise et de ses protecteurs, de ses commanditaires et de ses amis, ni encore de dresser le portrait d'un homme modeste et cultivé (l'abbé de Fontenay en 1776 vante non seulement l'étendue de ses connaissances dans le domaine des arts, mais assure encore qu'il « aimait les belles lettres, écrivait avec esprit », appréciait la musique et les « sciences même les plus abstraites »), rapidement miné par la maladie. De tout cela il sera fait mention plus loin. Il nous paraît utile cependant d'évoquer un point qui permettra de mieux comprendre la place que Subleyras occupe dans la peinture européenne de la première moitié du XVIIIe siècle.

Subleyras fut remarqué très jeune. Le duc d'Uzès écrivait

Subleyras, *Diane et Endymion*, Londres, coll. Sir Brinsley Ford.

au duc d'Antin, le puissant surintendant des Bâtiments: «J'ai vu ses ouvrages dans le dernier voyage que j'ai fait à Toulouse, dont tout le monde a été fort content» (Pasqualoni, publié en 1786 mais écrit en 1764.) A Paris, Subleyras remporte le Grand Prix et part pour Rome où il restera jusqu'à sa mort, si l'on excepte la parenthèse napolitaine de 1746-1747 (on sait que Subleyras espérait y retrouver la santé: «les médecins crurent que l'air de Naples pouvait lui être salutaire»).

Mais peut-être ne s'est-on pas suffisamment interrogé sur les raisons qui décidèrent l'artiste à prendre définitivement demeure dans la Ville éternelle. Disons d'abord que les occasions ne lui ont pas manqué de quitter Rome et que les offres (financièrement avantageuses) qui lui furent faites (ou qu'il sollicita) de s'en retourner à Toulouse, à la mort de Rivalz en 1735, ou de se fixer à Dresde (1739), où travaillait un Sylvestre vieillissant, ou à Madrid (1741) durent parfois faire hésiter le peintre «en butte avec des difficultés d'argent». Certes, dira-t-on, Subleyras connaissait dès 1735 Maria Felice Tibaldi, sa future épouse, l'allusion est claire sous la plume de Vleughels («de la manière que je vois, je ne crois que celui-ci [Subleyras] sorte de Rome; je peux me tromper mais je ne le crois pas»). Celle-ci, à l'inverse de sa sœur, l'épouse du peintre Trémolières, ne souhaitait pas quitter sa ville natale. Certes, il dut être «dissuadé» par l'avis des médecins qui lui assurèrent que le changement de climat exposerait à la mort un «homme de complexion débile et maladive».

En fait, Subleyras s'établit à Rome sans plus désirer quitter la ville lorsqu'il sut que son art serait accepté par les Romains.

Il se savait d'un rang supérieur à Toulouse, à Dresde, à Madrid. Il savait encore, pour en avoir rencontré certains à Paris et pour en avoir côtoyé d'autres à Rome, qu'à Paris des peintres comme Carle Vanloo ou Boucher (ils avaient copié ensemble des dessins de Bloemaert), Natoire ou Trémolières, ne lui laisseraient guère de place. Il savait aussi que sa manière de peindre n'était pas celle à laquelle les Romains étaient habitués. Il lui fallait la faire accepter, l'imposer, dans une ville où la concurrence demeurait rude. Son mariage en 1739 (retardé « per motivi economici »), les commandes de Milan la même année et celle du portrait du pape l'année suivante lui assuraient un des premiers rangs. A cette place il tenait plus qu'à la fortune.

Dans ses mémoires (en grande partie inédits, manuscrit conservé au musée des Beaux-Arts de Béziers), le peintre Vien se souvenait d'être allé voir le successeur de Vleughels à la tête de l'Académie de France, Jean-François de Troy, pour lui demander conseil. Vien s'était rendu au Mont Cassin, y avait rencontré le « chevalier Conga *(sic)*, déjà très vieux » et s'était vu offrir de collaborer à la décoration de la célèbre abbaye. De Troy lui déconseilla d'accepter, « retraçant le tableau de la vie de M. Subleyras ». « Cet artiste avait du talent, me dit-il, il a beaucoup travaillé à Rome et il est mort sans avoir pu rien laisser à sa femme et à ses enfants ». « Cet exemple » ajoute Vien « me décida à rentrer dans ma patrie ». Même pauvre, Subleyras préférait être le premier à Rome.

En quoi cette manière de peindre, ce style, que le rédacteur des *Memorie* considérait comme français, pouvaient-ils surprendre les Romains ? Nous abordons là un point particulièrement délicat. D'autant plus que, s'il y a dans l'œuvre de Subleyras une évolution dont on suit assez facilement le cheminement à partir de 1737, il n'en est pas de même pour la phase toulousaine, la courte halte parisienne et le long séjour au Palais Mancini. Et pourtant, chacune de ces étapes eut son importance dans la formation de l'artiste, d'autant plus que l'apprentissage que Subleyras reçut à Toulouse n'avait pas grand chose en commun avec l'enseignement parisien et celui de l'Académie de Rome. S'il paraît assuré que Subleyras eut la révélation à Paris de la peinture claire et élégante à la Lemoine — le *Serpent d'Airain* (nº 4), son Grand Prix, en témoigne — il nous paraît non moins certain — nous y reviendrons — que l'artiste n'oublia jamais les leçons toulousaines. Ce centre provincial encore aujourd'hui bien mal connu en dépit des recherches d'un Mesuret ou, plus récemment, d'un Penent, était dans les premières décennies du XVIIIᵉ siècle fort actif, suffisamment en tout cas pour attirer un peintre né à plusieurs centaines de kilomètres, suffisamment surtout pour marquer définitivement — si l'on néglige le « polissage » parisien — un jeune artiste doué. Car — que l'on nous pardonne d'aborder ce point avec peut-être trop de précipitation — ce style « français », nous le qualifierons volontiers, pour notre part, de toulousain. Qu'on relise Vleughels : « Dans la province où il a séjourné, le goût qu'il a pris n'est pas celui qu'on voit ici » (ici fait aussi bien allusion à Rome qu'à Paris), « il a un peu de peine à se débarbouiller » écrit-il en 1731. L'année suivante, le directeur de l'Académie considère son pensionnaire comme un « honnête homme *provincial* (c'est nous qui soulignons) qui fait plutôt bien que mal ». « C'est un garçon qui a été élevé en province. » « Il a de la peine à revenir des premières préventions » précise encore Vleughels, lui-même plus sensible à la peinture vénitienne du XVIᵉ siècle qu'aux œuvres de Maratta, de Trevisani ou de Conca. Ce sont ces « préventions », auxquelles Subleyras ne voudra pas renoncer, qui finiront par assurer son succès.

Il est temps de tenter de caractériser la manière de peindre du Subleyras de la maturité, ce style si aisément reconnaissable qui, de sa sortie de l'Académie en 1735 jusqu'aux grandes œuvres de 1746, ne subira plus guère d'inflexions majeures (ce sera un des intérêts de l'exposition que de mieux pouvoir les prendre en compte).

Les admirateurs de Subleyras — nous pensons à Hermann Voss qui a magistralement su caractériser son art — ont tous vanté la finesse de son métier, la précision de son dessin, la délicatesse de son coloris. L'exécution de ses tableaux, par fines hachures croisées souvent bien visibles, cette touche quelque peu mécanique mais si savoureuse, le distinguent aisément. Comme le définissent ces grands accords de blancs, de roses et de noirs dont il sut se faire une spécialité. Subleyras éprouve un plaisir sensuel à peindre certains morceaux de draperie ou de nature morte, à trouver certains accords de couleurs, à faire jouer le mastic et le citron, le noir suie et le blanc magnolia (sans oublier le rose alizarine, le rose des lamelles des jeunes agarics, en d'autres mots le « rose Subleyras » !). Mais c'est surtout son art de la composition qui emporte l'adhésion. L'artiste fuit et fige le mouvement, l'agitation des personnages ; il ne cherche pas à donner l'illusion de la profondeur, à jouer en virtuose avec la perspective — bien au contraire. Il veut — que l'on compare à Sainte-Marie-des-Anges la *Chute de Simon le Magicien* de P. Batoni à la *Messe de saint Basile* — une peinture plate, une succession bien distincte de plans, de surfaces verticales parallèles. Et de fait, dans la pose comme dans les gestes, ses modèles acquièrent une sérénité, une noblesse, parfois quelque peu affectée. Subleyras donne à ses œuvres ce climat d'intériorisation, cette atmosphère méditative qui lui reviennent en propre. Cette émotion contrôlée qui sait prendre ses distances nous laisse parfois — admettons-le — à l'extérieur du sujet, comme un spectateur étranger, mais la clarté linéaire, la retenue de l'analyse, la distinction des sentiments emportent aisément la conviction.

Certes, on peut être agacé par certains « tics » de Subleyras, certaines répétitions de couleurs, l'anonymat des visages, tous jeunes et tous beaux, les mains ouvertes des modèles, tournées vers nous en un geste inlassablement répété : ce sont

P. Batoni,
La chute de Simon le Magicien,
Rome, Sainte-Marie-des-Anges.

J.F. de Troy,
Le bienheureux Jérôme Emilien,
Rome, San Alessio.

les conventions du temps, vite oubliées pour qui est sensible à la rigueur des compositions, leur « grandiosità », et par la justesse de chaque muscle, de chaque pli, par l'économie, toute de sensibilité, et la simplification des moyens.

Nous sommes loin, dira-t-on, de Toulouse. Certes, pour qui songe à Antoine Rivalz, encore qu'une meilleure connaissance de ce foyer si vivant obligerait vraisemblablement à être moins affirmatif. Mais surtout, c'est oublier que Toulouse, comme d'autres centres provinciaux — la démonstration en a été faite il y a quelques années pour Aix et le Midi; qui ne se souvient de l'exposition *La peinture en Provence au XVIIe siècle* (Marseille, 1978), magistralement organisée par Henri Wytenhowe — voulait résister aux innovations parisiennes. On objectera que les capitouls de Toulouse commandèrent en 1684 à Jean Jouvenet, à Bon Boullongne et à Antoine Coypel, donc aux artistes parmi les plus prisés de la capitale, des tableaux destinés à orner l'Hôtel de Ville. Deux ans auparavant, La Fosse avait livré aux Carmes de Toulouse sa grande *Présentation de la Vierge au Temple*. Mais il n'en demeure pas moins que les artistes locaux regardaient avec d'autant plus de défiance ces nouveautés qu'elles leur ôtaient le pain de la bouche. Les « Parisiens » que l'on citait en exemple étaient ceux d'une autre génération, ces Champaigne, ces Le Sueur, ces Bourdon. Du premier qui se consacra avant tout, comme Subleyras, à la peinture religieuse et au portrait, comme aussi d'un La Hyre ou d'un Stella, notre jeune artiste pouvait admirer de nombreuses œuvres dans les collections privées toulousaines (voir Mesuret, 1972). Il y a chez Subleyras quelque chose de Le Sueur, sans l'élégance sensuelle. Quant à Bourdon, natif de la voisine Montpellier, il aima sur le tard de sa carrière, les compositions rigoureuses parfaitement maîtrisées comme le sont celles de Subleyras.

Nous n'avançons pas que Subleyras doit tout à Toulouse. Ce serait ignorer sa personnalité, qui était forte, son génie. Nous ne prétendons pas plus que l'influence des artistes que nous avons cités en exemple — et d'autres noms pourraient être mentionnés, nous songeons à un Jouvenet — fut déterminante. Nous pensons simplement qu'il fut un peintre retardataire, un artiste d'arrière-garde (volontairement?) tourné vers le passé, qui dut paraître aux yeux du brillant Vleughels, du beau-frère de Panini, au fait de toutes les modes, quelque peu emprunté et gauche. Ce fut la chance de Subleyras. Ce provincial, enraciné dans une peinture dont les idéaux n'avaient plus cours, sut faire figure de novateur parmi les artistes de Rome qui passaient pour les plus savants, les plus sophistiqués du temps.

On l'a souvent écrit ces dernières années, Subleyras fait partie de ce groupe d'artistes nés autour de 1700, « la génération de 1700 », qui devait assurer à Paris une prééminence européenne que la France ne devait perdre qu'avec la seconde guerre mondiale. Subleyras connut les principaux artistes du groupe. Il se rendit à Rome en 1728 en compagnie de Trémolières et de Blanchet (ainsi que du sculpteur Michel-Ange Slodtz et de l'architecte Le Bon). Il y retrouva Dandré-Bardon, Bernard, Nicolas Delobel et les sculpteurs Edme Bouchardon et Lambert-Sigisbert Adam ainsi que l'architecte Derizet. Il y fut rejoint par les trois Vanloo, Carle, Louis-Michel et François, sans oublier Boucher. Indéniablement il y a parmi ces artistes — dont le plus doué parut être Carle Vanloo, dont le plus admiré fut Bouchardon et dont seul Boucher est resté célèbre — comme un air de famille, une élégance, une artificialité quelque peu clinquante. Chacun d'eux s'affirme selon son individualité, mais leurs œuvres (peut-être est-ce moins vrai de celles des sculpteurs) isolent celles de Subleyras. Plus minutieusement exécutées, elles paraissent plus frustes, plus robustes, en un mot — qui mériterait de plus amples développements — plus sincères.

Si Blanchet qui, lui aussi, s'établira à Rome; si Barbault, cet autre « Romain » inconditionnel qui peignit un « chasseur » et « une jeune fille vêtue de bleu » dans « la belle manière de Subleiras » (*sic*; vente du 12 mars 1782, n° 128); si Jean-François de Troy qui succèdera en 1737 à Vleughels à la tête de l'Académie et dont le *Bienheureux Jérôme Emilien* (1749) de l'église San Alessio doit beaucoup à Subleyras; si Joseph Vernet, son cadet de quinze ans, qui fut son ami; si Pierre qui gravera Subleyras et le connut durant ses années romaines (1735-1740); si Vien qui l'admira; si Houdon qui, dans son *Saint Bruno* de Sainte-Marie-des-Anges s'en inspira directement; si tous ces artistes français et bien d'autres (nous pensons à l'Ecossais Allan Ramsay furent marqués d'une manière ou d'une autre par Subleyras, c'est que la leçon avait porté. L'exemple de Subleyras est pour beaucoup dans le retour à un art plus mesuré, plus retenu, moins sensible aux virtuosités du pinceau qui triomphera sous Louis XVI, mais qui dès 1750 s'affirme en réaction aux afféteries et aux affectations de Boucher et de ses compagnons de la génération de 1700.

Arrivés à ce point, il nous faut reconnaître notre embarras et accepter notre ignorance: la dette de Subleyras à l'égard de Rome est immense. Celle de Rome à son égard, d'autres centres italiens aussi, non négligeable. Mais peut-on en mesurer l'exacte portée, la délimiter, mentionner les peintres et les œuvres qui exercèrent sur Subleyras quelque influence (on aimerait citer le bolonais Donato Creti, mort lui aussi en 1749, mais né 28 ans avant Subleyras!), en déterminer la nature, signaler ceux de ces artistes qui regardèrent avec attention ses portraits et ses tableaux religieux et souhaitèrent en tirer quelque profit?

Il nous paraît trop tôt pour en décider, en dépit des travaux d'Hermann Voss et d'Anthony Clark, d'Ellis Waterhouse (nous songeons à son important article paru en 1971 dans *Museum Studies,* n° 6, qui prend le contrepied du sévère jugement de Rudolf Wittkower dans son célèbre volume de la *Pelican History of Art* consacré à l'Italie du XVIIe et du XVIIIe siècle paru une première fois en 1958), des expositions de Chicago — Minneapolis — Toledo (1970-1971), de Storrs (1973) et surtout du *Settecento a Roma,* vieille de plus de trente ans et dont nous ne sommes pas les seuls à souhaiter ardemment une nouvelle version qui prenne en compte les recherches d'Oreste Ferrari, de Luisa Mortari, de Carlo Pietrangeli, d'Italo Faldi et de F. DiFederico, de Giorgio Falcidia et de Vittorio Casale, de Giancarlo Sestieri et de Stella Rudolph, d'Anna Lo Bianco, de Jörg Garms qui a attiré l'attention sur le cycle de Pise et d'E. Peters Bowron (notre liste, bien incomplète, n'a pas la prétention d'un palmarès), en dépit de la collection de l'avv. Fabrizio Lemme, véritable musée de la peinture romaine du XVIIIe siècle. Il nous paraît trop tôt pour donner de la vie artistique de la Rome des premières décennies du XVIIIe siècle une description fidèle, qui évoque les Romains comme les étrangers, qu'ils soient de Lucques ou de Plaisance, de Saint-Gilles du Gard ou de Versailles, d'Aussig ou de Mauerkirchen bei Braunau, les peintres comme les sculpteurs, les membres des autres académies comme Ghezzi ou Benefial, les aînés de Subleyras de vingt-cinq et de quinze ans. Il nous paraît trop tôt pour décider de l'influence que ces artistes ont pu exercer sur le peintre et pour déterminer le rôle que celui-ci, en retour, put jouer. Ajoutons qu'il est de notre intention, dans notre

Subleyras, *La vision de saint Ignace de Loyola,* Berlin, Staatliche Museen Preussischer Kulturbesitz, Gemäldegalerie.

F. Trevisani, *Portement de Croix,* Rome, église San Silvestro al Capite.

monographie sur Subleyras, de consacrer un chapitre à l'étude de cette question.

Etude délicate car elle obligera à nous pencher non seulement sur les œuvres peintes et sculptées à Rome, mais aussi sur celles exécutées pour Rome, pour les clientèles les plus variées, sans oublier les plafonds peints, genre respecté entre tous auquel Subleyras, à Rome, n'osa jamais se mesurer.

Un exemple nous ramène à notre peintre. Dans la *Correspondance* qu'échangent avec régularité le directeur de l'Académie et le Surintendant, le nom de Subleyras apparaît, de son vivant, pour la dernière fois en 1736. A cette date, sa copie de l'*Ecce Homo* de l'Albane (aujourd'hui au musée de Genève) est envoyée à Paris. Mais Subleyras a déjà quitté l'Académie et Jean-François de Troy ne fera en aucune occasion allusion aux activités de son collègue. Est-ce à dire que Subleyras avait rompu avec l'Académie? Les jeunes pensionnaires français — nous en avons cité plus haut plusieurs influencés par ses œuvres — lui rendaient-ils discrètement visite? Quelle était exactement sa place dans la Rome de Benoît XIV?

En tout cas, Subleyras travaille plus pour la province italienne et pour la France, pour l'Espagne même, que pour Rome. Ses concurrents sont souvent, comme lui, des Romains d'adoption. La ville avait gardé son internationalisme du siècle précédent même si, de plus en plus, cette place lui était contestée par Venise et par Paris, prééminence qui se doit de prendre en compte le poids de la tradition et des habitudes, les résistances corporatives et les vieux réflexes de supériorité.

Une phrase des *Memorie* nous aidera à éclairer le débat: «Les étrangers accusent à tort Rome d'être jalouse et envieuse de leurs progrès dans les Beaux-Arts et de tenter de dénigrer leurs talents. Rome est juste dans ses jugements et sut reconnaître le mérite de Subleyras bien qu'elle possédât alors Mancini et Masucci, Benetial *(sic)* et Bianchi». Ces noms sont ceux des principaux rivaux de Subleyras.

Subleyras, *Le Christ tombe sous la croix,* Francfort, Städelsches Kunstinstitut.

Ces noms sont aussi ceux que Cochin avait cités dans une lettre (trop) rarement mentionnée, publiée en 1851-1852 par Frédéric Villot et écrite sans doute peu après le retour d'Italie en 1751 (si Cochin est muet sur Francesco Trevisani dont l'influence sur notre peintre est indéniable, c'est qu'il était mort depuis 1746 et que Cochin se limitait à juger les artistes encore vivants lors de son voyage): «Les meilleurs peintres de Rome sont Mazucci, Mancinni, Pompeo Battoni, et le chevalier Corado; les tableaux des trois premiers ne me paroissent qu'un composé de choses tirées des différends maistres d'Italie, il semble qu'on ait vû tout cela ailleurs, *ils paroissent faire tout de mémoire et ne tirer presque rien de la nature* (c'est nous qui soulignons). Joignéz a cela qu'il regne dans leurs tableaux un certain ton général olivastre qu'ils prennent apparemment pour harmonie et qui n'est que monotonie. Si quelquefois ils s'élèvent a une couleur un peu plus vive, ils sont alors beaucoup trop beaux et fort au dela de la nature; leur couleur tient de la fayence; ce qui joint au doucereux de leur pinceau et à leur maniere fondue et indecise (dont la source paroist venir particulierement de Carle Maratie) produit ordinairement des tableaux assez fades. Cependant ils ont du mérite, surtout dans la partie de la composition. Leurs groupes sont ordinairement ingénieux et bien enchainéz. Il est vrai qu'on peut leur reprocher un defaut qui est asséz commun dans la composition de l'histoire: qui est que leurs figures semblent plus occupées du soin de se donner une attitude agréable, que de celui de faire l'action pour laquelle elles sont placées dans le tableau. »

Or, lorsque, dans les palais et les églises de Rome (que l'on songe à San Marcello al Corso ou à Santa Maria in via Lata, la paroisse des pensionnaires du Palais Mancini!), l'on étudie les œuvres de ces peintres et celles de leurs contemporains (Cochin, plus loin, a quelque indulgence pour C. Giaquinto!), on est frappé par une indéniable unité d'inspiration. De la leçon de Maratta, de son style, chacun de ses élèves a retenu telle particularité et tente de développer telle caractéristique, mais tous — à l'exception peut-être de Ghezzi et de Benefial et plus tard de Batoni — *pace* Cochin — et bien entendu de Mengs — ont en commun cette habileté, ce tour de main, cette artificialité, un langage brillant fait de facilité, « maniéré » par excellence. C'est ce langage, qu'il faut comprendre et dont il ne convient pas de diminuer les mérites et les qualités, que Subleyras refusa d'adopter.

Subleyras ne nous a rien livré sur sa méthode de travail. Nous pouvons cependant assez facilement la deviner. Elle a son importance pour qui tente de qualifier l'originalité de son art et son indépendance par comparaison avec ses contemporains.

Subleyras dessine d'après le modèle. Quelques-unes de ses études — presque toujours à la pierre noire, rehaussées à la craie, souvent mises au carreau et souvent encadrées d'une ligne à la pierre noire, quelquefois à la sanguine, plus rarement à la plume — nous pensons à celles du musée Atger de Montpellier — comptent parmi les plus beaux dessins du XVIIIe siècle. Il fait poser sa femme assise sur une chaise de paille, en train de lire, des jeunes gens qu'il habille de ces vêtements religieux qu'il dessine avec prédilection. Il porte au volume et au poids des chasubles et des vêtements sacerdotaux, à chaque pli de ces amples draperies, une attention maniaque qu'il n'accorde jamais aux visages de ses modèles.

En un second temps, Subleyras met en place sa composition. Il se préoccupe avant tout de la géométrie et de l'équilibre des masses, de la simplification des lignes. Sa composition est sobre, maîtrisée avec rigueur. Il préfère la droite à la courbe, la solidité des volumes à leur dégradé, le plan à la profondeur, le stable au dynamique, le lisible à l'évanescent.

Puis, il peint. Il lui arrive de le faire d'après nature (ses portraits, ses nus, sa nature morte...). Mais il peint dans la majorité des cas en utilisant aussi bien telles de ses études dessinées sur le motif que ses dessins pour l'ensemble de ses compositions. Il peint une, souvent plusieurs esquisses, dont il n'est pas toujours aisé de préciser la succession exacte, il peint encore des études pour les groupes principaux de ses compositions.

Alors seulement, il entreprend la réalisation de son tableau définitif. Cette pratique, dira-t-on, n'a rien de bien original, encore que nombreux sont les contemporains de Subleyras qui peignaient de chic. L'intéressant, chez notre artiste, est qu'il part d'une réalité observée avec minutie et jamais oubliée. Il l'introduit sans la modifier, avec un souci du détail « vrai » pour peindre tel panier de vaisselle, telle corbeille de pains, tel calice, tel encensoir... Mais cette réalité n'est présente que dans les morceaux « secondaires », accessoires. L'essentiel, les corps et les visages, les attitudes et les gestes, est volontairement idéalisé. Subleyras n'accorde aucune importance aux expressions et aux émotions. Pour l'« essentiel », il part du vrai, un vrai qu'il ne néglige pas, pour tendre au beau. Non pas le « beau idéal », mais une beauté convenable, épurée, calme...

Peut-on aller jusqu'à assurer que cette conception artistique se doublait d'un idéal religieux qui opposait à la vérité terrestre la beauté céleste? Nous l'ignorons. En tout cas, nous sommes convaincus que Subleyras, peintre réfléchi, s'était longuement interrogé sur la noblesse de son art et qu'il avait en toute lucidité voulu créer un monde qui juxtaposait, plutôt qu'il ne l'associait, le vrai et le beau.

Il est un tableau dont l'absence à notre exposition nous est douloureuse, l'*Atelier* de l'Akademie de Vienne. On pourra en admirer la reproduction en couleurs au frontispice de notre catalogue. Les raisons du refus sont, hélas, parfaitement justifiées. L'œuvre avait besoin d'être réentoilée. En cours d'opération (en 1968), les restaurateurs découvrirent, au dos de la toile originale, une première composition, un autoportrait de Subleyras, laissé inachevé. Mais au lieu de consolider le support, comme ils l'avaient souhaité, ils rendirent le tableau plus fragile, interdisant tout déplacement.

L'œuvre est sans conteste le chef-d'œuvre de Subleyras et son testament artistique. Nous pénétrons de plain-pied dans

Subleyras, *L'atelier,* Vienne, Akademie.

l'atelier du peintre tel qu'il était en 1746, à la veille de son départ pour Naples ou en 1747-48, au retour de l'artiste, gravement atteint de tuberculose. Subleyras habitait, on le sait, près de la Trinité des Monts, où il possédait un vaste atelier, successivement occupé après sa mort par Domenico Corvi, Raphaël Mengs et Gavin Hamilton.

Aux murs, posés au sol, sur des chevalets, se voient quelques plâtres, une longue échelle et vingt-cinq tableaux. Nous en exposons une majorité, nous en connaissons certains, nous recherchons les autres. Sur la gauche, le peintre est assis sur un tabouret et nous présente un autoportrait de jeunesse (perdu). Les deux portraits, celui de l'homme encore jeune aux traits amaigris, celui du jeune artiste aux yeux ardents, sont là pour nous indiquer les ravages de la maladie et nous rappeler la brièveté de l'existence. Les tableaux sur les murs — des portraits, des mythologies, des têtes d'études, des académies, peu de tableaux à sujet religieux! — datent des différentes étapes de la carrière du peintre dont ils rappellent les moments forts, comme pour en résumer la trajectoire.

Comme l'*Atelier* de Courbet, celui de Subleyras est bien une « allégorie réelle » (Winner, 1962), encore que l'identité de la personne assise sur une chaise basse dont la paille du dossier s'accorde si harmonieusement avec le vert amande du chevalet voisin n'a pas été établie. Encore qu'il reste à décider si nous sommes en présence d'une image fidèle de l'atelier du peintre ou de sa représentation idéalisée.

Pourquoi Subleyras, peintre de tableaux religieux, a-t-il choisi de conclure son œuvre par un tableau profane, une scène de genre bien particulière, un des plus beaux et des plus poignants « tableau dans le tableau » de l'histoire de la peinture? Avait-il, durant son séjour à Paris en 1726-1728, admiré l'*Enseigne de Gersaint*? Et, à l'image de Watteau, avait-il tenu à clore sa carrière par une œuvre qui lie étroitement illusion et réalité?

Peint par Subleyras en quelques mois, à un moment particulièrement douloureux de sa vie, l'*Atelier* de Vienne résume une carrière. Toutes les œuvres de l'artiste sont là, réunies en un tableau. L'*Atelier* nie le *temps*, le fige, l'arrête, il en mesure la vanité. Il en rappelle le cours inexorable. Le *temps* est venu de rendre justice à son auteur.

Courbet, *L'atelier,* Paris, musée du Louvre.

Watteau, *L'enseigne de Gersaint,* Berlin, Château de Charlottenbourg.

Pl. I
Autoportrait,
verso de *l'Atelier,*
Vienne, Akademie.

Pl. II
Charon passant les ombres sur le Styx.
(Cat. n° 11).

Pl. III
Etudes de bras pour la remise du Cordon du Saint-Esprit.
(Cat. n° 47).

Pl. IV
Le Faucon.
(Cat. nº 26).

Pl. V
La Courtisane amoureuse.
(Cat. nº 28).

Pl. VI
Les cinq sens,
dit parfois *Les attributs des Arts.*
(Cat. nº 14).

Pl. VII
Etude académique
de femme nue vue de dos.
(Cat. nº 59).

Pl. VIII
Portrait de la Comtesse Mahony.
(1715-1793).
(Cat. nº 77).

Pl. IX
Portrait de Madame Subleyras.
(Cat. n° 63).

Pl. X
La Madeleine aux pieds du Christ chez Simon le Pharisien, dit aussi *Le Repas chez Simon*.
(Cat. nº 33).

Pl. XI
Saint Jean d'Avila (vers 1499-1569).
(Cat. nº 113).

Pl. XII
Saint Jean d'Avila (vers 1499-1569).
(Cat. nº 112).

Pl. XIII
Portrait du pape Benoît XIV.
(Cat. nº 69).

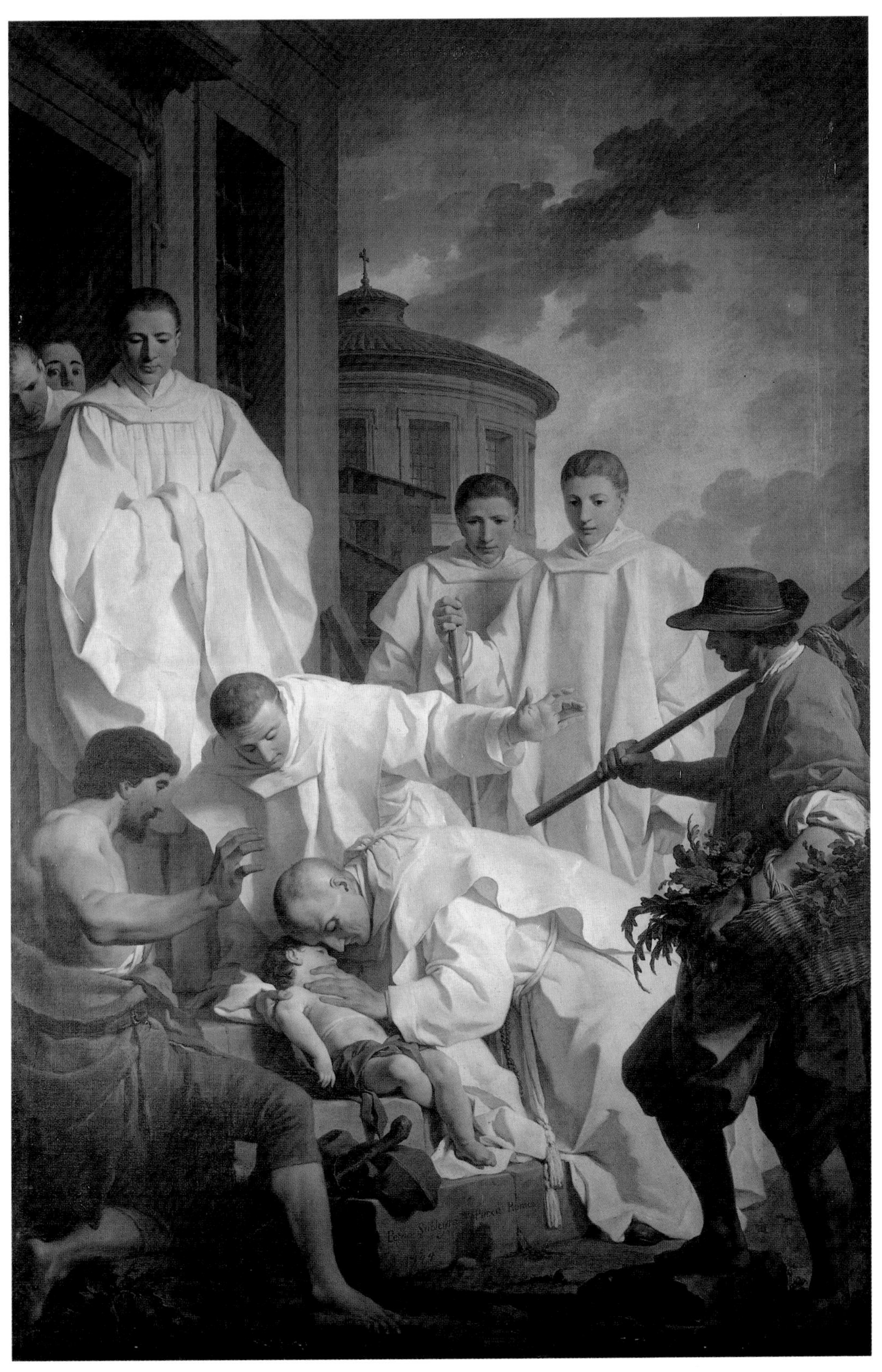

Pl. XIV
Saint Benoît ressuscitant un enfant.
(Cat. n° 91).

Pl. XV
Saint Camille de Lellis sauvant des malades lors des inondations du Tibre en 1598. (Cat. n° 101).

Détail

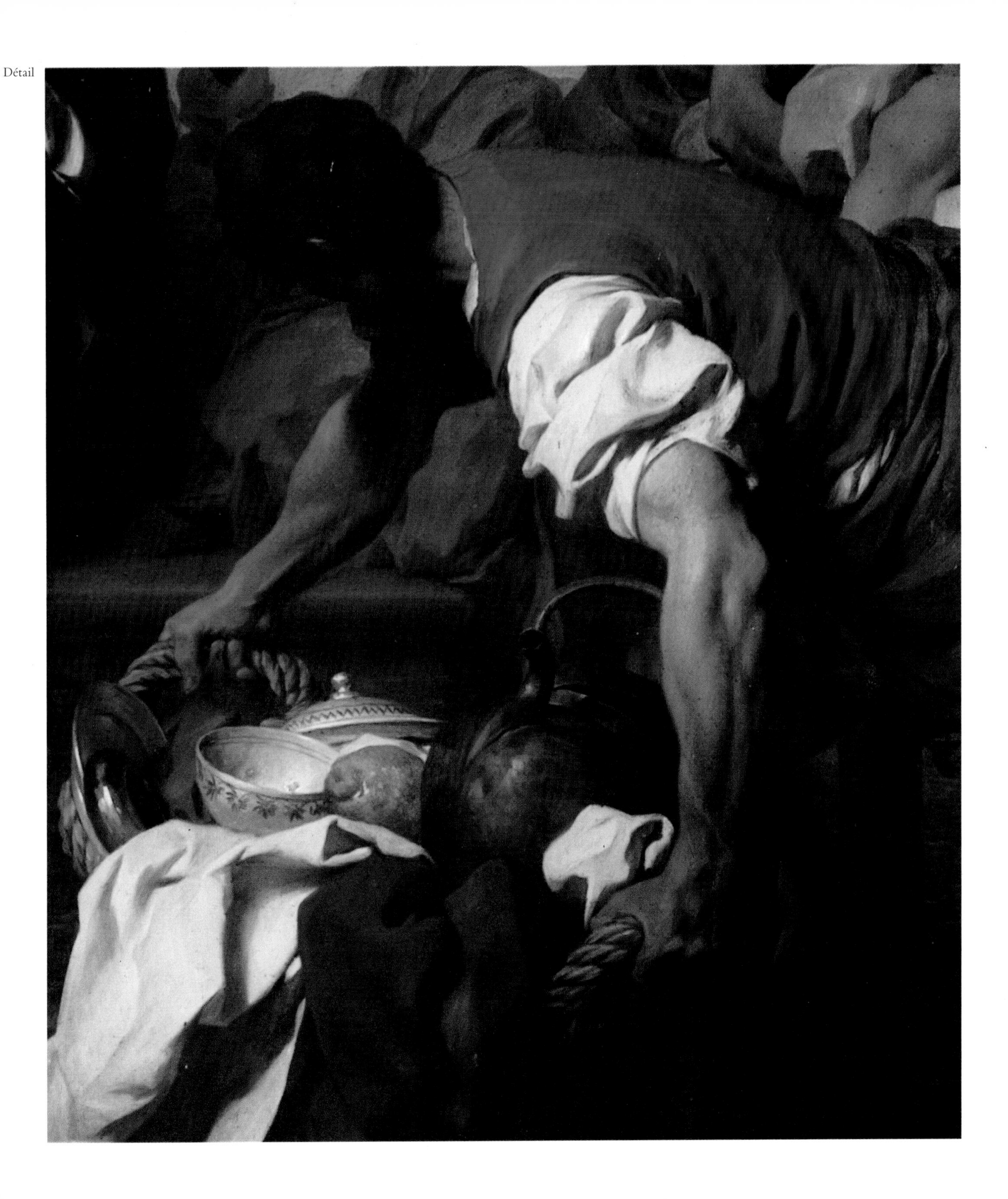

Pl. XVI
La Messe de saint Basile.
(Cat. n° 118).

Pl. XVII
Diacre tenant un calice.
(Cat. n° 120).

Introduction

Première partie. En France : les apprentissages, 1699-1728.

1. Enfance.

« Subleyras Uticensis ». Sur la foi de sa signature, on l'a cru longtemps né à Uzès, malgré deux biographies parues en 1786 dans deux journaux artistiques de Rome, oubliés sinon confidentiels, malgré la tradition toulousaine, malgré le dictionnaire de Füssli[1]. Il fallut attendre 1924 pour qu'une des vies anciennes soit exhumée et traduite, l'acte de baptême, publié[2]. Pierre Subleyras est donc né à Saint-Gilles-du-Gard, Saint-Gilles-en-Languedoc comme on le disait alors, le 25 novembre 1699 et fut baptisé quatre jours plus tard dans l'église paroissiale, d'un seul prénom selon l'usage de sa famille[3]. Il était le troisième enfant de Mathieu Subleyras et de Laurette Dumont : une sœur, Marguerite, était née à Uzès en 1695[4] et un frère, Antoine, à Saint-Gilles en 1697[5]. Aucun parrainage illustre.

On a épilogué sur le séjour des Subleyras à Saint-Gilles. Laurette Dumont serait restée dans sa famille pour la naissance de Pierre que l'on croyait son aîné, mais Odette Arnaud prétend cette jeune mère originaire de Tarascon, sans d'ailleurs donner de preuve[6]. Avec plus de vraisemblance, on a imaginé des travaux de longue durée qui auraient appelé loin de chez lui le peintre décorateur qu'était Mathieu Subleyras. Aucune trace là non plus. Depuis la Révocation de l'Edit de Nantes, l'Uzège vivait des jours troublés. En 1697, douze compagnies de soldats sont casernées à Uzès même et six cents hommes cantonnés dans les environs, prêts à « dragonner »[7]. Certes les Subleyras ont peu à craindre, étant tous bons catholiques, mais le temps n'est ni au faste ni aux fêtes, malgré l'entrée solennelle en 1698 du septième duc d'Uzès, Jean-Charles de Crussol et de son épouse Anne-Hippolyte de Grimaldi, fille unique du prince de Monaco.

La famille revint à Uzès en 1700. Le peintre dit lui-même, lors de son mariage, dans une supplique adressée au cardinal vicaire, que ses parents l'y ramenèrent à l'âge de six mois[8]. La présence de Mathieu Subleyras dans sa boutique de la grande place à arcades est attestée en mars 1700 par un document de police[9]. Il expulse avec vigueur l'employeur de son jeune frère venu lui demander des comptes. Armé d'une pièce de bois, il allait l'assommer ; déjà la perruque de l'importun est à terre ; l'homme heureusement s'esquive et s'en va porter plainte. Mathieu Subleyras était-il violent ou seulement animé ce jour-là d'une juste colère ? Il semble bien vouloir défendre plus faible que lui et se rebeller contre la prétention du requérant ; les témoignages surtout laissent apparaître un clivage social entre les deux parties : les Subleyras n'ont pas rang de notables. A partir de 1701, la famille est stable, frères et sœurs naissent avec une régularité exemplaire et meurent dans les proportions habituelles.

Saint-Gilles était un hasard ; Uzès, fière d'être le premier duché de France, où Racine à peine quarante ans plus tôt méditait sur les passions humaines, tout en lisant la Bible et saint Thomas, est la vraie patrie de Pierre Subleyras, mais non la terre de ses aïeux. Son grand-père, François, était né à Bédoin, au pied du Ventoux, sans doute en 1624[10]. Ce village

1 *Memorie per le belle arti*, 1786, Pasqualoni, 1786, *Journal du Languedoc*, 1786, Füssli, 1814.

2 Réau, 1924, p. 201.

3 Archives Municipales (= AM) Saint-Gilles-du-Gard, Registres de l'église paroissiale, 1699, p. 48.

4 AM Uzès, Saint-Julien, 1668-1701, née le 16, baptisée le 23 janvier 1695.

5 AM Saint-Gilles, id., 1697, p. 34, né le 30 septembre, baptisé le 6 octobre.

6 Odette Arnaud dans sa thèse dactylographiée sur Pierre Subleyras présentée à l'école du Louvre en 1927, p. 8 ; elle dit simplement devoir cette information à M. Prosper Falgairolle, archiviste du Gard.

7 Exposition 1985-1986, Paris, p. 143, n° 314 « Les casernes de la milice dans l'Intendance du Languedoc, 1697 », AN, MM 952.

8 Archivio del Vicariato di Roma (= AVR), Notai, Uffizio I°, Positiones 1739.

9 Archives départementales (= AD), Gard, G 970, 20 mars 1700.

du Comtat venaissin, proche de Carpentras, était un ardent foyer de catholicité. Pierre en s'installant à Rome accomplira une manière de retour aux sources et son amitié pour Vernet, Jean-Pierre Franque ou Duplessis décèle un attachement profond à ses origines paternelles. Les évêques d'Uzès ont-ils appelé à eux des artisans dont la foi était la première recommandation pour restaurer leur ville ? Le palais épiscopal avait été mis à mal, la cathédrale abattue à deux reprises. Sa réédification, commencée après 1633 par l'évêque Nicolas de Grillée ne sera achevée qu'en 1663 par Jacques-Adhémar de Monteils de Grignan. Michel Poncet de La Rivière veilla à meubler et décorer[11]. Ainsi François Subleyras en compagnie de Pierre Bruget, l'un et l'autre maîtres menuisiers, sont-ils chargés en 1678 d'exécuter les stalles de la cathédrale, les chaises des dignitaires et des chanoines et les boiseries du palais épiscopal[12].

François était alors installé à Uzès depuis au moins trente ans, puisqu'il s'y était marié une première fois en 1648[13]. Il eut de deux lits une descendance nombreuse dont lui restèrent six fils, tous artisans aux talents divers. Etienne, l'aîné des survivants, était serrurier-ferronnier. Comme son père, il travailla à la cathédrale pour laquelle on lui commanda deux balustrades de fer. Le plus jeune, Joseph, celui qui eut maille à partir avec le sieur Daniel Levieux son patron, était « faiseur de bas », trouvant à s'employer dans une industrie récemment implantée à Uzès et destinée à y prospérer. Deux autres, comme leur père, sont menuisiers : l'un, par exemple, fait « un cheval de bois pour la ville pour y exposer les femmes mal vivantes »[14], mais la frontière est mouvante entre artiste et artisan et Pierre, un oncle du nôtre, mort avant la naissance de son neveu, se présente aussi comme sculpteur : une Vierge de bois appartenant à une famille d'Uzès porte la signature de Subleyras. Enfin il y a deux peintres : Mathieu n'est pas seul, bien qu'il soit le seul dont on parle à cause de son fils. Il est le « cadet Subleyras peintre »[15], né en 1670 et de neuf ans plus jeune qu'Antoine dont on ignore tout sinon qu'il était marié, sans enfant, donc plus riche que Mathieu, qui n'aura rien à laisser à ses héritiers.

Telle est la famille au milieu de laquelle grandit Pierre Subleyras, une famille simple mais active, riche d'enfants plus que d'argent, une famille unie où l'on travaillait côte à côte, se prêtant main forte et s'assistant mutuellement dans les moments difficiles. Elle tenait son rang à l'église, l'un d'eux « servant de clerc » à Saint-Julien leur paroisse et Mathieu comptant parmi les confrères de la « Congrégation érigée aux Jésuites », qui accompagna sa dépouille en 1734[16]. Sur leur niveau culturel, habituellement modeste parmi les travailleurs manuels, plus relevé en pays de prosélytisme, aucune indication ne nous est parvenue. On peut dire seulement que les hommes de la famille savaient lire et écrire, puisque souvent au bas des actes, on trouve leurs paraphes, tracés sans maladresse. Pierre Subleyras avec toute la science que ses biographes lui prêtent, son goût pour la spéculation, ses dons artistiques multiples, n'en apparaît pas moins comme un prodige.

Dans la boutique paternelle, que put-il apprendre ? Il est en effet de la lignée de ceux dont on dit qu'ils reçurent les premiers rudiments à la maison, enseignés par un père au médiocre talent. Une fois le nom de Subleyras devenu célèbre, Uzès a beaucoup prêté à Mathieu à défaut de pouvoir donner à Pierre. On a retrouvé trace dans les comptes de la ville de l'activité d'un Subleyras, mais est-ce Mathieu ou Antoine ? En 1699, il peint les armes du comte de Roure, en 1706 les armoiries de l'évêque de Narbonne, en 1711 une bannière aux armes de la ville, entre 1729 et 1732 des guérites[17], il s'agit ici sûrement de Mathieu, car son aîné est mort depuis 1727[18]. De toutes façons, ce sont là des œuvres éphémères. On a voulu aussi qu'il ait décoré les bas-côtés de la cathédrale de grands rinceaux dorés sur fond d'azur, mais en 1678, tandis que François Subleyras fabriquait des stalles, un certain Guérin de Pont-Saint-Esprit était chargé de la peinture du sanctuaire[19], Mathieu n'avait alors que huit ans. A travers la ville, on montre des fresques qui lui sont traditionnellement attribuées : celle du rez-de-chaussée de l'hôtel Pougnadoresse rue Port-Royal, celle de l'hôtel Dampmartin qui orne le haut d'un escalier de motifs menus évoquant les vents qui font tourner la girouette[20], celle d'une salle de l'ancien Palais épiscopal — qui abrite aujourd'hui musée, bibliothèque et archives — où l'on voit de gros bouquets encadrant un motif central. D'une autre qualité est le décor de la folie du marquis de Fontarèches[21], récemment restaurée par le nouveau propriétaire. Dans une voûte, quatre médaillons figurant les saisons sont pris dans les entrelacs à la manière des Audran. Le dessin est précis, la composition équilibrée, le coloris soutenu. Mais aucune de ces œuvres n'est sûrement datée ni sérieusement attribuée. Au demeurant le genre même de ces peintures, leur esprit sont étranger à Pierre Subleyras, à moins qu'il n'ait gardé au

10 AM Bédoin, GG 3, fol. 15v, 14 mars 1624: *Franciscus ex Stephano Subleyras et Isabelle Nicolasse.*

11 Charvet, 1870, p. 47.

12 Vial, 1922, d'après AD Gard, 2 E[1] 705, 8 février 1678.

13 AM Uzès, GG 14, p. 12, 17 octobre 1648; GG 14, 19 avril 1653 Etienne; GG 16, 23 novembre 1659 Pierre, 13 novembre 1661 Antoine; GG 9, 13 juin 1666 Henri; GG 10, 31 janvier 1670 Mathieu, 20 mai 1676 Joseph.

14 Lamothe, 1868, d'après AM Uzès CC 113.

15 AD Gard, G 970, cf. note 9.

16 AM Uzès, GG 19, p. 848, 17 novembre 1734.

17 Lamothe, 1868, pp. 12, 14, 16.

18 AM Uzès, GG 11, 8 mai 1727.

19 Communication écrite deM[me] Peyroche d'Arnaud.

20 Chauvet, 1985, pp. 196, 227.

21 Id., p. 111.

M. Subleyras (attr.), plafond de l'escalier de l'hôtel Dampmartin à Uzès.

fond de sa mémoire le souvenir de ces grâces un peu frustes, le goût des fleurs qui éclaire nombre de ses tableaux les plus graves. Les tableaux de chevalet ont fait sa réputation. Or de son père, on en cite un seulement, payé en 1708. Ce serait dans la chapelle de l'hôpital, au maître-autel, la copie de la *Transfiguration* de Raphaël, aujourd'hui peu lisible. Même si la réfection de l'hospice en 1748 ne laissait planer un doute sur l'identité de l'auteur, il ne saurait convaincre sur la qualité des leçons de Mathieu Subleyras[22]. Il révèle cependant l'existence de modèles sous forme de gravures, offrant à l'enfant un enseignement plus subtil auquel il sera fidèle sa vie durant, celui des grands maîtres du classicisme italien. Ce que lui aura sûrement appris son père, c'est l'humble travail de la préparation de la pâte qui fera de Pierre Subleyras un bon artisan avant d'être un grand peintre.

Il est rituel et sans risque de découvrir une vocation irrésistible et des dons précoces chez les plus grands artistes. Les biographes de Subleyras n'y manquent pas. Mais seuls les plus anciens, Pernety en 1757 et Dezallier d'Argenville en 1762, encore proches d'une tradition familiale, s'y arrêtent. « L'ardeur avec laquelle son fils se portait à l'étude du dessein, dicta sa profession à ce père », écrit le second. Le premier précise « qu'il fit dès le bas âge des compositions de tous les sujets de l'histoire sacrée et profane qui sentoient déjà le grand maître ». Et comme pour en donner la preuve, deux petits tableaux représentant l'un l'*Adoration des Mages* et l'autre celle des bergers (n° 1, fig. 1 et 2), vendus en 1782, sont

22 Id., pp. 255-256.

présentés ainsi: « Ces deux morceaux peints par cet habile artiste à l'âge de dix-sept ans annoncent le degré de supériorité auquel il devait atteindre »[23]. Subleyras a eu dix-sept ans à la fin de l'année 1716. Il y a environ un an, selon ses propres dires, qu'il a quitté Uzès pour aller se former dans l'atelier d'un peintre plus habile que son père et parvenir à ce degré de virtuosité.

2. Dans l'atelier de Rivalz.

A la fin du XIXe siècle, il a paru bon de trouver un maître digne de ce nom pour assurer la transition entre ce père sans vraie compétence ni talent et Antoine Rivalz. Ce fut le frère Imbert. A mesure que sort de l'ombre la personnalité de ce religieux, profès de la chartreuse du Val-de-bénédiction à Villeneuve-lès-Avignon, disciple à Paris de Lebrun et de Van der Meulen, le nombre de ses élèves va croissant. Mais Mariette qui cite deux peintres, Etienne Parrocel et Adrien Manglard, l'un et l'autre par la suite Romains d'adoption, ne souffle mot de Subleyras[24]. Ni ses fils qui inspirèrent la vie de 1786, ni le peintre lui-même dans la supplique dont nous avons parlé ne font allusion à un passage dans l'atelier du frère Imbert. Il est vrai qu'Uzès est proche d'Avignon, que la famille Subleyras est originaire du Comtat, que les amitiés du peintre à Rome seront surtout avignonnaises. S'il y a la moindre réalité dans cet apprentissage, le frère Imbert n'a pu que conforter Subleyras dans l'admiration des classiques italiens et surtout des Bolonais que lui-même avait été voir et copier. Mais Uzès est en Languedoc et regarde vers l'ouest, liée administrativement à Toulouse où ses consuls se rendent régulièrement, où le duc siège aux Etats généraux de la province.

En route vers Toulouse, le jeune Subleyras fit une étape qu'il est seul à rappeler. Il s'arrêta, dit-il, une année à Carcassonne. Il n'y a pas lieu de suspecter le peintre, tant il a peu d'intérêt à mentir, mensonge inutile qui de surcroît tiendrait du parjure dans une supplique adressée au Saint-Office. Cette halte à Carcassonne ne laisse pas d'intriguer. Serait-elle à l'origine des liens privilégiés qui unissaient Subleyras à Pierre Poulhariez ? Originaire de Chalabre en Ariège, installé à Carcassonne marchand drapier, ce bourgeois, fortune faite, devint gentilhomme[25]. Allié aux meilleures familles, il fut consul de la ville en 1701 et Capitoul de la Daurade à Toulouse en 1724. Sans être collectionneur, comme le sera son fils aîné, Nicolas, fixé à Marseille et amateur de Vernet[26], il pratiquait un mécénat discret dont bénéficièrent l'église Saint-Vincent sa paroisse et la Confrérie des Pénitents Bleus. Or pour leur chapelle, il commanda à Subleyras un grand tableau représentant la *Dernière communion de saint Jérôme*, moins inspiré de l'œuvre célèbre du Dominiquin que d'une toile d'Augustin Carrache que le peintre sans être allé à Bologne pouvait connaître par une gravure de François Perrier. A l'église Saint-Vincent, Pierre Poulhariez fonda une chapelle dédiée à la Sainte Croix où il fut inhumé et qu'il eut soin d'embellir d'une représentation d'*Héraclius portant la croix* (n° 96, fig. 8). La disparition du tableau empêche de le donner avec certitude à Subleyras, bien qu'une esquisse de sa main traite le même sujet, bien qu'on dise la toile venue de Rome comme le saint Jérôme[27]. A ces deux œuvres religieuses s'ajoute le fameux portrait de Madame Poulhariez et de sa fille (n° 5), que l'on estime être un des meilleurs de la période des débuts. Ces trois œuvres de prix aux yeux mêmes du commanditaire manifestent une préférence qui put être lors du passage à Carcassonne un pari sur un jeune peintre aux dons évidents. La carrière de Subleyras est jalonnée de protections dont certaines éclatantes comme celle du pape Benoît XIV, d'autres pourraient avoir été plus obscures et non moins efficaces. Pour achever de rêver sur ce point d'histoire, disons que le beau-frère de Pierre Poulhariez se nommait Raymond Rivalz, « Conseiller du roi et receveur des décimes du diocèse »[28], un cousin peut-être d'un peintre célèbre vers qui s'achemine le jeune Uzétien.

Au moment où Subleyras arrive à Toulouse, à dix-sept ans si l'on suit sa chronologie, Antoine Rivalz est assurément l'artiste le plus coté de la capitale du Languedoc. « Sa réputation faisait grand bruit dans la province »[29], écrit-on pour expliquer que le nom de cet « excellent professeur » ait atteint Uzès et justifier un apprentissage aussi lointain. Depuis 1703, la charge officielle de peintre de l'Hôtel de Ville lui assurait une suprématie que soutenaient un talent réel et la longue expérience acquise tant à Toulouse auprès de son père qu'à Paris et à Rome où il avait passé plus de dix ans. Ce maître n'avait donc rien d'un provincial, mais à l'abri des modes de Paris, il restait fidèle à l'héritage classique du dix-septième siècle que lui avait transmis à Rome Carlo Maratta, sans brider pour autant la fougue de son tempérament. Son œuvre public était déjà en 1717 un exemple convaincant de son savoir faire. Dans la galerie du Capitole, trois compositions illustrant l'histoire de Toulouse, *Sosthène, roi de Macédoine, fait prisonnier par les Tectosages, Les Toulousains menant Littorius, général romain, captif à Toulouse* et *Raymond IV comte de*

23 Vente Pailler, 30 janvier 1782, n° 66; aujourd'hui à la Residenz-Galerie de Salzbourg.

24 Mariette, *Abecedario*, t. II, 1853-1854, p. 398.

25 Mahul, 1872, t. VI (2), pp. 210-212.

26 Perrier, 1897, p. 422.

27 Mahul, 1872, t. VI (1), p. 381; Exposition 1973, Houston, n° 76; Exposition 1984, Flaran, p. 79, n° 58.

28 AD Aude, 3 E 1135, 23 janvier 1701, contrat de mariage de Raymond Rivalz et Marie Dardé.

29 Pernety, 1757, p. 284.

Toulouse recevant la croix des mains du pape Urbain II soutenaient la comparaison avec des tableaux antérieurs dus à des artistes « parisiens », Jouvenet, Bon Boullogne, Antoine Coypel. Une allégorie célébrant la naissance du duc de Bretagne avait été reléguée dans une partie moins visitée de l'Hôtel de Ville, à la suite de la mort prématurée de l'enfant, mais dans la salle du Grand Consistoire étaient visibles deux toiles récentes commémorant la Paix d'Utrecht de 1713 et l'avènement de Louis XV en 1715. Dans ces années-là, l'artiste peignait à la demande des chanoines de Saint-Sernin, *La consécration de l'église par Urbain II*[30]. Se détachant sur un fond d'architecture évoquant sobrement les galeries romanes de la basilique, la figure solitaire du souverain pontife tendue vers la lumière de la croix allie la solennité du geste à la magnificence de la chape qui emplit le tableau de pourpre et d'or, couleurs de la Rome impériale et pontificale. Des signes temporels surgit l'impression de grandeur spirituelle, le sentiment du sacré naît du réalisme de la représentation. C'est une leçon qu'entendra Subleyras.

30 Exposition 1984, Flaran, p. 46, n° 23.

A. Rivalz, *Le pape Urbain II*, Toulouse, musée des Augustins.

Subleyras, *La dernière communion de saint Jérôme,* Carcassonne, église Saint-Vincent.

Dans son vaste atelier du Capitole, Antoine Rivalz « se faisait un plaisir de recevoir les jeunes gens auxquels il reconnaissait des aptitudes artistiques et la volonté de travailler pour leur donner des leçons de dessin »[31]. Pierre Subleyras, en ce sens, se recommandait lui-même, s'il n'était par ailleurs recommandé. Il côtoya nombre de ceux qui réussiront à Toulouse : Pierre Lucas (nº 2), de huit ans son aîné dont il fera le portrait en signe d'amitié ; ce sculpteur, élève puis rival de Marc Arcis, était lié à Rivalz à qui il faisait corriger ses dessins. Il y a surtout les peintres Ambroise Crozat et Guillaume Cammas, plus âgés l'un de quatre ans et l'autre seulement d'une année. Les repères manquent pour savoir si Subleyras rencontra à son arrivée Jean-Pierre Dufrèche, plus jeune de deux ans, qui l'accompagnera à Paris dix ans plus tard ou même Jean Labarthe. Jean-Baptiste Despax est encore un enfant. Dans cet atelier, on dessinait d'après l'estampe, la ronde bosse et les travaux du maître. Les élèves ne s'aperçurent que plus tard qu'il leur manquait le modèle vivant. En 1726, ils s'associèrent pour en payer un, demandèrent à Rivalz de leur prêter une salle et de « vouloir bien diriger leur école »[32]. Le nom de Subleyras est toujours associé à cette démarche, bien qu'à cette date il dut être déjà à Paris, à moins que, reconnaissant les bienfaits d'une académie, il en ait inspiré de loin la formation. A Toulouse, Subleyras se découvrit d'autres lacunes. D'après la *Vita* composée en 1764 par l'Arcade Pietro Pasqualoni, c'est dans cette ville qu'il entreprit des études par goût, mais aussi par une juste compréhension de son art : « Pour mieux progresser en peinture, Subleyras ne négligea aucune des études qui lui sont nécessaires quoique souvent délaissées, je veux dire l'histoire sacrée et profane, une connaissance suffisante des sciences pour mieux animer ses toiles, étant donné que la seule habileté en dessin, la seule maîtrise dans la répartition des couleurs ne sont pas des dons suffisants pour former un peintre achevé ». Le nom de Dupuy du Grez vient aussitôt à l'esprit. Son *Traité sur la peinture pour apprendre la théorie et se perfectionner dans la pratique*, paru en 1699, était dans la bibliothèque de son ami Antoine Rivalz qui l'avait illustré. L'auteur était aussi à même de le commenter aux jeunes gens avides de savoir, puisqu'il ne mourut qu'en 1720.

Après deux ans et demi d'apprentissage à Toulouse, Subleyras rentre à Uzès. Aucun biographe n'a fait allusion à ce retour, lui-même n'en a pas explicité les raisons. Maladie ? Nostalgie ? Désir d'une réussite immédiate et facile dans un cadre familier ? Pourraient alors être siens des travaux de bonne qualité que l'on donne traditionnellement à son père, comme la voûte de la folie du marquis de Fontarèches. En toute certitude, il ne reste de ce séjour qui dura, dit-il, plus de

31 Desazars de Montgailhard, 1905, p. 146.

32 Du Mège, 1846, p. 363.

Subleyras,
Portrait de Jean-Pierre Dufrèche,
Toulouse, musée des Augustins.

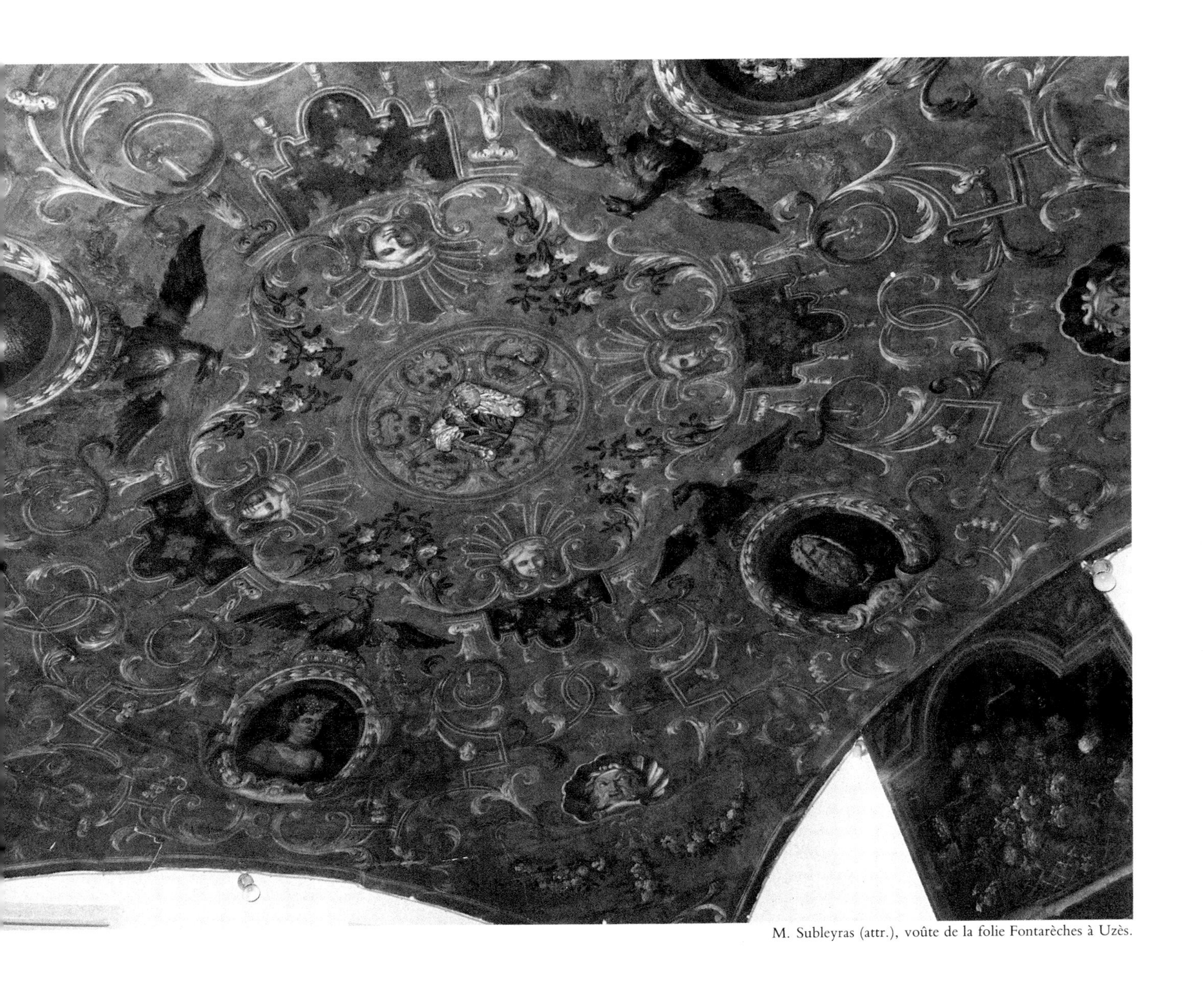
M. Subleyras (attr.), voûte de la folie Fontarèches à Uzès.

deux ans, que deux traces ponctuelles. Le premier janvier 1722, dans l'église Saint-Julien est baptisé l'un de ses cousins germains, fils du plus jeune de ses oncles, Joseph, le « faiseur de bas ». Le parrain se nomme fièrement « Pierre Subleyras peintre »[33]. De cette année-là est également daté le double portrait de ses parents qui porte au dos de la toile une inscription maladroite et curieusement restrictive, puisque la mère n'est pas mentionnée: « Mathieu Soubléras peintre, peint par Piere Soubléras son fils et son élève en 1722 à Uzès ». C'est sa première œuvre dans un genre où il excellera. Elle n'est qu'émouvante[34].

Subleyras, *Portraits du père et de la mère de l'artiste*, coll. part.

3. Premiers succès.

Pierre Subleyras repart pour Toulouse. Ce n'est plus un apprenti s'il a encore beaucoup à apprendre. Les événements de ces quatre années à venir se réduisent à ses œuvres. On ne sait rien de sa vie, sinon qu'il reste dans la dépendance d'Antoine Rivalz et apparaît dans les textes comme son élève le plus doué à qui le maître délègue une partie de ses tâches. Ainsi au Consistoire du 23 décembre 1722, une somme de cent livres est allouée à Rivalz « pour l'augmentation faite au grand tableau des huit portraits de Messieurs les Capitouls de la présente année 1722 contenant le sacre du Roy Louis XV »[35]. C'est la seule trace contemporaine de ce que l'on considère être la première œuvre toulousaine de Subleyras et il n'est même pas nommé. Mais dans la saisie révolutionnaire de 1794, la toile est identifiée comme le « sacre d'un tyran par Subleyras »[36] et la liste des œuvres confisquées à Toulouse, envoyée à Paris en 1795 sous la signature de Lucas, la mentionne ainsi: « A la maison commune, le sacre d'un roi peint par Subleyras sur le dessin de Rivalz »[37]. Jean-Paul Lucas, dans son catalogue de l'an V du Museum provisoire, commente cette attribution: « N° 198, Le sacre d'un souverain. Subleyras a peint ce tableau d'après le dessin de son maître: on y remarque toujours son joli ton et surtout un beau faire dans les linges, partie qu'il possédait avec tout l'avantage possible »[38]. Il faisait de toute évidence état d'une tradition toulousaine à travers les souvenirs de son père qui fut un témoin direct. Sans esprit de polémique, puisque l'invention, c'est-à-dire l'essentiel, revient bien à Rivalz, il rend à l'exécutant sa part de mérite. La composition, inspirée de descriptions, d'un dessin envoyé ou mieux de gravures populaires tirées aussitôt puisque le sacre eut lieu le 25 octobre, donc deux mois avant le paiement, sent le pensum tant l'imagination est contrainte. La peinture, elle, suit le dessin avec une fidélité consciencieuse, figeant les acteurs de la scène, une théorie de grands personnages, dans une solennité convenue et raide, digne de l'imagerie. Elle reprend sa liberté dans la partie supérieure. La couleur plus subtile, la touche plus légère suggèrent non sans humour la vie des spectateurs dans les tribunes. Dans cette désinvolture heureuse, on voit l'œuvre personnelle de Subleyras, si tant est que le dessin de Carcassonne dont les variantes interdisent d'y reconnaître une copie du tableau, ne soit aussi un projet de Rivalz[39], élargissant le dessin de Toulouse[40]. La miniature du Livre des Annales aurait également été, selon Malliot, l'œuvre de Subleyras[41].

Au Salon de Toulouse, en 1779, le chevalier Rivalz prêta une esquisse que le catalogue décrit ainsi: « Un plafond représentant Bacchus sur des nuages; un enfant presse des raisins dans sa coupe tandis que d'autres sont occupés à en fouler dans une tonne; ce morceau exécuté sur les dessins et la conduite d'Antoine Rivalz est un des meilleurs de Subleyras »[42]. Ce morceau tant vanté serait l'esquisse du plafond de l'Opéra de Toulouse. Installé en 1687 dans l'ancienne salle du jeu de paume, l'édifice fut endommagé en 1748 par un incendie qui dut être fatal à la toile. Malgré les

33 AM Uzès, GG 11, p. 311.

34 Collection privée, huile sur toile, H. 50; L. 70.

35 Exposition 1956, Toulouse, p. 73, n° 214.

36 *Inventaire général des richesses d'art de la France, Province, Monuments civils*, t. VIII, 1908, p. 138.

37 AN, F^{17} 1270^{A} n° 113.

38 Musée Toulouse 1796-1797.

39 Musée des beaux-arts de Carcassonne, inv. 92, H. 38; L. 50.

40 Exposition 1984, Flaran, p. 50, n° 27.

41 Bibliothèque municipale de Toulouse, manuscrit 998, Joseph Malliot, *Recherches historiques sur les établissements et les monuments de Toulouse*, p. 230.

42 Mesuret, 1972, p. 353, n° 3703.

métamorphoses nombreuses du lieu, les stucs qui l'entouraient, exécutés par Marc Arcis, étaient encore en place en 1927. Il reste désormais, visible dans le hall d'un cinéma, successeur lointain de l'Opéra, un grand bas-relief de ce sculpteur représentant Apollon et les Muses[43]. La signature donne la date approximative de l'œuvre disparue de Subleyras, 1725[44]. Toujours dans la dépendance de Rivalz, le peintre interprète son dessin, mais d'un tableau, il est passé à une décoration plafonnante qui le prépare à l'étape suivante.

L'embellissement de la chapelle des Pénitents Blancs progressait avec lenteur tant les ambitions de cette confrérie dépassaient ses ressources[45]. Aux environs de 1720, il reste à décorer le plafond qu'il convient auparavant de consolider, mais « il y a longtemps, dit-on dans l'assemblée du 11 février, que l'échafaudage pour réparer le plafond de la chapelle est dressé sans que depuis il ait été fait le moindre

43 *L'Auta*, mars 1981, n° 465, p. 86. Le bas-relief de Marc Acis est désormais visible au Rio ; nous remercions M. Jean Penent de nous avoir signalé cette référence.

44 Souchal, 1977, t. I, p. 21.

45 Mesuret, 1960, p. 456 ; AD Haute-Garonne, E 926 à 933 et 19 J 4.

Subleyras d'après un dessin d'A. Rivalz, *Le sacre de Louis XV*, Toulouse, musée des Augustins.

semblant de mettre la main à l'œuvre». Le 14 septembre 1721, une quête est décidée pour réunir des fonds et enfin le 1er mars 1722, contrat est passé pour la sculpture entre «le Sieur Fougassié procédant en qualité de Commissaire... de l'Archiconfrérie de Messieurs les Pénitents Blancs» et «Pierre Lucas sculpteur», suivi aussitôt d'une contestation de Marc Arcis dont Lucas aurait copié le dessin. Antoine Rivalz, requis comme expert parce qu'il est «incontestablement la personne la plus capable de la province pour en juger», semble jouer double jeu, se déclarant d'abord pour le projet de Marc Arcis, feignant ensuite de ne pas le reconnaître dans celui de Pierre Lucas auquel il apporta quelques retouches. Ce plafond à l'italienne devait comporter quinze ovales dans lesquels seraient placées les peintures, mais sur ce point, les archives des Pénitents Blancs sont étrangement silencieuses. Il faut attendre les saisies révolutionnaires pour connaître l'ampleur de la commande passée à Subleyras, cinq toiles enregistrées par Lucas dans l'«Etat des tableaux trouvés dans les ci-devant églises»: la *Circoncision,* le *Songe de saint Joseph* (n° 3), *Saint Pierre guérissant les malades,* l'*Annonciation* et *Joseph expliquant les songes à Pharaon*[46].

Les tableaux, conservés aujourd'hui au Musée des Augustins, ne laissent aucun doute sur l'attribution. Rien ne permet cependant de les dater avec précision ni d'établir entre eux un ordre chronologique. On sait seulement que le 30 juillet 1724, «il paraît très nécessaire de nommer des commissaires pour qu'ils ayent le soin de faire accélérer les tableaux et la dorure du plafond de ladite chapelle». Cette impatience souligne les lenteurs du peintre, qu'il soit occupé ailleurs, qu'il soit intimidé par l'importance de la première œuvre réalisée sous son nom sans l'appui du dessin de Rivalz, une œuvre qui le mettait seul aux prises avec toutes les difficultés d'une décoration plafonnante. Ce sera curieusement la première et la seule. L'occasion lui en a-t-elle manqué? Jugea-t-il lui-même ses faiblesses? Les toiles sont belles avec des formes pleines, des couleurs raffinées subtilement associées. Elles montrent chez lui le goût du réel, le sens du quotidien, l'intuition de la beauté des objets qui le rangent aux côtés de Chardin dont il avait l'âge. Mais elles accusent aussi des incertitudes dans la composition et la maîtrise de l'espace. Il n'empêche: les Pénitents Blancs satisfaits décident à la fin de l'année 1725 de faire appel, pour compléter le programme, au «peintre de la Circoncision». Cette dénomination laisse entendre qu'ils voyaient là son chef-d'œuvre. Des cinq toiles, c'est à vrai dire la plus solide, la moins éthérée. Le premier janvier 1726, ils désignent clairement Subleyras et prévoient de profiter de son passage à Toulouse pour établir un contrat. Puis tout se perd dans les sables. Selon Malliot, Subleyras aurait écrit de Rome peu après son arrivée «pour offrir d'achever les tableaux du plafond des Pénitents Blancs de Toulouse dont les esquisses quoique faites depuis longtemps lui avaient mérité des éloges à Paris et à Rome. Il proposa de les faire au même prix que les premiers et de les faire transporter à Toulouse à ses dépens». Mais c'est Ambroise Crozat, «un autre peintre dont les talens surtout dans cette partie étaient de beaucoup inférieurs aux siens», qui acheva la décoration avec dix ovales dont trois seulement sont exposés au Musée des Augustins[47].

Subleyras, en 1726, est donc en chemin. Fait-il halte à Toulouse en route vers Paris, suivant les traces de son maître? Rivalz, dont la générosité à l'égard de ses élèves est notoire, l'a-t-il incité à partir par amitié, évoquant, au-delà de Paris, Rome dont lui-même s'était détaché à regret, jugeant impartialement ses chances d'obtenir le Grand Prix et la faveur du roi qui ouvraient là-bas les portes de l'Académie? L'y a-t-il poussé, secrètement jaloux de ses succès, conscient de se préparer «un rival redoutable»? «On était mécontent à Toulouse du pinceau dur et sec de Rivalz», lit-on dans les *Memorie.* Malliot, moins polémique, écrit aussi: «Il répondait si bien aux soins de son maître que sous peu ses ouvrages furent recherchés des amateurs. Tous à l'envie désirèrent avoir quelques-unes de ses productions». De ces productions et de ces amateurs, seuls à nous en donner l'idée sont les livrets des Salons de Toulouse[48]. Subleyras y tient une place honorable pour un artiste qui a quitté la ville aussi jeune. Mais les expositions de l'Académie Royale ne commencent qu'en 1751 et depuis deux ans la carrière de Subleyras est achevée. Les œuvres présentées datent-elles des années toulousaines ou sont-elles des achats postérieurs? Car son nom est loin d'être oublié malgré l'éloignement: les chanoines de la cathédrale s'en souviennent encore en 1741. Trois scènes de la vie du Christ pourraient être en revanche les esquisses d'un cycle de six toiles qui décorent maintenant le chœur de la cathédrale de Lavaur et que Jean-Claude Boyer désire attribuer à Subleyras non sans pertinence[49].

Réunis, les tableaux exposés à Toulouse donnent une image fidèle de l'œuvre entier: sujets religieux en majorité, dont bien sûr ici certains sont directement inspirés de Rivalz s'ils n'en sont pas la copie, quelques sujets mythologiques et des portraits, un des talents le plus universellement reconnu à Subleyras. Il y a aussi cette nature morte (n° 14), qui en 1773 se trouvait dans la succession du chevalier de Lasalle. C'est la seule dont on soit sûr par tradition, mais on en trouve des échos dans les plus beaux tableaux de Subleyras sous forme de vaisselle, de corbeille de pain ou de panier de fleurs. Lucas, en la décrivant, laisse transparaître un peu de la vie du peintre: «Il aimait avec passion la musique et pour se délasser de la peinture, il prenait son violon et en jouait en contemplant l'ouvrage qu'il faisait, et puis il se remettait à peindre

46 AN, F17 1270A n° 115.

47 Malliot, *Recherches*, p. 536.

48 Mesuret, 1972.

49 Boyer, 1985.

avec ardeur. Il aimait le travail au point qu'un jour ayant fini de bonne heure un tableau, il prit une toile et s'amusa à peindre tout ce qui était négligemment posé sur sa table»[50].

4. Le Grand Prix.

Point n'est besoin d'imaginer au départ de Subleyras pour Paris un don généreux de la ville de Toulouse; son pécule, laborieusement amassé, suffisait. Il partait d'ailleurs riche d'expérience, d'ambition et de recommandations, porteur en effet d'une lettre adressée par son protecteur naturel, le duc d'Uzès, au surintendant des Bâtiments, Antoine-Louis de Pardaillan de Gondrin, duc d'Antin. L'importance de ce personnage tenait à sa naissance et à sa charge. Fils de Françoise-Athénaïs de Mortemart, marquise de Montespan, il avait longtemps vécu dans l'ombre. Louis XIV ne s'intéressa au demi-frère de ses enfants qu'à la mort de leur mère en 1707. Il le nomma alors gouverneur de l'Orléanais et l'année suivante, Directeur général des Bâtiments du roi, arts et manufactures de France, charge qu'il conserva jusqu'à sa mort et qui lui donnait la haute main sur les beaux-arts, gouvernant les deux académies de Paris et de Rome avec autant de hauteur que de bienveillance. C'était un homme d'esprit et de goût qui résistait d'autant moins aux sollicitations qu'elles venaient, comme ici, d'un de ses pairs, proche parent au demeurant, puisqu'il avait épousé Julie-Françoise de Crussol, sœur du VIIe duc d'Uzès qui recommandait Subleyras en ces termes: «J'ai vu ses ouvrages dans le dernier voyage que j'ai fait à Toulouse, dont tout le monde a été fort content»[51]. Le duc d'Antin sera pendant longtemps pour le jeune artiste un appui providentiel.

Il y avait aussi à Paris un Toulousain célèbre, le banquier Pierre Crozat, «Crozat le curieux» ou «le pauvre», comme on l'appelait par simple référence avec son frère aîné. Car cet amateur était fastueux et ouvrait largement aux artistes sa maison de la rue de Richelieu et sa campagne de Montmorency. Dans les années qui suivirent son retour d'Italie, au début de la Régence, il avait accueilli entre autres Rosalba Carriera, Watteau, Vleughels que Subleyras trouvera à Rome au Palais Mancini. En 1726, il est tout occupé par la publication de ses tableaux italiens, mais ne saurait refuser à un élève de Rivalz, muni de recommandations toulousaines, de voir cette prestigieuse collection. Subleyras s'est-il souvenu, lorsqu'il peignit plus tard le *Repas chez Simon* (n° 33), de la copie des *Noces de Cana* de Véronèse qui ornait le vestibule de la maison, ou de celle que Mariette intitule *Jésus-Christ à table chez Simon le Pharisien* ou bien encore du *Festin du mauvais riche* de Domenico Feti avec son dressoir d'argenterie, le serviteur s'affairant à genoux devant la table, les chiens qui attendent les reliefs du repas[52]? Il n'est d'ailleurs pas un inconnu pour un autre languedocien, ami de Crozat, le comte de Caylus qui, liant son souvenir à celui de Trémolières, le présente en 1748 aux académiciens de Paris comme un de leurs élèves, «qui tient un des premiers rangs entre les peintres de Rome»[53].

L'événement artistique parisien de l'année 1727 fut le concours ouvert par le duc d'Antin aux peintres de grande manière, membres de l'Académie, «pour exciter une noble émulation»[54]. Les tableaux des douze candidats auxquels vint s'ajouter *in extremis* Charles Parrocel furent exposés deux mois, en mai et juin, dans la Galerie d'Apollon au Louvre. A ce moment-là, Subleyras dont l'esquisse a été retenue pour le Grand Prix peint son morceau, mais il est impensable qu'il ne se soit pas mêlé à la foule des visiteurs, artistes et amateurs. L'occasion était stimulante pour un jeune provincial: voir et réfléchir tout ensemble, confronté à la diversité des manières et des propos, participer à une discussion ouverte dans laquelle le public, moins prévenu que les académiciens, ne se priva pas de donner un avis différent du leur, préférant Noël-Nicolas Coypel. Le prix de 5 000 livres offert par le roi fut en définitive partagé entre Jean-François de Troy et François Lemoine. A quelle coterie Subleyras appartenait-il et s'il fallait être présenté par un maître pour suivre les cours de l'Académie et concourir aux différents prix, dans quel atelier travaillait-il? On en est réduit aux conjectures.

Avait-il choisi l'un des deux grands consacrés en 1727? La protection du duc d'Antin pouvait le conduire chez Lemoine qui était devenu le peintre favori du directeur des Bâtiments, mais aucune liste d'élèves ne donne son nom. Certes Bergeret de Grancourt, en visite à Rome, voyant à la Galerie Colonna «deux très beaux tableaux de Subleyras, représentant l'un une peste de Rome et inondations, l'autre une profession de religieuse» (n° 101 et n° 108), les commente ainsi: «La couleur de ce peintre est douce et moëlleuse et paraît tenir beaucoup de Le Moine»[55]. Plus encore que des ressemblances de coloris, les deux artistes ont en commun la finesse de l'exécution, une peinture plus réfléchie et intellectuelle que celle de Jean-François de Troy. La logique régionale devrait pourtant pencher vers ce parisien d'ascendance toulousaine. Une *Mort d'Hippolyte*[56] rappelle étrangement le tableau peint par Subleyras pour le duc de Saint-Aignan, mais un contentieux familial ancien opposait les de Troy aux Rivalz et il ne semble pas que, une fois directeur de l'Académie romaine, Jean-François de Troy ait entretenu des

50 Musée de Toulouse, 1796-1797, n° 205.

51 Pasqualoni, 1786, p. 157.

52 Stuffmann, 1968, p. 68, n° 91; p. 80, n°s 180 et 181.

53 Caylus, 1910, p. 73.

54 Rosenberg, n° 37, 1977, pp. 29-42.

55 Bergeret, 1894, pp. 256-257.

56 *Larousse du XXe siècle*, t. 3, p. 1037.

relations amicales avec Subleyras qui le surpassait en renommée. Parmi les méridionaux nombreux à Paris, Jean-Baptiste Vanloo avait l'atelier le plus important dans lequel travaillait Trémolières. Il y avait aussi Hyacinthe Rigaud, déjà âgé, mais paré de prestige, chez qui ira Guillaume Cammas sorti lui aussi de l'atelier d'Antoine Rivalz[57]. Pour le portraitiste de talent que sera Subleyras, la fréquentation de l'atelier de Rigaud n'est pas inconcevable: les portraits de Guillaume Castanier, marchand drapier à Carcassonne comme Pierre Poulhariez et de son frère François, banquier à Paris[58], ont cette manière de donner au modèle une pose statique et souveraine que Subleyras fera sienne.

Avec les dessins préparatoires des plafonds qu'il venait d'exécuter pour les Pénitents Blancs de Toulouse, le jeune artiste croyait apporter la preuve de ses capacités. Dezallier d'Argenville n'hésite pas à dire en 1762 que « ces premiers morceaux le déclarèrent un génie créateur et furent fort estimés ». Un siècle plus tard le ton a changé. « Il arriva, écrit Michel Nicolas, avec les plus grandes espérances et avec une confiance exagérée en son talent. Il n'obtint pas le succès qu'il avait rêvé ». Cette critique se transforme en charge sous la plume de Charles Blanc: « Dès son arrivée, avec cette assurance qui n'abandonne jamais un Gascon, il montra des dessins de plafond qu'il avait exécutés à Toulouse et se présenta comme un maître alors qu'il venait concourir comme un élève ». Les Parisiens ne font pas le détail entre les gens du midi: voilà Subleyras Gascon! A moins d'une découverte de hasard, la source tant des éloges que des attaques est désormais perdue, mais les uns et les autres donnent une image vraisemblable de l'arrivée à Paris d'un provincial bien doué qui de surcroît ne manquait pas d'appuis. Quel accueil réserver à ce rival en puissance, sinon s'en défendre en s'en moquant pour dissimuler l'envie et la crainte? Subleyras se trouve alors en porte-à-faux comme il le sera au palais Mancini. Plus âgé que ses concurrents et ses condisciples, bien formé et déjà réputé, il a passé le temps de l'apprentissage et piaffe d'impatience. Dans le refus de revenir à Paris après le temps de Rome, il y aura entre autres raisons le souvenir de son premier passage à Paris et la conscience claire des difficultés de s'y faire une place.

Aussi peu soit-il resté à Paris, il n'a pas cessé de peindre, mais rien n'en a été retenu, sinon une copie de Le Sueur passée dans la vente Lebrun de 1806[59]. Cette *« Prédication d'un damné »* est le premier épisode de la vie de saint Bruno qui ornait le cloître des Chartreux de Paris. Du *Sermon de Raymond Diocrès*, Subleyras se souviendra quand il aura à peindre d'autres prêcheurs moins hérétiques. Mais il est là surtout pour se soumettre au jugement des Parisiens. La *Vita* de Pasqualoni le voit « admis dans toutes les académies... remportant toujours les premiers prix » jusqu'au couronnement final du Grand Prix. D'après les *Memorie*, fondées sur des témoignages familiaux, donc plus précis sans être toutefois explicites, Subleyras aurait obtenu deux prix de quartier avant de se présenter et de remporter le prix de Rome. Ainsi, semble-t-il, ne connut-il pas d'échec. Le 23 août 1727, l'Académie s'assembla « pour voir les tableaux et bas-reliefs faits par ses élèves pour concourir aux Grands Prix »[60]. Exposés le jour de la Saint-Louis pour le public et le reste de la semaine pour les académiciens appelés à donner leur avis, ils sont jugés le 30. Le tableau de Subleyras, marqué « B », fut classé premier et celui de Louis-Gabriel Blanchet, second. Une rivalité qui se muera en amitié. Le sujet proposé était *Moïse et le serpent d'airain* (n° 4). Subleyras a pu se souvenir d'un dessin de Rivalz aujourd'hui à Amsterdam où l'on reconnaît les mêmes types humains et les mêmes attitudes[61]. Ce thème conventionnel ne se prêtait guère à une interprétation originale, mais on trouve déjà dans cette œuvre les qualités profondes de Subleyras: l'art de composer clairement en groupes définis, moins de mouvement et d'emphase que chez son maître et un sens précieux de la couleur où déjà il privilégie les blancs au centre même du sujet.

Le 19 février 1728, le duc d'Antin adressa au directeur de l'Académie de France à Rome la liste des nouveaux pensionnaires et signa leur brevet le 12 mars[62]. Subleyras était choisi et reçut à Paris le 20 du même mois la médaille d'or qui récompensait son premier prix[63]. En juillet, il touchait 200 livres pour ses frais de voyage[64]. Passa-t-il par Toulouse et Uzès pour faire ses adieux et revoir sa famille? Le portrait d'un Toulousain, l'écuyer Joseph Daram, daté de 1728[65], invite à le penser ainsi qu'un projet à la sanguine pour la façade du Capitole, exposé en 1777 avec l'inscription: « Pour l'hôtel de ville de Toulouse par M. Subleyras ». Ce dessin provenait du cabinet de Rivalz qui en 1728 commençait à songer à l'entreprise réalisée dix ans plus tard par Guillaume Cammas[66]. Entraîna-t-il avec lui le graveur Barthélemy Rivalz, recensé en 1729 et 1730 au palais Mancini, sans aucune justification officielle?[67].

Subleyras arriva à Rome à la fin d'octobre 1728 pour ne plus en partir.

57 Malliot, *Recherches*, p. 549.

58 Exposition 1984, Flaran, p. 38, n° 16.

59 Vente Lebrun, 29 septembre 1806, n° 113.

60 *Procès-verbaux de l'Académie Royale*, 1886, t. VI, pp. 32 et 40.

61 Rosenberg, 1975, p. 185.

62 *Correspondance des Directeurs de l'Académie de France* (= CD), t. VII, pp. 397 et 402.

63 *Procès-verbaux* 1886, t. VI, p. 40.

64 CD, t. VII, p. 401.

65 Collection privée, huile sur toile, H. 24; L. 32.

66 Virebent, 1885, pp. 16-17; Mesuret 1972, p. 322, n° 3348.

67 AVR Santa Maria in Via Lata, Liber status animarum 1729, fol. 33r, 1730, fol. 43v.

Subleyras, *Portrait de Joseph Daram*, coll. part.

Deuxième partie.
Le pensionnaire du roi.

1. « Le protégé de la princesse Pamphile ».

Depuis 1725, l'Académie de France à Rome était installée au palais Mancini sur le Corso, en face du palais Pamphily, proche de la place de Venise. Elle s'était déplacée trois fois depuis sa fondation, cherchant, à mesure que le temps passait, plus d'espace et de magnificence : une petite maison d'abord près de Saint-Onufre, puis le palais Caffarelli via del Sudario et enfin le palais Capranica[68]. En louant le 31 mai 1725 au marquis Jacques-Hippolyte Mancini, petit-neveu du cardinal Mazarin, son palais romain, elle trouvait jusqu'en 1793 la stabilité qui lui manquait. La situation même du palais assurait le prestige de l'institution et quand il fut acheté en 1737, il devint vraiment la « Maison de France » où, le temps du Carnaval, recevaient les ambassadeurs du roi moins avantageusement logés, jusqu'au moment où, en 1769, le cardinal de Bernis vint demeurer dans le tout proche palais De Carolis, renforçant la présence française dans la rue la plus élégante de Rome, mais éclipsant la gloire mondaine du palais Mancini. Cette nouvelle installation de l'Académie coïncida avec l'entrée en fonction de Nicolas Vleughels dont la première préoccupation fut de meubler dignement le palais. Sa correspondance avec le duc d'Antin est dans les premières années remplie de ces problèmes ménagers. La vie même des pensionnaires ne se lit qu'en filigrane[69].

Vleughels aménage, dans l'attente de la première promotion régulière envoyée de Paris, qui sera celle de Subleyras. Les pensionnaires seront logés au dernier étage, « dans de petites chambres, ressemblant assez à un dortoir de moines... Ces chambres, quoique fort jolies, ne sont guère propres à travailler, les fenêtres étant basses, et pour nos arts, il faut que le jour vienne un peu de haut », mais au second, il y a des pièces regardant à l'est et au nord, commodes pour peindre, « le jour y étant fort beau ». Tout n'est pas encore prêt, puisqu'en 1731 le duc d'Antin s'inquiète aussi de refaire tous les lits, des lits « à tombeau » avec deux bons matelas et une paillasse, garnis d'une assez jolie couverture d'indienne doublée et piquée. Il faut en outre mettre « dans chaque chambre, une bonne chaise, c'est-à-dire un fauteuil, et quatre chaises ordinaires, suivant l'usage du pays, une table et le nécessaire à chacun ».

Loin d'être un « hôtel garni », l'Académie avait la rigueur d'un internat, car « c'était une espèce de séminaire » écrit d'Antin, mais la façon dont Vleughels se défend de faire respecter la discipline laisse à penser que l'air de Rome n'incitait pas à l'obéissance. Entre directeur et pensionnaires, il y eut quelques épreuves de force : Bouchardon et les sculpteurs, élevant plus haut la voix que les autres, reprochaient à Vleughels d'abuser de son pouvoir pour transformer l'Académie en couvent. La règle la plus stricte était la fermeture du soir, tôt avant le souper. Le Directeur lui-même gardait la clé. Vleughels essaya aussi de remettre de l'ordre à la table commune qui était servie dans une grande salle du rez-de-chaussée, sans d'ailleurs se résigner à y manger lui-même malgré les injonctions répétées du duc d'Antin. Il avait essayé pendant deux ans, mais « il fallut souffrir tant de choses que sans me plaindre je pris le parti de me retirer », écrit-il pour se défendre. Les pensionnaires avaient l'habitude d'inviter leurs amis à dîner. Houasse l'avait permis et Poerson avait « laissé couler la chose ». Craignant des conflits, Vleughels ne s'y était pas opposé aussitôt, mais en 1732 cette liberté sera retirée. Le rigorisme du directeur paraît s'être arrêté là. Au duc d'Antin qui s'inquiétait de la pratique religieuse des élèves et demandait si l'on disait bien la prière matin et soir, si l'on assistait régulièrement à la messe, Vleughels répond sagement qu'il laissait à chacun toute latitude à cet égard, alléguant la diversité des

68 Bousquet, BSHAF, 1953, pp. 126 sq.

69 CD, t. VII à IX *passim* ; nous n'indiquons pas ici les références détaillées des très nombreuses citations aux lettres de Vleughels : elles se trouveront dans l'ouvrage que nous préparons sur Pierre Subleyras.

horaires. Mais il se portait garant de la piété de tous. Point n'était besoin de chapelle privée, ajoute-t-il, joliment: « Nous avons des églises et, pour ainsi dire, des églises dans la maison. Devant la porte nous avons Santa Maria in Via Lata, à côté, nous touchons à Saint-Marcel, deux paroisses dont Santa Maria est la nôtre, et, derrière notre maison, nous avons l'église des Saints-Apôtres, autre paroisse du fond de notre cour ».

Avec Pierre Subleyras arrivèrent deux peintres, Louis-Gabriel Blanchet et Pierre Trémolières, un architecte Pierre-Etienne Lebon et un sculpteur Michel-Ange Slodtz qui au dernier moment avait été substitué à François Lemoyne. Qui ont-ils retrouvé à l'Académie? Deux peintres, Pierre-François Bernard, protégé du cardinal de Richelieu et Michel-François Dandré-Bardon, second Grand prix en 1725 qui jusque-là n'était que logé, mais venait d'obtenir la pension du roi. Il y a deux sculpteurs qui n'ont guère envie de partir, tant ils sont chargés de commandes et déjà auréolés de gloire: ce sont Edme Bouchardon et Lambert-Sigisbert Adam que son frère Nicolas-Sébastien a rejoint, profitant lui

Anonyme, Portrait de Claude Sourdeau, Besançon, Bibliothèque municipale.

Plan du troisième étage du palais Mancini à Rome, Paris, A.N.

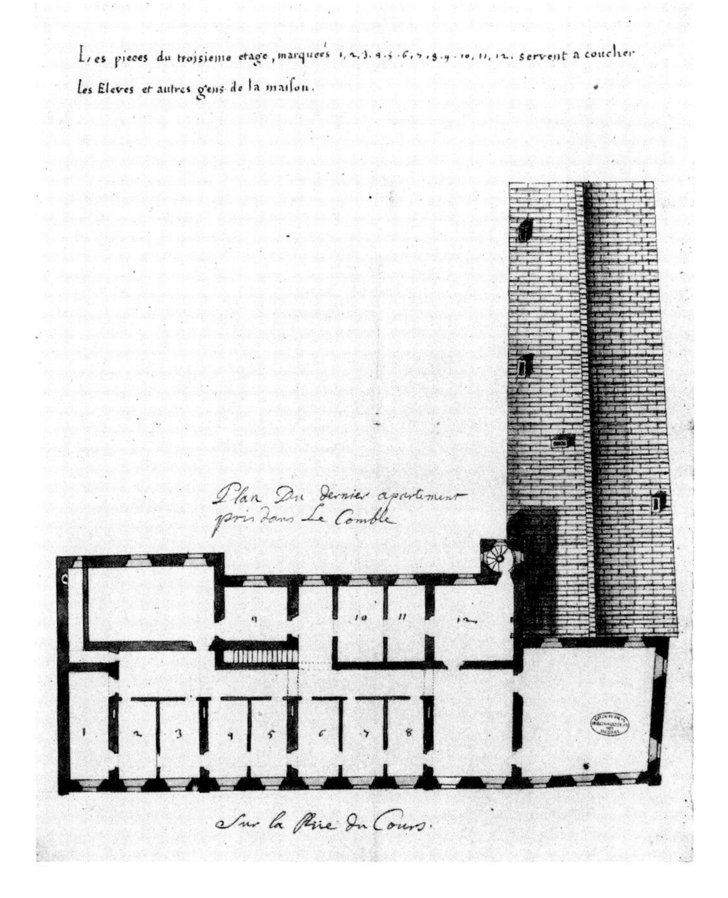

aussi de l'hospitalité du palais Mancini. Vleughels ferme les yeux, fier de leur réussite qui « fait bien de l'honneur à l'Académie ». Parmi les peintres Nicolas Delobel, de la même promotion qu'eux, est lui aussi retenu par l'ouvrage, portraiturant à l'envie les princes de l'Eglise. Un groupe privilégié est installé depuis la fin du mois de mai: ce sont les Vanloo. Jean-Baptiste avait envoyé à Rome à ses frais son frère Carle et ses deux fils, Louis-Michel et François. Le duc d'Antin leur avait accordé la grâce d'être logés. Ils avaient amené avec eux, comme on sait, François Boucher, un « garçon simple et de beaucoup de mérite » à qui l'on a donné « un petit trou de chambre ». Mais le *Liber status animarum* révèle d'autres noms ignorés de la correspondance officielle. Qui est Toussaint Lavoisier? Claude Sourdeau?[70]. Ce dernier n'est pas si inconnu qu'il n'ait droit à une notice de Gaburri: « Peintre de Paris. En 1724 il vint à Rome, pensionnaire du roi à l'Académie royale de France où jusqu'à l'année 1736 il étudia avec grand profit sous la direction de Nicolas Vlegles (*sic*) »[71].

Colbert avait fixé le temps du séjour à trois ans. Mais la règle souffrait bien des accomodements contre lesquels lut-

70 AVR, S. Maria in Via Lata, LSA: « Claudio Sourdeau » est enregistré de 1726 à 1733; « Tussano Lavoisier » de 1726 à 1730.

71 Bandera, 1978 (2), p. 38.

taient en vain les Directeurs. En 1716, Charles Poerson avait exprimé à l'usage du Surintendant « la nécessité qu'il y aurait de rappeler les élèves à la fin des trois années parce que, faisant un plus long séjour, ils font des connaissances dans ce pays, perdent le goût des études, négligent leurs devoirs et, par ces dérangements, peuvent s'exposer à de funestes accidents »[72]. Le duc d'Antin n'en resta pas moins sensible aux pressions diverses. Pour Nicolas Vleughels, le cas litigieux fut Subleyras. Son nom surgit dans la correspondance en avril 1731 quand le duc d'Antin communique au Directeur une lettre adressée à la duchesse d'Uzès[73] par la princesse Pamphily, demandant la prolongation de la pension pour ce peintre « qui a des talents marqués et que l'étude développe encore davantage », faveur aussitôt accordée.

Teresa Del Grillo était une noble génoise que le prince Camillo II Pamphily avait épousée pour sa dot. Dans la vie de cette femme point jolie, mais fort indépendante, les esclandres ne manquent pas jusqu'à son « divorce », à l'imitation de sa sœur, la duchesse de Massa Carrara dont les malheurs conjugaux défrayèrent également la chronique. Elle aimait à se rendre utile. Ainsi n'hésite-t-elle pas à écrire au cardinal de Fleury en faveur d'un jeune Français qui brigue la place de consul. Cette intellectuelle, poétesse à ses heures et « pastourelle d'Arcadie », s'intéressait fort à l'Académie de France, à son directeur et à ses pensionnaires. Certes Vleughels est flatté qu'elle amène le neveu du cardinal Schönborn admirer l'aménagement du palais Mancini, mais invité par elle à passer les soirées en sa compagnie, prudent, il assure le duc d'Antin qu'il ira sans abuser de la liberté qu'elle lui donne. En 1730, elle était déjà intervenue pour François Vanloo auprès du cardinal de Rohan et avait composé un mémoire à l'adresse du duc d'Antin. Le Directeur de l'Académie est d'ailleurs dépité que la princesse qu'il trouve vive, c'est-à-dire impatiente, ait pris l'initiative de faire conduire l'intéressé chez le cardinal pour le remercier: « Elle m'a dérobé cela ». Au reçu de la lettre de la princesse Pamphily transmise par le duc d'Antin, Vleughels s'aperçut que Subleyras n'était pas seul à se servir de ces voies indirectes pour prolonger le temps du séjour. Bien qu'il ressente désagréablement ce manque de confiance des pensionnaires à son égard, il n'ose leur en vouloir et trace de Subleyras un portrait humainement favorable: « C'est un fort bon sujet, très sage et qui a très bonne volonté », mais avec le temps, la situation se dégradera et la protection de la princesse Pamphily sur laquelle il revient à plusieurs reprises sera comme une écharde dans sa chair.

En mai 1733, dans un sursaut d'autorité, le Surintendant congédie pour la fin de l'année tous les pensionnaires restants de la promotion de 1728, s'apercevant soudain qu'ils avaient largement dépassé leur temps. Mais en la personne du nouvel ambassadeur, arrivé à Rome l'année précédente, ils avaient trouvé un protecteur puissant qui, leur donnant de l'ouvrage, justifiait leur présence au palais Mancini. En août, Vleughels flaire les manœuvres de Subleyras, en octobre il s'en plaint dans une forme embarrassée et obscure: « Comme j'entends parler, Votre Grandeur doit avoir été importunée par certains qui voudraient rester; il y a peu de discrétion dans ce monde ». En novembre, il est encore dans l'incertitude, mais le 26 il apprend que le peintre est prolongé une seconde fois. Vleughels accepte difficilement de n'être ni consulté, ni informé.

A la fin de l'année suivante, la comédie se renouvelle. Vleughels, accusant à mots couverts le duc d'Antin, lui explique combien sa situation est fausse: « Il est difficile à moi de faire entendre à Monsieur l'ambassadeur qu'il ne prodigue pas sa protection, parce que ceux qui lui insinuent ne me consultent pas et que, lorsqu'il en a pris la résolution, il écrit en droiture à Votre Grandeur, ce que le gratifié me vient ensuite signifier, ou bien je l'apprends par les ordres qu'Elle me donne ». Situation mortifiante pour un Directeur! Il essaie alors de jouer au plus fin et croit pouvoir exécuter l'ordre de congé avant d'en avoir reçu le contre-ordre. Mais sa prudence de courtisan, ou sa bonté, le dessert: il laissera sa chambre à Subleyras encore un peu. Le peintre était-il sincère, lorsque fin novembre 1734, il lui propose lui-même cette demi-mesure, « me disant, écrit Vleughels, qu'il croyait bien que je ne le mettrais pas dehors, quoi que son temps fût sur sa fin » ? Le Directeur à peine rassuré apprend au début de janvier que l'ambassadeur a l'intention d'écrire au Surintendant en faveur de Subleyras. Par le jeu des délais épistolaires, il est l'acteur d'une farce peu édifiante. Il reçoit l'ordre de négocier directement avec l'ambassadeur alors que déjà le duc d'Antin avait accédé à la demande de Saint-Aignan. Le 3 février 1735 donc, sans illusions il ira se faire éconduire: « J'arrive de voir Monsieur l'ambassadeur à qui j'ai dit ce que Votre Grandeur souhaitait; après m'avoir écouté, il m'a dit qu'il entrait fort dans ce que je lui disais mais que Subleyras travaillait pour lui et comme j'allais lui répliquer: "Laissez-moi faire, m'a-t-il dit, j'en écrirai à Monsieur le duc et il m'a quitté" ». La décision était prise à Paris depuis le 23 janvier, lorsque le duc d'Antin écrit à Vleughels: « Je reçois par cet ordinaire une lettre de Monsieur l'Ambassadeur au sujet de Subleyras... Je lui mande en réponse qu'il est maître du temps du dit Subleyras; aussi laissez les choses comme elles sont ». Vleughels accuse réception le 17 février: « J'avais déjà su par Monsieur l'ambassadeur que Votre Grandeur avait fait la grâce à Subleyras; il m'en informait samedi dernier en entrant au logis et il est très content ». C'était le troisième renouvellement de Subleyras.

En 1735, Vleughels prend les devants et s'inquiète de la question dès le mois d'août: « Quant à Subleyras, c'est par les

72 CD, t. IV, p. 463.

73 Il s'agit ici de la seconde femme du duc d'Uzès, Anne-Marguerite de Bullion-Fervacques.

P.L. Ghezzi, *La princesse Pamphily*, Rome, B.A.V.

ordres de Votre Grandeur qu'il est encore dans l'Académie et à la pension ; si Elle le trouve à propos, quelques jours avant la fin de cette année — car c'est le temps qu'Elle lui a limité — je l'avertirai qu'il faut décamper ». Le 25, il revient à la charge : « Je voudrais que Votre Grandeur me donnât des ordres précis au sujet de Subleyras, car je prévois bien des choses qui, avec un mot de sa part, s'anéantiront dans le moment, les gens ne sont point honteux ». Une fois conforté dans ses désirs, Vleughels manifeste sa joie et se laisse aller à rapporter de façon toujours allusive les avanies qu'il a subies : « Bien des gens et même quelque personne de considération disaient que c'était moi qui ne voulais pas qu'on restât dans l'Académie : j'en eus même il y a quelque jour des reproches un peu durs ». Cette bonne conscience a couleur de mauvaise foi, car c'est bien à cause de lui que le duc d'Antin durcit soudain sa position, importuné par le nom de Subleyras autant que par l'insistance et les insinuations de Vleughels. Le verdict tombe le 10 septembre. « Pour plus de précision mon intention est que vous lui signifiez que son temps étant beaucoup plus que fini, il n'a qu'à s'arranger pour sortir de l'Académie dans le courant du mois d'octobre prochain ». Subleyras ainsi chassé sera resté au palais Mancini sept ans pleins.

Fut-il vraiment cet insupportable privilégié que dépeint Vleughels ? Des cinq artistes arrivés ensemble en 1728, l'architecte Pierre-Etienne Lebon n'a pas excédé les trois années réglementaires : à la fin de 1731, il est déjà de retour à Paris. Blanchet n'obtempère aux ordres du Surintendant qu'en novembre 1733. Il rend alors ses meubles et « mange en son particulier », mais garde sa chambre. Il a silencieusement profité de deux années supplémentaires que le Directeur n'a pas songé à lui reprocher. Trémolières qui a été malade obtint un sursis, soutenu par le Directeur lui-même. Il s'en ira en septembre 1734, marié et satisfait. Reste Slodtz. Vleughels a un faible pour le sculpteur, un nordique comme lui, dont il admire sincèrement le talent et qui ne saurait lui porter ombrage. Malgré son apparent rigorisme sur le temps de la pension, il intercèdera pour ce pensionnaire qui réussira à se maintenir jusqu'en février 1736. Mais cette année-là à Pâques, plus aucun artiste de la promotion 1728 n'est recensé au Palais Mancini.

Pourquoi cet acharnement contre Subleyras ? Vise-t-il son talent ou sa personnalité ? Les silences de Vleughels et ses réticences en disent autant que ses aveux. Pendant deux ans et demi, c'est le silence. Plus préoccupé de l'aménagement de l'Académie et de sa vie mondaine que du progrès des pensionnaires, le Directeur envoie à Paris, de loin en loin, des nouvelles destinées à plaire. Il nomme les sculpteurs et Bouchardon en premier qui risque d'avoir une commande papale, Nicolas Delobel qui a du succès, Carle Vanloo dont la réussite l'éblouit : « Il y a du génie, de la couleur et de l'exécution », écrit-il à propos du plafond de Saint-Isidore peint à fresque en 1731. La recommandation de la princesse Pamphily attire soudain ses regards sur Subleyras et les questions du Surintendant entraînent pendant une année une série d'appréciations sur les pensionnaires, formulées en termes si embarrassés que le duc d'Antin, sans nuances inutiles, en concluera à la médiocrité générale.

Le premier jugement de Vleughels sur Subleyras ne porte pas tant sur ses capacités que sur son acquis : « Dans la province où il a séjourné, le goût qu'il a pris n'est pas celui qu'on voit ici. Il a un peu de peine à se débarbouiller ». Perce le dédain du Parisien pour le provincial, mais aussi celui du « petit peintre aimable des mythologies mondaines »[74] pour l'élève d'Antoine Rivalz épris de grandeur classique. Vleughels le masque en alléguant la manière romaine avec

74 Marcel, Paris, 1906, p. 181, cité par Hercenberg 1975.

laquelle pourtant il a lui-même peu d'affinités et que Subleyras saura bientôt faire sienne. Le péché de provincialisme revient dans le rapport officiel du début de l'année suivante. Vleughels discerne bien néanmoins en Subleyras l'artiste appliqué, voire laborieux, le contraire de Carle Vanloo, brillant, rapide, qui devient sa référence. Un « très bon sujet » auprès de qui Subleyras n'est « qu'assez bon » et même « peu de chose », confondu avec tous les autres excepté Trémolières. La note qu'il lui donne en définitive dépasse légèrement la moyenne: « Il fait plutôt bien que mal ». Mais Subleyras est surtout devenu pour son Directeur le protégé de la « princesse Pamphile ». C'est une étiquette qui suffit parfois à le désigner et toujours à le discréditer. Le 26 juin 1732, après avoir réglé le sort de Bernard, « libertin de premier ordre... tombé dans un néant impardonnable », le Directeur sans ironie apparente, s'adresse ainsi au duc d'Antin: « Comme Elle le dit très bien, les recommandés réussissent rarement; ceux qui parlent pour eux sont ordinairement en place, ils ont du pouvoir, et ils se servent de leur crédit pour placer et obliger des gens dont ils ignorent la capacité, témoin Madame la Princesse Pamphile ». Le mérite de Subleyras tient donc à ses relations. Puis c'est à nouveau le silence. L'ambassadeur apprécie Subleyras et ne lui ménage pas sa protection. Vleughels se sentant déjugé évite de donner un avis, jusqu'au début de l'année 1735 où on apprend que le peintre « a un peu de vogue » dans un genre considéré secondaire, le portrait. Ce petit compliment est rendu plus encore à la nation qu'à l'individu, puisque Vleughels ajoute: « Nos Français l'emportent sur les Italiens, et surtout pour le portrait, il y en a peu qui y entendent quelque chose ». Le rapport officiel envoyé à Paris un mois plus tard nous livre le dernier état de la pensée du Directeur: « Subleyras ne fait point mal, fait un peu de tout, copie passablement; son fort sera le portrait, il fera bien de s'y appliquer, l'histoire est trop difficile ». Un peintre de peu d'avenir.

2. L'Académie.

« Rome est un pays d'étude et notre maison, par tout ce qui s'y trouve de beau et de bon y convie... On dessine d'après les belles antiques qui sont à la maison; on étudie d'après le nud tous les jours; un jour ou deux de la semaine, on peint des têtes de vieillard d'après nature et on copie de temps en temps d'excellens tableaux ». Telle est la vision de l'Académie que Vleughels donne au duc d'Antin. Apprendre à dessiner d'après le modèle vivant était un des premiers articles du credo académique. Jusqu'en 1754, date à laquelle Benoît XIV créa au Capitole l'« Accademia del nudo », l'Académie de France était le seul endroit à offrir gracieusement cet avantage aux jeunes artistes de Rome, en concurrence avec l'école fondée par Sebastiano Conca. On y travaillait l'été deux heures tous les jours, « de grand matin » et l'hiver, l'après-midi à la lumière artificielle. Aussi y avait-il au palais Mancini deux salles du rez-de-chaussée réservées à cet exercice, dont l'une très belle, décorée de colonnes, n'étant pas très claire, « servira pour le modèle l'hiver », écrit Vleughels en 1725[75]. « Comme il vient des étrangers en assez grand nombre qui profitent du modèle que le roi entretient, il est bien que ce soit dans un endroit qui soit beau ». Mais l'Académie avait ses habitudes. On ne posait pas le modèle de la fin d'août à novembre, ni entre Pâques et la Pentecôte qui marquait le commencement de l'été. Cet usage que réprouve le Surintendant est mis à profit: « Jusques ici, les Directeurs et les pensionnaires avaient regardé le temps qui est entre la fête de la Pentecôte et Pâques comme les écoliers regardent les vacances, s'entend pour les études du soir; mais nous avons trouvé de quoi mettre à grand profit ce petit bout de temps... On pose des draperies et j'emprunte des ornements d'église pour diversifier et pour s'impatroniser du vrai qui est l'âme de notre métier ». En septembre 1732, Vleughels écrit encore: « Aujourd'hui et ce soir, on recommence de nouvelles études; c'est ce qui n'avait jamais été pratiqué dans l'Académie; ce sont des figures drapées sur le naturel, quelquefois moitié nues et moitié habillées; on donne quelque chose au hasard, on laisse faire à la nature, qui produit presque toujours des choses nouvelles et merveilleuses ». Un enseignement dont Subleyras recueillera tous les fruits.

Le dessin d'après l'antique doublait l'exercice du modèle sans avoir à sortir de l'Académie. Les moulages emplissaient la maison comme ces bas-reliefs de la Colonne trajane auxquels étaient réservées deux salles du rez-de-chaussée. Même l'étage noble devait servir à l'étude, « vu les belles figures moulées sur l'antique qui en feront la plus belle décoration ». Les Directeurs n'eurent de cesse d'en accroître le nombre. Ainsi Vleughels fit-il copier la « petite Julie », aussitôt l'achat de ce bel antique conclu par le cardinal de Polignac. Mais il s'intéresse aussi aux modernes et, en 1736, fait mouler un bas-relief de l'Algarde « qui eſt un morceau merveilleux, presque inconnu, car il se trouve dans une chapelle souterraine où on ne va guère ». C'est *Sainte Agnès conduite au supplice* de l'église de la place Navone. Il prévoit avec l'approbation du Surintendant « d'enrichir l'Académie de précieux morceaux », mais ils sont l'un et l'autre à la veille de leur mort. Le dessin des sculptures antiques ou classiques était surtout un exercice de l'hiver, quand il ne faisait pas bon sortir, que le jour tombait tôt et que le temps consacré à la peinture diminuait. En janvier 1734, Vleughels écrit: « Après le souper il y a presque tous les jours une petite académie: on dessine d'après l'antique pendant environ deux heures, ce qui

75. Ces plans ont été publiés par Schiavo, 1969, fig. 40-42.

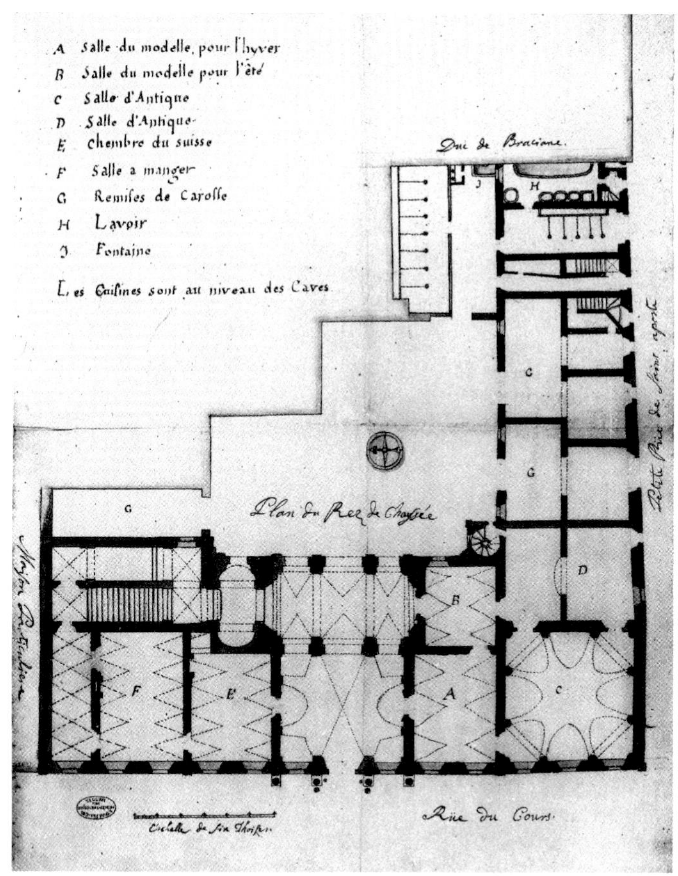

Plan du rez-de-chaussée du palais Mancini à Rome, Paris, A.N.

Plan du premier étage du palais Mancini à Rome, Paris, A.N.

est une merveilleuse étude après qu'on a étudié le naturel, ce qui se fait avant souper». Perce ici le pédagogue qui ranime l'intéret de l'exercice par la comparaison, faisant sentir le passage de la réalité à l'idéalisation la voie qu'empruntera Subleyras.

L'été venu, la campagne romaine offrait sa splendeur renouvelée. Parlant de ses pensionnaires Vleughels confie: «Il y en a quelquefois qui viennent dessiner dans la campagne avec moi les beaux restes d'antiquité dont ce pays abonde». Ce n'était plus alors étudier la figure, mais replacer l'antique dans son cadre. L'exercice devenait œuvre d'art et l'enseignement, culture de la sensibilité, bien que Vleughels, à l'usage du Surintendant, déguise sa pensée sous le dogmatisme des principes: «On commence à aller dessiner dehors les fêtes et dimanches; c'est une très bonne étude; outre qu'elle apprend à bien faire le paysage qui en est le but principal, elle enseigne encore à composer, car notre métier, de toute manière, n'est qu'une imitation du naturel». On remarquera l'obsession de Vleughels pour le vrai et le naturel, et en ce sens il fut un bon professeur pour Subleyras. Ces sorties servaient d'exercices pratiques au cours de géométrie et de perspective que dispensait aux pensionnaires le peintre d'architecture et de paysage Giovanni Paolo Panini, «Jean-Paul», le beau-frère de Nicolas Vleughels. Quelques paysages attribués à Subleyras dans les catalogues de ventes sont les traces ténues et incertaines de cet apprentissage, mais les fonds de ses compositions sont moins agrestes et les vues urbaines qu'il représente, si conventionnellement classiques qu'il semble n'avoir gagné de ces leçons que le plaisir de dessiner.

Un autre article du credo était l'apprentissage de la peinture par la copie des grands maîtres. «C'est, selon Vleughels, le vrai chemin de profiter que d'observer, en imitant les grands peintres, le chemin qu'ils ont pris». Les sculpteurs eux-mêmes n'en étaient pas dispensés, puisque l'un d'eux, Bouchardon, avant de partir «voudrait bien finir quelque étude qu'il a commencée d'après le Carrache et Raphaël». Mais l'optique des Surintendants était différente de celle des directeurs. D'Antin désire que les copies servent à «l'embellissement de plusieurs maisons royales»: son critère est la qualité et le renom de l'œuvre originale. Le dessein d'Orry sera plus étroit, avec la seule intention de renouveler les copies de Raphaël qui avaient servi de cartons pour les tapisseries des Gobelins. En revanche Vleughels, en artiste sensible, connaît les bienfaits de la liberté. «Je les laisse choisir, dit-il, car il ne faut pas contraindre le génie; on ne fait plus avec amour, par conséquent peu ou point de profit. Pourvu qu'ils donnent bien, je suis content». Pour le directeur, on a épuisé Raphaël et il cherche par tous les cabinets une œuvre d'art adaptée à chacun. «Quelquefois on fait copier des tableaux qui n'ont pas tout l'agrément qu'on souhaiterait, mais ils sont propres à former des jeunes gens par les belles parties qui s'y rencontrent; le beau dessin l'emporte dans un tableau; d'autre fois, ce sont les airs de têtes; quelquefois celles-ci ne sont pas gracieuses, mais elles sont bien peintes; ainsi on apprend à se perfectionner; aux uns il manque le caractère du dessin; aux autres le pinceau et la couleur; on tâche à leur faire copier des morceaux où il se rencontre ce qui leur est nécessaire et ils peuvent par là s'approprier ce qui leur manque». Vleughels tend donc à concilier utilité et plaisir.

Les pensionnaires copient Raphaël à la Farnésine et au Vatican dans les Chambres, Carrache au palais Farnèse. Ils y allaient par groupe. Ainsi en 1729, y en a-t-il deux au Farnèse et trois à la Farnésine, trois aussi au Vatican, mais deux se sont introduits pour dessiner «sous prétexte d'aider celui qui va peindre». On peut croire que Subleyras est un de ceux-là, mais Vleughels ne donne aucun nom. D'après sa correspondance, on travaille peu dans les églises. Il ne cite qu'un prophète de Raphaël à Saint-Augustin et le *Saint Michel* de Guido Reni dans l'église des Capucins, un poncif que récuse le duc d'Antin. Ce que recherche Vleughels, ce sont surtout les tableaux des collections patriciennes, Barberini, Bolognetti, Borghese, Chigi, Colonna, Giustiniani, Ottoboni, Pamphily, Pio, Sacchetti et les noms prestigieux de la peinture: Poussin ou Pierre de Cortone qui l'avait séduit à Florence. En vérité ses goûts se partagent entre les Bolonais, l'Albane, Guerchin, le Guide et Lanfranco et les Vénitiens, l'éblouissement de sa jeunesse: Bellini, Titien, Véronèse.

Le directeur dépensait des trésors de diplomatie pour parvenir à ses fins. Ainsi le Vatican, assez libéralement ouvert, n'est plus guère accessible en 1729, parce qu'on a «gâté des tableaux». Le cardinal de Polignac, alors ambassadeur, promet d'intercéder et un autre cardinal d'appuyer la demande de Vleughels auprès du majordome, «maître de ces sortes de permissions et avec raison très difficultueux à les accorder». Il se rejouit d'ailleurs à l'idée que le dit majordome, Camillo Cybo, sera créé cardinal et remplacé par Monseigneur Borghese dont il s'est fait un ami. Il n'en faudra pas moins négocier avec le gardien des tableaux qui «voudrait vendre cher la grâce qu'on nous avait accordée si agréablement». Les princes avaient aussi leurs humeurs. En 1734, Vleughels n'a plus ses entrées chez les Borghese et demande à d'Antin un mot d'introduction. Le prince Chigi en revanche le reçoit chaleureusement et préfère à être importuné par un copiste voir emporter son tableau à l'Académie. Le connétable Colonna accepte qu'on décroche une toile pour Vanloo qui reçoit l'autorisation d'étudier dans sa galerie. Soumis aux aléas du calendrier liturgique, le travail dans les églises n'était pas plus facile. Ainsi «les mille disgrâces» encourues pour le Raphaël de Saint-Augustin: «comme il est placé très haut, on y a élevé un échafaud qu'il a fallu défaire au moins quatre fois pour les fêtes qui sont survenues».

Les copies suivaient le rythme des saisons et des habitudes romaines. Au plus fort de l'hiver, il n'en était plus question. Prévenant un reproche du Surintendant, Vleughels a soin de le lui rappeler: «Nous voilà aux plus courts jours de l'année et qui sont encore obscurcis par le mauvais temps, on achève toutefois la copie de Raphaël». En février 1729, il attend le beau temps pour introduire les pensionnaires au Vatican. Mais l'été n'était pas plus favorable: «Le temps commence à se rafraîchir, écrit-il, et nous allons rentrer dans les palais. A Rome on occupe les bas appartements l'été, il faut attendre que les maîtres se soient retirés dans le haut pour s'installer dans le bas». Il signale comme une chance que l'on n'ait pas eu besoin de «quitter» chez le prince Pamphily. Pour pallier ces difficultés, il offrait à l'Académie même ses propres dessins et les plus beaux morceaux de sa collection.

Quelle est la part de Subleyras? On sait peu par Vleughels sinon que le 5 mars 1732 «il va copier un beau tableau». Rien de plus. Deux ans plus tard, le 5 mai, le Directeur informe le duc d'Antin qu'il a demandé au connétable Colonna la permission de faire copier un bel Albane dans son palais, «ce qu'il m'accorda de la meilleure grâce de monde». Le 31 août 1736, le tableau est envoyé à Paris et l'on connaît enfin son auteur: c'est l'*Ecce Homo* de Subleyras aujourd'hui au musée de Genève[76]. Appartenant au duc de Saint-Aignan, un *Départ d'Adonis* d'après un original du Titien[77], aujourd'hui à la Galerie Barberini et alors au Palais Odescalchi, pourrait être ce «beau tableau» auquel faisait allusion Vleughels en 1732, sans avoir par la suite annoncé son achèvement parce que sorti de l'Académie. Les catalogues de vente sont plus éloquents, sinon fiables. Une des copies d'après le Guerchin, *Saint Mathieu et l'ange*, tableau autrefois dans la collection Pio et aujourd'hui au Musée Capitolin, lui était attribuée, mais ne se retrouve plus[78]. A côté du Guerchin, Reni tient une place prépondérante avec une *Sainte Madeleine*[79], une *Tête de Christ*

76 Loche, 1964, pp. 269-270.

77 Le Moël et Rosenberg, 1969, p. 62.

78 *Catalogo dei quadri... esistenti nella Galleria del Sagro Monte di Pietà di Roma*, 1857, p. 62, n° 1554.

79 Vente Trudaine, 20 décembre 1777, n° 2.

80 Mesuret, 1972, p. 309, n°s 3133 et 3134.

et une *Tête de Vierge*[80], le « Silence du Palais Pamphily »[81] qui est apparemment une Madone regardant son enfant endormi et pour tenir la balance égale avec les Bolonais, il y aurait en plus du Titien, un *Jupiter et Antiope* de Véronèse[82], une esquisse à la manière de Tintoret[83] et un enfant qui dort du Corrège[84]. Celui dont on dit qu'il fut un second Poussin ne s'est pas contenté de le regarder. Choix prémonitoire que le *Martyre de saint Erasme*[85] qui se trouve maintenant presque face à face à Saint-Pierre avec la *Messe de saint Basile* (n° 116), la dernière œuvre de Subleyras. Le peintre a dû profiter de la mise en mosaïque pour voir de plus près le tableau descendu de l'autel. La copie signalée dans le nord de la France à la fin du XIXe siècle aurait, selon un catalogue de vente, fait une étape dans une église des environs de Paris[86].

Le temps n'était pas encore venu de se rebeller contre cet exercice ingrat et d'avouer comme Drouais que c'était un « martire que de copier tout autre chose que la nature », préférant de beaucoup offrir au roi une œuvre originale[87]. Mais Vleughels avait assez de finesse pour comprendre cette impatience tacite et tenter de la concilier avec son intérêt, en confiant aux pensionnaires la peinture des dessus de porte de l'« Appartement du roi ». En mars 1732, pour nuancer son jugement sur « cet autre plus fait que la princesse Pamphile a recommandé », il ajoute : « Cependant il vient de faire un de nos dessus de porte, où il y a bien du bon et il y a à souhaiter ». L'inventaire dressé par Natoire en 1758 voit le dessus de porte de Subleyras « dans la chambre qui est la dernière sur la rue », une petite pièce à une seule porte, moins visitée que celle où l'on admirait les Vanloo, Carle et François. C'était implicitement marquer la différence, mais, signe d'un autre regard, Vien, décrivant le palais en 1781 à l'intention du comte d'Angiviller, n'hésite pas sur l'attribution à Subleyras, doute en revanche pour Trémolières[88]. Les Memorie de 1786 révèlent le sujet et opposent presque avec étonnement le style du tableau à celui de la Messe de saint Basile : « S'éloignant de son faire habituel, dans un goût délicat, il peignit Amour et Psyché, (n° 6) que l'on voit à l'Académie de France à Rome ». Quinze années séparent les deux œuvres et c'est toute la carrière romaine de Subleyras. La toile disparue à la Révolution a réapparu récemment, permettant d'attribuer un dessin préparatoire du personnage de Psyché pour lequel il est inutile d'imaginer un modèle réel tant Subleyras s'est inspiré de peintures antérieures, que ce soit la toile de Simon Vouet dont Mellan avait tiré une gravure[89], que ce soit, plus accessible, le tableau de Benedetto Luti, peint pour le cardinal Ottoboni, aujourd'hui à l'Académie de Saint-Luc[90]. Malgré les ressemblances, à partir de données impératives, il a su repenser la composition, exploitant avec bonheur les effets de la lumière qui valorise, au centre de la toile, les carnations pâles et la texture laiteuse des étoffes. Comme Luti, Subleyras minimise le décor pour donner plus de monumentalité aux personnages et réduire la scène au geste essentiel, le regard indiscret de Psyché sur l'Amour endormi.

Dans la salle de l'académie d'été, il y avait en 1781 soixante-cinq portraits de pensionnaires, « en y comprenant celui de M. de Troy » ! L'un représentait Pierre Subleyras, car le 19 mai 1735, il n'a pas encore quitté le palais Mancini que l'on apprend par Vleughels un nouveau trait de l'esprit inventif des pensionnaires qui ont « accomodé la salle où on mange ; ils l'ont décorée de leurs portraits d'une grandeur uniforme et ils s'en rencontrent parmi qui sont fort beaux ». Le pillage de 1793 a dispersé plutôt que détruit cette précieuse série. Le portrait de Subleyras était-il celui que présente dans l'*Atelier* (frontispice) le peintre malade et désabusé ? Il en existe un dans une collection particulière qui sans être le même ressemble à ce jeune homme florissant, l'air un peu gauche, impressionné par cette image de lui-même qu'il doit pour la première fois transposer sur la toile (n° HC 1). La physionomie de Subleyras reste floue malgré nombre d'autoportraits ou de portraits : un aux Etats-Unis aujourd'hui récusé[91] (n° HC 1, fig. 3), comme celui de Stockholm[92] (n° HC 1, fig. 4), qui pourtant n'est pas sans rappeler la vignette de Dezallier d'Argenville parue en 1762 (n° HC 1, fig. 6). Le dessin de Florence est daté par son pendant, le portrait de Maria Felice Tibaldi (n° HC 2 et 3) : l'un et l'autre donc, postérieurs de peu au mariage, sans qu'on sache vraiment qui en est l'auteur, lui ou elle. L'illustration d'une monographie de Charles Blanc donne à Subleyras l'allure d'un rapin : plus de perruque, un chapeau de toile sur la tête, un foulard noué autour du cou, la mine grave, légèrement insolente[93]. D'où en 1862 a-t-on tiré cette image ? A-t-on mis au goût du jour une représentation ancienne ? La Bibliothèque municipale de Besançon conserve vingt-quatre profils d'artistes, de littérateurs et de savants du XVIIIe groupés deux par deux et parfois dos à dos[94]. L'un de ces *Janus bifrons* est constitué par Blanchet et Subleyras (n° HC 1, fig. 5), aussi amis qu'ils étaient différents : l'un, tout bouclé et

81 Vente Martin, 31 décembre 1773, n° 8.

82 Vente M..., 15 mai 1786, n° 62.

83 Vente A.G.C. Lemonnier, élève de Vien, 8 avril 1843, n° 24.

84 Vente Delière, 4 décembre 1821, n° 150.

85 Vente Pajou, 12 janvier 1829, n° 85.

86 Mantz, 1860, vente M. de Malherbe, 17 octobre 1883, n° 71.

87 CD, t. XV, p. 101.

88 CD, t. XVI, p. 442.

89 Crelly, 1962, p. 176, n° 60, tableau au musée des beaux-arts de Lyon.

90 Accademia di San Luca (= ASL) inv. 427; transféré de la Pinacoteca Capitolina en 1845 avec divers tableaux comportant des nudités.

91 Exposition 1973, Storrs, p. 63, n° 57.

92 Arnaud, 1930, n° 154.

93 Blanc, 1862-1863, p. 1.

94 Collection Pâris, carton H, n° 76.

Gravure d'après
un autoportrait (?) de P. Subleyras
(Blanc 1862-1863).

boudeur, s'applique à la gravité, l'autre avec son long nez pointu, son profil grec, de grands yeux pensifs, un port de tête altier à l'air souverain. Cette image prise sur le vif ne serait-elle pas la plus authentique du jeune Subleyras?

Vleughels, prévenant le reproche de futilité, suggère au Surintendant combien ces portraits sont « un amusement qui leur est avantageux, car il n'est rien de tel pour notre métier que de se familiariser avec le naturel; cela embellit cette chambre et dans la suite elle ne laissera pas d'avoir sa curiosité ». Plaisirs studieux aussi que ces parties de campagne où l'on dessinait, que ces visites le dimanche dans les collections de peinture et de sculpture. Mais si l'Académie n'était pas la citadelle que l'on imagine, la ville n'était pas davantage seulement un musée où s'instruire. Rome est une ville de spectacles, entrées solennelles ou intronisations, fêtes dynastiques ou fêtes religieuses. « On nous ruine en fêtes » dit le savetier de la fable, mais jours chômés, jours de liberté. Vleughels se laisse aller à évoquer la grande fête de l'été, l'Assomption de la Vierge: « On fait ici des illuminations magnifiques, et dans certains quartiers de Rome, il y a des rues entières tapissées et la nuit et le jour, où il y aura plus de cent lustres, sans les flambeaux aux fenêtres... La nuit il y a de la musique et le jour il y a beaucoup de monde parce que l'on y expose des tableaux ». Lieux de rencontres informelles et de découvertes que ces expositions nombreuses, les plus régulières étant au Panthéon, le 19 mars pour la Saint-Joseph, à Saint-Jean décollé ou à Saint-Roch. Valesio les note ponctuellement dans son journal[95]: les tableaux sortaient des collections moins connues et des ateliers, tissant les liens nécessaires et non dits avec l'art contemporain.

L'un des spectacles les plus somptueux que vit Subleyras un an après son arrivée fut la fête que donna le cardinal de Polignac pour la naissance du Dauphin en novembre 1729. La place Navone retrouva son aspect de cirque antique, grâce aux constructions éphémères nées de l'imagination de Pier Leone Ghezzi, si suggestives qu'on les croyait réelles, si exceptionnelles que Giovanni Paolo Panini en perpétua le souvenir[96]. Cette perception théâtrale du monde ne sera pas étrangère à l'art de Subleyras, exaltée par la musique, même si l'on ne craignait pas de lui surimposer le bruit « terrible » des feux d'artifices, cette musique qui éblouit Vernet à peine fut-il à Rome: « Il faut avouer que les Italiens sont les dieux de la musique »[97]. Subleyras partageait cette passion. Les courses de chevaux barbes qui ponctuaient les fêtes les plus fastueuses empruntaient le Corso et ce jour-là l'Académie brillait de tous ses feux, déployant au dehors ses tapisseries des Gobelins. Elles avaient lieu rituellement pour le carnaval, la grande fête païenne de l'année, avant l'austérité du carême. En 1735, Vleughels est moins occupé d'en raconter les épisodes marquants au duc d'Antin que de faire décamper Subleyras. Chagrin, il écrit: «Je voudrais que ces temps fussent passés; on ne travaille point et à peine a-t-on le temps d'écrire». Il oublie le « clou » de l'année, la mascarade chinoise des pensionnaires de l'Académie. Même le Carme Pier Luigi Bagnara la mentionne dans son diaire[98]. Chennevières, qui tire son savoir de l'estampe de Pierre, décrit « le vaste char où siègent les élèves, leur majesté grotesque, leurs robes et leurs nattes contrastant avec l'aspect sévère de l'antique Colonne trajane devant laquelle ils roulent. Au sommet du véhicule, trône le peintre Subleyras en empereur de Chine »[99]. Ses années à l'Académie s'achevaient en apothéose!

95 Valesio, 1977-1979, 6 vol.

96 Musée du Louvre, inv. 415.

97 Marcel, 1915, p. 43.

98 *« Notizie di Roma dal 1° gennaio 1735 al 5 ottobre 1741 »*. ASR, ms. 33. Le p. Pier Luigi Bagnara, originaire de Massa Lombarda, Carme au couvent de Santa Maria Transpontina, était le frère de l'avocat Domenico Bagnara dont il sera parlé plus loin.

99 Chennevières, 1882, pp. 128-131; comme il prend la Colonne Antonine pour la Colonne Trajane, on peut douter aussi d'une identification par ailleurs vraisemblable, Subleyras étant, avec Slodtz, un des plus anciens pensionnaires.

J.-B.-M. Pierre, *Mascarade chinoise faite à Rome le Carnaval de l'année MDCCXXXV.*

3. Un élève passé maître.

Paul-Hippolyte de Beauvillier, duc de Saint-Aignan, ambassadeur extraordinaire du roi, arriva à Rome le 13 mars 1732, après un voyage périlleux de plus de trois mois[100]. Désigné le 11 octobre 1730, il ne quitta Paris que le 22 septembre de l'année suivante. Depuis Marseille où il était encore à la fin de novembre, bourrasques et tempêtes s'acharnèrent sur les galères royales dont on suit les escales depuis Rome dans l'inquiétude et l'incertitude: Monaco, Savone, Gênes, Portofino, Livourne où l'ambassadeur fait sa cour à l'infant Don Carlos nouveau duc de Parme et futur roi de Naples et enfin Civitavecchia. En vertu de l'étiquette qui réglait même les entrées officieuses, le cardinal de Polignac, prédécesseur du duc de Saint-Aignan et le cardinal Ottoboni, protecteur de l'Eglise de France, allèrent à sa rencontre jusqu'à une lieue de Rome. Nicolas Vleughels, chapitré par le duc d'Antin, s'y trouve pour le saluer, mais toujours bon courtisan, il prit ensuite les devants et arriva « assez tôt pour être avant lui au palais », c'est-à-dire chez le cardinal de Polignac, au Palais Altemps où lui avait été préparé un appartement provisoire. C'est là qu'il reçut le jour même ses premières visites. Prompt à mettre en valeur l'Académie qu'il dirigeait, Vleughels le lendemain fit apporter le buste en marbre du cardinal de Rohan et présenta son auteur, Edme Bouchardon. Le lundi 17, il revint encore, amenant avec lui tous

100 CD, t. VIII *passim*; AN, AE B[1] 963.

les pensionnaires : « Il voulut que je l'informasse de leur nom, de leurs talens, de leur profession ; puis il leur dit qu'il les voulait venir voir ». Pierre Subleyras était du nombre, sa carrière allait prendre un autre tour.

Sur le mécénat qu'exerça le duc de Saint-Aignan, Vleughels est discret. Quelques touches espacées notent la diversité des intérêts de l'ambassadeur à quoi répond le duc d'Antin : « Il a vu le beau et s'y connaît mieux que personne ». Ce compliment était moins une politesse qu'une évidence. Ce pair de France fréquentait la cour, avait voyagé en Espagne où il avait été ambassadeur et passait pour un homme de culture. Il était à Rome depuis peu de mois quand il fut depuis Paris agréé à l'Académie des inscriptions et belles-lettres. L'antiquité lui dicta ses premiers enthousiasmes et Vleughels s'entremit pour satisfaire ses désirs d'achats ou ceux de l'ambassadrice. Mais il est un sujet brûlant sur lequel le directeur est muet, ce sont les commandes passées à ses pensionnaires par l'ambassadeur dont l'empressement à s'occuper de tout, les relations étroites qu'il entretenait avec l'Académie, laissent à penser qu'il n'a pas attendu. Habitant proche, au palais Bonelli[101], place des Saints-Apôtres, il fit une visite impromptue au palais Mancini un mois après son arrivée, surprenant même Vleughels en négligé. Il revint officiellement en mai. Pour être bien informé et nouer des relations avec les jeunes artistes, il pouvait d'ailleurs, ce qui est bien dans sa manière, négliger l'intermédiaire du directeur et s'en remettre à son écuyer qui venait dessiner tous les jours à l'Académie. Vleughels n'avoua les travaux des pensionnaires qu'à la fin de 1733 quand s'achevait le délai accordé par le duc d'Antin à la promotion de 1728 qui décidément se plaisait à Rome. Il cite d'abord Blanchet, puis Trémolières. Pour Subleyras il attendra encore un an rapportant, après une entrevue d'où il s'était retiré fort marri, les propres paroles de l'ambassadeur : « Subleyras travaillait pour lui », mais à quoi ?

Pris entre deux pouvoirs, il choisit de se protéger en laissant faire sans rendre compte. Mais craignait-il vraiment la réprobation du duc d'Antin qui ne pouvait manquer d'être informé depuis novembre 1733 par la demande de maintien ? Bon prince d'ailleurs, le Surintendant le rassure aussitôt : « Je suis bien aise que Monsieur l'ambassadeur se serve de nos élèves ; ayez attention pour qu'il soit bien servi », concevant cependant combien ce mécénat était préjudiciable au principe du renouvellement, sans avoir lui-même l'audace de s'y opposer. Aussi en novembre 1734 délègue-t-il Vleughels pour engager l'ambassadeur à ne pas prodiguer sa protection, « puisque de mon côté, je ne demande pas mieux de faire ce qu'il lui est agréable ». Le mutisme de Vleughels s'explique davantage par sa position à Rome, sa sensibilité personnelle et ses goûts. Il ressent comme un affront l'indifférence dans laquelle le duc de Saint-Aignan tient sa compétence artistique. Il n'apprécie pas non plus Subleyras qui, à ses yeux, est un injuste privilégié. Faisant part au duc d'Antin des compliments de l'ambassadeur sur l'Académie, il lui vient à penser que depuis le départ de Carle Vanloo il n'y a plus parmi les pensionnaires de peintre digne de ce nom. Il aimerait en faire sortir un qui fit du bruit et qui le fit avec justice. C'est à peine déguisée une critique des engouements de l'ambassadeur. Signe de ce différent, il n'y a dans la collection du duc de Saint-Aignan[102] aucun tableau de Vleughels, alors qu'on y trouvera de Jean-François de Troy une grande *Chasse au sanglier* et le portrait de Louis XV qu'il lui avait commandé dès son arrivée à Rome comme directeur. Subleyras commençait à s'afficher comme un égal sinon comme un rival.

Le silence de Vleughels nous prive de précieux renseignements, moins sur la teneur de ce mécénat, connu par ailleurs, que sur la date des œuvres. En décembre 1733, l'ambassadeur fit orner la salle où il allait recevoir pour la Sainte Luce, de quatre imitations de bas-reliefs, copiés sur les originaux des Musées Capitolins. Si Trémolières en fait un, Subleyras en peint au moins un autre. C'est seulement probable. La source unique de notre information est l'inventaire après décès du duc de Saint-Aignan. Subleyras est bien le favori et Blanchet un brillant second, mais leurs manières sont encore si proches que deux allégories, la *Poésie* et la *Musique*, sont attribuées à Blanchet dans l'inventaire et à Subleyras dans le catalogue de la vente qui suivit. Avec cette marge d'incertitude, Subleyras est représenté par douze ou quatorze œuvres. Trois sont sûrement postérieures aux années de l'Académie. La copie du Titien pourrait être le prélude et dater, on l'a vu, de 1732 ; les deux paysages sont le reflet des promenades à la campagne sous la houlette de Vleughels, à moins que, selon une pratique constante, Subleyras n'ait peint que les figures, dont on souligne la beauté.

Restent six tableaux : quatre illustrations des *Contes* de La Fontaine (n°s 18-29), et deux toiles célébrant le nom d'Hippolyte (n° 7 et fig. 5), prénom de l'ambassadeur : l'un est le martyre du saint et l'autre la mort du héros grec, qui, sortant sur son char, mourut aux portes de Trézène victime de la jalousie de Phèdre, de la vengeance de Thésée et du monstre marin suscité par Poséidon. Le tableau a disparu, mais on imagine l'effet de terreur et d'accablement à la vue de ce char détruit, des chevaux foudroyés et du corps d'Hippolyte renversé. En pendant, le supplice de saint Hippolyte dont l'identité est incertaine, mais les traditions divergentes s'accordent pour dire que, persécuté par Décius, lui et toute sa famille, il fut condamné à être traîné par des chevaux lancés au galop. Belle antithèse chrétienne et païenne, avec des effets parallèles d'animaux cabrés et de corps nus. Dans le tableau du martyre dont on possède deux versions, on sent déjà Subleyras maître de sa composition avec cette longue oblique qui va d'Hippolyte en train d'être torturé à l'ange dans le ciel

101 AVR, SS. XII Apostoli, LSA, cf. *Palazzo Valentini*, a cura di Gennaro Farina, Rome, 1985.

102 Le Moël et Rosenberg, 1969.

porteur de la palme et de la couronne, en passant par l'instrument du supplice, le cheval. Ces chevaux sont les premiers que Subleyras ait peint et presque les seuls, puisqu'on n'en connaît qu'un autre, celui du portrait équestre de La Vieuville (nº 115), le dernier dessin connu de Subleyras. Ce tableau était-il le rappel d'un événement douloureux qui frappa l'Académie, celui de l'accident arrivé à Turin l'été 1732 à François Vanloo, mort lui aussi dans la fleur de l'âge parce que ses chevaux s'étaient emballés ?

Les illustrations de La Fontaine ont plus de célébrité. Ces petites toiles ont été tant de fois reproduites, et sans doute de la main même de Subleyras, qu'on ne sait plus exactement lesquelles ont appartenu au duc de Saint-Aignan, lesquelles ont servi de modèle aux gravures de Pierre. La Fontaine n'a pas cessé d'être à la mode, les rééditions de ses œuvres sont fréquentes, mais il semble que la lecture des *Contes* ait eu un regain de vogue sous la Régence. Cette polissonerie cependant ne sent guère le souffre et La Fontaine lui-même, bien qu'il ait eu à renier ses *Contes*, faisait aller de pair leur composition et la traduction de vers latins pour les Messieurs de Port-Royal. Paul Valéry en trouve le libertinage contraire à la volupté et selon un critique « à tant de grivoiserie monotone La Fontaine presque jamais ne donne un goût de chair »[103]. Les *Contes* illustrés par Subleyras répondent à cette idée, à l'exception du *Bât* et de *La jument de compère Pierre*, franchement érotiques, qui d'ailleurs n'appartenaient pas au duc de Saint-Aignan. Les quatre autres ont le charme des scènes de genre à peu de personnages. Un décor presque inexistant pour l'ermitage de Frère Luce, ce moine à demi-agenouillé et déjà retourné, pour hypocritement repousser la jeune et fausse ingénue que lui présente sa mère, une vieille entremetteuse. On y perçoit le plaisir de peindre d'après nature une jolie fille, une vieille femme, mais aussi celui de tourner en charge un sujet héroïque comme la continence de Scipion ou religieux comme la tentation de saint François. L'étonnement du frère Philippe devant un troupeau d'oies, trois accortes jeunes filles, est aussi traité sur le mode ambigu de l'humour et de la naïveté, qui mêle à la saveur du quotidien les souvenirs de l'académisme, plaçant ses personnages rustiques devant un panorama de ville antique et classique à la Poussin. Les répliques sont un divertissement où à volonté, comme dans un jeu de construction, on change les pièces, jusqu'à l'intrusion dans l'une d'elle d'une élégante jeune femme dont on voit le portrait dans l'*Atelier* et que l'on dit, sans preuves, être Virginia Parker, l'épouse de Vernet. Les deux autres tableaux, *Le Faucon* et *La courtisane amoureuse*, forment une manière de paire. Plus intimes, ces contes font l'éloge de la tendresse, l'un dans une atmosphère encore campagnarde et familière où Subleyras s'est plu à multiplier les objets, à peindre chat et chien, reliefs du repas, l'autre plus raffiné, dont la composition d'une simplicité parfaite va dans le sens où s'accomplira le peintre. Les jeunes femmes ont de beaux atours, aux plis élégants, ceux-là mêmes que Subleyras aimait à rendre dans ses portraits de femmes. La peinture est d'une grande délicatesse.

Il est troublant de savoir qu'en 1735 Vleughels lui aussi peignait des *Contes* de La Fontaine. Trois sujets leur sont communs, les deux plus osés et *Frère Luce*[104]. Y a-t-il émulation ou rivalité ? Les différences sont évidentes. Vleughels est plus grivois, Subleyras n'est qu'amusé. Beaucoup d'afféterie dans l'un, le goût du décor et du paysage, le monde des fêtes galantes ; dans l'autre le sens du réel, la rigueur qui ne perd jamais de vue l'essentiel : les personnages et leur signification. La carrière de Subleyras s'emploiera à magnifier ces qualités au détriment de cette liberté allègre, de cette jeunesse qui fait le prix des *Contes* de La Fontaine.

Le « renom de professeur »[105] qu'il eut dès sa sortie du Palais Mancini, Subleyras ne le doit pas seulement à ses travaux pour le duc de Saint-Aignan, mais les œuvres de cette période encore proche de l'Académie sont mal repérées. Que penser du *Triomphe de Bacchus et d'Ariane* gravé par Pierre-Ignace Parrocel[106], arrivé quelques mois après le départ de Subleyras du Palais Mancini. Il y a à la fois du Carrache et du Poussin dans cette composition qui ne laisse pas d'être confuse et peu probante, n'était la lettre de l'estampe. Un *Hercule libérant Prométhée* qui imiterait Valentin[107] et que l'on voit accroché dans l'*Atelier* rappelle les exercices de style auxquels se livraient les pensionnaires, mais il en est un, beau comme une épure : c'est le *Charon passant le Styx* (nº 11), un Charon svelte et lisse, vu de dos, à peine déhanché pour manœuvrer sa gaffe, dominant les morts enfouis dans leurs linceuls, masses blanches et irréelles qui contrastent avec le corps du passeur éternellement vivant et jeune. Déjà Subleyras atteint à la monumentalité qui est une des constantes de son style.

Le peintre a d'autant moins rompu avec la tradition des œuvres religieuses qu'il en était entouré. La *Flagellation du Christ* (nº 9) du musée de Montauban est signée de Rome, sans trace de date. Si l'on songe à la *Dernière communion de saint Jérôme* peinte également à Rome[108] pour Pierre Poulhariez, la *Flagellation* a pris plus d'indépendance à l'égard de ses modèles, nombreux : le tableau de Trevisani à San Silvestro in Capite, le plus célèbre et le plus élaboré[109], le Jean-Baptiste Vanloo de Santa Maria in Monticelli[110], le Benefial de l'église des Stigmates, le plus récent[111]. Subleyras

103 Clarac, 1961, p. 43.

104 Hercenberg, 1975, pp. 106-108.

105 *Memorie*, 1786, p. 28.

106 Robert-Dumesnil, 1836, t. II, p. 179, cf. cat. exp. Albuquerque, 1980, nº 58.

107 *Memorie*, 1786, p. 35.

108 Mahul, 1872, t. VI (2), pp. 210-212; aujourd'hui à l'église Saint-Vincent de Carcassonne.

109 DiFederico, 1977, p. 42.

110 Mouton-Gilles, 1972, p. 188.

111 Angeloni, 1982, p. 69.

P. Parrocel d'après Subleyras, *Le triomphe de Bacchus et d'Ariane*, Paris, Bibliothèque nationale.

a concentré l'attention sur les deux personnages essentiels, un bourreau à la musculature puissante prenant son élan pour frapper et un Christ fragile et inspiré. L'émotion naît de ce face à face. Une esquisse qui appartint à Soufflot d'un groupe de pénitents blancs adorant saint François et saint Vincent (n° 56), semble plus tardive, tant la composition est personnelle et maîtrisée, les couleurs parfaitement distribuées. Cette vision de pénitents s'apparente davantage aux œuvres de la maturité.

« Son fort sera le portrait », prédisait Vleughels en 1735, mettant au futur ce qui était déjà une réalité. Subleyras à Rome ne fera que persévérer dans un genre où il réussissait déjà en France, à l'école de Rivalz qui lui enseigna le réalisme. Entre le portrait de ses parents daté de 1722[112] et celui de Pierre Lucas (n° 2), le pas est franchi. Il a déjà trouvé sa voie, dans la recherche exigeante, moins de la ressemblance que de l'authenticité, qui passe par la peinture raffinée des apparences, visages, costumes ou attributs. La personnalité du sculpteur Lucas, son ami, s'impose dans sa vérité, puissante, tranquille, adoucie par le regard intérieur, fréquent chez les modèles de Subleyras. La main gauche tendue à demi-ouverte est un geste emprunté à Rivalz pour donner vie au personnage sans troubler l'immobilité et créer un lien avec le spectateur. La peinture est riche de matière et la touche large, dans la tradition méridionale, avec des nuances précieuses dans les couleurs du bonnet. La pochade de Dufrèche en Arlequin est de la même veine, quoique faite à Paris[113], mais le portrait de Madame Poulhariez (n° 5) a vraisemblablement été touché par la grâce parisienne, dans ce désir de l'effet gratuit que Subleyras perdra, gardant en revanche le goût de la virtuosité dans le rendu des étoffes, la transparence des voiles, la délicate carnation des femmes. La peinture est devenue plus lisse et plus serrée. Le portrait de Lucas et celui de Madame Poulhariez symbolisent les deux pôles de l'art de Subleyras. De cette période toulousaine, on connaît encore trop peu d'exemples, portraits de compagnons, portraits d'amateurs comme celui de l'écuyer Daram fervent de musique et de peinture[114].

« Il fait à présent du portrait » écrit encore Vleughels en 1735. Voudrait-il dire qu'à Rome, Subleyras a cessé dans les premières années ? On sait pourtant par une gravure de Barthélemy Rivalz qu'il peignit peu après son arrivée, le frère de son maître, le marchand Pierre Rivalz[115], établi en Italie : portrait dépouillé encore très marqué par le réalisme toulousain, mais déjà le modèle a ce port de tête qui accuse la distance et que l'on retrouve dans Marco Foscarini (n° 60), ambassadeur de la République de Venise, un portrait des

Subleyras, *Hercule et Prométhée*, Londres, coll. part.

B. Rivalz d'après Subleyras, *Portrait de P. Rivalz*, Paris, Bibliothèque nationale.

112 Voir note 34.

113 Exposition 1984, Flaran, p. 80, n° 60.

114 Voir note 65.

115 Exposition 1951, Toulouse, p. 75, n° 134.

environs de 1739. Les *Memorie* ne parlent que du bonheur avec lequel il peignit le portrait, mais Pernety, à peine plus explicite, nous assure qu'il fit ceux de « plusieurs cardinaux, princes et princesses romaines ». Vleughels, si complaisant à l'égard de Delobel dont il appréciait le talent et l'entregent, ne s'intéresse pas aux modèles de Subleyras. Il reste encore beaucoup à découvrir. Dans la série féminine on cite, récemment volé, le portrait de la princesse Chigi[116], l'air revêche d'une vieille dame et deux où l'on croît reconnaître Maria Felice Tibaldi (nos 62 et 63), malgré leur différence d'expression. Il y a aussi la jeune Anne Clifford (n° 77) qui a pu se faire portraiturer à Rome en 1739 sur le chemin de Naples, quand elle allait rejoindre son mari le comte Mahony. Toutes ces jeunes femmes, confortablement installées dans leur fauteuil, se sont parées comme Madame Poulhariez de bijoux, dentelles et soie; elles font gonfler leur jupes en plis savants. Elles ont toutes ce visage rond et juvénile qui les distingue à peine. En dehors des grands, peu de portraits d'hommes sont repérés: ceux du cardinal Odescalchi[117], de Pietro Francesco Cornazzano, secrétaire et archiviste du connétable Colonna (n° 13) de Cesare Merenda de Forli, auditeur du cardinal Francesco Borghese, resté jusqu'à une date très récente dans la famille, qui portait au dos de la toile l'inscription: « *Eum Monsieur Subleras Gallus pictor ex vivo originale de proprium pinxit* »[118]. Si le peintre ne se réclame plus de sa petite patrie d'Uzès, il n'a pas cessé de se proclamer « Gallus ». Devient-on jamais Romain?

116 Clark, 1981, fig. 151.

117 Musée de Ponce, cat. musée, 1965, p. 87.

118 Ces renseignements nous avaient été fournis par Anthony M. Clark qui avait encore vu le tableau à Forli.

Subleyras,
Portrait du cardinal Benedetto Odescalchi Erba, Ponce, Museo de arte.

Subleyras, *Portrait de la princesse Chigi*, autrefois coll. Incisa della Rocchetta, Rome.

Subleyras, *Portrait du comte Cesare Merenda*, autrefois coll. Merenda, Forli.

4. Mariage

Le 23 mars 1739, dans la chapelle de la Madone du puits à Santa Maria in Via, Pierre Subleyras se marie[119]. Des pensionnaires arrivés avec lui, il ne reste plus à Rome que Louis-Gabriel Blanchet et Michel-Ange Slodtz qui sont venus l'un et l'autre déposer devant le notaire du Vicariat de son « stato libero », c'est-à-dire de l'inexistence de liens antérieurs, religieux ou matrimoniaux[120]. Il est alors dans sa quarantième année et semble avoir attendu pour s'établir les signes sans équivoque de la réussite. Il y songeait depuis 1735, puisqu'il avait alors réclamé à Saint-Gilles son extrait baptistaire[121]. Selon les *Memorie*, il aurait aussi à cette date demandé à sa mère l'autorisation de se marier, son père étant mort l'année précédente. Ce projet explique à la fois son départ de l'Académie en 1735, après une longue chaîne de prolongations que l'irritation de Vleughels n'aurait pas suffi à interrompre et le refus de retourner à Toulouse où l'aurait rappelé Antoine Rivalz près de mourir. S'il laissait ainsi la place de peintre du Capitole à Guillaume Cammas, il succombait à toutes les séductions de Rome où l'amour était loin de nuire à l'ambition.

En épousant Maria Felice Tibaldi qui était désormais à trente-et-un ans sonnés une miniaturiste renommée, Subleyras entrait dans une famille d'artistes dont les relations compensaient la fortune. Nicolas Vleughels, cinq ans plus tôt, s'était porté garant de son honorabilité auprès du duc d'Antin, lors du mariage d'Isabella, sœur cadette de Maria Felice, avec Pierre-Charles Trémolières, un condisciple de Pierre Subleyras. Il avait même renchéri : « Beaucoup de gens applaudissent à ce mariage » et cité parmi eux le cardinal

119 AVR, S. Maria in via, lib. matr. 1714-1782, fol. 212^{r}.

120 Michel, 1981, p. 34.

121 AVR, Notaio Bernardino Monti, positiones 1739.

P.L. Ghezzi, *Maria Felice Tibaldi*, Rome, B.A.V.

vicaire, Giovanni Antonio Guadagni. Est-il besoin d'alléguer des liens d'amitié entre le père, un violoniste modénais et Nicolas Vleughels, amateur de musique dont les relations étroites avec Modène dataient de son premier séjour en Italie, pour expliquer le mariage de deux demoiselles Tibaldi avec des pensionnaires du roi ? Subleyras trouvait une meilleure introduction dans son propre goût pour la musique : « La musique faisait un de ses amusements ; elle charmait son caractère un peu trop mélancolique », écrit, en 1776, l'abbé de Fontenay.

Ce n'était pas un personnage indifférent que ce Giovanni Battista Tibaldi, caricaturé par Ghezzi en 1720, alors qu'il avait atteint la cinquantaine et cessé de plaire, « parce qu'il joue à l'antique »[122]. Arrivé à Rome aux environs de 1695, il entre d'abord au service de Don Urbano Barberini, puis à celui du prince Francesco Maria Ruspoli. Instrumentiste de talent, il joue pour le cardinal Ottoboni[123] et pour les églises nationales française et espagnole[124]. Ses œuvres, dont certaines sont encore inédites, le situent dans la lignée d'Albinoni et surtout de Corelli. « Violoniste fameux de l'école corellienne », c'est ainsi qu'il est cité à plusieurs reprises. Inscrit dès sa venue à Rome dans la confrérie de sainte Cécile, il y assume des charges honorifiques au moins deux fois, en 1708 et encore en 1726[125], peu de temps donc avant l'arrivée à

122 BAV, Ottob. lat. 3116, fol. 165.

123 *Nuovissimi studi Corelliani*, 1982, p. 207.

124 Nous remercions M. Jean Lionnet qui nous a communiqué plusieurs documents inédits sur cet artiste.

125 *Catalogo dei maestri... della congregazione ed Accademia di Santa Cecilia*, 1845, p. 104.

P.L. Ghezzi, *Giovanni Battista Tibaldi*, Rome, B.A.V.

P.L. Ghezzi, *L'avocat Domenico Bagnara*, Rome, B.A.V.

Rome de ses futurs gendres, Trémolières et Subleyras. Il est au début du XVIIIe siècle une personnalité parmi les musiciens de Rome dont certains lui sont proches comme Antonio Costa avec qui il compose, Francesco Gasparini dont la fille épousa Métastase, Giovanni Antonio Haym et Antonio Montanari, ses intimes. Ghezzi était aussi un de ses familiers. Ainsi, lorsque le 2 juin 1731, il achète à Gaetano Sardi quatre terres cuites venant de la succession de Benedetto Luti, la transaction a-t-elle lieu dans la maison Tibaldi, en présence de « la Signora Belleuccia », Isabella[126].

Devenu veuf, Giovanni Battista Tibaldi s'était remarié en 1706 avec la toute jeune Maria Maddalena Mandelli dont le père, menuisier, était originaire de Palestrina, fief des Barberini[127]. Elle-même était femme de chambre[128] de Donna Felice Ventimiglia, princesse de Palestrina, qui fut en 1707 la marraine de Maria Felice[129], l'aînée de leurs huit filles. La seconde femme de Don Urbano sera à son tour marraine de confirmation en 1720[130], prouvant ainsi la continuité de la protection des Barberini. Et pourtant le déclin de Giovanni Battista Tibaldi approche et la pauvreté qui devient son lot n'améliore pas son caractère dont la bizarrerie apparaît au moment où ses filles arrivent en âge de se marier. L'atmosphère familiale éclaire en partie la situation financière de Subleyras, restée modeste malgré le succès. Certes il régnait chez les Tibaldi des « mœurs parfaites, une vraie piété et la sainte crainte de Dieu surtout chez les filles », assure en 1739 l'avocat Domenico Bagnara qui révèle ensuite la part qu'il a prise dans l'établissement de trois d'entre elles[131].

Le mariage d'Isabelle, laquelle emporta en France mille écus de dot[132], n'occasionna, autant que l'on puisse en juger, aucun remou, mais une rupture se produit alors dans l'attitude du père, sans raison explicite. Aucune de ses filles par la suite ne recevra de lui la moindre dot. Angela, Giovanna et Maria Felice devront chacune à leur tour quitter la maison familiale et se réfugier dans un couvent d'où elles ne sortiront que pour aller à l'église faire bénir leur union. La supplique adressée par Pierre Subleyras et Maria Felice Tibaldi au cardinal Vicaire est claire. Ils demandent à être dispensés des habituelles publications, parce qu'ils craignent une opposition des parents de la jeune fille qui s'est retirée au couvent des Philippines après avoir quitté la maison paternelle[133]. Insultes et injures précèdent les noces d'Angela en 1736 au point que les deux parties, père et fiancé, sont contraints de faire la paix devant notaire. Le jeune homme accepte d'épouser la jeune fille sans dot, pour la seule estime dans laquelle il tient la famille Tibaldi, tandis que lui-même doit lui reconnaître en cas de veuvage un capital de 400 écus[134]. Giovanna, elle, après avoir longtemps tergiversé, épousera l'avocat Bagnara qui commença par lui constituer une dot spirituelle pour lui permettre d'entrer en religion, ce dont elle était empêchée « à cause de sa pauvreté », puis, quelques années plus tard, une rente pour qu'elle vive en paix sans crainte d'avoir à mendier, enfin il en fait sa femme et son héritière, à condition « que son père ni aucun autre de ses parents ne puisse, à aucun titre, acquérir un droit quelconque sur ses biens »[135].

C'est dans cette lumière que se comprend le contrat de mariage de Pierre Subleyras et de Maria Felice Tibaldi[136]. Le père n'intervient pas. En revanche l'avocat Bagnara offre à la future épouse une dot de 200 écus sous forme de meubles, bijoux, linge et ustensiles de ménage, à la fois son trousseau et sa corbeille de noce. Dans un second acte passé immédiatement après au domicile du même Bagnara, le peintre lui-même lui fait donation de 1 000 écus[137] — somme importante si l'on sait qu'un tableau d'autel est payé environ 200 écus — à recevoir s'il venait à mourir avant elle. Et parce que Maria Felice est « habile dans l'art de la miniature », il lui accorde le droit de disposer à sa guise du tiers des gains qu'elle tire de ses œuvres et cela particulièrement en faveur de ses parents. Cette libéralité, exceptionnelle en son temps, témoigne aussi d'un généreux respect filial qui contraste avec l'attitude des autres gendres. Il est vrai que Maria Felice, toute aînée qu'elle soit, ne s'est mariée que la troisième, car elle est le soutien de sa famille qui s'en est séparée avec peine, ses gains n'étant pas négligeables. Ghezzi le dit expressément dès 1720 et le Carme Pier Luigi Bagnara est encore plus explicite : « La Signora Maria Felice Tibaldi ne vend pas ses miniatures moins de 80 écus l'une, mais son prix va augmenter, écrit-il en 1741, puisque son maître est mort et qu'elle est seule capable de l'égaler »[138].

De cette famille par alliance, on ne cite habituellement que Trémolières parce qu'il est Français et parce qu'il est artiste. Et pourtant ces liens, trop vite détendus par l'éloignement et trop tôt rompus par la mort du jeune peintre en 1739, n'ont guère compté pour Subleyras, tandis que son entourage romain laisse mieux à penser. L'avocat Domenico Bagnara, qui devient son beau-frère en janvier 1740, était issu d'une famille noble de Ferrare. Son importance se mesure à ses relations. Il était l'homme de confiance du cardinal Troiano

126 Ghezzi, 1968, p. 484.

127 AVR, S. Susanna, lib. matr. 1683-1716, fol. 73v.

128 ASR, Notai del Tribunale dell'A.C., 2663, fol. 247.

129 AVR, S. Agostino, lib. bapt. 11 septembre 1707, née le 9.

130 AVR, Cresime 1720, fol. 20r.

131 ASR, 30 not. cap., uff. 24, busta 458, fol. 273.

132 Exposition 1973, Cholet, pp. 41-43.

133 AVR, Notaio B. Monti, positiones 1739.

134 ASR, 30 not. cap., Uff. 3, busta 359, fol. 824.

135 Id. Uff 24, busta 450, fol. 430; busta 458, fol. 273, Archivio Capitolino, Notai sezione XVI, vol. 98, 29 novembre 1744.

136 ASR, 30 not. cap., Uff. 24, busta 458, fol. 265.

137 Id.

138 ASR, ms 33, 16 novembre 1741.

T. Tibaldi,
d'après P. Batoni,
Portrait de Giacinta Orsini,
Rome, Museo di Roma.

Acquaviva, ambassadeur d'Espagne, qu'il fera en 1745 son exécuteur testamentaire de concert avec le « Commendatore » Sampajo, ministre *pro tempore* du roi de Portugal[139]. Cet homme cultivé occupa un temps la charge de « Sotto custode » à l'académie des Arcades[140] et fut caricaturé par Ghezzi pour répondre aux sollicitations pressantes de la Signora Lucia Zappi, petite fille de Carlo Maratta[141]. Quant au mari d'Angela, Giuseppe Zarlatti, il est non seulement, par ses amitiés de jeunesse, proche du petit monde de la Curie[142], mais surtout il est lui-même « Mastro di casa », c'est-à-dire l'intendant de la maison du Père Giuseppe Maria d'Evora[143] qui fut général de l'Ordre de saint François, avant de devenir ministre plénipotentiaire du roi de Portugal. C'est d'ailleurs grâce à l'intercession de ce personnage de premier plan que le mariage put avoir lieu et à celle du cardinal vicaire Guadagni qui, deux ans auparavant, faisait à Vleughels l'éloge de la famille Tibaldi. Ainsi Subleyras put-il jouer à la fois de sa qualité de Français et de ses relations dans les factions espagnoles et portugaises, non moins riches et puissantes.

Ce réseau de protections ne saurait faire oublier la maison même de Giovanni Battista Tibaldi remplie de grâces et de talents : « Les filles du Sieur Tibaldi étaient à cette époque des jeunes filles également aimables pour leur gentillesse et pour leurs dons. Les unes s'adonnaient à la miniature, d'autres à la musique, arts dans lesquels elles étaient excellentes »[144]. Maria Felice n'était pas la seule à peindre. Sa sœur Teresa, plus jeune de quatorze ans, fut son élève et devint à peine moins célèbre qu'elle. Elle était, dit-on, peintre d'histoire et de portrait, pastelliste et miniaturiste. Zani ajoute « copiste », et c'est une chance pour un artiste comme Subleyras qui eut beaucoup à se répéter. Elle fit en particulier pour l'Arcadie le portrait de Donna Giacinta Orsini, fille du duc de Gravina, qui avait été reçue toute jeune dans cette vénérable académie sous le nom d'Euridice Aiacense. Un sonnet, dans la tradition arcadique d'hyperboles et de métaphores, célèbre le tableau, le peintre et le modèle :

« Ma tu o Teresa! Sol d'una donzella
« Pingendo il viso angelico, e gentile
« Festi effigie a Giunon nonche simile
« Ma più vaga, ah perchè non ha favella![145]

Maria Felice reste cependant la plus connue de toutes et elle ne doit pas seulement sa célébrité à son mariage avec Pierre Subleyras. Ses dons précoces sont notés par Pier Leone Ghezzi qui en fait un surcroît de gloire pour son père Giovanni Battista Tibaldi. En 1720, dans la légende qui accompagne la caricature du musicien, il rappelle sa fille qui est « très bonne en miniature, se porte très bien et est l'élève du père abbé Ramelli ». Il reprend l'indication dans le portrait qu'il fait d'elle à l'occasion de son mariage avec « Monsieur Subleras Français bon peintre et même très bon portraitiste »[146]. Maria Felice, peu flattée comme il se doit dans ces charges, tient à la main une miniature qui semble bien la réduction de l'autoportrait de son époux.

Felice Ramelli, chanoine régulier de Latran, avait appris la miniature en Piémont avec un religieux de son ordre, l'abbé Denis Rho. Il était allé à Venise où il s'était lié avec Rosalba Carriera[147], puis à Bologne où il fut reçu à l'Académie[148]. Il profita de son séjour pour, selon Zanotti, copier d'après Guido Reni, Lorenzo Pasinelli et Giovanni Giuseppe dal Sole. Et c'est bien cet amour de la peinture bolonaise qu'il inculqua à son élève en même temps que son art du portrait, car il passait « de longues heures à peindre le visage des hommes illustres ». Un classicisme qui n'était pas fait pour déplaire à Subleyras. L'abbé Ramelli se fixa à Rome définitivement en 1710, nommé en 1714 Surintendant des peintures de la Bibliothèque Vaticane, autrement dit des manuscrits à miniature[149]. Maria Felice entra très jeune à son école, puisqu'elle n'avait pas treize ans qu'elle avait déjà du succès. Le diariste Bagnara qui était un ami intime de Ramelli, répète avec insistance qu'elle fut à Rome la seule élève de celui qu'il appelle le Titien de notre temps[150]. A l'origine, elle voulait être peintre, mais l'odeur des couleurs l'incommodant, elle se tourna vers la miniature et le pastel. Les *Memorie*, dictées par l'amour filial, font l'éloge de son dessin, de sa technique parfaite à petits points ronds et réguliers, de l'éclat et de l'harmonie de ses couleurs.

A défaut d'argent, Maria Felice apportait donc en dot, non seulement son talent, mais aussi ses relations personnelles avec une communauté religieuse riche et active qui sut reconnaître la valeur de Subleyras.

139 Archives du Ministère des Affaires Etrangères (= AMAE), Correspondance politique (= CP) Rome 752, fol. 97; Archivio Capitolino Notai sezione XVI, vol. 98, 29 novembre 1744.

140 Giorgetti Vichi, 1977, p. 13.

141 BAV, Ottob. lat. 3115, fol. 148.

142 AVR, Notai Uff. I, interrogationes 1735.

143 Voir note 134.

144 *Memorie*, 1786, p. 27.

145 Archivio dell'Arcadia, ms. 37, fol. 447r; le tableau conservé au Museo di Roma, est reproduit dans Pericoli, 1960, p. 12, attribué interrogativement à Pietro Labruzzi; voir aussi Clark, 1985, pl. 206 d.

146 BAV, Ottob. lat. 3118, fol. 59.

147 Carriera, 1985, pp. 46-47.

148 Zanotti, 1739, t. II, p. 322.

149 Bignami-Odier, 1973, pp. 177 et 304.

150 ASR, ms 33, mai (n° 709) et 16 novembre 1741.

Troisième partie.
La célébrité.

I. Les chanoines réguliers de Latran.

En 1737, Pierre Subleyras signe le *Repas chez Simon* (n° 33). Cette énorme toile en longueur d'environ sept mètres sur deux était destinée aux chanoines réguliers de Latran, pour le réfectoire du couvent de Santa Maria Nuova d'Asti. La *Congregatio canonicorum regularium Sanctissimi Salvatoris Lateranensis*, fondée à Rome vers 1070 avec la règle de saint Augustin, avait été chassée de la cathédrale, administrée désormais par des séculiers avec lesquels il ne faut pas confondre ceux qu'on appelle familièrement les « Rocchettini », à cause de leur vaste rochet de lin blanc qui donna à Subleyras l'occasion de si beaux effets. L'ordre, très prospère au XVIIIe siècle, avait largement essaimé et fondé de nombreux couvents tant de femmes, comme celui de Gênes où vécut la vénérable Battistina Vernazza, que d'hommes, surtout dans le nord de l'Italie d'où étaient originaires les trois chanoines amis de Subleyras, les abbés Felice Ramelli, Cesare Benvenuti et Camillo Tacchetti. A Rome, la maison mère se trouvait à Santa Maria della Pace, proche de la place Navone.

Le *Repas chez Simon* est la plus grande toile qu'ait peinte Subleyras avant la *Messe de saint Basile* de dix ans postérieure. Le choix audacieux d'un peintre étranger, peu connu à Rome — que dire dans le Piémont — pour un morceau de cette importance n'est pas évident. A l'automne 1735, Subleyras quitte enfin l'Académie, à regret, car explique Vleughels, « il a même entrepris quelques grands ouvrages et cela était commode ». La même année, il se fiance avec Maria Felice Tibaldi qui avait été l'élève de l'abbé Felice Ramelli. Or ce religieux, né dans une famille noble d'Asti, avait été abbé de Santa Maria Nuova en 1707. C'était temps de guerre en Piémont; les difficultés s'accumulèrent, surtout financières. En 1708, il fut déposé à la suite d'une cabale, mais en 1710 le général et le cardinal protecteur le rappelèrent à Rome où justice lui fut rendue. Ses liens avec le Piémont et Asti n'en sont pas pour autant rompus. En 1737, devenu vieux, à demi paralysé et presque aveugle, il offrit ses miniatures au roi Charles-Emmanuel III de Savoie qui en retour le dédommagea somptueusement, en argent comptant comme l'avait demandé l'abbé lui-même[151]. Y a-t-il simple coïncidence? Si l'abbé Ramelli ne fut pas l'initiateur de la commande, il est impensable qu'il n'ait pas présenté, sinon imposé le peintre. « Cet énorme tableau mit le comble à sa réputation », lit-on dans les *Memorie*. Et pour exalter cet honneur, suit un commentaire sur la reconnaissance par Rome du génie de Subleyras, « Rome que les étrangers accusent à tort d'être jalouse et avare d'éloges, n'a pas été aveuglée par les mérites des Mancini, Masucci, Benefial et Bianchi ». Tels étaient ses rivaux, sur lesquels il l'avait emporté.

En 1737, Subleyras et Blanchet, l'un et l'autre exilés du palais Mancini, habitent ensemble non loin de Santa Agata dei Goti[152]. Cela laisse à penser qu'ils travaillent ensemble, le second aidant le premier qui fait déjà figure de maître. Selon Pietro Pasqualoni, un des premiers biographes de Subleyras, le tableau aurait été exposé dans l'église de Santa Maria dell'Anima « où les spectateurs se rendaient en foule pour l'admirer ». De cette présentation, on ne trouve par ailleurs aucune trace, mais il n'y a pas lieu d'en douter, car elle était une tradition romaine qui valait consécration officielle. On peut s'étonner cependant qu'elle ait eu lieu à Santa Maria dell'Anima, église de la « Nation germanique », et non à Santa Maria della Pace sa voisine, qui appartenait aux « Rocchettini ».

Le tableau fut donc installé dans le réfectoire de Santa Maria Nuova d'Asti où il demeura jusqu'en 1798. Le 9 février, un bref de Pie VI autorise Charles-Emmanuel IV de Savoie à dépouiller les couvents pour faire face aux dépenses de guerre contre les Français[153]. Le 13 mars, les « Rocchettini » d'Asti sont sécularisés et leurs biens seront

151 *Schede Vesme*, 1968, pp. 885-893.

152 AVR, S. Salvatore ai Monti, LSA 1737, fol. 19.

vendus aux enchères le 4 août suivant[154]. Mais entre temps, le 10 avril, le supérieur de la Basilique royale de Superga adressait un mémoire au comte Pietro Giuseppe Graneri, Ministre d'Etat, pour récupérer « la célèbre Cène de Notre Seigneur Jésus-Christ, œuvre insigne d'excellent pinceau ». Il la demande pour décorer une vaste salle dépourvue d'ornements qui sert justement de réfectoire. Il la juge digne de cotoyer les chefs-d'œuvre de sculpture que contient la basilique[155]. Le 16 août, tout est terminé, le supérieur recevant l'autorisation de payer le peintre Giovanni Schlau, chargé du transfert. Il a passé dix jours à démonter le tableau d'Asti, le mettre en caisse, le remonter à Turin pour le présenter à la cour, de nouveau le démonter, le remettre en caisse et le remonter à Superga, où il lui a redonné son lustre[156]. Mais la guerre continue : les Français s'emparent de Turin et du tableau. Déjà le 8 Germinal An VII (17 avril 1799), le citoyen Louis Roasenda, Commissaire du temple de la Reconnaissance, à « Sopergue », signale que le sanctuaire est vide[157]. Le *Repas chez Simon*, enlevé par le commissaire Musset, qui n'est autre que le père du poète, arrive à Paris le 22 mai, tandis que le général Souvaroff reprend Turin. Les Piémontais ont doublement joué de malchance. Le 14 février 1818, le comte Napione écrit à l'envoyé du roi de Sardaigne à Paris, chargé d'obtenir la restitution des œuvres d'art et lui signale que le premier architecte du roi tient particulièrement au « Convitto del Redentore... opera di Pietro Subleyras ». La lettre arrive trop tard, le représentant du roi a déjà quitté Paris[158].

Le *Repas chez Simon* est, avec la *Dernière cène* et les *Noces de Cana*, l'un des épisodes de la vie du Christ choisi de préférence pour décorer les grands réfectoires de couvents. Ils offrent en effet l'image des agapes confraternelles comme une invite à la méditation. La tradition italienne des XVe et XVIe siècles est riche en variations sur ces thèmes et s'il en est une du *Repas chez Simon* qu'a pu connaître Subleyras avant son arrivée à Rome, c'est l'œuvre de Véronèse offerte à Louis XIV en 1665 que l'on voyait alors au Louvre dans le « Cabinet des tableaux du roi »[159]. Le peintre pouvait aussi se souvenir des tableaux de la collection Crozat, mais une gravure du *Sacrement de pénitence* de Poussin lui proposait un modèle plus célèbre encore et plus accessible. Le sujet de ce que l'on appelle aussi l'*Onction de Béthanie* est la reconnaissance de la divinité du Christ par Marie-Madeleine, une femme de mauvaise vie qui pleure ses fautes passées. « Elle se mit à lui arroser les pieds de ses larmes ; puis elle les essuyait avec ses cheveux, les couvrait de baisers, les oignait de parfum », c'est la version de l'Evangile selon saint Luc. Mais cette scène essentielle n'est en peinture que le prétexte à un déploiement de faste. Même Poussin la relègue à la gauche du tableau, ce qu'imite Subleyras. Véronèse avait imaginé un somptueux décor architectural ; Poussin l'a réduit et dans certaine version neutralisé. Subleyras ne fait que le suggérer par des bases de colonnes qui suffisent à donner une impression de grandeur sans davantage retenir l'attention : une idée souvent reprise par la suite. Un écrivain d'Asti prétend que les deux colonnes peintes — en vérité il y en a quatre groupées par deux — semblent prolonger les deux colonnes réelles qui existaient dans le réfectoire[160]. Il nous est aujourd'hui impossible d'en juger, car le couvent, transformé en hôpital, a été rénové à plusieurs reprises, mais cette remarque éclaire un trait de la personnalité de Subleyras, son attachement au réel qui peut passer pour un manque d'imagination. On loue donc dans ce tableau le nombre des figures, la virtuosité de la composition. C'est un étonnant morceau de bravoure dans lequel le peintre utilise ses exercices d'atelier : têtes d'expression dans ses vieillards enturbannés, études d'anatomie dans les attitudes différentes de cette foule animée, des deux serviteurs, au premier plan, à genoux ou plié en deux, jusqu'aux assistants debout, assis, intéressés, indifférents. Subleyras tend à donner une image de vie et de mouvement digne des festins de la Rome antique, et même moderne. Il oubliera par la suite cette effervescence, mais il gardera la blancheur lumineuse du linge, nappe et serviettes qui ceignent les serviteurs, ce goût méticuleux et presque sensuel pour les objets, leur forme, leur éclat : buffet dressé de plats d'argent, aiguières, corbeille de vaisselle. Poussin était tout à la solennité du moment, Subleyras plus près de Véronèse, fait l'alliance de la grandeur et de la familiarité quotidienne dont le signe le plus évident est ce beau chien blanc tacheté de noir, un chien digne d'Oudry, qui, sur le devant de la scène, ronge son os.

Parmi les peintures qui tapissent les parois du « Gabinetto delle miniature » au Palais Royal de Turin, il en est une qui représente l'abbé Felice Ramelli. Baudi de Vesme, qui en appréciait la qualité, ruinant l'idée commune qu'il s'agit là d'un autoportrait, la dit semblable au beau portrait grandeur nature que possédait encore au XIXe siècle la famille Ramelli di Celle ; pour auteur il avance timidement le nom de Trevisani[161]. Il vaudrait mieux dire Subleyras. Une longue inscription au dos date cette toile de 1738. Trevisani est alors très âgé, plus de quatre-vingts ans et l'on ne cite guère de portraits peints par lui après 1726. Subleyras, lui, est au mieux de sa forme. Il vient en outre d'achever le *Repas chez*

153 Gallo, 1881, p. 60.

154 Biblioteca del Seminario Vescovile d'Asti, *Giornale d'Asti*, manuscrit de l'abbé Pietro Incisa (1742-1819), t. XXIII, pp. 18 et 45.

155 *Schede Vesme*, 1968, p. 969 ; AS Torino, sezione 2, Archivio della Basilica di Superga, 132.

156 AS Torino, sezione 2, Archivio della Basilica di Superga, 101.

157 AS Torino, sezione 1, Corte, Materie Ecclesiastiche, Benefizi di diversi paesi 101, fol. 610.

158 Biblioteca Reale di Torino, ms. storia patria 680.

159 Brice, 1752, t. I, p. 69.

160 Robino, 1935, pp. 107-108.

161 *Schede Vesme*, 1968, p. 886.

M.-F. Tibaldi (?) d'après P. Subleyras, *Portrait de l'abbé Giovanni Felice Ramelli*, Turin, Palais royal.

Simon et l'on sait les liens qui l'unissaient à l'abbé Ramelli. A défaut du tableau, la miniature est révélatrice. Le personnage assis emplit l'espace de la blancheur du rochet; le visage sans concessions, légèrement tourné, perd de sa dureté dans l'intensité de la lumière; les mains sont traitées avec préciosité. Ramelli a cet air de réserve et d'absence qui idéalise le réel. Cette miniature soutient la comparaison avec le portrait de Don Cesare Benvenuti (n° 76), abbé général des « Rocchettini » depuis 1739, peint en 1742 par Subleyras selon une inscription au verso. Même position du personnage assis de trois quarts, tendant la main gauche à demi-ouverte, la droite pinçant une page de livre, celle de Ramelli tenant une miniature. Le visage retourné vers le spectateur, en pleine lumière, a des traits plus aigus; le regard est plus souverain, mais aussi absent. Ces différences ne distinguent que les personnalités sans toucher à la manière du peintre. La trouvaille est d'avoir laissé au prélat son vaste manteau noir pour faire ressortir la tête et donner plus de brillance aux échappées du rochet et de la robe de lin blanc. Les fonds eux-mêmes sont conçus de la même manière: fauteuils de tapisserie, décors emblématiques, miniature pour l'un, bibliothèque pour l'autre qui était un savant, philosophe et théologien.

Si le portrait de l'abbé Ramelli a toutes les chances d'être une œuvre de Pierre Subleyras, la miniature ne saurait être de la main du religieux vieillissant. En novembre 1737, sa santé n'est plus bonne. Les jours précédents, il a subi une attaque qui l'a privé de la parole. Il n'a pu écrire lui-même sa lettre de remerciement au roi de Piémont, parce qu'il est « tout à fait paralysé d'une main ». L'abbé Ramelli n'est plus apte à manier le pinceau délicat des miniaturistes. Si l'on en croit le diariste Pier Luigi Bagnara, il est aussi presque aveugle quand il meurt le 14 novembre 1741 à Santa Maria della Pace. Qui

F. Polanzani, *Double portrait des abbés Ramelli et Tacchetti*, Rome, G.N.S.

mieux que Maria Felice Tibaldi, sa seule élève à Rome digne de l'égaler, pouvait ainsi reproduire une œuvre de Pierre Subleyras avant même leur mariage, tout en accomplissant un geste de reconnaissance à l'égard de son maître, à qui la modestie interdisait de se représenter lui-même?

Camillo Tacchetti (n° 84) est le troisième des chanoines réguliers dont Subleyras ait fait le portrait. C'est le plus jeune et c'était un familier. Né à Vérone vers 1703, on ne sait quand il vint à Rome, mais on écrit toujours qu'il peignait « suivant l'exemple et les modèles » de l'abbé Ramelli[162]. Il est de la génération de ces artistes que le « custode » Morei attira dans l'Arcadie après sa nomination en 1743 et comme Ramelli, il fut membre de l'Académie Clémentine de Bologne où son

162 Dal Pozzo, 1718, aggiunte, p. 18.

163 Nous remercions le professeur Silla Zamboni, secrétaire de l'Académie Clémentine, qui a recherché pour nous cette date dans les actes manuscrits.

élection eut lieu le 17 novembre 1743[163]. Le portrait de Subleyras semble bien commémorer ces deux événements et dater de 1744, puisque la gravure qu'en a tirée Polanzani, les mentionne ensemble peu après, en 1745. Une légère guirlande de laurier au-dessus de la tête du chanoine fait allusion à ces honneurs, tandis qu'une rangée de livres dans l'angle droit, surmontés d'une miniature, évoque la culture et le talent de l'abbé Tacchetti. Ce portrait sur cuivre n'a pas l'ampleur des deux premiers, mais le visage a cette expression réservée et distante que Subleyras donne volontiers à ses modèles. Une autre gravure de Polanzani représente, dans deux ovales face à face, l'abbé Ramelli et l'abbé Tacchetti, réunis dans la même célébrité. Le dessin est-il de Subleyras? Son attachement aux chanoines réguliers de Latran, qui furent ses premiers protecteurs italiens, se reconnaît dans le nombre et la qualité de ces portraits. Le réalisme des premières années est toujours de règle, mais il a pris un contenu plus réfléchi. Avec ces religieux vêtus de blanc et de noir, Subleyras élimine la tentation de la couleur pour donner à une vision réelle valeur d'abstraction.

2. Faste et dévotion.

Le 19 janvier 1737, le duc de Saint-Aignan remerciait le garde des sceaux, Germain-Louis Chauvelin, de la grâce que le roi venait d'accorder au prince Girolamo Vaini, en le nommant chevalier dans l'ordre du Saint-Esprit: « Vous savez combien je le désirais et que tout se réunissait pour m'engager à penser ainsi, mon amitié pour lui, la justice que je croyais due à son zèle pour les intérêts du roi, le bien du service de Sa Majesté... Il ne tiendra néanmoins qu'à vous d'y ajouter un nouveau degré en me procurant l'honneur de faire la cérémonie de la réception et le plaisir d'en avoir Rome pour témoin, non que ce qui me touche principalement soit l'agrément personnel qui m'en reviendra, mais parce que rien ne sera plus propre à recueillir ici une émulation qui n'était plus et qui peut influer beaucoup sur le bien de nos affaires »[164]. Dans une ambassade terne et souvent malheureuse, la nomination du prince Vaini apparut au duc de Saint-Aignan comme une victoire qui lui donnait de surcroît l'occasion de satisfaire son penchant « pour la représentation et la magnificence », comme écrit à ce propos le président de Brosses qui note, non sans humour: « Il n'a pas moins le goût des fêtes que Monsieur son père, qui était à la tête des tournois dans les jeux de la princesse d'Elide »[165].

Dans les instructions que l'ambassadeur avait reçues, avant son départ, le ministre des affaires étrangères déplorait que les grandes familles, Colonna, Orsini, Borghese, Barberini, Pamphily... fussent toutes « dépendantes, par inclination ou par force, de l'empereur », qu'il n'y en eut point d'autres attachées à la France que celle des Vaini, et, ajoutait-il, « l'on ne peut plus espérer tirer parti ni avantage de celle du prince Vaini qui était chevalier des ordres du roi. Elle fait si peu de figure qu'aucune des maisons principales en rang et qui ont du crédit, de l'estime et des alliances considérables n'a de liaison ou de commerce avec elle »[166], allusion claire aux sollicitations incessantes du prince Girolamo Vaini auprès du précédent ambassadeur, le cardinal de Polignac, pour recevoir le Cordon bleu, qu'il considérait comme une distinction héréditaire récompensant les familles au service de la France, un désir qui n'était pas entièrement désintéressé, puisque l'honneur était assorti d'une pension de 1 000 livres. Paris n'y avait jusqu'à ce jour répondu que par des promesses vagues.

Girolamo Vaini, prince de Cantalupo, duc de Selci, marquis de Vacone, était le fils de ce Guido que Saint-Simon réduit à néant pour mieux se gausser de la vanité du cardinal de Bouillon dont « la princerie était la folie dominante ». Désireux de s'entendre appeler Altesse Eminentissime, « il trouva un gentilhomme romain... qui avec de l'argent, s'était fait faire prince par le pape, et ces princes du pape sont à Rome même fort peu de chose... Il fit tant enfin que le roi lui envoya l'ordre »[167]. Guido Vaini avait en effet reçu le Cordon bleu de la main de Louis XIV, le jour de pentecôte 1699. La famille Vaini, originaire d'Imola, connue dès le XIe siècle, n'était pas aussi insignifiante qu'on pouvait le croire à Paris. Devenu romaine, elle avait donné à l'Eglise plusieurs condottieri. Apparentés à la Maison Barberini, elle-même alliée à la Maison d'Este, les Vaini « appartenait » de ce fait à la reine d'Angleterre, pour reprendre les mots du duc de Luynes qui rappelle les hauts faits d'Antonio Vaini, général des galères de Malte, engageant son frère Guido à s'attacher pour toujours aux intérêts de la France, « dans un temps que la Maison d'Autriche possédait tous les états d'Italie ». Moins venimeux que Saint-Simon, il attribue au cardinal de Jeanson les démarches en faveur de Guido Vaini et à la bienveillance d'Innocent XII l'octroi d'un titre de noblesse qui le rendit tout à fait digne d'obtenir du roi la croix de chevalier du Saint-Esprit[168]. Le prince Girolamo sut faire sa cour au duc de Saint-Aignan et le 3 février 1737, le roi lui écrivait de Versailles: « Mon cousin... quelque soit la joie et la reconnaissance que vous faites paraître en recevant le collier de mon ordre, elle ne saurait être plus grande que le plaisir que j'ai à vous le conférer ».

Un événement si attendu fut préparé dans la précipitation au cours du mois d'août. Le 7, était arrivé le héraut des ordres du roi, chargé d'apporter le collier et de diriger le cérémonial

164 AMAE CP Rome 752 à 764 passim.

165 De Brosses, t. II, pp. 97 et 289.

166 *Recueil des instructions données aux ambassadeurs*, 1913, t. XX, pp. 131-132.

167 Saint-Simon, 1947, t. I, p. 467.

168 *Mémoires du duc de Luynes*..., t. I, p. 158.

de la réception. Le choix d'une date était un acte politique. Il s'agissait de « prendre un jour où le concours du peuple peut contribuer à en augmenter l'éclat ». Le mieux eût été la fête de saint Louis, s'il n'y avait eu ce jour là chapelle cardinalice dans l'église nationale. On se décida pour le dimanche de l'octave, sans s'apercevoir que c'était l'anniversaire de la mort de Louis XIV. On remit encore de quinze jours, à défaut du dimanche précédent, fête de la Nativité de la Vierge, qui aurait mieux convenu, mais les habits n'étaient pas prêts! Le duc de Saint-Aignan fit venir de Naples en toute hâte ceux du duc de Cellamare par l'intermédiaire du cardinal Giudice, tandis que le prince Vaini achetait pour 200 écus son manteau au prince Colonna qui avait été décoré en 1675[169]. Au dernier moment, on ne savait plus si la formule du serment était la même pour les étrangers; l'ambassadeur de France à Naples fournit heureusement la réponse. Tous les obstacles levés, la remise du Cordon bleu au prince Girolamo Vaini put avoir lieu le 15 septembre 1737 à Saint-Louis des Français.

L'événement sera commémoré par le *Diario ordinario* qui lui consacrera en outre un numéro spécial, envoyé à Paris par le duc de Saint-Aignan en accompagnement de sa lettre[170]. Rien n'y est oublié, du cortège formé d'un carrosse et de deux berlines qui n'avaient jamais paru en public pour mener l'ambassadeur en grande tenue de chevalier du Saint-Esprit, ayant à ses côtés le futur chevalier, jusques aux livrées « habillées de neuf », en passant par les invités dont le « roi d'Angleterre », Jacques Stuart et ses fils, dix cardinaux et tous les ministres étrangers. Ce fut l'évêque d'Halicarnasse qui officia, un Avignonnais, Eléazar-François des Achards de La Baume. Autour de Saint-Aignan représentant le roi, le rôle des dignitaires de l'ordre était tenu par de nobles romains, celui du chancelier par l'Auditeur de Rote, l'abbé de Canillac, quoique brouillé avec l'ambassadeur. Ce fut une réussite : seuls quelques cardinaux protestèrent de n'avoir pas eu une tribune séparée du reste des assistants.

Un public nombreux était venu la veille admirer l'église décorée pour la fête par l'architecte Domenico Gregorini qui servait habituellement l'ambassadeur et le peintre Giovanni Battista Olivieri dont usait le cardinal Ottoboni. Le duc de Saint-Aignan s'était donc adressé à des spécialistes, mais avait choisi une décoration sans représentations figurées, toute en lignes, couleurs et rehauts d'or fin. L'ambassadeur lui-même rapporte l'impression unanime : « L'église de Saint Louis avait été parée avec la magnificence convenable et l'on a trouvé que l'on avait su y joindre en même temps le bon goût ». Valesio, toujours friand de détails, note que le trône destiné au roi et qui restera vide appartenait au cardinal Ottoboni qui l'avait acheté à la succession de la reine Christine de Suède[171].

Puisqu'il fallait éblouir et donner ainsi la mesure de sa puissance, l'ambassadeur invita ensuite au Palais Bonelli où il résidait, « un grand palais par-dessus lequel on aperçoit, justement au milieu, la Colonne trajane qui semble en faire partie et servir d'ornement à la cour ». Il fit servir des rafraîchissements et exécuter « une cantate à quatre voix, avec quantité d'instruments » pour laquelle le salon avait été transformé en théâtre « avec des peintures et des illuminations et des tapisseries ». La fête se termina tard, à « cinq heures de la nuit », heure romaine, c'est-à-dire minuit. Le succès fut tel que le lendemain l'ambassadeur dut ouvrir ses appartements pour satisfaire la curiosité des Romains qui désiraient admirer la décoration : « C'est une procession continuelle, on compte que jusqu'à présent il faut qu'il y soit venu plus de 40 000 personnes ». Le président de Brosses, rendant visite au duc de Saint-Aignan, admire en se trompant à peine « un salon immense, où l'ambassadeur fit la cérémonie de donner le cordon au prince Vaini avec une pompe extraordinaire » et, toujours malicieux, il commente : « Je vous jure qu'il y avait dans cette affaire deux personnes bien joyeuses : celui qui donnait l'était au moins autant que celui qui recevait »[172].

Mieux que les mots, il reste la peinture, deux images bien différentes. Giovanni Paolo Panini dont on apprécie la fidélité en suivant le récit imprimé, représente le moment le plus solennel de la cérémonie, à l'intérieur de l'église de Saint-Louis des Français. On y voit le chœur avant sa transformation des années 1750, la foule des invités, le « roi d'Angleterre » entouré de sa suite dans une tribune à droite, la famille de Vaini à gauche, autant de portraits en miniature dont se régalaient les contemporains[173]. Description et poésie vont de pair. L'allégorie (n° 42) convenait mieux à l'art réfléchi de Subleyras. C'était un choix dans la tradition française des fastes royaux où il pouvait se souvenir de son maître Rivalz. Au-delà de l'anecdote, il met en évidence le sens profond de cette manifestation, les liens entre Rome et la France que Saint-Aignan désirait renforcer. Dans une composition qui met face à face les nations, les deux registres sont parfaitement intégrés : au centre, la scène réduite au geste essentiel de la remise du cordon et aux seuls héros de la cérémonie. Les deux personnages, rendus avec une scrupuleuse exactitude dans leur costume et sans doute leur visage, n'en sont pas pour autant réalistes. Comme les souverains, ils sont idéalisés dans leurs atours anciens devenus intemporels et signifient déjà plus qu'eux-mêmes, le duc de Saint-Aignan représentant le roi et le prince Vaini à genoux, la noblesse romaine au service de la France. La transition se fait naturellement avec les figures allégoriques qui ont pris la place des assistants : hiératiques, elles transforment cet instant en un moment d'éternité. Subleyras a puisé consciencieusement

169 Valesio, t. VI, p. 76.

170 Un exemplaire conservé dans AMAE CP Rome 764, fol. 390.

171 Valesio, t. VI, p. 81.

172 De Brosses, t. II, p. 97.

173 Musée de Caen.

G.P. Panini, *Le duc de Saint-Aignan remet le Cordon du Saint-Esprit au prince Vaini*, Caen, musée des Beaux-Arts.

dans l'*Iconologie* de Ripa. Autour du prince, ses attributs : l'Honneur de l'homme, la Fidélité de sa famille, la Noblesse de sa race. Le premier a la forme d'un jeune homme vêtu de pourpre, couronné de laurier, une lance dans la main droite et une corne d'abondance dans la gauche. La seconde, en retrait, est une femme tenant une clé, un chien blanc à ses pieds. Au centre, la plus importante, celle sans qui le roi n'aurait pu accorder la croix du Saint-Esprit, regarde Louis XV avec gratitude. Richement vêtue de bleu, tenant le sceptre, elle a sur le front une étoile. En face l'ambassadeur ; se penchant sur son fauteuil, un Hermès représente la « Fama chiara », la Renommée. Il est aussi le messager entre le roi et son représentant, doublé d'un jeune serviteur aussi mythique que lui qui apporte le collier. Le caractère sacré de la scène est implicitement donné par la double vision, comme dans un tableau religieux. Dans un ciel de nuages, veillent le Pape Clément XII Corsini dont l'effigie est présentée par la Foi catholique et le roi, dans un médaillon tenu par une Minerve, symbole de la sagesse et des vertus guerrières de Louis XV. Subleyras sait équilibrer les masses, les distinguer et les unir par un jeu de lignes et de correspondances. Il sait utiliser la couleur qui ici n'a pas seulement une valeur esthétique. Au cœur du tableau, focalisant l'intérêt, le bleu et le blanc représentent l'ordre du Saint-Esprit, la France elle-même. A l'entour, la pourpre et l'or rappellent le flamboiement de la décoration, mais aussi les couleurs de Rome.

De ce tableau, la version définitive est conservée au Musée de la Légion d'Honneur. On en connaît mal l'histoire, car elle ne semble pas avoir appartenu au prince Vaini. Du moins ne figure-t-elle pas dans l'inventaire de ses biens. Elle aurait été destinée, selon Gault de Saint-Germain qui écrit en 1818, au couvent des Grands Augustins, siège de l'Ordre, sans qu'on sache qu'elle y soit jamais entrée. Elle figure au centre de l'*Atelier*: vision peut-être réelle d'une œuvre achevée, non livrée, pour une raison que nous ignorons, qui pourrait être la mort du prince Vaini en 1744, si elle avait été faite pour lui. Dans la liste des œuvres de 1741 qu'avait vue l'auteur des *Memorie*, Subleyras avait noté deux exemplaires de la remise du Cordon. Le duc de Saint-Aignan possédait, lui, « un tableau bien terminé », plus petit, chef-d'œuvre de délicatesse, resté dans la famille jusqu'à nos jours. Le Musée Carnavalet conserve trois esquisses partielles (n°s 44, 45, 49), une figurant le prince Vaini et deux, le duc de Saint-Aignan, dont l'une, debout, en grand manteau. Subleyras avait-il songé faire un portrait en pied de l'ambassadeur qui fut son protecteur le plus fidèle dans la première partie de sa carrière romaine?

Le prince Vaini, reconnaissant, offrit au cardinal de Fleury un tableau de sa collection dans laquelle Vleughels, chargé de choisir, n'ayant trouvé que du médiocre, s'empressa de l'écrire à l'intéressé pour se disculper[174]. Il offrit surtout en 1741 un bien qui lui venait de son père, la statue de Louis XIV par Domenico Guidi[175], qui, défiant les siècles et les révolutions, veille toujours sur l'entrée de l'Académie de France à Rome.

Magnifique, le duc de Saint-Aignan n'en était pas moins dévot. Le portait du Père Léonard de Port-Maurice en est le signe. Ce Frère mineur de stricte observance, né en 1676 à Porto Maurizio sur la côte ligure — aujourd'hui Imperia — fut une des figures saillantes de la spiritualité du XVIIIe siècle. Il parcourut inlassablement l'Italie, ne prêchant pas moins de 339 missions, exaltant les foules par des appels dramatiques à la pénitence. Dévot de la *Via Crucis*, il fit l'année même de sa mort construire au Colisée un chemin de croix, détruit au XIXe siècle par les fouilles archéologiques. Il dépendait à Rome du couvent de San Bonaventura alla polveriera, un ermitage sur le Palatin où il mourut le 26 novembre 1751. L'on y révère encore sa tombe. Tenu en affectueuse estime par les papes et particulièrement par Benoît XIV qui modérait les excès de son zèle sans cesser de le requérir, confesseur des pauvres et des grands, de Côme III de Médicis à la « reine d'Angleterre », Marie-Clémentine Sobieska, il avait en la personne de l'ambassadeur de France un fervent admirateur.

Paul-Hippolyte de Beauvillier avait eu d'abord une vocation militaire et religieuse et s'apprêtait à partir pour Malte quand son frère aîné perdit à la guerre ses deux fils. Celui-ci transmit alors à son cadet le titre de duc de Saint-Aignan et le maria richement à Marie-Geneviève de Montlézun de Besmaux, petite-fille d'un gouverneur de la Bastille, nièce de Jean-Baptiste Colbert de Villacerf. Elle suivit son mari à Rome et y mourut encore jeune le 15 octobre 1734, ce qui mit, écrit Vleughels, « Monsieur l'ambassadeur dans la dernière consternation ». Après la mort de sa femme, le duc de Saint-Aignan, selon le président de Brosses, eut « quelque dessein de prendre l'état ecclésiastique, dans l'espérance de parvenir au cardinalat », potin d'ailleurs confirmé par le consul Digne. Il éprouvait pour le Père Léonard un attachement teinté de superstition, au point d'échanger contre une copie exécutée par son joaillier, le crucifix que le Franciscain portait sur la poitrine lorsqu'il prêchait, et cela à l'insu du Père Léonard et avec la complicité des moines qui authentifièrent la relique. La seule vue du serviteur de Dieu lui apportait, dit-on, tant de réconfort qu'arrivé à la fin de son ambassade, près de quitter Rome, il désira conserver son image. Il pressentit Subleyras pour la peindre.

On en sait plus sur la genèse de ce tableau que sur tous les autres et la source de notre information est singulière. Ce sont les actes du procès de canonisation du Père Léonard[176] dans lesquels l'œuvre de Subleyras et les circonstances de la commande sont évoquées à plusieurs reprises, comme preuves de la notoriété éclatante du Franciscain, de son humilité et de son obéissance. Les souvenirs étaient encore vifs dans la mémoire des témoins qui déposent à Rome entre 1756 et 1762, mais le témoignage le plus précieux et le plus émouvant est celui de Maria Felice Tibaldi qui fut interrogée les 27 avril et 4 mai 1761.

Le Père Léonard, qui avait l'habitude d'aller pieds nus, se fit en octobre 1739 une blessure profonde qui ne l'empêcha pas de partir en mission. Malgré l'aggravation de son mal et de ses souffrances, pouvant à peine marcher, il ne rentra à Rome qu'au début du carême de 1740. Le 2 mars, il était à l'infirmerie de Saint-Bonaventure où le duc de Saint-Aignan envoya son chirurgien pour extraire le caillou qui meurtrissait les chairs. Se croyant aussitôt guéri, le Père Léonard rendit visite au « roi d'Angleterre » et à l'ambassadeur de France, puis entreprit la prédication des exercices du carême au palais Rospigliosi. Mais contraint d'être réopéré, il resta alité trois semaines. Le 31 mars, il écrivit au cardinal Crescenzi, nonce à Paris: « Le chirurgien que Monsieur l'ambassadeur a eu la bonté de m'envoyer m'a dit qu'après demain je pourrai sortir et j'irai le remercier ». Il ignorait ce qui se tramait.

Ce repos forcé fut l'occasion dont se saisit le duc de Saint-Aignan pour mettre son projet à exécution. Subleyras n'avait pas la tâche facile, le Père Léonard, par humilité, refusant obstinément d'être portraituré. Force était donc d'agir en cachette, comme ces deux marchands ambulants qui suivaient les missions et vendaient des gravures à son image faites on ne sait comment. L'un d'eux se fit prendre et encourut les foudres du Franciscain. L'autre, plus avisé,

174 AMAE CP Rome 765, fol. 25^{r}.

175 CD, t. IX, p. 459.

176 ASV, Riti e Processi, 2478 à 2501 passim.

continua son commerce clandestin et tira fierté de son astuce, tant la foule des fidèles désirait un portrait du futur saint. Le duc de Saint-Aignan n'est pas différent d'eux et Subleyras dut essayer de fixer les traits du Père Léonard sans se faire remarquer. Il tenta une première fois durant un prêche. Insatisfait, il profita ensuite des visites du chirurgien à Saint-Bonaventure. Le frère infirmier raconte qu'il vit un peintre envoyé par l'ambassadeur se tenir dans la pièce à côté de l'infirmerie et passer de temps en temps sa tête à la porte avec adresse pour ne pas attirer l'attention du malade. Le résultat ne fut pas meilleur. Le duc de Saint-Aignan prit alors les grands moyens et obtint du supérieur de Saint-Bonaventure que le Père Léonard, une fois guéri, poserait devant le peintre au nom de l'obéissance. Dans son témoignage, Fra Diego da Firenze, biographe du Père Léonard de Port-Maurice et son inséparable compagnon, raconte qu'il l'accompagna trois fois au palais de l'ambassadeur où Subleyras lui demanda comment il voulait être représenté : « En train de prêcher, une tête de mort dans la main », aurait-il répondu, s'appliquant à

Copie d'après Subleyras,
Le P. Léonard de Port-Maurice, Ferrare, couvent du Saint-Esprit.

A. Baldi d'après Subleyras, *Le P. Léonard de Port-Maurice*, Rome, G.N.S.

se tenir tranquille, ce qui apparemment prenait du temps. Son émotivité et sa contrariété mal dissimulées irritaient l'artiste, impuissant à saisir un visage aussi mobile, passant d'une pâleur extrême au rouge de la confusion. Maria Felice Tibaldi affirme de son côté avoir vu le moine chez elle six ou sept fois, venu poser dans l'atelier de son mari. Son témoignage, à peine divergent est irrécusable, tant l'événement fut pour elle exceptionnel. Elle donne ce détail révélateur de la ponctualité du religieux, qu'un jour de pluie torrentielle, alors que Subleyras doutait de sa venue, à l'heure dite il apparut. On imagine l'atelier désert où elle seule, semble-t-il, était admise : « Habituellement il n'y avait pas d'autre personne présente ». Le Père Léonard parle de vertu et surtout de la vertu d'obéissance. Elle écoute et respectueusement répond, quand il l'interroge. Elle aura cependant l'audace de lui demander en souvenir une image pieuse qu'il portait avec lui dans les missions. Elle ne résiste pas non plus à couper un peu de son manteau pour en faire une « relique ». Subleyras a multiplié les séances de pose, dit-elle, par souci de perfection. Il voulut aussi qu'on lui apportât « la discipline de fer, une tête de mort, l'habit et quelques autres choses ». Tout cela dut avoir lieu durant le mois d'avril 1740, puisque déjà le 8 mai, le Père Léonard est à Nocera Umbra pour prêcher une nouvelle mission.

Le 20 juin 1741, le duc de Saint-Aignan repartit pour la France, en emportant trois portraits du Père Léonard: « Les deux portraits que mon mari avait fait pendant qu'il était malade », ce sont les deux qui n'étaient pas réussis. Du troisième, selon Maria-Felice, on fit des copies à Paris dont une fut offerte au cardinal Crescenzi qui confirme ces dires dans sa déposition au procès de canonisation. Un autre témoin raconte la scène de façon plus familière. Le duc de Saint-Aignan, faisant les honneurs de sa collection au nonce qui était son ami, et comme lui un fidèle du Père Léonard, lui dit piquant sa curiosité: « Je vais vous montrer une belle chose » et il le conduisit devant un tableau caché par un rideau de soie qu'il découvrit soudain. C'était le portrait. Le cardinal Crescenzi, devenu légat, puis archevêque de Ferrare, emporta avec lui la copie qu'il donna après la mort du Franciscain au couvent du Saint-Esprit de cette ville[177]. Elle y est toujours, anonyme, dans son magnifique cadre du XVIIIe siècle. Le tableau lui-même, dans l'inventaire après décès du duc de Saint-Aignan, est attribué à Blanchet[178]. Il retrouve son identité dans la vente, mais on ignore son destin comme celui des deux premiers. Il ne reste pour en avoir une idée que des copies, celle de Ferrare et celle du couvent de Saint-Bonaventure, en mauvais état, la gravure de Baldi, reprise au XIXe siècle avec cette légende: *Hanc Leonardi a Portu Mauritio imaginem ex archetypo a Petro Subleyras ad vivum expressam et penes Ec.^{mum} et R.^{mum} D. Aloysium Valenti Gonzaga religiose adservatam.* Le cardinal Luigi Valenti Gonzaga avait reçu par testament l'usufruit des biens de son oncle Silvio, Secrétaire d'Etat, qui fut un des protecteurs de Subleyras, admirateur lui aussi de saint Léonard à côté de qui il fut enterré. Fidèle à son habitude, Subleyras ne recule pas devant les redites, d'autant plus volontiers ici que le Père Léonard était devenu une figure éclatante de l'Eglise, bien avant sa béatification par Pie VI en 1796 et son portrait, un tableau de dévotion.

L'art du peintre se trouve étroitement bridé par la volonté même du moine, qui impose son point de vue, et le désir du duc de Saint-Aignan de conserver l'image la plus fidèle du Franciscain, non seulement dans la physionomie, mais dans les attributs inséparables de sa personnalité et de son action. Très sobrement, le peintre évoque les lieux avec l'encadrement extérieur d'une fenêtre, car le Père Léonard prêchait souvent dehors, en particulier place Navone. Il met à ses côtés un membre de la confrérie des « Sacconi ». Ces pénitents vêtus de blanc devaient être nobles et docteurs et l'un d'eux tenait une croix de bois sur l'estrade durant toute la prédication. A la gauche du Père Léonard, est posée la discipline dont il se frappait en public jusqu'à ce que Benoît XIV le lui interdise, celle que Subleyras s'était fait apporter dans son atelier. Le peintre le représente lui-même avec son énorme crucifix sur la poitrine, celui que substitua Saint-Aignan, dans sa robe de bure déchirée et rapiécée, dont on parle à plusieurs reprises dans les actes du procès pour montrer le mépris qu'il portait aux choses de ce monde. Subleyras pousse donc le souci de la vérité jusqu'au scrupule. Dominant pourtant cette lecture consciencieuse, il donne à son portrait un accent dramatique, refusant de jouer la couleur, reléguant les blancs au second plan, remplissant sa toile de cette robe sombre, mais illuminant d'une lumière surnaturelle le visage émacié du Franciscain à qui la tête de mort sert de contrepoint. Ce portrait, chargé d'une valeur religieuse inhabituelle, fournit à Subleyras l'occasion d'observer de près un homme possédé par la folie de la croix. Il s'en souviendra pour donner aux saints prêcheurs qu'il aura à peindre, le poids de la réalité.

3. Le portraitiste des Grands.

Don Carlos de Bourbon, fils de Philippe V d'Espagne et d'Elisabeth Farnèse, héritier par sa mère des duchés de Parme et de Plaisance, roi de Naples par droit de guerre sous le nom de Charles VII, obtint du pape le 12 mai 1738, après de longues négociations, l'investiture de son royaume. Trois jours auparavant, il avait épousé par procuration à Dresde la fille d'Auguste III, électeur de Saxe et roi de Pologne. Aussitôt la jeune Marie-Amélie, elle avait à peine quatorze ans, entreprit un long voyage pour rejoindre son époux à Gaète, première ville de ses nouveaux états. Elle n'entra pas à Rome, mais s'arrêta à Monte Rotondo pour y recevoir les hommages. Le duc de Saint-Aignan vint lui faire sa cour, escorté du prince Vaini. Il envoya à Paris quelques nouvelles, esquissa un portrait de la reine, « grande pour son âge, supposé qu'elle ne doive rien à sa chaussure » et surtout parle de son frère aîné qui l'accompagnait, l'héritier du trône, Frédéric-Christian que peindra Subleyras. Le comte de Wackerbarth, envoyé du roi de Pologne, conduisit l'ambassadeur chez le prince électoral. « Je me contentais de lui être présenté, écrit-il, ayant peine à revenir encore de l'impression que me fit le triste état où il me parut, vu que ses jambes lui refusent entièrement le service et qu'il tomberait infailliblement si l'on cessait un instant de le soutenir et personne ne comprend comment on peut se résoudre à le montrer avec une infirmité pareille, quoiqu'il soit fort bien d'ailleurs et que l'on parle avec éloge de son caractère »[179].

177 Lombardi, 1974, t. II, p. 115.

178 Le Moël et Rosenberg, 1969, p. 65.

De Naples, le prince revint à Rome où il arriva le 17 novembre de la même année 1738. Il y resta un an. On n'épargna rien pour lui plaire ni surtout lui faire oublier son infirmité. Le cardinal camerlingue Annibal Albani lui offrit ses appartements, lui-même se retirant dans une autre résidence de sa propriété. C'est donc au Palazzo Albani alle quattro fontane qu'eurent lieu les séances de pose (nº 64). On en connaît avec précision les dates par les lettres qu'adressait à la cour de Dresde le comte de Wackerbarth[180]. La première eut lieu le 6 avril 1739 après dîner et le peintre est qualifié de fameux. Certes Subleyras était déjà réputé comme portraitiste, mais qui mieux que le duc de Saint-Aignan avait pu le recommander au comte de Wackerbarth avec qui il entretenait les meilleures relations ? Subleyras franchit alors une étape en devenant une sorte de peintre officiel.

Le 8 juin, le tableau est presque achevé : « S. A. R. entendit la messe au logis et s'assit devant le peintre Subleyras qui a mis la dernière main à son portrait ». La peinture n'était pas finie qu'elle était déjà devenue un événement artistique. Sa qualité fut aussitôt reconnue : « Le tableau est parfaitement bien peint de l'avis de tous les connaisseurs qui, écrit Wackerbarth un peu plus tard, ont beaucoup apprécié le dessin, l'attitude, la composition et le coloris ». Mais si, dans sa bienveillance, il assure que le portrait a beaucoup de ressemblance, au moment de l'envoyer à Dresde, sans se dédire, il nuance et reconnaît que Subleyras « a peint le prince encore plus gras qu'il n'est et avec des traits plus formés, de sorte qu'il lui ressemblera peut-être davantage dans une ou deux années ». Par le résident de Naples, le comte Porta, nous savons d'ailleurs que le peintre a retouché le portrait pour le rendre plus ressemblant à la satisfaction de tous, mais non la sienne ; il maintient « qu'on ne peut pas le dire tout à fait conforme au modèle ». Voilà où le bât blessait. Si le comte Porta insiste, c'est par diplomatie, car il est partie prenante[181].

Au vu de la médiocrité des artistes locaux, la cour de Naples, bien évidemment au courant du tableau qui s'exécutait, avait adressé à Rome une demande d'information sur les portraitistes susceptibles de peindre les jeunes souverains. La minute de la lettre destinée au comte Porta insiste sur la ressemblance, qualité exigée en premier lieu pour les effigies royales. D'où la réponse orientée en ce sens. Subleyras jouait aussi de malchance, atteint d'une maladie apparemment passagère, puisque le 21 août il a déjà repris son travail, mais assez grave pour qu'on doute qu'il puisse se rendre à Naples. Selon le comte de Wackerbarth, « le marquis de Salas a écrit au comte Porta ministre du roi des Deux-Siciles de lui envoyer le susdit Subleyras pour faire les portraits de LL. MM. SS. et si ledit peintre qui vient d'essuyer une grande maladie est en état de faire le voyage, on pourra espérer d'avoir un bon tableau du roi de Naples, car jusqu'à présent tous ceux qui l'ont peint n'ont pas pu le rencontrer ». Une santé chancelante aura vraisemblablement empêché Subleyras de saisir l'occasion. La cour de Naples ne donna pas suite à ces projets. Occasion manquée pour Subleyras, occasion perdue pour les souverains qui en 1741 s'adressèrent à Clemente Ruta, un peintre parmesan de modeste talent[182].

La mise au point du comte Porta donne à Subleyras une place, la seconde, le jugeant seul digne en 1739 d'être opposé à Agostino Masucci, sans lui reconnaître toutefois d'autre répondant que le portrait du prince de Saxe. Pietro Nelli, qu'il cite quand Subleyras est malade, n'est visiblement pas un rival dangereux, habile à prendre la ressemblance sans pour autant être un bon peintre. Masucci en revanche est couvert d'éloges. Il est l'artiste dont on parle, dont on use. La preuve de son talent est partout, dans le nombre des commandes qu'il reçoit, dans leur importance. Il a fait le portrait de Clément XII et, par deux fois, celui du cardinal Giudice : « Ses portraits parlent ». La critique de Subleyras se lit en négatif. Le parti de la prudence ne lui fait pas encore confiance. Mais Masucci est un peintre cher. Tout grands que soient les rois, ils n'en sont pas moins économes. Par un « cameriere » du cardinal Giudice, on pourrait tenter de rabattre les prétentions du peintre. Le comte Porta lève ainsi un coin du voile sur le réseau mystérieux des relations qui dans l'ensemble nous échappent, sur les pressions dont un artiste était l'objet, d'autant plus insolentes qu'il n'était pas reconnu. Cela explique en partie la modestie des prix pratiqués par Subleyras, désireux d'obtenir du travail, mais aussi la disproportion entre la rétribution et le prestige de la commande.

Subleyras ne paraît pas à l'aise. Intimidé par cet honneur, troublé par ce prince infirme, il a de surcroît la difficulté de peindre un visage qui n'a plus les grâces de l'enfance et pas encore le caractère de l'adulte. Il se délecte à rendre la fraîcheur du teint et les rondeurs de ce jeune homme de dix-sept ans, empâté d'inaction. Il n'est d'ailleurs pas sans aimer les visages pleins qu'il prête généralement aux femmes. Il a recherché à relever tant d'insignifiance par une mise en scène à la Rigaud, en accumulant les emblèmes du pouvoir et de la valeur militaire, les honneurs qui s'y attachent comme le cordon de Saint-Janvier, cette toison d'or napolitaine qui venait d'être créée et l'Aigle blanc de Pologne auquel les électeurs de Saxe tenaient jalousement, sinon fermement. Tout cela donne un beau morceau de peinture qui, sans atteindre à la grandeur, ne prétend pas non plus à une recherche psychologique inutile. De ce tableau, Subleyras fit aussitôt une copie qu'il retoucha le 3 septembre au palais Albani, celle vraisemblablement où le prince n'est plus présenté en qualité d'héritier du trône, mais en pèlerin devant

179 AMAE CP Rome 769, fol. 233r.

180 Nous remercions M. Harald Marx qui nous les a fait connaître et a bien voulu les transcrire au Staatsarchiv de Dresde (lettres de Rome du prince Frédéric, année 1739, vol. 3/768).

181 AS Napoli, Affari Esteri (= AE) vol. 1244 passim.

182 Exposition 1979-1980, Naples, t. II, p. 338.

Saint-Pierre, figuration qui souligne l'attachement des souverains de Saxe et de Pologne à la religion catholique et romaine. A qui cette réplique était-elle destinée? Il y en eut d'autres comme il est de règle pour les portraits royaux. Ainsi le 12 mai 1740, l'une d'elles était exposée à San Lorenzo in Lucina lors de la fête célébrée par la nouvelle compagnie de Saint-Jean Népomucène dont Frédéric-Christian était le protecteur[183].

Le portrait du prince héritier de Saxe donne un avant goût de ce qui allait se passer un an plus tard à l'élection du pape. Le cardinal Prospero Lambertini fut élevé au pontificat le 17 août 1740 sous le nom de Benoît XIV (n° 69), après un conclave de plus de six mois, le plus long depuis le Grand Schisme. Sa candidature avait surgi peu auparavant, les cardinaux lassés de leurs propres querelles et des exclusives lancées par les «couronnes», l'Autriche ennemie jurée de l'Espagne et la France hésitante. En une nuit tout fut conclu. Le président de Brosses trace un portrait équitable de ce prélat de soixante-cinq ans, facétieux et débonnaire, dont il sait apprécier la simplicité: «Il est d'une taille au-dessous de la moyenne, assez gros, d'un tempérament robuste, le visage rond et plein, l'air jovial, la physionomie d'un bonhomme; il a le caractère franc, uni et facile, l'esprit gai et plaisant, la conversation agréable, la langue libre, le propos indécent, les mœurs pures et la conduite très régulière»[184].

Les cours étrangères brûlent de connaître les traits du nouveau souverain et exigent de leurs représentants, aussitôt, un portrait achevé. Ainsi, dès le 23 août, une semaine après l'élection, le comte Porta envoie-t-il à Naples par la poste un tableau à l'huile qu'un portraitiste qu'il ne nomme pas a fait à la sauvette en observant le pape au passage. S'il a bien saisi l'expression de ses yeux, son regard jovial, il lui a donné trop d'embonpoint. Ce n'est qu'un pis-aller en attendant que le pape ait le loisir de poser devant l'un des peintres les plus renommés de Rome dont le choix n'est pas encore fixé le 2 septembre. Sous la plume du comte Porta, sans qu'il ait besoin de les nommer, on sait depuis 1739 qu'il pense à Agostino Masucci et Pierre Subleyras. Cet antagonisme latent prit une forme aiguë, tant l'enjeu était d'importance, mais aucune source contemporaine n'en précise les circonstances ni même n'y fait allusion et les *Memorie* ne sont pas explicites. On a bien deux portraits, l'un par Masucci et l'autre par Subleyras qui obtint les suffrages du pape, donc de tout le monde. Si l'on comprend bien les *Memorie*, pour entrer en lice, Masucci s'était prévalu de ses titres: Académicien de Saint-Luc depuis 1724, «Prince» de 1736 à 1738, «Custode» des peintures de Raphaël, depuis peu désigné. Se considérant comme le véritable héritier de Maratta, il prétendait à l'intégralité de la succession, art et honneur. Mais il n'y a pas lieu de voir dans cette compétition un épisode de la querelle des anciens et des modernes, puisque les positions théoriques de Subleyras et de Masucci, son aîné seulement de huit ans, n'étaient pas fort éloignées. Subleyras a profité de ce vent de nouveauté qui souffle sur tout début de règne, d'un désir de se démarquer; or Masucci était l'homme du pontificat précédent. Subleyras profite en outre de la francophilie du pape et jouit surtout de la faveur toute récente qui ne se démentira pas du cardinal Silvio Valenti Gonzaga. Par quel biais? Peut-être tout simplement par son beau-frère l'avocat Bagnara, homme de confiance du cardinal Acquaviva qui avait fait la nomination du nouveau Secrétaire d'Etat.

A la demande de l'économe de la Fabrique de Saint-Pierre, Monseigneur Altoviti Avila et à ses frais, Giacomo Zoboli fit également un portrait de Benoît XIV que Bernardino Regoli transposa en mosaïque[185]. Etonnants effets de faste où le mouvement des étoffes contraste avec l'attitude hiératique du pontife, non plus une personne mais un symbole, surchargé autant que grandi et éloigné par l'élévation du trône avec lequel il fait un[186]. A l'opposé, l'interprétation de Masucci reflète son goût de la sobriété et de l'analyse psychologique, mais s'il réussit à traduire la personnalité de Clément XII dont les traits marqués et aristocratiques exprimaient à eux seuls sa morgue indifférente, il n'a pas surmonté la difficulté que lui imposait le visage ingrat de Benoît XIV où l'expression était réfugiée dans le regard. Désireux de rester dans la ligne de Crespi qui avait peint un cardinal Lambertini debout, actif et volontaire, il a figé son image sans lui donner ni vérité ni signification, il en a fait un «hippopotame glacé», pour reprendre la boutade d'Anthony Clark[187].

Subleyras en revanche cherche à concilier familiarité et grandeur, l'homme et le pontife. Il garde la tradition du portrait assis, fidélité qui convenait à un pape conservateur malgré son ouverture d'esprit, qui traduit la double réalité de sa fonction, temporelle et spirituelle, audience et bénédiction. Par ce choix sans imprévu dont le peintre connaît la stratégie pour être la pose habituelle de ses modèles, il exploite ses talents, science du drapé, dans une diversité naturelle qui contraste avec la raideur des plis de Masucci, éclat des blancs modulés selon les matières, soie de la soutane, dentelle du surplis, hermine des bordures, jusqu'à cette présentation de trois quarts vers la droite qui permet au bras levé de diminuer la surface du camail, en plaçant au premier plan la main qui bénit et l'anneau pastoral. Parti judicieux que ce visage à demi dans l'ombre pour en atténuer l'épaisseur, dirigeant l'attention vers le regard de Benoît XIV, droit, intelligent, avec cet éclair de malice qui conférait au souverain sa dimension familière. Le Carme Pier Luigi Bagnara écrit dans son journal: «Lui seulement le rendit à merveille»[188]. Voilà la ressemblance reconnue

183 Valesio, t. VI, p. 339.

184 De Brosses, t. II, p. 528.

185 ASR, 30 not. cap., Uff. 10, busta 464, fol. 70v.

186 Giovannucci Vigi, 1983, p. 374.

187 Clark, 1981, p. 98.

comme qualité première à Subleyras ! Sans doute y eut-il entre le peintre et son modèle une sympathie réciproque que l'on discerne, tout en faisant la part de l'embellissement, dans ces démonstrations d'amitié manifestées par Benoît XIV, dont parle la *Vita* de Pietro Pasqualoni. Car Subleyras savait garder sa fierté : un jour, apportant une commande à un grand personnage qui le recevait avec hauteur, devant le silence de l'entourage, il eut le front de dire : « Monseigneur, si vous trouvez bon mon tableau, tous ces Messieurs seront satisfaits », ce que l'événement justifia[189]. Un dessin inédit et anonyme, conservé au Musée du Vieux Toulouse, rappelle une de ces séances de pose où l'on devisait autant que l'on travaillait : le pape est assis, le peintre debout devant son chevalet, des spectateurs derrière lui, prompts à la louange autant qu'à la critique : atmosphère intimidante de la cour que seule la bonhomie de Benoît XIV savait détendre.

L'atelier de Pierre Subleyras vit désormais dans l'effervescence, chacun voulant un exemplaire du fameux portrait. D'où leur nombre et leurs différences de qualité, puisqu'ils vont des répliques de la main de Subleyras aux copies les plus médiocres. D'après une source ancienne, l'ambassadeur de Venise, Marco Foscarini, passa commande « au lendemain » de l'élection et tellement satisfait, il en redemanda pour les distribuer[190]. Le 3 mars 1741, le cardinal Acquaviva annonce à la cour d'Espagne l'envoi du tableau qui lui était destiné et le 13 avril, les souverains espagnols firent répondre qu'ils l'avaient trouvé « muy bien »[191]. Celui que le duc de Saint-Aignan emportait dans ses bagages à l'été 1741, passa en vente en 1776, après sa mort, bien reconnaissable dans le croquis de Saint-Aubin en marge du catalogue (n° 69, fig. 14). Signe de son attachement au pape et au peintre, le cardinal Valenti Gonzaga en possédait deux, l'exemplaire officiel et un plus petit en buste[192], semblable à celui que Subleyras représente dans l'*Atelier*. La gravure de Rocco Pozzi achevait d'assurer le renom de Subleyras. La qualité des destinataires engageait la qualité de la peinture. L'un des plus beaux doit donc être celui qui appartenait à Benoît XIV et qu'il envoya à la Sorbonne en février 1757, un an avant sa mort (n° 69, fig. 3). A la suite de ses œuvres le pape lui offrait en gage de sa bienveillance, *nostri sedentis imaginen quam clari nominis pictor Gallus accurate delineavit*[193]. En 1776, Cochin fit don à l'Académie royale de peinture d'une réplique (n° 69) qu'il avait sans doute achetée à Rome lors de son passage en 1750, peu après la mort de Subleyras « qui n'était point de l'Académie, quoique bien digne de l'être », écrit Dezallier d'Argenville. L'achat par Cochin, l'exposition dans les salles de l'Académie étaient la reconnaissance tardive de Subleyras par ses pairs, en France. Les deux tableaux sont maintenant à Chantilly et à Versailles.

Au moment où le duc de Saint-Aignan quittait la scène romaine, un autre protecteur prenait donc le relais dans la vie de Subleyras, c'est le cardinal Silvio Valenti Gonzaga, nommé Secrétaire d'Etat par Benoît XIV, aussitôt après son élection. Il gardera, jusqu'à sa mort en 1756, la confiance du pape avec lequel il était lié d'amitié depuis longtemps, partageant son goût pour les sciences et les arts. Dans la galerie de sa résidence à Porta Pia, aujourd'hui Villa Bonaparte, Ambassade de France près le Saint-Siège, il installa sa collection de plus de huit cents tableaux au nombre desquels on en trouvait neuf de Subleyras, non seulement des portraits, Benoît XIV, Léonard de Port-Maurice, le peintre et sa femme, deux pastels, mais aussi l'esquisse du *Repas chez Simon*, une *Mascarade*, des figures dans un paysage de Locatelli, tout un ensemble d'œuvres qui datent des années 1737-1741, comme doit l'être le magnifique portrait du cardinal lui-même. Loin d'éluder la laideur du personnage, Subleyras tira de cette stature massive une impression de puissance, assumée avec une tranquille certitude. L'intelligence du regard, mêlée de bonté, abolit les disgrâces du visage. Sans fioritures, le peintre restitue lucidement la personnalité du Secrétaire d'Etat par lequel il avait fallu passer pour atteindre

Anonyme, *Subleyras peignant Benoît XIV*, Toulouse, musée du vieux Toulouse.

188 ASR, ms 33, mai 1741 (n° 709).

189 Bibliothèque municipale, Toulouse, ms. 998, p. 539.

190 Moschini, 1842, p. 127.

191 Archivo general de Simancas, Estado 4917.

192 Pietrangeli, 1961, p. 60, n°s 500 et 509.

193 Benoît XIV, 1894, t. II, pp. 284-288.

Subleyras, *Portrait du cardinal Silvio Valenti Gonzaga*, Rome, coll. part.

le pontife. C'est une manière de remerciement, pour le portrait de Benoît XIV qui fut la première marque de sa bienveillance et pour Subleyras, le signe éclatant de la réussite.

Un simple rappel donne à cette commande sa pleine signification : Clément XII fut peint par Agostino Masucci, Clément XIII par Raphaël Mengs et Pie VI par Pompeo Batoni.

4. « Casa Stefanoni ».

Lors de son mariage, Pierre Subleyras habitait la paroisse de Santa Maria in Via Lata et c'est là encore que le 5 novembre 1740, naît Carlotta, sa fille aînée[194]. La perte du *Liber status animarum* à cette date empêche d'en savoir davantage, mais visiblement le peintre se détache lentement de son passé à l'Académie de France toute proche. Il hésite encore, incertain d'avoir à Rome sa place. Les années 1739-1740 seront décisives. Il n'est pas assez romanisé pour craindre l'exil et la protection des rois assure la fortune. Aussi tente-t-il sa chance auprès du roi de Pologne, profitant de l'introduction que lui fournissait le portrait de Frédéric-Christian. En offrant une esquisse du *Repas chez Simon* (n° 35) il présente un bref résumé de sa carrière et de ses conditions que le comte de Brühl, qui accompagnait le prince, transcrit et transmet à Dresde. « Il est autant pour l'histoire que pour les portraits, dans lesquels il réussit également bien, et ses ouvrages lui ont acquis une grande réputation, particulièrement un tableau de vingt-cinq pieds de longueur présentant la Sainte cène de Notre Seigneur *(sic)*... Il demande d'être admis sur le même pied que Monsieur Silvestre à Dresde et d'avoir la survivance sur son poste de Directeur de l'Académie, ses ouvrages paiés et le voyage franc pour lui et pour sa femme, une née Tibaldi, Romaine, qui s'est fait connaître par son habileté dans la mignature »[195]. Louis de Silvestre le jeune, fils d'Israël, était parti pour Dresde en 1716 où il devint Premier peintre du roi de Pologne et Directeur de son Académie. Il ne revint à Paris qu'en 1748. Le pari de Subleyras était donc risqué, mais bien que l'intitulé du mémoire du comte de Brühl fit allusion à l'ordre du roi de trouver à Rome « quelques bons peintres, capables d'être envoyés en Saxe », déjà le 27 août, le comte de Wackerbarth pressent qu'il n'y sera pas donné suite en raison des menaces de guerre qui enlèveront au roi l'envie « d'employer l'argent en peinture, sculpture ». Le peintre lui-même avait-il réalisé, après sa maladie, que le climat de Dresde ne conviendrait guère à un homme faible de la poitrine ?

Nouvelle tentative en 1741, quand le cardinal Acquaviva adressa à Madrid le portrait de Benoît XIV en y joignant des gravures de Subleyras qui, écrit-il, désire entrer au service du roi ainsi que sa femme, la meilleure miniaturiste qu'il y ait en Italie. Mais en exprimant leurs remerciements, les souverains ne répondirent pas à cette proposition. D'après les *Memorie*, Subleyras, « fatigué de combattre contre les difficultés domestiques », était près d'accepter les magnifiques conditions de la cour d'Espagne, si les médecins ne lui avaient déconseillé le départ. Le choix d'Acquaviva paraissait pourtant judicieux d'envoyer à cette cour franco-italienne un Français déjà italianisé, mais à vrai dire la voie n'était libre ni à Dresde ni à Madrid où Subleyras retrouverait Louis-Michel Vanloo, son cadet couvert d'honneurs et de titres, pour rivaliser sur le même terrain. La cour d'Espagne avait besoin d'un peintre d'une autre sorte pour décorer les voûtes de ses nombreux palais. Elle puisera dans le vivier des fresquistes italiens : Jacopo Amigoni, Corrado Giaquinto et ensemble Gian Battista Tiepolo et Anton Raphael Mengs, aussi Romain que Saxon.

194 AVR, S. Maria in Via Lata, lib. bapt. 1660-1769.

195 Voir note 180.

Dans l'euphorie des derniers mois, Subleyras eut moins de peine à renoncer et l'année 1741 s'annonçait fertile en commandes dont il avait lui-même dressé la liste désormais perdue[196]. Il avait d'ailleurs reçu sa consécration de peintre romain, en devenant académicien de Saint-Luc, le 14 février 1740[197]. Proposé par le « prince » Sebastiano Conca, il fut élu à l'unanimité des votants, en même temps que le sculpteur Pietro Bracci et l'architecte Carlo Marchionni. Il y avait treize présents et parmi les Français, l'architecte Antoine Derizet et le peintre de marines Adrien Manglard. Etienne Parrocel et le Directeur de l'Académie de France, Jean-François de Troy, ne s'étaient pas dérangés. Le 6 mars, Subleyras prit possession de son titre et offrit comme morceau de réception une étude pour le serviteur que l'on voit au premier plan du *Repas chez Simon* (n° 36). Deux ans plus tard, le 8 avril 1742, la « Signora Maria Felice Tibaldi Subleyras » sera à son tour reçue académicienne « de mérite », sans jamais donner la preuve de son talent qu'on lui réclama encore en août 1744. C'était, pour une femme, un honneur insigne — seule Rosalba Carriera l'avait, au XVIIIe siècle, obtenu avant elle — honneur qui ne l'autorisait pas pour autant à participer à la vie de l'Académie. En 1740, Subleyras, comme il est d'usage la première année, est assidu : il assiste à six séances sur neuf, mais son zèle décline aussitôt. Un léger sursaut en 1743, puis en 1744, après l'élection de Jean-François de Troy comme « prince » de l'Académie, il ne vint qu'une seule fois et s'abstint définitivement. Ces absences, celle de Jean-François de Troy en 1740, celles de Subleyras à partir de 1744 sont-elles l'indice d'un désaccord personnel ou d'une rupture de principe entre l'Académie de France et un ancien pensionnaire rebelle ? Subleyras n'assuma aucune des charges que se partageaient les Académiciens, faute de temps ou de goût. Mais en janvier 1744, Benefial, élu « Custode dell'Accademia », c'est-à-dire conservateur des collections, choisit lui-même Subleyras comme adjoint, signe d'estime et d'amitié entre deux personnalités fortes, d'esprit indépendant. Benefial, plus âgé d'une quinzaine d'années, Romain de naissance, se souvenait-il de l'origine française et méridionale de sa famille, son père étant né à Saint-Jean-de-Luz ? Il avait surtout en commun avec son cadet une conception de l'art opposée à la mode dominante. Un différent grave avec l'Académie de Saint-Luc l'en avait écarté jusqu'à son élection en 1741, à laquelle prit part Subleyras. Il est vrai que ce jour-là, Michel-Ange Slodtz était aussi au nombre des nouveaux académiciens.

L'Académie de Saint-Luc donnait à Subleyras la reconnaissance officielle dont il ne pouvait se passer pour figurer dignement parmi les artistes de Rome. Sa présence chez les « pasteurs d'Arcadie » a une autre signification. Cette académie littéraire dont le but avoué était le culte de la poésie, regroupait une élite sociale et intellectuelle. Lorsqu'en 1743, Michele Giuseppe Morei fut élu « Custode », il songea à redonner du lustre à cette compagnie qui languissait, en y associant des artistes de renom. C'est dans cette perspective que Pierre Subleyras y fut inscrit sous le nom de Protogiste et Maria Felice Tibaldi, sous celui d'Asteria Aretusa, comme le furent sensiblement à la même date Michel-Ange Slodtz et Joseph Vernet[198]. Cet honneur se justifiait aussi d'une autre manière. Tous ses contemporains reconnaissent en lui intelligence et culture. Dezallier d'Argenville, qui publie en 1762, traduit les propos tenus par des témoins directs : « Il aimait les belles-lettres, écrivait avec esprit et se plaisait à s'entretenir des sciences, même les plus abstraites ». Le témoignage le plus ancien et le plus authentique est celui de Jacques-Antoine de Lironcourt qui était un ami des premiers temps[199]. Ce noble champenois, neveu d'ambassadeur, était alors au service du cardinal de Polignac et fréquentait les pensionnaires. Il revit Subleyras en 1747 qui fit alors son portrait (n° 100) lorsque gagnant Le Caire où il avait été nommé consul, il fut pris par les Anglais et relaché sur la côte italienne[200]. Dans la

196 *Memorie*, 1786, p. 30.

197 ASL, vol. 50 *passim*.

198 Michel, 1987.

199 Bibliothèque nationale, Paris, ms Français 10779.

Anonyme,
Portrait de Jacques-Antoine de Lironcourt,
Besançon, Bibliothèque municipale.

lettre qu'il adresse en 1748 au nouvel ambassadeur à Rome, le duc de Nivernais, pour lui recommander Subleyras, il écrit, emporté par la chaleur de son amitié : « Pour de l'esprit, il en a autant que créature humaine en peut avoir ». Il note en particulier sa capacité de penser son art, d'être aussi théoricien qu'habile artisan : « Jamais personne n'a approfondi l'art, toutes ses parties, toutes ses appartenances, au point où il l'a fait. Il a porté dans la peinture cet esprit philosophique qui apprécie tout, qui met tout à sa place ». Sur l'Arcadie, on sait peu, sur l'assiduité des Arcades encore moins. L'absence dans la dénomination arcadique de Subleyras du deuxième terme qui indique l'origine fictive de chacun, donnée parfois seulement dans un deuxième temps, laisse supposer que le peintre, mesurant l'inanité de semblables réunions, ne se soit pas soucié d'aller le chercher. Toujours est-il qu'on ne trouve de lui aucune trace d'essai poétique ni de dissertation philosophique, tandis que Galisio Enopeo, son fils Luigi, Arcade dès l'âge le plus tendre, n'a pas laissé moins de huit cents pages manuscrites de compositions, tant en italien qu'en latin[201].

Le signe tangible de cette nouvelle vie fut son installation, qui sera définitive, dans une maison appartenant à la famille Stefanoni, près de la Trinité des Monts, via Felice aujourd'hui Sistina, en bordure du Pincio, non loin du Quirinal et proche de l'animation de la place d'Espagne. Ce quartier au charme encore campagnard, fut de tout temps peuplé d'artistes. Assez marginal pour favoriser les mauvais coups, on s'y battait volontiers avec des pierres ramassées sur la route, ou pour accueillir les excentricités, on y dansait les soirs d'août au clair de lune sur les paliers de l'escalier de la Trinité, au son de l'orchestre du cardinal Acquaviva[202]. Ce n'est pas la Rome que peindra Subleyras, c'est du moins celle dans laquelle il vivait. Via Felice, les sculpteurs travaillaient dans les remises transformées en ateliers. Ainsi Pietro Bracci qui fut l'un des plus célèbres sous Benoît XIV, en avait-il un, place de la Trinité des Monts[203]. Du même âge que Subleyras, reçu le même jour à l'Académie de Saint-Luc, il était aussi le cousin des Pozzi, Giuseppe qui dessina d'après le peintre, Rocco qui grava le Benoît XIV et Stefano qui partagea avec lui le chantier de Monte Morcino Nuovo à Pérouse, liens ténus qui échappent aux sources imprimées. Les peintres, eux, habitaient sous les toits, dans des appartements recueillant la pleine lumière des collines et c'est bien là, dans ces hauteurs, que l'on trouve Subleyras à qui succèderont dans les lieux Domenico Corvi en 1751 et 1752, Anton Raphael Mengs de 1753 à 1757, puis Gavin Hamilton, quatre autres années[204]. Cette transmission suppose une vaste pièce servant d'atelier, haute de plafond, telle que Subleyras l'a représentée aux environs de 1746, tapissée de ses œuvres. C'est là, selon Dezallier d'Argenville que le cardinal Valenti Gonzaga venait souvent le voir peindre et le pressait d'achever son grand tableau pour Saint-Pierre.

« Casa Stefanoni » lui naîtront trois autres enfants : Luigi en 1742, Maria Clementina en 1743, Giuseppe en 1745[205]. Deux domestiques, un homme et une femme, vivent à son foyer. En 1745, s'installent une cousine de Maria Felice, Clara Mandelli et deux ans plus tard, une de ses sœurs, Giovanna, veuve de l'avocat Bagnara. Deux aides sont également logés. L'un d'eux, Rainier Lavoisier, n'est recensé qu'en 1745, Français vraisemblablement qu'il faut rapprocher de ce Toussaint Lavoisier, hôte du palais Mancini de 1726 à 1730, à moins que ce ne soit le même, le prénom n'étant pas toujours crédible dans le *Status animarum*. Le second, Joseph Castillon, originaire de Tours, reste plus longtemps, de 1744 à 1747. C'est lui qui fera le dessin des gravures du vénérable Jean d'Avila et de sainte Catherine de Ricci, exécutées respectivement par Campana et Sorello. Il est assez intime avec son maître pour être le parrain du dernier né de la famille, qui porte son nom. Maison lourde dont le curé de Sant'Andrea delle Fratte nous restitue fidèlement l'image année par année, sans évidemment prendre en compte les élèves qui la fréquentaient assidûment, mais n'y habitaient pas.

Subleyras n'a pas la réputation d'avoir été un grand professeur, même si l'on détecte son influence parmi les jeunes pensionnaires qui résidaient à Rome entre 1740 et 1750. Dezallier d'Argenville dit sans ambages : « On ne connaît pas d'élèves assez distingués pour lui faire honneur », « quoiqu'il en ait toujours eu plusieurs », précise Papillon de La Ferté. Ce jugement est partagé par les *Memorie* qui y trouvent cependant une justification dans la brièveté de sa carrière : « Il vécut trop peu pour en perfectionner aucun ». Elles soulignent en revanche sa patience et sa générosité, insoucieux qu'il était du temps qu'il y consacrait. Ceux que nomment les sources anciennes n'infirment qu'en partie ce propos. Le jeune Carlo Spiridone Mariotti de Pérouse[206] travailla avec Benefial qui décorait en 1747 la coupole de la cathédrale de Città di Castello, puis alla chez Subleyras à son retour de Naples. Ce fut un de ses derniers élèves, habitant lui aussi « casa Stefanoni » de 1748 à 1750, mais chez un voisin. De Subleyras à Louis-Gabriel Blanchet, il n'y avait qu'un pas qu'il franchit à la mort de son maître, s'assurant ainsi un apprentissage cohérent. Lambert Krahe, dont on verra la fidélité, suivit un parcours analogue, de Benefial à Subleyras, mais cet artiste, né à Düsseldorf en 1712, arrivé à Rome en 1736, était assez formé et assez bon peintre pour être l'aide efficace des dernières années. Sans être à proprement parler un élève, le sculpteur flamand Pierre-Antoine Verschaffelt, un ami de

200 AN, AE B III *passim*.

201 Barluzzi, 1837, pp. 225-227.

202 Valesio, t. VI, p. 162.

203 Gradara, 1920, p. 13.

204 AVR, S. Andrea delle Fratte, LSA.

205 Id., lib. bapt. né le 21, baptisé le 22 juin 1742 ; née le 10, baptisée le 11 août 1743 ; né le 6, baptisé le 7 octobre 1745.

Lambert Krahe, qui avait travaillé à Paris pour Bouchardon, tint, semble-t-il, une place de choix dans l'atelier. Subleyras, admirant la tête d'une petite fille que le jeune sculpteur venait de modeler, l'exposa chez lui aux regards des nombreux amateurs qui lui rendaient visite et fut ainsi à l'origine de son succès, lui procurant de la part d'un ami anglais la commande d'un portrait de marbre que loue Jean-François de Troy dans la *Correspondance des directeurs*. Le cardinal Valenti Gonzaga le vit également et lui confia l'exécution du buste de Benoît XIV. Deux Français sont liés plus intimement à la vie de Subleyras. Pierre, le fils d'Antoine Rivalz, passa, dit-on, dix ans en Italie et vint à Rome prendre des leçons de celui qui avait été le meilleur élève de son père. On sait peu de cet apprentissage, sinon qu'il fit un portrait de Benoît XIV, une copie évidemment et, selon la tradition toulousaine, aurait reçu en récompense la croix de chevalier de l'Eperon d'or[207]. Curieuse distribution des honneurs! Mais le chevalier Rivalz savait jouer de ses recommandations, puisqu'on le trouve en 1744 et 1745 habitant au palais Farnese sans aucun droit évident[208]. Joseph-Siffred Duplessis se détache de tous les autres. Il partage avec Subleyras, chez qui il apprenait le portrait et l'histoire, une modestie inquiète, le « sentiment exquis de la perfection » autant que son goût raffiné pour le rendu des étoffes dans lequel d'ailleurs il le dépassera, sa finesse d'analyse et son exigence de vérité à l'égard du modèle. De 1745 à 1747, il est recensé via Gregoriana, à deux pas de chez son maître, en compagnie d'artistes méridionaux, originaires d'Avignon, de Toulon et même du Vigan proche d'Uzès[209]. Mais cet artiste, né à Carpentras, était surtout l'un de ces Avignonnais avec lesquels Subleyras entretenait les relations les plus étroites.

Le premier d'entre eux est Joseph Vernet. Débarqué à Rome le dimanche 7 novembre 1734, bardé de mots d'introduction, il se précipita le lendemain au palais Mancini, à la recherche de son ami François Franque, fils de l'architecte avignonnais à qui Vernet raconta lui-même cette entrevue dans un style très amusant[210]. Malgré la recommandation de l'abbesse de Fontevrault, Louise-Françoise de Rochechouart de Mortemart, nièce de Madame de Montespan, malgré les sollicitations du cardinal Corsini prévenu par Dom Malachie, c'est-à-dire Joseph d'Inguimbert, futur évêque de Carpentras, malgré la lettre de l'évêque de Cavaillon, Vleughels l'éconduisit avec grâce, l'envoyant sur les ports de mer faire ses études, en lui réservant néanmoins une « place avantageuse » dans la salle du modèle. C'est là qu'il se lia avec Louis-Gabriel Blanchet, son témoin de notoriété lors de son mariage, et avec Subleyras. Leur amitié est d'abord une entraide. C'est dans le sillage de Subleyras que Vernet tenta en 1739 d'entrer au service du roi de Pologne et offrit deux tableaux comme preuve de son talent. Plus tard encore, Jacques de Lironcourt, recommandant Subleyras, lui associa le nom de Vernet qu'il avait connu par son entremise et le couvrit d'éloges. Le méticuleux Vernet rendit à son aîné de menus services en lui prêtant, par exemple, pour des bagatelles — une lettre, « un achat chez M. Stern » — de menues sommes qui seront remboursées, montrant moins l'impécuniosité de Subleyras que sa distraction ou son indifférence à l'argent[211]. Signe d'intimité: Vernet est en 1742 le parrain de Luigi, le fils aîné de Subleyras. Vernet se maria en 1745 avec une jeune anglaise, Virginia Parker dont Subleyras aurait fait le portrait et, à partir de 1747, les deux artistes habiteront l'un en face de l'autre, via Felice. Léon Lagrange évoque avec autant de lyrisme que d'imagination le « double charme » qui attirait Vernet dans la famille de Subleyras: « outre les conseils d'un peintre sérieux et savant, il y trouvait une femme aimable, musicienne consommée; or on sait de quelle passion de musique était possédé Vernet »[212].

Les attaches avignonnaises de Subleyras restent encore à élucider. Par Vernet ou non, il était également lié avec les Franque et le second fils de Jean-Baptiste, architecte lui aussi, est parrain de sa fille aînée. Il écrivait régulièrement au comte de Quinson, si l'on en croit l'unique lettre publiée sinon conservée, datée du 11 décembre 1739[213]. Vernet est là, mais c'est Subleyras qui, en alternant joliment le français et l'italien, envoie des nouvelles de Rome, mariage raté de la « Signora Offredoncio Bonaventura », procès de la duchesse de Tursi et surtout santé de Mademoiselle Livia. Or Livia Luigi de Spello était dame de compagnie de la princesse Pamphily qui donc n'a pas cessé depuis 1731 d'accueillir Subleyras dans le cercle de ses familiers. Deux noms restent pour évoquer les amitiés de Subleyras, celui du comte Gaetano Felini, fils d'un ancien résident de Parme, qui fut le parrain de Maria Clementina et celui du Père Jacquier, Minime du couvent de la Trinité des Monts, mathématicien et physicien réputé, exégète, linguiste et même Arcade. Il suffisait à Subleyras de quelques pas pour aller s'entretenir avec ce savant dont les lettres adressées au peintre étaient encore conservées avec celles de Vernet au moment où s'écrivaient les *Memorie*.

206 Orsini, 1806, pp. 62-67.

207 Lespinasse et Mesuret, 1942-1945, p. 220.

208 Michel, « L'« Accademia », 1981, p. 597.

209 Michel, 1981, p. 31.

210 Voir note 97.

211 Lagrange, 1864, pp. 376-377.

212 Lagrange, 1857, p. 507.

213 Montlaur, 1857-1858, pp. 93-96.

Quatrième partie. Au service de l'Église.

1. Tableaux d'autel.

En ces années où Pierre Subleyras conquiert la célébrité, rares sont à Rome les commandes de tableaux d'église qui seuls assuraient une large renommée; âpre, la concurrence. Les difficultés financières, les guerres incessantes, n'invitaient pas à entreprendre. Subleyras trouva des rivaux jusque dans les rangs de ses compatriotes, puisque le Directeur de l'Académie, Jean-François de Troy peignit en 1739 une *Résurrection du Christ* pour Saint-Claude des Bourguignons, église de la mouvance française. Etienne Parrocel, avignonnais et depuis longtemps romanisé, avait en outre l'avantage d'être un fresquiste. Aussi cette année-là lui confie-t-on la décoration de la coupole de la Madeleine. Plus redoutables étaient les Italiens et pourtant le *Diario ordinario* ne signale en 1740 que le *Saint Sébastien* offert par Sebastiano Conca à l'église des Saints-Luc et Martine. A partir de 1741, Corrado Giaquinto commencera ses travaux pour Saint-Jean Calybite, la chapelle de l'hôpital des Fatebenefratelli. Cette rareté explique l'absence d'œuvres de Subleyras dans les églises de Rome à part la *Messe de saint Basile* et, loin de porter atteinte à son crédit, revalorise la première commande qu'il reçut pour Milan.

Dans l'église des Saints Côme et Damien à la Scala, il y eut jusqu'en 1796, date à laquelle, sous la domination française, elle fut donnée au Conseil des anciens pour être ensuite transformée en théâtre patriotique, deux tableaux de Subleyras, visibles aujourd'hui à la Brera. L'édifice, détruit récemment, se composait d'un vaste chœur et d'une nef unique avec deux autels de chaque côté. C'est aux Ermites de saint Jérôme de la congrégation de Lombardie que l'on devait la réfection du XVIIIe siècle, achevée pour l'architecture en 1738 et à Paolo Alessandro Serponti, abbé général de 1737 à 1740, puis abbé « di dominio » des Saints Côme et Damien, la décoration intérieure[214]. Le choix des peintres révèle son ambition et le prestige de l'école romaine. Tandis que les tableaux de l'église primitive, replacés dans le chœur, étaient dus à des artistes lombards de modeste renom, il commanda à Rome les quatre nouvelles toiles : décision justifiée en partie par le déclin de l'école milanaise, surtout après la mort de Stefano Maria Legnani, en partie par les relations que tout chef d'ordre entretenait avec Rome, ne serait-ce que par l'intermédiaire de son procureur général qui résidait au prieuré de Saint-Alexis sur l'Aventin, l'abbé Diego Revillas y Solis, personnage clé pour Pierre Subleyras, lié aux Tibaldi, puisqu'il avait témoigné pour Maria Felice lors de son mariage.

La première toile de la série (n° 66) fut donc cette vision de saint Jérôme signée fièrement *Petrus Subleyras Gallus fecit Romae 1739.* Elle fut payée au peintre 200 écus romains comme la *Sainte Famille* de Pompeo Batoni. Voilà pour la première fois les deux rivaux réunis. Tableaux contemporains et combien différents. A la sagesse froide de Batoni s'oppose la fougue encore baroque de Subleyras pour illustrer cette phrase d'une lettre apocryphe de saint Jérôme, « Que je veille ou que je dorme, je crois toujours entendre la trompette du jugement ». Ce thème rare, apparu tardivement, avait inspiré à Simon Vouet une belle composition, autrefois dans la collection Barberini, aujourd'hui à la National Gallery de Washington[215]. Subleyras ne s'en est souvenu que pour s'en démarquer, cherchant à exprimer la stupeur et à inspirer la terreur. A l'ange unique qui vient, familier, sonner à l'oreille de saint Jérôme, dans son cabinet d'étude, le rappel des fins dernières, il substitue une nuée d'anges, terribles comme les trompettes du jugement, fondant sur l'ermite agenouillé qui se relève et se retourne dans un mouvement magnifique. Une lumière d'orage où luit un éclair traverse le tableau. Cette vision dramatique et prophétique passe par la beauté des formes de la statuaire antique et de la couleur éclatante.

214 AS Milano, Fondo di religione, parte antica, 1069.

215 Crelly, 1962, p. 222, n° 153.

En 1744, Subleyras achève la seconde partie de la commande, en peignant un *Christ en croix* entouré de trois saints (nº 85): la Madeleine, saint Eusèbe et saint Philippe Néri. Corrado Ricci, décrivant en 1907 la Pinacothèque de Brera, suggère d'autres noms: Lupo de Olmedo et Saint André Avellino, repris sans hésitations par Hermann Voss. Mais pourquoi suspecter la tradition attestée par les guides anciens de Milan, Bartoli en 1776, Bianconi en 1787 qui précisent même « S. Eusebio monaco Gerolimino » ? Elle reflète de surcroît la cohérence iconographique de l'ensemble. Saint Eusèbe de Crémone fut un des premiers compagnons de saint Jérôme qu'il suivit en Orient. On lui prête un *Traité sur*

P.L. Ghezzi, *L'abbé Diego de Revillas y Solis*, Rome, B.A.V.

les mystères de la croix et surtout, il passe pour être le fondateur des Hiéronymites d'Espagne dont Lupo de Olmedo fut seulement le réformateur. Lupo, au demeurant, non béatifié, ne pouvait figurer sur un autel: c'est bien Eusèbe qui représente l'ordre, vêtu de l'habit monastique. Ecarter saint Philippe Néri, c'est oublier les liens qui l'unissaient à Saint-Jérôme de la Charité, érigée, croyaient les contemporains, à l'emplacement de la maison de sainte Paule, tandis que le séjour en Lombardie du Théatin André Avellino ne lui confère aucun droit particulier d'être vénéré dans une église, même milanaise, des Ermites de saint Jérôme. Le choix des signes n'est pas gratuit. Chaque ordre religieux a les siens que l'artiste a mission de valoriser. Saint Eusèbe se retrouve auprès de saint Jérôme dans la décoration d'une magnifique église des environs de Crémone, San Sigismondo, appartenant aux Hiéronymites. Une chapelle y est consacrée à saint Philippe Néri et, plus troublant, la Madeleine au pied de la croix, peinte en 1702 par Angelo Massarotti a la même pose que celle de Subleyras[216].

Changer les identifications obscurcit le sens de l'œuvre. Subleyras n'a pas peint une crucifixion, mais trois ermites devant le Christ en croix, objet de leur méditation: de la Madeleine, la première dans le temps, patrone de tous les autres, à saint Philippe Néri qui vivait à Rome en « ermite des rues », se refusant pendant longtemps à fonder un ordre. Il s'agit ici non de la Passion du Christ, mais de la glorification de la vie érémitique, toute entière livrée à la contemplation. L'émotion, surgissant du réalisme de la scène historique, n'est pas de mise. Sublimés les personnages n'en sont pas moins fondés sur le réel: Philippe dont les traits sont fixés par l'iconographie contemporaine, Eusèbe, abîmé dans la prière comme les moines l'étaient au chœur, la Madeleine, le regard tourné vers le Christ, le visage douloureux, telle que l'ont représentée tous les peintres. Cette peinture statique, image du temps arrêté, invite à la méditation sur la mort qu'accentuent la tête penchée du Christ et le ciel traversé par l'orage.

Giuseppe Bottani, peintre de Crémone résidant à Rome, encore à ses débuts, peignit un an plus tard l'*Embarquement de sainte Paule*, un autre thème cher aux Hiéronymites. Subleyras avait-il été pressenti pour ce quatrième tableau et y avait-il renoncé, non sans y avoir pensé? L'esquisse de Newcastle, identifiée parfois à tort comme l'embarquement de sainte Ursule, pourrait en être une première idée (nº 65, fig. 1). Scène historique remplie du désespoir des enfants que leur mère va laisser à terre, elle a plus de violence et d'expressivité que la méditation sur la croix, adoucie cependant par la présence des angelots dans le ciel, un joli effet de voiles, une tour phare dans le lointain, un peu d'une marine de Vernet.

Dans le temps qui sépare les deux tableaux de Milan, Subleyras avait travaillé pour la France. Le *Memorie* rappellent qu'en 1741, année féconde entre toutes, il peignit un tableau pour Toulouse, le *Saint Joseph* (nº 74, fig. 1) visible jusqu'à la Révolution dans une des chapelles absidiales de la cathédrale Saint-Etienne, qui est aujourd'hui celle des reliques. En 1800, lors d'un projet d'échange de tableaux entre

216 Voltini, 1984, p. 53.

Paris et Toulouse, l'œuvre avait semblé aux commissaires parisiens digne d'être retenue, mais sans doute jugée peu représentative de l'école toulousaine, elle eut la chance de rester au musée de la ville où elle est encore[217]. Les circonstances de la commande ne sont pas éclaircies: les délibérations du chapitre ignorent le tableau, son achat éventuel par les chanoines et même son installation dans la boiserie qui servait de retable. Ce silence nous empêche de mieux connaître les relations que Subleyras entretenait avec Toulouse. Du moins a-t-on par une mauvaise copie l'idée de l'insertion du tableau dans le décor du XVIIIe siècle, aujourd'hui remonté à l'oratoire de Sainte-Anne, proche de la cathédrale. Jean-Paul Lucas, toujours élogieux pour l'ancien ami de son père, loue dans le catalogue du Musée rédigé en l'An V « une belle pâte de couleur, un dessein pur, des draperies larges et bien naturelles, dont les tons un peu sourds rendent l'enfant plus lumineux et plus frais ». Il ajoute : « Le caractère de saint Joseph est beau et la tête d'une expression divine ». Il oublie la Vierge lisant à l'arrière-plan, qui fait de ce tableau une Sainte Famille dans laquelle saint Joseph joue un rôle moins effacé qu'à l'accoutumée, emplissant l'espace de son énorme stature, laissant toutefois par le jeu des couleurs et de la lumière la première place à l'enfant, dans une optique théologiquement rigoureuse. De même, la tête de vieillard que Subleyras prête au saint est bien dans la tradition iconographique de l'Église. Malgré son caractère religieux et monumental, cette représentation n'a pas moins l'indéniable originalité d'être traitée sur le mode intimiste: on y perçoit les échos de la vie quotidienne, cette femme qui lit, la fraîcheur des chairs de l'enfant Jésus où l'on devine le regard neuf du peintre sur le premier enfant qui lui est né en 1740.

Ce sont encore les *Memorie* qui datent de 1741 le tableau de la cathédrale de Grasse, une *Assomption de la Vierge* (n° 70, fig. 1) que contemplent saint Charles Borromée et saint Léonce, patrons de Monseigneur Antelmy, évêque de la ville de 1726 à 1752 et inspirateur de l'œuvre. On a suggéré, pour expliquer la commande, le passage de Subleyras par Grasse, sur le chemin de l'Italie. D'autres voies, ignorées de nous, pouvaient mener au peintre un prélat méridional, bien en cour à Paris, lié au tout puissant cardinal de Fleury et sans doute, depuis le concile d'Embrun de 1727, à Mgr de Tencin qui, devenu cardinal, n'hésita pas à solliciter pour lui Benoît XIV. Le tableau faillit périr dans l'incendie du 19 fructidor An III qui ravagea la « ci-devant église cathédrale », mais « un courageux citoyen... entrant dans le chœur par une fenêtre latérale, put enlever la toile de son cadre et la rouler rapidement ». Derrière le maître autel où elle fut réinstallée, l'obscurité n'en laisse guère apprécier la beauté et sa réputation souffre d'un voisinage illustre, celui du *Lavement des pieds* de Fragonard. Dans ce thème à la gloire de la Vierge, propre à la cathédrale qui lui était dédiée et à la place qui lui était assignée, Monseigneur Antelmy a imposé sa présence par l'intermédiaire des deux saints. Ce narcissisme n'a pas manqué de susciter la critique : « Pourrait-on regretter que l'importance donnée aux personnages accessoires détourne un peu l'attention du sujet principal. Il fallait bien que les patrons de l'évêque... fussent en bonne place »[218]. Là encore, Subleyras n'a pas peint une Assomption de la Vierge, son élévation hors du tombeau sous les yeux éblouis et incrédules des Apôtres, mais la méditation sur ce mystère glorieux de saint Charles Borromée et de saint Léonce, évêque de Fréjus, auquel il a donné toute la consistance du réel en rendant avec science et amour le chatoiement des habits sacerdotaux. La Vierge même a étonné, comparée à l'Immaculée Conception peinte par Zurbaran et par Murillo. « C'est la mère du Christ, la femme robuste ». Un choix esthétique et réfléchi de formes pleines, réalistes avant d'être idéalisées par la lumière et la grâce de la peinture. L'*Assomption* de Bassano au maître-autel de Saint-Louis des Français fournissait au peintre un garant sans pour autant être un modèle.

Dans le chapitre tenu en 1737 à Monte Oliveto maggiore, chef d'ordre des Olivétains, moines qui suivent la règle de saint Benoît, fut approuvé le transfert du monastère de Monte Morcino, qui menaçait ruine, à l'intérieur des murs de Pérouse, au lieu dit la Conca[219]. Luigi Vanvitelli dessina aussitôt les projets du nouvel édifice dont la réalisation fut confiée à Carlo Murena[220]. En 1740, on en était aux fondations que put voir l'abbé général de passage à Pérouse. L'abbé de Monte Morcino, Giorgio Cesarei qui posa la première pierre, s'était tourné vers Rome pour trouver des artistes dignes de ses ambitions. En s'adressant à l'architecte de Saint-Pierre dont la renommée ne cessait de s'étendre, il ne faisait pas seulement un choix de prestige, il définissait une ligne esthétique dans laquelle s'inscrivaient les peintres pressentis. L'église à une nef avait cinq chapelles à décorer. En dehors du tableau de sainte Françoise romaine dont l'attribution à Antonio Balestra est douteuse, la commande des quatre autres fut partagée entre Stefano Pozzi et Pierre Subleyras[221]. Le premier peignit une *Annonciation* pour le chœur et pour un bras du transept, le *Bienheureux Bernardo Tolomei*, fondateur des Olivétains, *au milieu des pestiférés* (n° 90, fig. 1). Les deux autels de part et d'autre de l'entrée reçurent les toiles de Subleyras : *Saint Benoît ressuscitant un enfant* (n° 91), daté de 1744 et *Saint Ambroise absolvant Théodose* (n° 96), de 1745. A peu de jours près, les deux artistes avaient le même âge, mais ce n'est qu'à Pérouse que leurs routes se rejoignirent. Pozzi, grâce à sa naissance et ses alliances autant qu'à son talent, était depuis longtemps un

217 Baderou, 1935, p. 178.

218 Doublet, 1911, p. 123.

219 Scarpini, 1952, p. 352.

220 Gualdi Sabatini, 1979, t. II, pp. 26-56.

221 Orsini, 1784, pp. 167-168; Rossi, 1875, p. 216.

maître reconnu dont les preuves étaient visibles dans les églises mêmes de Rome. Aussi lui réserva-t-on à Monte Morcino le tableau du maître-autel. Subleyras ne cessait de lutter pour s'imposer et l'insistance qu'il met à signer en est sans doute un indice. Mais l'un et l'autre puisaient aux mêmes sources, celles du classicisme dont Pozzi tenait les principes de Maratta par l'intermédiaire d'Agostino Masucci et Subleyras, de Rivalz qui avait été aussi l'élève de Maratta. Ils avaient encore en commun un coloris raffiné, une exécution soignée, une élégance qui chez Pozzi tendit de plus en plus à la froideur. Accord des peintres entre eux dans la diversité de leurs personnalités, accord entre architecture et peinture donnaient à l'église une unité exceptionnelle qui ne survécut pas à la Révolution française.

En 1810, le monastère fut sécularisé et transformé en Université qui de l'église fit sa chapelle[222]. Pie VII confirma en 1815 le passage de propriété, mais les Olivétains réclamèrent leurs biens, limitant d'ailleurs leurs désirs à quelques meubles et aux tableaux représentant les saints de leur ordre, le *Saint Benoît* de Subleyras et le *Bienheureux Bernardo Tolomei* de Pozzi. L'Université refusa de s'en dessaisir au nom de l'esthétique: on allait défigurer l'église et les tableaux perdraient à ne plus être exposés à la place pour laquelle ils avaient été conçus. La lutte fut serrée et l'affaire se dénoua en août 1822 à l'avantage des Olivétains. Les deux tableaux furent transportés à Rome à Sainte-Françoise Romaine où le *Saint Benoît* est aujourd'hui visible à la sacristie et le *Bienheureux Bernardo Tolomei*, dans le bras gauche du transept. Par une ironie du sort, Subleyras obtenait d'avoir une œuvre, hormis l'exceptionnelle *Messe de saint Basile*, dans une église de Rome, encore était-ce dans une sacristie peu visitée.

Vraisemblablement pour éviter le transfert, le conseiller de la Commission consultative des beaux-arts, Filippo Aurelio Visconti, avait diminué le mérite des tableaux, «plus dignes de Pérouse que de Rome, bons sans être de premier ordre», mais entre Subleyras et Pozzi il met une différence, «le premier a plus de renom que l'autre» et reflète en cela l'avis de Camuccini qui fit, sans doute à cette occasion, un très joli croquis du *Saint Benoît*, «essayant de rendre, avec la plus grande évidence, la structure interne, la construction du tableau», reconnaissant ainsi par le dessin l'une des supériorités de Subleyras, son art de la composition[223]. Dans la dernière supplique de l'Université, au moment du dépouillement des autels, le Bienheureux Tolomei a résolument perdu son auteur. Les deux toiles sont attribuées à Subleyras, mais l'une, le *Saint Benoît*, «a la réputation d'être une des meilleures productions de l'artiste». Cette erreur met en lumière à la fois la ressemblance des styles et la différence de qualité.

Saint Grégoire le grand raconte dans la vie de saint Benoît qu'un jour arriva au monastère un paysan en larmes portant dans ses bras son enfant mort. Le saint étant aux champs avec ses compagnons, il laissa le corps devant la porte et courut chercher le moine. De retour, l'homme de Dieu s'agenouilla

V. Camuccini d'après Subleyras, *Saint Benoît ressuscitant un enfant*, Cantalupo, coll. Camuccini.

et se pencha sur le corps du petit enfant, puis il se releva et implora le ciel. Subleyras a peint l'instant qui précède la ressurection, préférant un geste de tendresse humaine à l'éclat du miracle, qui, sans perdre de solennité, en devient plus émouvant. La dimension familière est donnée par l'attitude du saint, le corps de l'enfant, la présence d'un jardinier, témoin attentif de la scène, signifiant la campagne proche où travaillait saint Benoît et fournissant à l'artiste un contrepoint coloré où se lit le plaisir de peindre un être du commun et des choses de la vie quotidienne. Mais la gran-

222 ASR, Camerlengato II°, Titolo 4°, busta 154, n° 167.

223 Exposition 1978, Rome, p. 16, n° 37.

deur émane de la tension sourde de l'attente, perceptible dans le groupe des moines immobiles. Subleyras a triché sur la couleur en évoquant saint Benoît et ses compagnons sous l'habit des Bénédictins blancs que sont les Olivétains, le tableau leur étant destiné. Le peintre sait et aime moduler les blancs qui forment ici une grappe lumineuse focalisée sur l'enfant et le saint, donnant ainsi la primauté à la construction révélatrice du sens. Il y a une plénitude dans ces personnages que l'on sent mieux encore en regardant le Bienheureux Tolomei de Pozzi, où ils sont là aussi, mais dispersés dans l'action, perdus dans le paysage, incapables d'atteindre à cette fastueuse et puissante unité.

L'année suivante, Subleyras achevait son deuxième tableau, l'*Absolution de Théodose*, qui fut porté à la Pinacothèque de Pérouse quand, au milieu du XIXe siècle, l'église devint l'*Aula magna* de l'Université. D'une iconographie très rare, sinon unique, il illustre un épisode de la vie de saint Ambroise divulgué par la *Légende dorée* de Jacques de Voragine. Théodose, proclamé empereur d'Orient en 379, passait pour magnanime et bon chrétien, protecteur de saint Grégoire de Naziance et ardent adversaire de l'hérésie d'Arius. Il n'en fit pas moins massacrer cinq mille habitants de Thessalonique révoltée contre son gouverneur, en 392 l'année même où il était maître de tout l'Empire après l'assassinat en Gaule de Valentinien. Saint Ambroise lui interdit l'entrée de l'église de Milan, devenu sa capitale. Son obéissance et son repentir lui valurent après huit mois de pénitence le pardon de l'évêque.

De toute évidence, le sujet met face à face les deux pouvoirs, laïque et religieux et cet aspect métaphorique n'était pas pour déplaire à Subleyras. Mais de qui vient le choix ? Il est étrange d'imaginer dans ce couvent d'Olivétains une allusion à la situation critique des états pontificaux durant la guerre de succession d'Autriche et dans l'absolution de Théodose, figuration réelle ou légendaire de la volonté tenace de saint Ambroise d'instaurer un accord durable entre l'Eglise et l'Etat, de voir une image de la diplomatie de Benoît XIV, de son désir de paix avec l'empire justement. Y reconnaître la seule illustration du sacrement de pénitence qui ouvre les portes de l'église n'est pas satisfaisant : les signes écrasent la signification.

Le tableau fut admiré, bien qu'il n'ait ni la splendeur ni l'originalité du saint Benoît, encore moins sa réputation. On y remarque la science de la construction, le décor neutre aux pilastres tronqués, conçu pour rendre plus grandioses les figures et le site. On y loue l'éclat des couleurs et la luminosité des blancs. Il manque cependant à cette évocation de la noblesse de Rome antique et chrétienne un accent de conviction. Subleyras a désormais la maîtrise de son langage ; les signes sont trouvés qu'il lui suffira d'adapter. A l'*Absolution de Théodose* correspond la *Messe de saint Basile* que le peintre a en chantier : histoires proches dans le temps que ces deux confrontations d'un saint et d'un empereur. Au moment où la puissance temporelle de l'Eglise s'effrite, elle cherche ses références et ses justifications aux sources de son pouvoir. Le destin de Théodose est l'inverse de celui de Valens, mais l'image de son écuyer en est le prototype formel, non encore défaillant mais déjà méditatif; les deux saints ont la même gravité sévère, jusqu'au jeune page du premier plan, frère jumeau du serviteur de Valens. Pour la *Messe de saint Basile*, Subleyras emprunte aussi au saint Benoît ce groupe de moines blancs au cœur de la scène qui font la beauté et la réputation des deux toiles.

Dans un dessin autrefois attribué à Benefial (n° 90), on peut maintenant reconnaître la main de Subleyras et il est aisé d'identifier le bienheureux Tolomei au milieu des pestiférés, comme si les Olivétains avaient voulu choisir entre plusieurs interprétations de cette scène, preuve des vertus héroïques et mêmes miraculeuses de leur fondateur. Subleyras y a-t-il renoncé, surchargé de travail, comme il n'a pas poursuivi l'esquisse du départ de sainte Paule ? La mise en place est belle et déjà structurée. Il y a surtout ces pestiférés emportés par des serviteurs musclés, ces corps traînés qui annoncent les malades sauvés des eaux peints en 1746.

2. Le peintre des canonisations.

Le culte des saints, attaqué par les Protestants comme une survivance des superstitions païennes, fut en revanche le fer de lance de la contre-réforme. Par lui passait le message de l'église romaine pour toucher le cœur des plus humbles. Dans les années cruciales d'incertitude et de lutte, avant et pendant le Concile de Trente, les papes ne songèrent pas à canoniser. Ils paraissaient, écrit Emile Mâle, « attendre des saints nouveaux ». La tradition ne fut reprise qu'en 1588 par Sixte-Quint. Les canonisations devinrent aussitôt des cérémonies splendides dont l'écho se répercutait dans toute la Chrétienté. Elles entrèrent rapidement dans le jeu politique de la papauté, favorisant tour à tour pays et ordres religieux.

C'est à leur occasion que se fixe l'iconographie de ces nouveaux saints, strictement contrôlée par les théologiens qui s'appuyaient sur les actes du procès. Un rituel artistique s'élabora qui allait du portrait diffusé à l'ouverture de la cause jusqu'aux représentations mêmes des *Acta sanctorum*. Si la nef de Saint-Pierre ou celle du Latran était au jour solennel tapissée de peintures décoratives « a guazzo », œuvres de spécialistes ou d'ateliers, la bannière portée en procession ou les tableaux offerts étaient demandés à des peintres de renom. L'exemplaire destiné au pape était unique, mais pour le Sacré Collège et les membres de la Curie, à partir d'originaux que l'on donnait aux plus concernés ou plus proches de l'ordre, étaient établies des copies, divisées encore en petits et grands formats et attribuées selon un ordre hiérarchique savamment établi. Des tableaux étaient enfin tirées des gravures, plus largement distribuées pour la gloire de l'ordre et du nouveau saint. Les béatifications qui précédaient les canonisations étaient à peine moins éclatantes. Les unes et les autres constituaient pour les artistes un marché fondé sur la réputation qu'elles achevaient d'établir. Jouaient alors les pressions et les intrigues.

La première canonisation dont Subleyras admira la magnificence fut celle de saint Jean Népomucène le 19 mars 1729 à Saint-Jean de Latran, malgré l'impatience du pape « qui ne donna pas le temps de finir la décoration qui aurait été superbe », malgré la pluie et le vent « qui emportèrent la moitié de l'ornement qu'on avait fait devant la façade »[224]. Deux béatifications suivirent en 1730 et 1732 jusqu'au 16 juin 1737 où Clément XII proclama la sainteté de deux Français, Vincent de Paul et Jean-François Régis, de deux Italiennes, Giuliana Falconieri de Florence et Caterina Fieschi de Gênes. Personne ne songea à employer Subleyras qui en était encore à faire ses preuves publiques en peignant le *Repas chez Simon*. Benoît XIV, malgré sa longue expérience des procès de canonisation en tant que *Promotor fidei*, malgré le pesant traité qu'il avait écrit à ce sujet dans sa retraite de Bologne, ne célébra qu'une canonisation solennelle, le 29 juin 1746 à Saint-Pierre. Il y eut cinq nouveaux saints. Pour deux d'entre eux, on fit appel à Subleyras, chargé d'exécuter le tableau à l'intention du pape. Cet honneur mesure le chemin parcouru. Entre temps il avait peint le portrait de deux vénérables dont on rouvrait la cause, s'introduisant ainsi discrètement dans le cercle de ces artistes privilégiés qui en 1737 avaient nom Benefial, Masucci, Zoboli, Muratori, Ghezzi, tous Italiens, tous plus âgés.

En 1739, Don Cesare Benvenuti qui était alors procureur général et postulateur des causes des Chanoines réguliers de Latran, ouvrit à nouveau le procès de canonisation de Battistina Vernazza, introduit une première fois en cours de Rome un siècle auparavant. Cette vénérable servante de Dieu était née à Gênes en 1497 dans une famille cultivée, mais surtout très pieuse qui lui avait donné pour marraine de baptême et de confirmation celle qui justement était devenue sainte Catherine Fieschi en 1737. A treize ans, elle entra au couvent de la Madone des Grâces à Gênes où en 1511 elle prit l'habit des chanoinesses régulières de la congrégation de Latran et où elle mourut fort âgée, en 1587, après une vie d'ascèse et de méditation. Cette mystique a laissé cinq volumes manuscrits d'œuvres autographes qui ont été publiées à plusieurs reprises[225]. En frontispice de l'édition de 1588, on trouve un portrait anonyme qui la représente en train d'écrire, une épée lui transperçant le cœur.

Fort de ses amitiés et de ses relations à l'intérieur de la Congrégation des « Rocchettini », Subleyras obtint la commande du « portrait » destiné à faire connaître celle dont on allait examiner les mérites. L'original alla au cardinal Nicola Lercaro, gênois, protecteur de l'ordre et cardinal rapporteur sous l'autorité de qui se déroulerait le procès. Le tableau fut payé en octobre 1739 et la gravure qu'en a tirée Girolamo Frezza sur un dessin de Giuseppe Pozzi, en avril 1740[226]. Subleyras s'est inspiré de l'image ancienne qu'il a modernisée et embellie. Il supprime l'épée qui transperçait le cœur de la religieuse, signe incongru au siècle des lumières de l'amour divin dont elle était frappée. Mais la façon de présenter la vénérable est étonnamment semblable à celle des portraits de Giovanni Felice Ramelli et de Cesare Benvenuti (n° 76), donnant à cette image pieuse l'apparence d'un véritable portrait. La religieuse, assise, tend la main gauche à demi ouverte, elle tient sa plume de la droite. Le visage, marqué par l'âge et l'ascèse, est baigné de lumière qui se reflète sur le rochet et la robe immaculée. L'iconographie

224 CD, t. VIII, p. 18.

225 *Bibliotheca Sanctorum*, Rome, 1969, t. XII, p. 1040.

226 Archivio della postulazione dei Canonici regolari lateranensi, Causa della Beata Battistina Vernazza, Entrate 1739-1740.

Subleyras, *La vénérable Vernazza*, Milan, coll. part.

d'ensemble est dictée par les dépositions du procès. C'est dans l'acte d'écrire face à un crucifix qu'elle apparaît. Une nonne bien âgée qui avait été sa professe témoigne ainsi: « Tandis qu'elle était en train d'écrire, je l'ai souvent entendue dire, tournée vers le Christ crucifié qu'elle avait l'habitude d'avoir devant elle pendant qu'elle écrivait: « Parle, toi, sinon je déposerai la plume », lui disait-elle en souriant »[227]. Derrière la vénérable, Subleyras a peint une bibliothèque où l'on retrouve ses œuvres et celles de Thomas a Kempis. Ce chanoine régulier de Latran qui avait été, un siècle avant Battistina, un écrivain fécond, l'honneur de son ordre, sert de référence à la vénérable. Sous le pinceau de Subleyras, la physionomie gravée au XVIe siècle est devenue celle d'une femme énergique et volontaire, attendant, légèrement souriante et moqueuse, les paroles du Christ qui lui fait face.

En 1731, sous l'impulsion du cardinal Astorga, archevêque de Tolède, fut rouvert le procès de canonisation du vénérable Jean d'Avila (n° 112). La cause à nouveau s'enlisa après la mort du prélat en 1734, mais reprit quand l'infant Don Luis de Bourbon lui succéda en 1737. La couronne d'Espagne n'épargna pas ses efforts pour la faire aboutir[228]. Le 8 décembre 1744, elle nomma postulateur l'abbé Diego de Revillas y Solis, Hiéronymite de la Congrégation de Lombardie, résidant à Rome depuis 1722 au couvent de Saint-Alexis sur l'Aventin. Il se préoccupa aussitôt de faire faire un portrait du vénérable et le 27 juillet 1745 il accuse réception d'une peinture venue de Tolède pour servir de modèle. Un mois auparavant, le cardinal de Saint-Clément, Annibale Albani, était devenu cardinal rapporteur de cette cause laissée sans protecteur par la mort du cardinal Luis Antonio Belunga. Subleyras se trouvait ainsi en terrain connu. L'abbé Revillas était un ami et le cardinal Albani, en tant que Préfet de la Fabrique de Saint-Pierre, avait à l'automne 1743 donné son accord pour l'exécution de la *Messe de saint Basile*. Jean d'Avila ne fut pas aisément canonisé. Né vers 1499 à Almodovar del Campo dans la province de Ciudad Real, d'un père Juif converti, il avait étudié la théologie à Salamanque, puis à l'Université d'Alcala où il s'était un moment intéressé à l'humanisme d'Erasme, de quoi faire également trembler l'Inquisition, tant et si bien que Jean d'Avila ne fut béatifié qu'en 1894 et canonisé seulement de nos jours, en 1970, après avoir été nommé le patron du clergé espagnol. Ecrivain fécond, il était surtout un prêcheur infatigable que l'on appela l'apôtre de l'Andalousie. Ce mystique est de la génération et de la trempe de saint Ignace de Loyola, de sainte Thérèse dont il fut le confident, de saint Jean de Dieu qu'il convertit.

Puisque c'était à travers la prédication que Jean d'Avila avait manifesté sa sainteté, c'est prêchant que Subleyras le représente, dans un décor réduit à quelques signes, une chaire stylisée au bord de laquelle est posée la barette du prêtre séculier. Le peintre pouvait imaginer ce prosélytisme ardent par un autre prédicateur qu'il avait rencontré, le Père Léonard de Port-Maurice. Mais d'un portrait réaliste, il passe à une image sublimée, dépouillée de l'air dramatique et de la tension macabre voulue par le Franciscain, d'une raideur due aux circonstances. La figure de Jean d'Avila, inspirée à la fois du portrait de Tolède et du Père Léonard, est idéalisée. Elle a pris un air de jeunesse et ce regard intérieur cher à Subleyras, une douceur qui transforme ce prêche en une conversation qui se veut convaincante par le geste de la main, mais reste sereine. Le peintre, libéré des contraintes de la ressemblance, se livre aux joies de la peinture. Il illumine sa toile de la blancheur du surplis, donnant à la sainteté de Jean d'Avila une amabilité faite d'humanité et de beauté.

Ce portrait fut offert au cardinal rapporteur, Annibale Albani qui, s'étant pris de passion pour Jean d'Avila, avait publié en 1746 la *Vita del Padre Maestro Giovanni d'Avila*, traduction par lui-même du texte de Luis de Granada. Il plaça ce tableau dans sa résidence de Soriano del Cimino où il resta jusqu'en 1959, devenu par héritage propriété du prince Chigi, pour passer en Angleterre au musée de Birmingham. Un élève de Subleyras, Joseph Castillon, le dessina en vue de la gravure exécutée par Pietro Campana.

Catherine de Ricci et Camille de Lellis, béatifiés l'une en 1732 et l'autre en 1742, furent canonisés sans attendre par Benoît XIV, en même temps que Fidèle de Sigmaringen, Joseph de Leonessa et Pierre Réglade. Les deux tableaux peints par Subleyras forment une paire occasionnelle (n°s 108 et 101) destinée au pape qui les offrit ensuite à son majordome Girolamo Colonna. Avant leur séparation récente, ils reflétaient l'image de ce moment de plénitude qu'est dans la carrière du peintre l'année 1746.

Le décret de canonisation de Catherine de Ricci fut promulgué le 6 octobre 1744 et, quelques mois plus tard, commencèrent les préparatifs de la cérémonie. Le 23 mars 1745, Subleyras s'engageait, par contrat auprès du général de l'ordre des Frères prêcheurs, à peindre un tableau de sept palmes sur dix où il devait représenter « la bienheureuse Catherine Ricci Dominicaine épousée par Jésus-Christ en présence de la bienheureuse Vierge, de sainte Marie-Madeleine, de saint Thomas d'Aquin et d'anges ». L'exécution dura jusqu'en mai 1746[229]. Le sujet imposé figure l'événement culminant de la vie de sainte Catherine de Ricci qui réitère le mariage mystique de sainte Catherine d'Alexandrie. Il se fonde, sans s'en écarter, sur le récit publié en 1732 des actions mémorables de cette moniale, née à Florence en 1523[230] et entrée à douze ans au monastère de San Vincenzo de Prato où elle mourut en 1590. Le 9 avril 1542, jour de Pâques, elle eut une vision « lui faisant voir le Rédempteur du monde, à l'aurore, dans sa cellule, accom-

227 ASV, Riti e processi 1167.

228 Id., 3178; Sala Balust, 1970, pp. 362 sq.

229 Archivum generale Ordinis praedicatorum, X 690 et X 691.

230 *Compendio della vita, virtù e miracoli della B. Caterina de' Ricci...*, 1732.

pagné de sa très Sainte mère, du docteur angélique saint Thomas, de sainte Marie-Madeleine et de beaucoup d'anges». Le Christ retira de son annulaire gauche «un riche et précieux anneau d'or émaillé de rouge, dont la pierre était un diamant très brillant; il le lui mit au doigt de la main gauche que lui tenait soulevée la Vierge Marie». Une esquisse, conservée au Smith College de Northampton, montre des différences minimes avec le tableau final et néanmoins significatives. La composition évolue à la fois dans le sens de la clarté et de la cohésion, distinguant les groupes de personnages tout en les unissant par le jeu des lignes et des correspondances. Le plus étonnant est l'invasion de la toile par les putti et les fleurs, donnant à cette vision une douceur proche de la suavité, émoussant tout ce qu'avait de sévère et même de cruel la sainteté de Catherine de Ricci, habituée à méditer sur la passion du Christ que rappellent seulement la couronne d'épines et le crâne posé sur un livre. C'est davantage par la luminosité des blancs, linceul du Christ ressuscité, habits de la moniale, robe du docteur angélique, que Subleyras recrée l'atmosphère surnaturelle de la vision. Le tableau du pape n'était pas copié, mais Miguel de Sorello en a tiré une gravure sur le dessin de Joseph Castillon qui avait déjà fait celui de Jean d'Avila.

Camille de Lellis, fondateur des Clercs réguliers ministres des infirmes, est un saint des temps modernes, homme de foi et d'action. Ce fils d'officier, né en 1550 dans les Abruzzes, fut d'abord un soldat. Une plaie malencontreuse au pied droit, qu'il vint se faire soigner à Rome, fut à l'origine de sa vocation. A Saint-Jacques des incurables, il côtoya et comprit la détresse des malades abandonnés à leur souffrance et à leur désespoir. Il songea alors à réunir autour de lui des hommes de bien qui devaient se consacrer à leur service pour le seul amour de Dieu. De la «Madonnina dei Miracoli», leur oratoire au bord du Tibre, il allait avec ses compagnons chaque jour à l'Hôpital du Saint-Esprit sur l'autre rive. Cette humble compagnie était devenue un ordre hospitalier répandu dans toute l'Italie et reconnaissable à la croix de feutre rouge sur l'habit noir, quand Camille de Lellis mourut en 1614 dans le couvent de la Madeleine, maison mère des Camilliens où sa dépouille et ses reliques sont encore vénérées[231]. Cet ordre prospère n'épargna pas la dépense pour célébrer la canonisation de son fondateur. A Subleyras revinrent les deux commandes les plus prestigieuses.

Dans la description de la cérémonie publiée en 1741 par Marcello de Azevedo, une planche représente la bannière du saint, la quatrième dans l'ordre d'entrée à Saint-Pierre, portée par la Vénérable Archiconfrérie de San Spirito in Sassia entourée des Camilliens qui tenaient les cordons et les torches, exposée ensuite à la croisée du transept jusqu'à l'octave de la fête qui tombait le 15 juillet et rapportée en procession à la Madeleine. Une des faces figure la gloire de saint Camille (n° 110), l'autre une extase du saint. C'est cet étendard qui fut payé à Subleyras, le 6 mai 1746, en même temps que la toile qu'il avait peinte pour le pape[232]. Dans le tableau d'autel de l'église des Saints Camillo e Ruffo de Rieti (n° 110, fig. 2), administrée par les Camilliens et consacrée en 1760, on reconnaît un des côtés de la bannière sans que l'on sache ni les modalités ni la date exacte de la transformation. Cette extase de saint Camille, suivant la ligne iconographique des canonisations, rappelle un épisode miraculeux de sa vie, l'un des plus célèbres par la suite. Découragé, Camille vit le Christ se détacher de la croix et lui parler pour le renforcer dans la décision de fonder un ordre nouveau. La fidélité à la lettre des actes se double ici d'une exigence d'authenticité dans le visage même de saint Camille dont les traits, inspirés par le masque mortuaire, ont retrouvé la jeunesse qui convenait au moment de la scène. Elle donne son poids de réalité à cette vision surnaturelle, baignée de la lumière qui émane du Christ pour tomber directement sur le saint évanoui; le jeu subtil des mains explicite la transmission du message. Si la toile a souffert, l'esquisse rend la vivacité de l'inspiration et la légèreté brillante de la touche que l'on retrouve dans le tableau d'Amiens, l'apothéose d'un saint, qui est l'esquisse du second côté de la bannière, vraisemblablement peint sur une toile indépendante cousue au revers de la première et aujourd'hui disparue. Le thème ne laissait guère de marge à l'imagination, mais le nouvel élu est ici revêtu des habits sacerdotaux qui permettent à Subleyras de raffiner sur les blancs. S'est-il souvenu de cette référence inéluctable de ses premières années à l'Académie de France, l'*Apothéose de saint Isidore* peinte en 1729 par Carle Vanloo, à laquelle Vleughels ne mesurait pas ses éloges, s'en est-il souvenu pour prendre sa revanche, en donnant à l'image plus de cohésion et de plénitude réfléchie? De l'extase de saint Camille, deux gravures ont été tirées, l'une en 1746 par Claude-Olivier Gallimard d'après l'esquisse et l'autre en 1747 par Carlo Grandi d'après la bannière, sans compter celles d'Antonio Gramignani pour les *Acta canonizationis*, fort mauvaises au demeurant.

Le tableau offert au pape (n° 101) est en revanche d'une étonnante originalité. Le sentiment du sacré sort de la transcription attentive d'une scène vécue où l'humilité des gestes est transfigurée. La nuit de Noël 1598, le Tibre eut une de ces crues effrayantes qui inondaient en quelques heures tous les quartiers bas de Rome. Camille de Lellis accourut à l'Hôpital du Saint-Esprit et avec ses compagnons réussit à sauver les malades en les portant à l'étage supérieur. L'exactitude, Subleyras ne la recherche pas dans le décor, d'autant plus que l'hôpital était alors en pleine transformation. Mais il donne à cette salle aux fenêtres hautes un accent de vérité et de grandeur: sous un entablement de pierre soutenu par des colonnes, une statue de la Vierge évoque le regard bienveil-

231 Vanti, 1929.

232 Lehnen, 1964, p. 991.

lant du ciel, matérialisé par l'apparition d'une croix rouge; de l'autre côté, l'alignement des lits aux baldaquins blancs donne l'image de la réalité. Tout l'intérêt se porte sur les personnages où alternent les biens portants, Camilliens et serviteurs, actifs et précis, et les malades effrayés aux corps abandonnés.

Au centre, saint Camille n'est pas sans rappeler *Enée portant son père Anchise*. Subleyras a repris bien des traits du tableau de Barocci de la collection Borghese, mais il a su donner à cette action héroïque une familiarité qui émeut. Le saint a retroussé sa soutane; les jambes nues, il patauge encore dans l'eau, mais déjà il a un pied sur une marche, préfiguration du succès. Son visage reflète l'effort et la tendresse pour cet homme qui s'attache à lui, mais son regard est tout de méditation, donnant à cet acte de charité humaine sa dimension surnaturelle. Au premier plan, une magnifique nature morte. Ce panier de vaisselle qui rappelle celui du *Repas chez Simon* n'est pas un morceau de bravoure, car il s'intègre à la scène, sauvé qu'il est lui aussi du désastre par un serviteur aux bras musclés. Mais dans cette attention à la beauté des choses, porcelaine blanche et bleue, cuivre rouge, étain poli, éclate le plaisir pur de la peinture.

3. La *Messe de saint Basile*.

L'achèvement de la *Messe de saint Basile* (n° 116) est le point culminant de la carrière de Subleyras. Le tableau, exposé le 16 janvier 1748 à Saint-Pierre sur l'autel même où sera placée sa transposition en mosaïque, fut admiré par Benoît XIV deux jours plus tard, lors de la chapelle papale en l'honneur de la fête de la « Cattedra »[233]. Le peintre est alors très malade. Les médecins lui avaient conseillé de partir pour Naples où l'air était soi-disant meilleur. Il y était resté environ huit mois entre 1746 et 1747, sans d'ailleurs pouvoir ni se reposer ni se soigner faute de deniers. Il fit des portraits. Celui de la comtesse Mahony semble plus ancien, mais celui du jeune Horatio Walpole (n° 114), surnommé Pig Wiggin, neveu du premier ministre de George II, est attesté par une inscription au dos de la toile, « peint à Naples ». La commande d'un portrait du duc de La Vieuville (n° 115) montre l'estime dans laquelle on tenait encore le peintre. Commandant les armées du roi de Naples dans le nord de l'Italie, le maréchal était rentré par mer en octobre 1746 avec les troupes de Lombardie pour repartir en mars 1747, nommé vice-roi de Sicile[234]. Sa dernière victoire avait été la prise de Plaisance le 12 septembre 1745[235] et c'est ainsi, à cheval devant la ville, que le représentera Subleyras dans le dessin préparatoire. Il n'y a pas trace de tableau, bien que le peintre, aux dires des *Memorie*, en fit deux exemplaires, un à Naples et l'autre à Rome. Subleyras rentra achever la *Messe de saint Basile*, depuis si longtemps en chantier, luttant contre le temps qui lui échappait, accablé de besogne et de fatigue, impressionné par ce que l'on attendait de lui.

Pour soustraire les tableaux d'autel de Saint-Pierre à l'humidité qui les ruinait peu à peu, il fut décidé au XVIIIe siècle de les remplacer par des mosaïques, après exécution d'une copie sur toile par un peintre de talent et même parfois d'une œuvre originale sur le même thème. Deux d'entre eux retinrent longtemps l'attention: l'un était la *Crucifixion de saint Pierre*, peinte sur ardoise en 1607 par Domenico Passignano et rendue illisible par la fumée des cierges; l'autre, la *Messe de saint Basile* de Girolamo Muziano, achevée après sa mort par Cesare Nebbia et réduite en piteux état « par les injures du temps et par l'humidité ». Au chevalier Nicola Nasini fut confiée la copie du premier[236], soldée en novembre 1719, à Luigi Vanvitelli celle du second, terminée en 1724. On n'en commanda pas moins deux compositions originales: l'une en 1727 à Nicola Ricciolini pour la *Crucifixion de saint Pierre*, aujourd'hui à Sainte-Marie-des-Anges et l'autre en 1732 à Luigi Vanvitelli pour la « Messa greca » (n° 116, fig. 22) dont il ne fit apparemment qu'un projet[237]. Ni les unes ni les autres ne donnèrent satisfaction et l'affaire était toujours pendante à l'avènement de Benoît XIV en 1740. Selon les *Memorie*, c'est le cardinal Valenti Gonzaga qui suggéra au pape de faire appel à Pierre Subleyras qui venait d'achever le portrait du nouveau pontife. Les deux sujets furent proposés au peintre qui en entreprit aussitôt des études.

Les biographes de Subleyras insistent sur la difficulté de traiter le premier pour soutenir la comparaison avec le Guide qui avait atteint la perfection dans le tableau, tant de fois reproduit, que l'on voyait alors à l'abbaye de Saint-Paul aux trois fontaines. En revanche, ce thème apparaissait chargé de promesses, susceptible de mettre en évidence autant la virtuosité que la sensibilité d'un artiste et, semble-t-il, Subleyras regretta qu'il n'ait pas été choisi. Il perdait la chance de s'égaler aux plus grands et si les contemporains songeaient de préférence à Guido Reni, l'on peut aussi penser au Caravage de Santa Maria del Popolo. Du tableau non exécuté par Subleyras, il reste au moins l'idée donnée par l'esquisse (n° 78) qu'il avait gardée et qui fut vendue par ses héritiers au bailli de Breteuil. Passée en 1777 dans le Cabinet du roi, elle est maintenant au Louvre. Jean Barbault en avait tiré une gravure. Subleyras est aussi éloigné de Guido Reni que du Caravage. L'un et l'autre avaient résumé le drame dans une

233 Diario ordinario, n° 4758, 20 janvier 1748, pp. 7-8.

234 AMAE, CP Naples 55.

235 AS Napoli, AE 1406.

236 Archivio della Fabbrica di San Pietro (= AFSP), I° piano, Armadi, 417 et 425-426.

237 Exposition 1973-1974, Naples, pp. 42-43.

scène dépouillée: trois bourreaux autour du martyr. Le sentiment du sacré surgit de l'absence d'emphase, de la tension contenue dans la réalité. Subleyras, lui, a multiplié les personnages et les signes dans la perspective du tableau de Saint-Pierre, par nécessité de meubler une toile immense et fidélité à la tradition iconographique contre-réforme qui concrétise et explicite le surnaturel. Ce qu'un critique du XIXe siècle considérait comme un procédé vulgaire, à savoir sacrifier tout le premier-plan pour concentrer la lumière sur le corps du saint, apparaît être au contraire un effet heureux, dans la droite ligne de l'art réfléchi de Subleyras qui isole dans ce rayon de lumière fulgurante l'essentiel, c'est-à-dire le saint et l'ange qui lui apporte la couronne du martyre, laissant dans l'ombre les comparses et l'évocation de Rome sur fond d'orage.

Le thème de la *Crucifixion de saint Pierre* fut vite abandonné. En revanche les études pour la *Messe de saint Basile*, dont certaines très achevées, permettent de suivre la pensée de Subleyras jusqu'à la version présentée en septembre 1743 pour l'établissement du contrat avec la « Reverenda Fabrica di San Pietro ». Les éventuelles modifications postérieures ne peuvent être que de détail. Une longue réflexion donc, mais aussi des démarches et des frais. Les *Memorie* notent que cette œuvre n'a pas enrichi Subleyras, « à cause des dépenses faites pour les études et pour les cadeaux, nécessaires pour obtenir la commande », habitude dont on a la preuve par une lettre de Vleughels : Bouchardon n'aurait pas obtenu la commande du tombeau de Clément XI parce qu'il n'avait pas eu 200 écus à donner à un « certain architecte » qui avait la confiance du cardinal Albani ![238]

Dans les formes administratives habituelles[239], Subleyras adresse d'abord une supplique non datée au Saint Père dans laquelle il résume le passé : projet de tableau pour Saint-Pierre dont il a été informé, choix du sujet par le cardinal Valenti Gonzaga, ses propres études préparatoires qui ont abouti à l'esquisse achevée. Il demande ensuite qu'on lui confie la commande en vertu d'un contrat notarié. Le pape transmet au Préfet de la Fabrique, le cardinal de Saint-Clément, Annibale Albani, qui a son tour, le 29 août, donne l'ordre au trésorier Monseigneur Olivieri de faire rédiger le document par le notaire attitré, Francesco Maria Righi. Le sujet est ainsi spécifié : « Saint Basile, avec l'histoire de l'Empereur Valens de la secte Arienne (dite la Messe grecque) ». Le délai est donné : trois ans ; le prix établi est celui que recevront *ne varietur*, tout au long du siècle, les artistes chargés d'une composition originale : 1 200 écus, à savoir 1 000 pour le travail et 200 pour les couleurs, la toile et le chassis. Le peintre prend à sa charge le port du tableau jusqu'à la Basilique Vaticane, son installation et les retouches, si nécessaire. En fait la rémunération des ouvriers passera dans les frais de la Fabrique elle-même.

Subleyras reçut un premier acompte de 200 écus dès le mois de décembre 1743. En 1744 et 1745, il adressa chaque fin d'année une supplique au trésorier pour en obtenir deux autres : la première fois, il justifie sa demande par « différents travaux pour perfectionner l'œuvre », mais sur les 200 écus demandés, il n'en obtiendra que 100. La deuxième fois, il prétend que l'œuvre est à moitié terminée ; se reprenant, il écrit entre les lignes, « le tiers » : il obtient cette fois 200 écus. En 1746, rien. Ce fut pour lui une année exténuante et en décembre, il est à Naples, mais le délai de trois ans est déjà dépassé, d'où son retour rapide. En 1747, le tableau est enfin terminé, mais le solde du 29 décembre montre que le peintre est aux abois. Il lui reste à toucher 700 écus sur lesquels 400 sont aussitôt reversés à différentes personnes : 150 au marchand de couleurs, 100 en paiement de son loyer échu et à échoir, les 150 autres en remboursement d'avances et de dettes[240].

De l'autel où il avait été exposé trois semaines selon les *Memorie*, le tableau fut transporté dans la Loggia de la bénédiction, puis, entre avril et juillet, à l'atelier des mosaïstes où avaient été livrés, provenant d'une carrière de Marino, les six morceaux de « peperino » destinés au support de la mosaïque. Fin décembre, Luigi Vanvitelli, en tant qu'architecte de la Basilique, juge, mesure et estime le travail accompli par les mosaïstes désignés par le directeur Pier Leone Ghezzi : ce sont Nicola Onofri, Guglielmo Paleat, Giuseppe Ottaviani et Enrico Envo. En 1751, la mosaïque est achevée et au printemps 1752, le tableau de Subleyras est transporté à Sainte-Marie des Anges[241]. Il se passa encore deux ans avant que la mosaïque longuement polie et lustrée ne trouve sa place dans Saint-Pierre, Luigi Vanvitelli s'occupant, depuis Naples, en juin 1754 de l'adapter à l'autel[242]. Il signale pour le compte final des raies jaunes dans la robe des moines qui auraient dû être blanches, cela évidemment dans l'impossibilité de rendre les différents blancs de la peinture. Cette consécration finale arrivait trop tard pour Subleyras. Du moins sut-il avant sa mort qu'on y travaillait avec diligence.

La « Messe grecque » représente un épisode de la vie de saint Basile le Grand, un des pères de l'église grecque, tel que l'a raconté saint Grégoire de Naziance. Valens, devenu empereur d'Orient en 364, était Arien. Trouvant en Basile, archevêque de Césarée, un ennemi irréductible, il tenta de l'intimider par des menaces de mort, mais devant l'intransigeance courageuse du futur saint, sa haine se mua en admiration. Il cherchait à se racheter sans vouloir se convertir. Le jour de l'Epiphanie, il vint à l'église accompagné de toute sa garde et se mêla à la foule. A la vue d'une cérémonie si belle, il

238 CD, t. VIII, p. 121.

239 ASR, 30 not. cap., Uff. 38, busta 176, fol. 53.

240 AFSP, 2° piano, série 4, vol. 88.

241 Id., I° piano, vol. 431, fol. 88.

242 Vanvitelli, 1976, t. I, p. 333.

se sentit défaillir et au moment de l'offrande, comme personne ne recevait les présents qu'il avait apportés, il chancela et serait tombé si l'on n'avait soutenu sa démarche vacillante.

Selon les *Memorie*, le sujet était « neuf mais paraissait stérile et obscur pour bien l'exprimer », une raison de plus pour excuser les faiblesses du tableau que l'on attribue ouvertement à la santé du peintre. Le sujet n'était pas vraiment neuf, puisqu'il avait déjà été traité par Muziano, mais il est vrai que l'histoire de saint Basile avait cessé, depuis le Moyen Âge, d'enflammer l'imagination des artistes. L'iconographie se réduisait désormais à la figure du patriarche, comme on la voit dans les fresques du Dominiquin à Grottaferrata près de Rome. Encore était-ce dans une abbaye de moines Basiliens. Le souvenir de l'arianisme, qui avait bouleversé la Chrétienté, s'était singulièrement estompé dans la mémoire de l'Eglise d'Occident. L'obscurité du sujet venait de cet oubli, mais la scène elle-même n'était guère traduisible dans son intériorité et son immobilité. Grégoire de Naziance présente saint Basile « faisant face au peuple, debout, dans l'attitude où l'écriture représente Samuel, sans un mouvement dans le corps, les yeux, la pensée, comme si rien de nouveau n'était arrivé et comme une stèle fixé à Dieu et à l'autel ». L'évanouissement de l'empereur n'est que l'amorce d'un mouvement, le refus des offrandes, une absence d'action. Le drame se joue à l'intérieur des consciences. Immobilité et solennité convenaient au tempérament classique de Subleyras. Le choix du cardinal Valenti Gonzaga paraît pourtant moins esthétique que politique. C'est le moment où Benoît XIV porte un intérêt particulier à l'Eglise d'Orient qui aboutira au bref de 1746, confirmant l'autorisation donnée dès 1742 aux catholiques d'origine grecque qui avaient fui les persécutions turques d'observer le rite oriental dans les diocèses latins. Le tableau de Saint-Pierre était la manifestation de cette sollicitude.

J. Callot d'après G. Muziano, *La messe de saint Basile*, Rome, G.N.S.

L'œuvre de Muziano que nous connaissons encore par une gravure de Callot fut pour Subleyras le point de départ dont il a subtilement modifié l'esprit. L'artiste du XVIe siècle, plus narratif, avait conçu deux groupes isolés, l'un autour du saint célébrant la messe, l'autre autour de l'empereur en train de s'évanouir, sans relations évidentes, tandis que les dons de Valens, paraissant accessoires, n'étaient que suggérés dans la lointaine entrée des serviteurs qui les portaient. Evoquant la foule, des personnages disséminés, dont la figure conventionnelle d'une femme portant un enfant, assuraient les transitions. Dans un premier dessin préparatoire (n° 123), Subleyras garde l'image du saint officiant, le dos au peuple comme il était rituel depuis le concile de Trente, tourné vers la croix surmontant l'autel, mais déjà il resserre l'action, reléguant au second plan, derrière une balustrade, les assistants insignifiants, rapprochant Basile et Valens que, par souci d'expressivité, il représente presque tombé à terre. Dans le dessin du Louvre, tout a changé (n° 124). Le peintre se conforme fidèlement aux données du récit, sans céder au seul plaisir de conter. Saint Basile se tient face au peuple, c'est-à-dire à Valens et ce face à face crée la relation nécessaire, tout en redonnant au patriarche sa pleine stature. Le corps de Valens est montré en train de fléchir et non plus étendu, pour saisir cette parcelle de temps dans laquelle l'empereur conçoit l'abîme de sa misère. Les dons, mis au premier plan à la place de spectateurs inutiles, sont réhabilités comme élément décisif du drame qui se noue au moment précis de l'offertoire. Ils sont l'image négative de l'offrande du calice que Basile reçoit des mains du diacre. Impassible, pris par la solennité du geste, l'archevêque de Césarée ne jette un regard ni à l'empereur ni à ses présents. Cette indifférence qui ne peut être ignorance est le signe du refus. Conscient des difficultés de la lecture, Subleyras a jugé bon par la suite d'ajouter un enfant de chœur dont le geste est à peine plus explicite. Cette tragédie à deux personnages autour du geste de l'offrande, comme dans le théâtre classique, se joue à huis clos à l'intérieur d'une église neutre, illuminée de la seule lumière surnaturelle que l'artiste fait tomber directement sur Basile. Mais ce drame psychologique est aussi un symbole historique qui convient à Saint-Pierre. Derrière Saint Basile et ses acolytes, deux énormes colonnes cannelées dont on ne voit pas le sommet manifestent la solidité et la force de l'Eglise face à l'hérésie, le groupe somptueux des moines blancs symbolisant la candide évidence de la foi.

Subleyras ne rejette pas les signes traditionnels du surnaturel et du faste: anges qui volettent, rideau de pourpre sans attache réelle, flabellum que tiennent les diacres. Il sacrifie aussi à son goût des objets: la corbeille des pains, le vase d'argent au centre. Mais ces intrusions sont discrètes et se laissent oublier. La *Chute de Simon mage* de Pompeo Batoni qui voisine à Sainte-Marie des Anges avec la *Messe de saint Basile* révèle par comparaison l'originalité de Subleyras. L'une, éclairée par la lumière du jour, est vie et mouvement. L'autre est recueillement, silence, ferveur religieuse liés à la monumentalité et à la grandeur spirituelle, une manière d'exprimer le sacré à travers la solennité de Saint-Pierre.

4. *Dignum laude virum Musa vetat mori*[243].

Pierre Subleyras mourut le 28 mai 1749[244]. Quelques mois auparavant, sa femme s'était souvenue du Père Léonard de Port-Maurice qui, neuf ans plus tôt, était venu bien à contre-cœur poser dans l'atelier[245]. En échange d'une icône qu'il portait toujours lors de ses missions, une modeste planche de bois où étaient collées d'un côté une gravure de l'Immaculée Conception et de l'autre une image de saint Vincent Ferrier, elle avait alors promis de lui en offrir une copie de sa main. Le temps avait passé. Elle prit prétexte de l'achèvement de la miniature pour avertir le Franciscain que son mari était gravement malade et désirait le voir. Le Père Léonard vint aussitôt et revint deux fois encore. La troisième, il apporta à Subleyras la bénédiction du pape *in articulo mortis* et sa promesse de protéger les orphelins. Ce geste, Benoît XIV le fit en achetant en 1752 pour 1 000 écus, une somme très supérieure au prix réel, une miniature de Maria Felice copiant le *Repas chez Simon*, conservée aujourd'hui à la Pinacothèque Capitoline.

Lors du procès de canonisation du Père Léonard, Maria Felice Tibaldi fut amenée par ricochet à évoquer sa piété exemplaire, les convictions de son mari et ses derniers moments, témoignage d'une rare et émouvante authenticité. D'elle, elle dit qu'en cette année 1761, elle a fait ses Pâques avec tous les siens le Jeudi Saint à San Carlo ai Catinari, qu'elle se confesse tous les huit jours et même plus souvent à Sant'Andrea della Valle où réside son confesseur ordinaire. Quand ses enfants étaient petits, elle les conduisait aux missions du Père Léonard. De son mari, elle rappelle la foi lucide, qui loin de s'en laisser conter, reconnaissait « la sainteté des vivants » à la grandeur d'âme, au courage devant la souffrance physique, comme le Père Léonard en donnait l'exemple. Autant de vertus qu'il cherchait à pratiquer en humaniste chrétien.

Jusqu'à la fin, semble-t-il, Subleyras se fit des illusions sur sa santé et nourrissait l'espoir de guérir: « Mon pauvre homme de mari avant que le Père Léonard ne vint, se faisait peut-être trop d'illusions sur sa guérison ». Mais la sincérité sans ménagement du Franciscain le transforma et grâce à l'invocation répétée « Gesù mio misericordia », il trouva la paix, préparé à tout ce que Dieu avait disposé. Le Père Léonard n'a pas moins de rudesse avec la malheureuse épouse qu'il ne leurre pas: « Il n'y avait aucun espoir qu'il guérisse et je devais me résigner à la volonté de Dieu ». Elle ajoute ces paroles d'une poignante simplicité: « J'acquis un tel réconfort que je réussis à résister au choc de la mort de mon mari et même d'y assister, proche de la chambre, quand on lui donnait l'extrême-onction ».

Pierre Subleyras fut enseveli à Sant'Andrea delle Fratte. On imagine que l'Académie de Saint-Luc lui rendit les honneurs habituels et fit dire pour lui les trois messes rituelles, mais il n'y en a aucune trace ni dans l'acte de décès, ni dans les comptes rendus des séances où sa mort n'est même pas évoquée. Le *Diario ordinario* ne considérait pas encore assez les artistes pour signaler la disparition d'un peintre qui pourtant avait marqué la vie romaine. Subleyras entrait dans l'oubli. De testament, point, tout préparé que le peintre ait été à sa mort. Cette négligence signifie qu'il ne s'intéressait pas autant que ses contemporains aux prières et aux messes que l'on dirait pour le repos de son âme, et surtout il n'avait rien à léguer et ne se souciait pas du sort de son atelier. Le contrat de mariage faisait de Maria Felice Tibaldi une femme financièrement indépendante et ce qui restait dans la maison de tant de labeur lui revenait de droit, pour vivre et élever ses enfants dont l'aîné n'avait pas neuf ans.

Ce dénuement cependant étonne au regard des commandes prestigieuses que Subleyras a reçues. En 1748, un de ses amis, Jacques-Antoine de Lironcourt, écrivant au duc de Nivernais[246], explicite les raisons de cette pauvreté, sans cesser d'être sur certains points énigmatique: « Sa fortune est étroite et bornée, mais moins encore que son ambition: il a le malheur d'être marié, d'avoir une assez grosse famille et peu de santé ». Le manque d'ambition n'est pas seulement un trait

243 Horace, *Odes*, livre IV, chant VIII, vers 28.

244 AVR, S. Andrea delle Fratte, lib. mort. 1740-1757, vol. 78r.

245 Voir note 176.

246 Voir note 199.

M.F. Tibaldi
d'après J.-G. Ziesenis,
Portrait de Karl Theodor Electeur Palatin,
Munich, Bayerisches Nationalmuseum.

M.F. Tibaldi
d'après J.-G. Ziesenis,
Portrait d'Elisabeth Maria, épouse du précédent,
Munich, Bayerisches Nationalmuseum.

de caractère, il est aussi ce regard désenchanté que certains peintres exigeants portent sur eux-mêmes, quand ils sentent la nécessité et la difficulté de se renouveler. Avec la *Messe de saint Basile*, Subleyras avait épuisé ses forces. Elle était un accomplissement et non une promesse. La lassitude le gagne, due aussi à la maladie. Mais ce « malheur d'être marié » ? La lettre de Lironcourt n'avait à vrai dire d'autre but que de recommander à un ambassadeur du roi un peintre français. On a le sentiment d'être revenu à la case de départ, comme si rien n'était jamais gagné. Les propos que Jean-François de Troy tenait à Vien, tenté par la perspective d'une commande de rester en Italie, suggèrent également l'âpreté de cette lutte dont les dessous ne sont pas toujours clairs : « Il m'en détourna en me traçant le tableau de la vie de M. Subleyras. Cet artiste avait du talent, dit-il, il a beaucoup travaillé à Rome et il est mort sans avoir rien pu laisser à sa femme et ses enfants »[247].

Echec donc, qui ne fait pas pour autant de Subleyras un artiste maudit, malgré le visage émacié, le regard désabusé qu'il s'est donné dans l'*Atelier*, étonnant tableau dont on ne sait à peu près rien. Tel est son véritable testament, testament visuel où il a réuni ce qu'il laisse de plus cher, réalisé dans le laps de temps qui sépare l'artiste accablé du jeune homme réjoui de l'autoportrait qu'il présente. La peinture y est victorieuse, éclatante de couleur et de rigueur dans le jeu des lignes et des surfaces, image d'un esprit réfléchi et géomètre qui tisse à travers sa toile des liens subtils, comme ces fils qui l'attachent à ses deux protecteurs, le duc de Saint-Aignan et Benoît XIV, qui posent des repères ironiques comme cet Hercule dérisoire au premier plan ou ce personnage de dos qu'il laisse à chacun le soin d'identifier, femme sous des

247 Aubert, 1867, p. 291.

habits d'homme, si l'on suit Margarethe Poch-Kalous qui croit y reconnaître Maria Felice Tibaldi, élève ou double de lui-même, symbole au demeurant du peintre toujours actif. Atelier réel ou imaginaire? Question vaine pour Subleyras qui est toujours parti du réel pour l'idéaliser, en faire jaillir la signification cachée. Mais à propos de cet atelier, peut-on évoquer le dernier autoportrait de Poussin où l'artiste s'est représenté sur un fond de tableaux, image suggérée de l'atelier et du travail en devenir, mais aussi composition abstraite de lignes savamment calculées avec en contrepoids de la signature, une seule figure, l'allégorie de la peinture. C'est bien cet art réfléchi qui fut l'idéal de celui que l'on a nommé le Poussin du XVIIIe siècle.

Maria Felice Tibaldi quitta aussitôt le quartier de la Trinité des Monts et se mit sous la protection des chanoines réguliers de Latran à Santa Maria della Pace dont l'abbé Camillo Tacchetti était curé. Le 6 juillet 1753, ses trois premiers enfants sont confirmés le même jour à Saint-Pierre[248]. Le parrain de Luigi est Lambert Krahe. En mai 1749, c'est-à-dire à la mort de Subleyras, ce peintre entra au service de l'électeur palatin Karl Theodor et en 1751, il fut élu à l'Académie de Saint-Luc. Il dut participer à l'exécution du portrait du

248 Archivio del Capitolo di San Pietro cresime, 1752-1757, p. 106, n° 14; p. 118, n° 162.

M.F. Tibaldi, *La poésie*, Munich, Bayerisches Nationalmuseum.

M.F. Tibaldi d'après Raphaël,
La Madonna della sedia, Munich, Bayerisches Nationalmuseum.

maréchal de La Vieuville dont un dessin préparatoire, devenu sa propriété, est à Düsseldorf. Par son intermédiaire, Maria Felice obtint en 1753 la commande des deux portraits des souverains du Palatinat et sans doute des deux autres miniatures conservées ensemble à Munich[249]. Krahe quitta Rome en 1755.

La confirmation en 1756 du dernier-né des enfants Subleyras, Giuseppe, indique une nouvelle adresse[250]: la paroisse de San Carlo ai Catinari[251]. Maria Felice a rejoint sa famille, sans doute après la mort de son père survenue le 20 février 1755[252]. Elle dira en 1761 : «Je vis en compagnie de Madame ma mère, de mes sœurs et de mes enfants». Dans cette maison de la via Monte della Farina derrière l'église de San Carlo ai Catinari, habitaient avec leur mère les deux sœurs non mariées, Vittoria et Teresa la miniaturiste. Les quatre femmes durent y mener une vie, non de pauvreté, mais de labeur : «J'ai assez d'argent avec ce que je retire de ma profession de miniaturiste», dit encore Maria Felice. Une note des *Memorie* associe cette femme exemplaire à l'hommage rendu à son mari. Outre son talent, on y loue sa modestie, sa bonté naturelle; on s'y apitoie sur son destin. Dans les derniers temps, la malignité de certains écarta d'elle les amateurs, la faisant passer pour malade et même aveugle, tant elle vivait retirée. C'est dans cet isolement qu'elle mourut le 21 juillet 1770, elle allait avoir soixante-trois ans[253].

La maison du Monte della Farina s'était dépeuplée peu à peu. Avaient disparu d'abord la mère en 1768, puis Maria Felice, enfin Teresa en 1776 après une année de terribles souffrances. Il n'y resta bientôt plus, vivant avec leur tante Vittoria, que trois des enfants Subleyras, Carlotta, Clementina et Giuseppe. Après la mort de son mari, Maria Felice Tibaldi s'était tout entière adonnée avec succès à leur éducation. De Carlotta, l'aînée, on ne sait rien sinon qu'après une vie pieuse, elle mourut d'hydropisie courageusement supportée, à quarante-neuf ans comme son père. Clementina, en revanche, se fit un nom à l'école de sa mère. Au début du XIXe siècle, elle est mise sur le même plan qu'Elisabeth Vigée-Lebrun et Angelika Kauffmann que l'on félicite d'avoir abandonné le baroque pour le nouveau style, «l'école qui en France avait pour chef David». Plus heureuse que son père, elle eut les honneurs du *Diario ordinario*, lorsqu'en 1762, pour la naissance du Dauphin, le pape envoya à Versailles le cadeau traditionnel des «langes» qui, outre une superbe broderie d'or et de perles, comprenait deux magnifiques miniatures représentant le baptême du Christ de la «célèbre miniaturiste Clementina Subleyras, fille de Maria Felice Tibaldi Subleyras». Elle récidiva en 1796 pour le fils aîné du roi de Portugal[254]. En 1804, elle se prépare à partir pour Viterbe en qualité de professeur de dessin, mais elle n'a pas assez d'argent et demande aux académiciens de Saint-Luc de subvenir aux frais du voyage[255]. La pauvreté est décidemment le lot des Subleyras. L'année suivante, le 19 mars, elle meurt à Rome et est enterrée à Santa Maria in Monticelli[256].

Luigi, l'aîné des fils, fut un enfant précoce[257]. S'exprimant aussi bien en latin qu'en italien, il devint Arcade à l'âge de douze ans et demi. Esprit universel, il s'intéressait autant au droit qu'à l'archéologie, aux mathématiques ou à la philosophie. Sa carrière est double et brillante. Ecrivain-poète, membre de nombreuses académies, l'Arcadie d'abord dont il fut l'un des douze conseillers, celles des Aborigènes, des «Infecondi» et des «Forti», sans parler de Saint-Luc qui le nomma par acclamations «académicien d'honneur», il traduisit Catulle par désœuvrement et laissa une masse de

249 Musée Munich 1911.

250 AVR, Cresime 1756, p. 154.

251 AVR, S. Carlo ai Catinari, LSA.

252 Id., lib. mort, 1745-1798, p. 99.

253 Id., p. 230.

254 ASV, Sagro Palazzo Apostolico, Tesoriere, 1796, n° 20.

255 ASL, vol. 56, fol. 27ᵛ.

256 AVR, S. Maria in Monticelli, lib. mort, 1802-1816, p. 14.

257 Barluzzi, 1837, pp. 225-227.

manuscrits dont beaucoup d'œuvres de circonstance. Il faisait par ailleurs ses premiers pas dans la diplomatie, en accompagnant en Pologne le nonce Mgr Angelo Maria Durini, en 1767. A son retour en 1773, il fut nommé par Clément XIV, « Minutante della suprema Inquisitione », puis par Pie VI, « Minutante della Segreteria di Stato ». Mais en 1787 le vent tourne. Victime d'une obscure cabale, suscitée par la « jalousie de cours étrangères », il est écarté de la Secrétairie d'Etat et tombe dans la misère. Il meurt oublié à l'Hôpital du Saint-Esprit, en juillet 1814, « après une longue et pénible maladie ». Si la date exacte n'est pas connue, le *Diario di Roma* ne lui ménage pas ses éloges.

Giuseppe, en devenant architecte, restait dans la tradition artistique de la famille. Elève du marquis Girolamo Teodoli, il exerça sa profession avec « goût et honnêteté »[258]. En 1762, très jeune donc, il obtint, au Concours Clémentin, le troisième prix sur un projet de restauration de l'église Saint-Adrien au Forum[259]. D'après son éloge funèbre[260], il construisit à Cori, Genzano, Subiaco, Rieti, Veroli ; à Rome, on lui doit la chapelle Massimi à la Trinité des Monts, cause d'erreur pour les guides qui croient y voir un tableau de son père. Il eut même l'honneur de participer au concours pour la Sacristie de Saint-Pierre. Il dessina l'apparat funèbre de Marie-Louise de Bourbon et sous la direction de Milizia, l'Arc Farnese de 1775, en l'honneur de Pie VI. On connaît par la gravure son dessin de la Piazza Nuova à Padoue[261]. Il eut, dit-on, « un buon stile senza tritumi e senza Borrominate », un bon style néo-classique en somme, comme sa sœur Clementina. En 1777, Joseph-Marie Vien proposa au surintendant des Bâtiments d'attacher à l'Académie Joseph Subleyras en qualité d'architecte chargé de l'entretien et des réparations. Le comte d'Angiviller accepta, s'étonnant par ailleurs de « la modicité de ce qu'il demande »[262]. La modération des prix était aussi une tradition familiale. C'est ainsi que le jeune Subleyras eut à s'occuper du palais Mancini pour 150 livres par an et à partir de 1793, il dut le garder, veiller sur ce qui avait été sauvé. Après la tourmente révolutionnaire, il fut en butte aux attaques de Pierre-Adrien Pâris et tomba en semi-disgrâce. Malversation ? Calomnie ? Le nouveau directeur, Benoît-Joseph Suvée, ne parle que de « l'absence et des infirmités de M. Subleyras » qui, le 28 juillet 1819, meurt au palais Conti, proche d'un architecte, Filippo Nicoletti, fils du plus célèbre Francesco[263].

Ainsi s'éteignait, dans le désenchantement, la postérité de Pierre Subleyras. Ses fils avaient eu soin de raviver son souvenir, profitant à leur tour de sa gloire passée. L'Arcade Luigi n'a pas encore dix-sept ans qu'avec une naïveté touchante, il associe son père à l'éloge de Madame du Boccage, dans un sonnet écrit en 1759 :

« Se ancor' vivesse il mio padre diletto
Che la nel Franco Regno ebbe i natali,
Forse ritrar potria con arti eguali
In nobil tela il tuo sublime aspetto... »[264]

Mais c'est autant le souvenir de son père que ses propres mérites qui valurent à Luigi son admission à l'Académie de Saint-Luc. Vien présenta Giuseppe au comte d'Angiviller comme « le fils d'un peintre français qui a fait honneur à la nation » et d'Angiviller, qui n'est pas très au fait, reprend la formule de Vien en ajoutant « même à Rome ». Le Surintendant réalise aussitôt combien la France est pauvre en œuvres de ce peintre qui lui a fait tant d'honneur. C'est chez un amateur éclairé, le bailli de Breteuil, que l'on trouva un tableau digne de figurer dans le Cabinet du roi : *La Crucifixion de saint Pierre*. Il restait pourtant à la famille un fond d'atelier qu'elle dut monnayer peu à peu, dispersé à jamais à la mort de Joseph, le dernier survivant, avec les précieux papiers sur lesquels est fondée la vie publiée par les *Memorie*.

258 Milizia, 1785, p. 257.

259 Marconi, 1974, p. 22, n°s 623 à 625.

260 *Diario di Roma*, 1819, n° 61, 31 juillet.

261 Vente, marquis de Bièvre, 23 février 1790, p. 7, n° 21.

262 CD, t. XIII, p. 275.

263 CD, n. s. 2 ; Lapauze 1924, t. II, p. 74, et AVR, S. Andrea delle Fratte, lib. mort. 1816-1824, n° 352.

264 *Rime degli Arcadi*, Rome, 1759, t. XII, p. 91.

Barozzi,
Portrait de Luigi Subleyras.

Peintres italiens vivant à Rome à l'époque de Subleyras

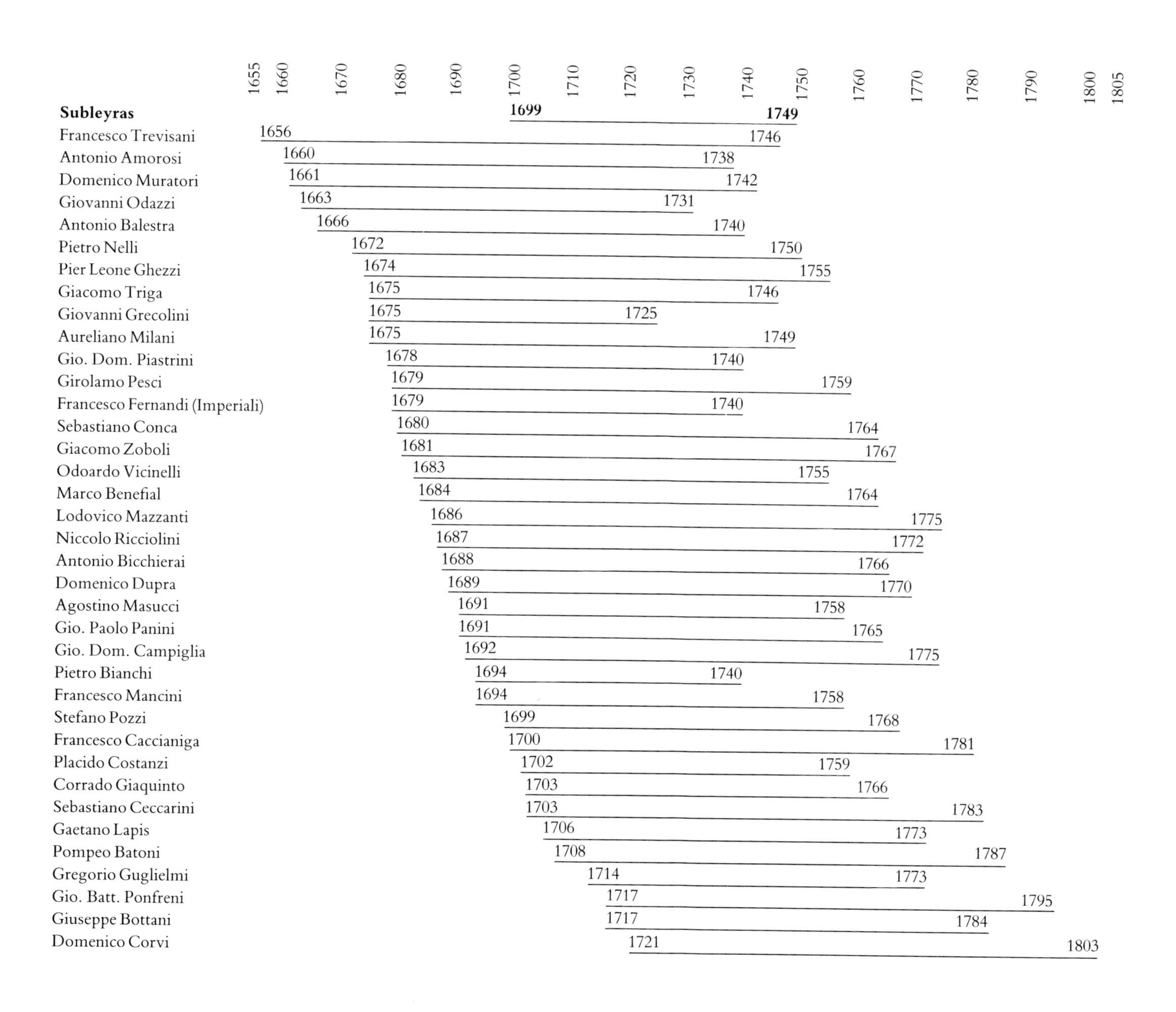

Les artistes habitant l'Académie de France à Rome de 1726 à 1749

D'après le Liber Status Animarum
de la paroisse de Santa Maria in Via Lata perdu de 1738 à 1741
Les noms des pensionnaires sont suivis de leur qualité :
A = architecte, P = peintre, S = sculpteur.

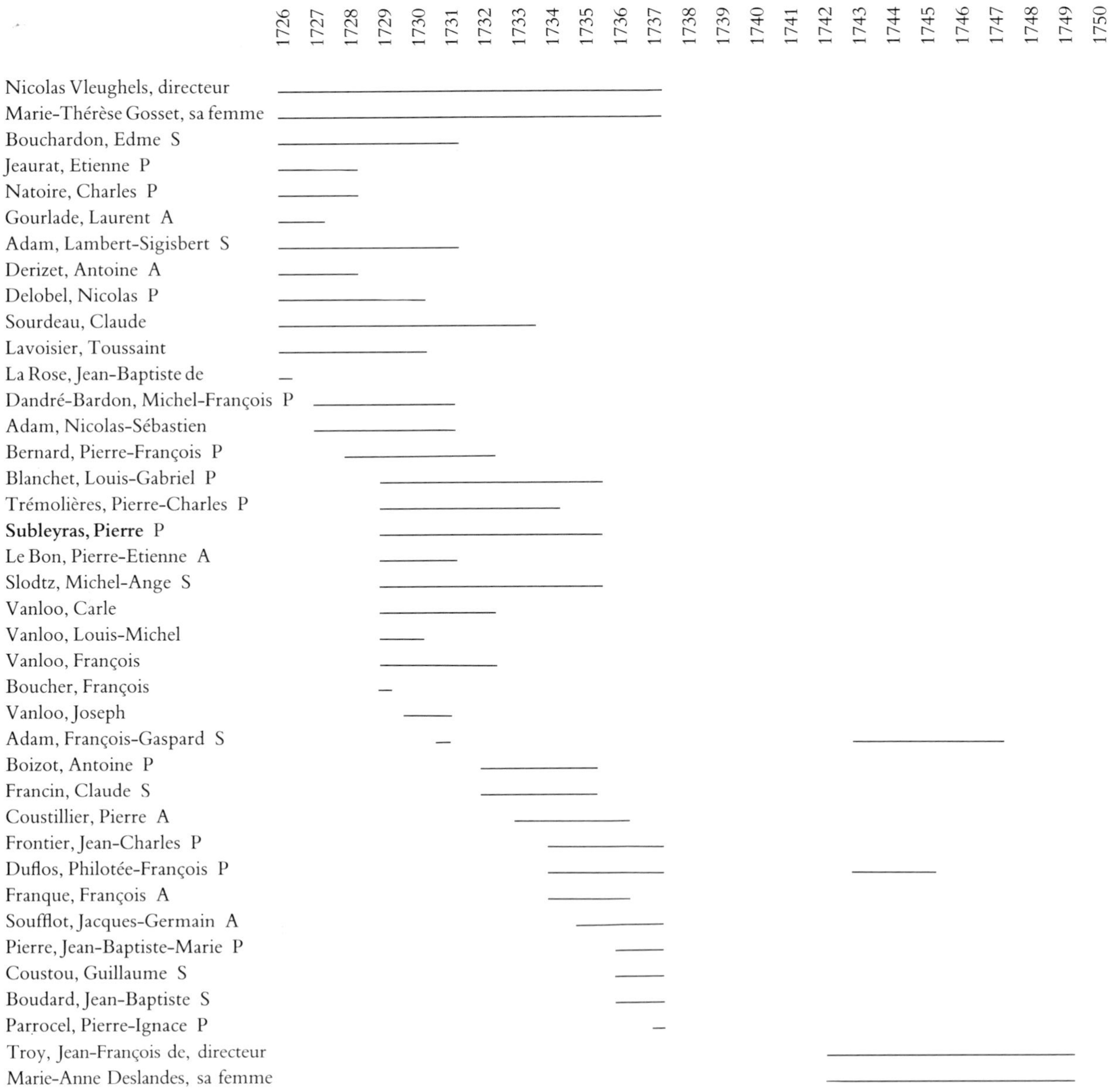

	1726	1727	1728	1729	1730	1731	1732	1733	1734	1735	1736	1737	1738	1739	1740	1741	1742	1743	1744	1745	1746	1747	1748	1749	1750
Nicolas Vleughels, directeur	—	—	—	—	—	—	—	—	—	—	—	—													
Marie-Thérèse Gosset, sa femme	—	—	—	—	—	—	—	—	—	—	—	—													
Bouchardon, Edme S	—	—	—	—	—	—																			
Jeaurat, Etienne P	—	—	—																						
Natoire, Charles P	—	—	—																						
Gourlade, Laurent A	—	—																							
Adam, Lambert-Sigisbert S	—	—	—	—	—	—																			
Derizet, Antoine A	—	—	—																						
Delobel, Nicolas P	—	—	—	—	—																				
Sourdeau, Claude	—	—	—	—	—	—	—	—																	
Lavoisier, Toussaint	—	—	—	—	—																				
La Rose, Jean-Baptiste de	—																								
Dandré-Bardon, Michel-François P		—	—	—	—	—																			
Adam, Nicolas-Sébastien		—	—	—	—	—																			
Bernard, Pierre-François P			—	—	—	—	—																		
Blanchet, Louis-Gabriel P				—	—	—	—	—	—	—															
Trémolières, Pierre-Charles P				—	—	—	—	—	—																
Subleyras, Pierre P				—	—	—	—	—	—	—															
Le Bon, Pierre-Etienne A				—	—	—																			
Slodtz, Michel-Ange S				—	—	—	—	—	—	—															
Vanloo, Carle				—	—	—	—																		
Vanloo, Louis-Michel				—	—																				
Vanloo, François				—	—	—	—																		
Boucher, François				—																					
Vanloo, Joseph					—	—																			
Adam, François-Gaspard S						—												—	—	—	—	—			
Boizot, Antoine P							—	—	—	—															
Francin, Claude S							—	—	—	—															
Coustillier, Pierre A								—	—	—	—														
Frontier, Jean-Charles P									—	—	—	—													
Duflos, Philotée-François P									—	—	—	—						—	—	—					
Franque, François A									—	—	—														
Soufflot, Jacques-Germain A										—	—	—													
Pierre, Jean-Baptiste-Marie P											—	—													
Coustou, Guillaume S											—	—													
Boudard, Jean-Baptiste S											—	—													
Parrocel, Pierre-Ignace P												—													
Troy, Jean-François de, directeur																	—	—	—	—	—	—	—	—	
Marie-Anne Deslandes, sa femme																	—	—	—	—	—	—	—	—	

1726 1727 1728 1729 1730 1731 1732 1733 1734 1735 1736 1737 1738 1739 1740 1741 1742 1743 1744 1745 1746 1747 1748 1749 1750

Hallé, Noël P
Pigalle, Jean-Baptiste S
Fournier, Eustache P
Le Jeay, Jean-Laurent A
La Traverse, Charles-François-Pierre P
Hutin, Charles-François P
Roettiers, Joseph-Charles, graveurs en médailles
Marchand, Julien S
Le Lorrain, Louis-Joseph P
Vanloo, Amédée P
Vassé, Louis-Claude S
Potain, Nicolas-Marie A
Saly, Jacques S
Dumont, Gabriel A
Challes, Michel-Ange-Charles P
Mignot, Pierre-Philippe S
Guay, Jacques, graveur de pierres dures
Verschaffelt, Pierre-Antoine
Favray, Antoine P
Vien, Joseph-Marie P
Tiersonnier, Louis-Simon P
Challes, Simon S
Jardin, Nicolas A
Gallimard, Claude-Olivier, graveur
Moreau, Pierre A
Petitot, Edmond A
Larchevêque, Pierre-Hubert S
Hazon, Michel-Barthélemy A
Barbault, Jean P
Gillet, Nicolas-François S
Bellicart, Jérôme-Charles A

Amis et contemporains de Subleyras

T. Acquaviva d'Aragona
G. Rossi d'après A. David (gravure),
Bibliothèque vaticane.

Acquaviva d'Aragona,
Troiano (Atri 1694 - Rome 1747).

Entré jeune dans la carrière ecclésiastique, protégé par son oncle le cardinal Francesco Acquaviva, il fut vice-légat à Bologne, gouverneur d'Ancône et devint en 1725 le majordome de Benoît XIII. Clément XII lui conserva ce poste et le fit cardinal du titre de Sainte-Cécile en 1732. Dès cette date, il fut le représentant officieux de Don Carlos, futur roi de Naples. Il le resta après être devenu en 1735 ambassadeur d'Espagne. Artisan du mariage de Don Carlos avec Marie-Amélie de Saxe, il obtint pour celui-ci l'investiture du royaume de Naples en 1738. Immensément riche, il mena une vie fastueuse, organisant en particulier des fêtes magnifiques en l'honneur des Bourbons de France, d'Espagne et de Naples. En 1740, en envoyant un portrait de Benoît XIV peint par Subleyras, il propose les services du peintre au roi d'Espagne, mais le projet n'aboutit pas.

Antelmy,
Charles-Léonce-Octavien
(Fréjus 1668 - Grasse 1752).

D'une famille provençale qui comptait des érudits et plusieurs dignitaires de l'église, il fit ses études à la Sorbonne et fut ordonné prêtre en 1694. Devenu en 1701 grand vicaire de Fréjus en suppléance du tout puissant Monseigneur de Fleury, il obtint avec son appui l'évêché de Grasse en 1726, tout en conservant plusieurs bénéfices dont la prévôté de Fréjus. Jaloux de son autorité, il entra en conflit avec la collégiale d'Antibes, l'abbaye de Lérins et son propre chapitre. Il employa sa fortune pour le bien de son évêché, créant des écoles primaires et un grand séminaire. Pour sa cathédrale il commanda à Subleyras le tableau de l'*Assomption,* peint en 1741, où l'on voit ses deux patrons, saint Charles Borromée et saint Léonce (n° 70).

Antin. Rigaud (d'après H.),
Versailles, musée du château.

Antin,
Antoine-Louis
de Pardaillan de Gondrin duc d'
(Paris 1665-1736).

Fils de Louis-Henri de Pardaillan de Gondrin, marquis de Montespan (mort en 1702) qui avait épousé en 1663 Françoise-Athénaïs de Mortemart (1641-1707), il était par conséquent le demi-frère du duc du Maine (1670-1736) et du comte de Toulouse (1678-1737). Il épousa le 21 août 1686 Julie-Françoise de Crussol (1669-1742), fille d'Emmanuel, duc d'Uzès (1642-1692) et de Marie-Julie de Sainte-Maure-Montauzier, petite-fille de la marquise de Rambouillet. Officier d'infanterie jusqu'au grade de lieutenant-général en 1702, il fut gouverneur de l'Orléanais en 1707 et devint, de 1708 à sa mort, surintendant des Bâtiments du roi, succédant à Jules Hardouin Mansart.

Arcis, Marc
(Cuq près de Lavaur,
Tarn 1655 - Toulouse 1739).

Il fut très jeune l'élève à Toulouse de Jean-Pierre Rivalz pour le dessin et

M. Arcis. A. Rivalz,
Toulouse, musée des Augustins.

du frère Ambroise Frédeau et de Gervais Drouet pour la sculpture. A Paris, il travailla avec Girardon et fut reçu à l'Académie en 1684. Revenu à Toulouse avant 1700, il ouvrit une école de dessin dont Lucas, Parant et Hardy furent élèves. De 1720 à sa mort, il sculpta pour la cathédrale Saint-Etienne, l'église Saint-Sernin, la chapelle des Pénitents Bleus et, en 1725, la salle de l'opéra dont Subleyras peignit le plafond sur un dessin d'Antoine Rivalz.

P.G. Batoni. Autoportrait,
Florence, galerie des Offices.

Batoni,
Pompeo Girolamo
(Lucques 1708 - Rome 1787).

Fils d'un orfèvre, élève à Lucques de G.D. Brugieri et G.D. Lombardi, il arriva à Rome en 1728. Il travailla alors auprès d'Agostino Masucci, fréquenta l'école de dessin de Sebastiano Conca, puis entra dans l'atelier de Francesco Fernandi dit l'Imperiali dont l'influence est sensible dans ses premières œuvres, mais il se rendit rapidement indépendant. Marié en 1729, privé pour cela de sa pension, il dut sérieusement chercher de l'ouvrage, mais réussit vite à s'imposer. Sa production est énorme. Il peignit de nombreux tableaux d'autel dont le premier fut celui de Saint-Grégoire au Cœlius. En 1740, il rivalisa dans ce domaine à Milan avec Subleyras et l'on voit aujourd'hui côte-à-côte à Sainte-Marie-des-Anges *La chute de Simon mage* de Batoni et *La Messe de saint Basile* de Subleyras (nº 116), exécutées l'une et l'autre pour Saint-Pierre, mais seule la seconde fut traduite en mosaïque. Dans la veine allégorique, il faut citer *Le triomphe de Venise* commandé en 1737 par l'ambassadeur Marco Foscarini dont Subleyras fit le portrait (nº 60). Ses sujets mythologiques, dans une matière porcelainée, un coloris raffiné, étaient très recherchés, mais le peintre s'affirma plus encore dans le portrait des voyageurs du « Grand tour », reprenant une tradition qui remontait à Francesco Trevisani pour porter le genre à la perfection. Il fut à Rome le rival d'Anton Raphael Mengs et mourut deux ans après la présentation par David du *Serment des Horaces*.

Benefial, Marco
(Rome 1684-1764).

Né d'un père Basque, artisan à Rome (« velettaro » il tissait des tissus légers), il est mis en apprentissage à quatorze ans chez le peintre Bonaventura Lamberti (Carpi 1652 - Rome 1721) qui lui transmit la tradition carrachesque. Bientôt, par nécessité, il peint pour Filippo Germisoni, puis Filippo Evangelisti qui signent ses œuvres; il ne montrera que peu à peu son originalité et sa puissance avec le prophète Jonas à Saint-Jean de Latran et la chapelle de sainte Marguerite de Cortone à l'Aracoeli. Son audace picturale et verbale lui valurent de fortes inimitiés, en particulier à l'Académie de Saint-Luc où il n'entrera qu'après 1741. C'est alors que nous le voyons le plus proche de Subleyras : en 1744 élu « custode », c'est-à-dire conservateur des collections, il le choisit pour adjoint (« sotto custode »); mais d'autres choses les rapprochaient : l'« Arcadie » dont ils étaient pasteurs et leur admiration pour Guido Reni et la peinture bolonaise.

M. Benefial. Autoportrait,
Rome, Académie de Saint-Luc.

Le futur Benoît XIII, miraculé d'un tremblement de terre,
P.L. Ghezzi.
Matelica, église San Filippo.

Benoît XIII,
Pietro Francesco Orsini
(Gravina 2 février 1649 - Rome 21 février 1730).

Dominicain, cardinal en 1672, archevêque de Siponto, de Cesena puis de Bénévent. C'était un homme charitable, un grand théologien, mais un piètre administrateur qui, élu pape le 29 mai 1724, s'entoura de méridionaux ambitieux et sans scrupules dont le fameux cardinal Niccolo Coscia. Adversaire indulgent des Jansénistes, il fut attentif au développement du culte des saints; on lui doit plusieurs canonisations : le 10 décembre 1726 Toribio Mogrobejo, Jacques de la Marche, Agnès de Montepulciano, le 27 Francesco Solano, Pellegrino Laziosi et Jean de la Croix, le 31 Louis de Gonzague et Stanislas Kostka, le 16 mai 1728 Marguerite de Cortone et le 19 mars 1729 Jean Népomucène. Son œuvre artistique se limite à quelques restaurations d'églises et à la construction de l'hôpital de San Gallicano par l'architecte Filippo Raguzzini de Bénévent, très original mais dénigré par les artistes romains.

Benoît XIV. G. Zoboli,
Bologne, musée Aldrovandiano.

Benoît XIV,
Prospero Lambertini
(Bologne 31 mars 1675 - Rome 3 mai 1758).

Descendant d'une famille guelfe ruinée, il fit des études de droit et de théologie. Avocat consistorial en 1701, il entreprit son grand ouvrage *De servorum Dei beatificatione et beatificatorum canonizatione* qui paraîtra en quatre volumes de 1734 à 1738. Archevêque d'Ancône puis de Bologne, il réunit autour de lui l'élite intellectuelle : Beccaria, Galeazzo, Muratori, Zanotti. Elu pape le 17 août 1740, il sut se tenir à l'écart des crises politiques et autant que possible de la guerre de succession d'Autriche (1740-1748). Modéré envers les Jansénistes, il défendit cependant les Jésuites. Il régla pour un siècle le problème des rites chinois et malabares. Il béatifia Alessandro Sauli, Camillo de Lellis, Girolamo Miani, Giuseppe Calasanz, Jeanne de Chantal et Giuseppe da Copertino. Le 29 juin 1746 il canonisa Fidèle de Sismaringen, Giuseppe da Leonessa, Pierre Réglade, Camillo de Lellis et Caterina de' Ricci. Homme d'esprit, incapable de retenir un bon mot, fut-il féroce, il lisait énormément et se plaisait en compagnie des lettrés. Il écrivit des milliers de lettres et ne refusait pas de répondre à Voltaire qui lui dédia son *Mahomet*. Administrateur avisé, il rétablit les finances pontificales — s'interdisant tout népotisme — et acheva plusieurs grands chantiers dont le port d'Ancône et à Rome la fontaine de Trevi. Il fit construire le « Braccio nuovo » de l'hôpital de San Spirito in Sassia, les façades de Sainte-Marie majeure et de Sainte-Croix de Jérusalem, ajouta une galerie de peinture au Musée du Capitole et créa une « Accademia del nudo » en 1754, lorsque Sebastiano Conca, qui tenait école, quitta Rome pour se retirer à Gaète. Il agrandit la Bibliothèque Vaticane et lui adjoignit un musée d'art sacré. Il apprécia le portrait que fit de lui Subleyras (nº 69), ce qui valut au peintre la commande de la *Messe de saint Basile* pour un autel de Saint-Pierre (nº 116).

Blanchet et Subleyras.
Anonyme (dessin).
Besançon, Bibliothèque municipale.

Blanchet,
Louis-Gabriel
(Versailles 1701 - Rome 1772).

Fils d'un valet de chambre de « Monsieur Bloin » qui était lui-même premier valet de chambre de Louis XIV, il jouit très tôt de hautes protections et son second Grand Prix en 1727, derrière Subleyras, ne l'empêcha pas d'être envoyé à Rome, où, après avoir été cinq ans « pensionnaire du roi », il se fixa définitivement. Excellent portraitiste, ses nombreuses commandes pour la cour des Stuarts ne semblent pas l'avoir enrichi, car en 1752 il est en prison pour dettes. Son mariage en 1755 avec Annunziata, fille de l'orfèvre vénitien Antonio Dies pourrait avoir affermi sa situation. Il était très lié à Subleyras — ils partagent le même logement en 1737 — leurs dessins se confondent parfois et ils fréquentent le même milieu : le duc de Saint-Aignan n'avait pas moins de sept œuvres de lui et il fit un double portrait des pères Jacquier et Leseur (musée de Nantes).

E. Bouchardon.
P.L. Ghezzi,
Florence, galerie des Offices.

Bouchardon,
Edme
(Chaumont-en-Bassigny 1698 - Paris 1762).

Elève de son père Jean-Baptiste (1667-1742), puis de Guillaume Ier Coustou en 1721, Grand Prix en 1722, il vint à Rome comme pensionnaire en 1723 et y resta jusqu'en 1732. Il travailla beaucoup, fit les bustes de Clément XII, des cardinaux de Rohan et de Polignac, de la duchesse de Buckingham, du baron Stosch, de Mme Vleughels, présenta une esquisse du tombeau de Clément XI, mais n'obtint pas la commande et laissa des sculptures inachevées pour la chapelle Corsini à Saint-Jean de Latran. Académicien de Saint-Luc en 1732, il fut reçu à l'Académie de Paris en 1745. A ses travaux pour Versailles, Saint-Eustache, Saint-Sulpice (où Verschaffelt le seconda), on ajoutera la fontaine de Grenelle et la statue équestre de Louis XV qui orna la place de la Concorde jusqu'à la Révolution.

Cammas, Guillaume
(Aignes près de Cintegabelle, Haute-Garonne, 1688 - Toulouse 1777).

Peintre et architecte, élève d'Antoine Rivalz, il passa six ans à Paris de 1729 à 1735 auprès de Hyacinthe Rigaud et de Gilles-Marie Oppenordt. Il revint à Toulouse à la demande de Rivalz pour lui succéder comme « peintre du Capitole », ce que Subleyras venait de refuser. Il fut surtout architecte et on lui doit la façade de l'Hôtel de Ville (1750). Son fils Lambert-François (Toulouse 1743-1804) fut également peintre et architecte.

Clément XII. A. Masucci,
Cantalupo, coll. Camuccini.

Clément XII, Lorenzo Corsini
(Florence 7 avril 1652 - Rome 6 février 1740).

D'une grande famille florentine qui compte un saint, Andrea, et plusieurs cardinaux, Lorenzo fit ses études de droit à Pise et ne devint prêtre qu'à trente-trois ans. Trésorier de la Chambre apostolique, il était déjà âgé et malade quand il fut élu pape le 12 juillet 1730. Bon administrateur, il dut faire face à une crise politique européenne provoquée par les successions des duchés de Parme et de Toscane. Il combattit le Jansénisme et la franc-maçonnerie. Il béatifia Caterina de'Ricci et Giuseppe da Leonessa (1732) et canonisa le 16 juin 1737 Vincent de Paul, François Régis, Caterina Fieschi-Adorno et Giuliana Falconieri. Il agrandit la Bibliothèque Vaticane, créa le musée du Capitole (1734), confia à l'architecte florentin Ferdinando Fuga des travaux au Quirinal, lui fit construire la « Consulta », la façade de Saint-Jean des Florentins et ouvrit un concours pour la façade du Latran : il désigna en fait un autre Florentin, Alessandro Galilei qui construisit également la somptueuse chapelle Corsini.

Crescenzi, Marcello
(Rome 1694 - Ferrare 1768).

Fils du marquis Giovanni Battista et d'Ortensia Serlupi, il fit une carrière ecclésiastique rapide : président de la chambre apostolique en 1724, auditeur de rote en 1726 et nonce à Paris de 1739 à 1743. Créé cardinal le 9 septembre 1743, il reçut le titre de Santa Maria Traspontina. Envoyé à Ferrare comme légat, il en devint archevêque en 1746. Admirateur du Père Léonard de Port-Maurice, il obtint à Paris du duc de Saint-Aignan une copie du portrait de ce religieux peint par Subleyras ; il la donna au couvent du Saint-Esprit de Ferrare où elle se trouve encore.

Crussol, Jean-Charles de
(1674-1739), septième duc d'Uzès,

avait succédé à son frère Louis en 1693. Il était le fils d'Emmanuel II et de Marie-Julie de Sainte-Maure, petite fille de Madame de Rambouillet qui lui avait transmis à Paris l'hôtel de l'« imcomparable Arthénice », rue Saint-Thomas du Temple. Uzès avait été érigé en duché en 1566 et les ducs avaient le titre de premier pair de France. Ainsi Jean-Charles de Crussol porta-t-il les honneurs à la pompe funèbre de Louis XIV en 1715 et reçut la croix du Saint-Esprit en 1724. Il avait épousé en premières noces, le 18 juillet 1696, Anne-Hippolyte de Grimaldi, fille du prince de Monaco, morte en couches le 27 juillet 1700 et en secondes noces Anne-Marie-Marguerite de Bullion, fille d'un prévôt de Paris, gouverneur du Maine, Perche et comté de Laval. C'est à elle que s'adressa la princesse Pamphily pour recommander Subleyras en 1731 au surintendant des Bâtiments du roi, comme l'avait fait le duc lui-même avant le départ du jeune peintre pour Paris et cela d'autant plus aisément que sa sœur aînée Julie-Françoise de Crussol (1669-1742) avait épousé Louis-Antoine de Pardaillan de Gondrin, duc d'Antin.

J.S. Duplessis. Autoportrait,
Carpentras, musée des Beaux-Arts.

Duplessis,
Joseph-Siffred
(Carpentras 1725 - Versailles 1802).

Fils d'un médecin, peintre amateur, il fut l'élève du Frère Imbert à la Chartreuse de Villeneuve-lès-Avignon et vint à Rome, auprès de Subleyras de 1744 à 1747. Portraitiste et peintre de grande manière, il était également doué pour le paysage et Vernet essaya de l'entraîner dans cette voie. Rentré en France, il se consacra presque exclusivement au portrait. A Paris de 1752 à 1792, il fit une ascension régulière, académicien en 1774, logé au Louvre, directeur des galeries de Versailles. Réfugié à Carpentras de 1792 à 1796, il reprit son poste à Versailles où il s'occupa de la restauration et de la mise en ordre des collections qui lui étaient confiées.

Frontier, Jean-Charles
(Paris 1701 - Lyon 1763).

Peintre, élève de Claude-Guy Hallé, il remporta le premier prix en 1728 et fut pensionnaire de 1733 à 1739. Pendant ce séjour, il copie des œuvres de Raphaël et de Giovanni Bellini et exécute un tableau allégorique pour le duc de Saint-Aignan. Revenu à Paris, il fut agréé académicien en 1742 et reçu en 1744 ; il exposa aux Salons de 1743 à 1751 des sujets religieux et mythologiques, des portraits et des paysages. Il s'établit à Lyon en 1756, professeur de dessin, puis de peinture à l'Ecole de dessin et fut le maître de Jean-Jacques de Boissieu.

Ses dessins ont été parfois confondus avec ceux de Subleyras dont il a subi l'influence.

Gallimard. P.L. Ghezzi, Rome. Gabinetto nazionale delle stampe.

Gallimard, Claude-Olivier (Paris 1719-1774).

Elève de Charles-Nicolas Cochin fils, il était à Rome dès 1744 et fut logé à l'Académie de France de 1746 à 1751 par Jean-François de Troy qui l'estimait et lui fit graver trois de ses tableaux. Lié à Slodtz, il reproduisit son monument à Nicolas Vleughels en 1744 et son *Saint Bruno*. On lui doit deux effigies de saint Camille de Lellis faites à l'occasion de la canonisation : une petite gravure — sans nom de peintre — payée par les Camilliens 25 écus le 29 août 1745, et l'esquisse du verso de la bannière peinte par Subleyras, payée 200 écus le 7 mai 1746. Rentré à Paris, il fut agréé à l'Académie en 1752 et exposa au Salon de 1753 presque toute sa production romaine. Par la suite, il ne semble pas avoir donné tout ce qu'on attendait de lui, peut-être pour s'être trop laissé absorber par son enseignement à l'Ecole militaire.

Gentili, Antonio Saverio (Rome 1681-1753).

D'une famille originaire de Camerino, ce fut un juriste hors pair, docteur à dix-neuf ans ; successivement lieutenant de l'Auditeur de la Chambre apostolique, secrétaire de la congrégation du concile, puis de celle des évêques et réguliers, il fut créé cardinal en 1731 par Clément XII et reçut le titre de San Stefano Rotondo. C'était un grand connaisseur des problèmes religieux de l'empire germanique. Devenu Dataire, puis Pro-dataire, il était également le protecteur des Olivétains et des Trinitaires et visiteur apostolique de l'hôpital de San Spirito in Sassia (doublé d'une « aile neuve » par l'architecte Fuga de 1740 à 1749). « Arcade » et protecteur de l'Académie des « Infecondi », il réunissait celle-ci dans son propre palais à San Niccolo in Arcione.

P.L. Ghezzi. Autoportrait, Rome, Académie de Saint-Luc.

Ghezzi, Pier Leone (Rome 1674-1755).

Il était le fils et l'élève de Giuseppe (Comunanza 1634 - Rome 1721). Son réalisme a souvent fait confondre ses œuvres avec celles de Gaspare Traversi. Il peignit assez peu, bien qu'on voie de sa main quelques tableaux dans les églises de Rome. Plus remarquables sont les fresques qu'il exécuta pour son protecteur le cardinal Falconieri, dans la villa de Frascati et dans celle de Tor in pietra : décor en trompe-l'œil au milieu duquel évoluent des personnages qui rappellent ce pourquoi il est surtout connu, son talent de caricaturiste. Ce « Mondo nuovo » nous restitue la Rome de la première moitié du XVIIIe siècle dans laquelle se côtoient toutes les classes sociales, des cardinaux à leurs cochers ou cuisiniers, beaucoup d'ecclésiastiques, des diplomates, des artistes, en particulier pensionnaires et directeurs de l'Académie de France. Une légende souvent donne sur ces personnages quelques indications biographiques et surtout satiriques. Des prébendes, comme la direction de l'atelier de mosaïque de la fabrique de Saint-Pierre, une entreprise de dorure lui assuraient une liberté qu'il pouvait consacrer à l'archéologie, faisant des relevés de fouilles et dessinant les trouvailles. Ce peintre fut surtout un témoin de son temps.

Jacquier. L.G. Blanchet, les pères Jacquier et Leseur, Nantes, musée des Beaux-Arts.

Jacquier, François (Vitry-le-François 1711 Rome 1788).

Fils d'un boulanger, il entra à seize ans au couvent des Minimes de Vitry où se trouvait déjà un oncle maternel. Il vint à Rome vers 1730 et étudia avec le P. Leseur au couvent de la Trinité-des-Monts, surtout les mathématiques mais aussi le grec et l'hébreu. Prêtre en 1733, avec une dispense d'âge, il est d'abord chargé de continuer les « Annales » de l'ordre (1734), puis devient lecteur pour l'Ecriture Sainte à Propaganda Fide en 1735. Un voyage en France en 1743 le mène en Champagne et à Paris où il est reçu à l'Académie des Sciences. En 1746, il est lecteur de physique à la « Sapienza ». Avec le P. Thomas Leseur, il va à Parme (1766-1767) pour instruire l'infante. Enfin en 1773, après la suppression des Jésuites, il devint lecteur de mathématiques au Collège romain. Il écrivit de nombreux traités de physique et de mathématiques, parfois en collaboration avec le P. Leseur. Malgré un caractère difficile, il était très sociable et appartenait en particulier à l'Académie des Arcades.

L. Krahe. E. Paulsen, Dusseldorf, Kunstmuseum.

Krahe, Lambert (Dusseldorf 1712-1790).

Venu à Rome en 1736, il perdit l'année suivante son protecteur, le comte Ferdinand de Plettenberg. Obligé de travailler pour subvenir à ses besoins, il peignit pour les Jésuites, grâce au R.P. Stolz, des toiles qui furent envoyées en Espagne et « aux Indes ». Il fut l'élève de Benefial — vers 1750 ils peignirent tous deux à la Trinité, via Condotti — et de Subleyras avec qui il dut avoir des liens d'amitié puisqu'il fut le parrain de confirmation de son fils Luigi en 1753. Jouissant de la protection des cardinaux Valenti Gonzaga et Annibale Albani, proche de Mengs et du sculpteur Verschaffelt — qu'il retrouvera à Mannheim — il obtint en 1749 une pension de Charles Théodore prince des Deux-Ponts, devint académicien de Saint-Luc en 1751 et revint se fixer à Dusseldorf en 1756. Le 22 mai de cette année-là, il avait été reçu à l'Accademia del disegno de Florence. Il rapporta d'Italie une collection de plus de 12 000 dessins parmi lesquels quelques feuilles de ses amis français, Frontier, Trémolières et Subleyras *(Judas Macchabée renversant les autels païens* (n° 15) ; *Le duc de La Vieuville à cheval* (n° 115)). D'abord directeur de la Galerie de peinture de Dusseldorf, il fonda une Académie des Beaux-Arts en 1762 dont il devint officiellement directeur en 1766. Il peignit à Mannheim, Benrath et Dusseldorf. En 1778, il vendit ses collections au prince des Deux-Ponts et lorsque celui-ci devint en 1784 électeur de Bavière, il le suivit à Munich où il fut conservateur de la galerie de peinture.

Le Père Leseur et le Père Jacquet.
Ghezzi. Paris, Bibliothèque nationale.

Leseur, Thomas
(Rethel 1703 - Rome 1770).

Entré à seize ans chez les Minimes, il enseigna très vite la philosophie et la théologie dans plusieurs couvents de Champagne. Appelé à Rome vers 1730, il traita les mêmes matières à Propaganda Fide, mais se tourne vers les mathématiques et obtient une chaire à la Sapienza. Avec son brillant cadet le P. François Jacquier, il publie un commentaire sur les œuvres de Newton et des observations sur la restauration de la coupole de Saint-Pierre. Il fréquentait les milieux littéraires et érudits et était « pasteur » d'Arcadie.

Lironcourt,
Antoine-Jacques de
(mort à Paris en juillet 1755).

Gentilhomme champenois, fils d'un major de cavalerie mort de blessures reçues à la bataille de Denain en 1712. Il fit son apprentissage de la diplomatie avec son oncle M. de Campredon qui fut représentant du roi en Russie et à Gênes. Il connut Subleyras alors qu'il était à Rome secrétaire du cardinal de Polignac. De retour en France en 1732, il fut placé auprès de la duchesse du Maine en qualité de Gentilhomme. En mai 1746, il fut nommé consul en Egypte; fait prisonnier par les Anglais durant son voyage, il rachète une partie de ses bagages à Livourne avant de rejoindre Le Caire à la fin de 1747; c'est de là qu'il écrivit en 1748 au duc de Nivernais, nommé ambassadeur à Rome, pour lui recommander Subleyras. Pressenti pour être inspecteur du commerce du Levant et président de la Compagnie royale d'Afrique, il partit pour une mission de neuf mois à Smyrne et à Constantinople, qui le rendit « persona non grata » en Egypte. En 1751, il démissionna du consulat du Caire et rentra à Paris travailler auprès de Trudaine. Il se disposait à partir pour Lisbonne lorsqu'il mourut. Il était réputé pour son esprit et sa culture et fut inscrit à l'Académie des Arcades, vraisemblablement en 1747.

Lironcourt et l'abbé d'Orval.
P.L. Ghezzi (dessin).
Paris, Bibliothèque nationale.

Lucas, Pierre
(Toulouse 1692-1752).

Sculpteur, élève de Marc Arcis, il travailla longtemps dans l'ombre de son maître. C'est en réalisant le plafond de la chapelle des Pénitents Blancs sur un projet concurrent qu'il prit son indépendance; Subleyras qui peignait en 1725 les toiles ovales destinées à ce plafond (n° 3) fit alors le portrait du sculpteur (n° 2). Il fut l'un des fondateurs de l'Académie de Toulouse avec Guillaume Cammas. Il eut deux fils, François (1736-1813) également sculpteur, et Jean-Paul qui fut le premier conservateur du musée de Toulouse.

P. Lucas. François Lucas,
d'après Subleyras (gravure).
Toulouse, musée Paul Dupuy.

Mariotti, Carlo Spiridone
(Pérouse 1726-1790).

Elève de Benefial à Città di Castello lorsque celui-ci peignait le chœur de la cathédrale, il vint à Rome en 1748 où il fut celui de Subleyras; puis se rapprocha de Corrado Giaquinto, de Vernet et de l'Académie de France dirigée par de Troy, puis Natoire. Mais c'est de Louis-Gabriel Blanchet qu'il dépend le plus, tant pour son goût de la « vie de bohème » que pour sa peinture. Ses dessins savamment composés se caractérisent par un mélange de réalisme et de poésie.

Masucci, Agostino
(Rome 1691-1758).

Elève d'Andrea Procaccini et de Carlo Maratta, il devint à la mort de Giuseppe Chiari en 1727 le « successeur » incontesté du Marattisme. Académicien de Saint-Luc dès 1724, « prince » de l'Académie de 1736 à 1738, il peignit pour de nombreuses églises de Rome, pour la cour des Stuarts et celle de Portugal (chapelle Saint-Roch à Lisbonne), pour les papes Clément XII et Benoît XIV dont il fit en particulier les portraits. Il y a une sorte de parallélisme entre sa carrière et celle de Subleyras, parfois, comme dans le cas du *Portrait de Benoît XIV,* une véritable rivalité (n° 69). Il eut de nombreux élèves, dont Pompeo Batoni et Stefano Pozzi.

A. Masucci. Anonyme,
Rome, Académie de Saint-Luc.

P. Ottoboni. F. Trevisani,
Barnard Castle, Bowes Museum.

Ottoboni, Pietro
(Venise 1667 - Rome 1740).

Elevé par son oncle, le cardinal Pietro qui devint en 1689 le pape Alexandre VIII, il est aussitôt créé à vingt-deux ans cardinal diacre de San Lorenzo in Damaso. Il reçut en outre un grand nombre de bénéfices et de charges qui firent de lui un des membres les plus riches et les plus puissants du Sacré Collège. Il était le protecteur du royaume de France et, en l'absence d'ambassadeurs, le chargé d'affaires de Venise. Mécène fastueux, il possédait une bibliothèque et une collection de tableaux exceptionnelles; il fit rénover la basilique de San Lorenzo in Damaso et élever par Angelo De Rossi le monument d'Alexandre VIII à Saint-Pierre. Son peintre favori était le Vénitien Francesco Trevisani qu'il logeait dans son palais de la Chancellerie.

G.P. Panini. L.G. Blanchet, Oxford, Ashmolean Museum (prêt).

Panini,
Giovanni Paolo
(Plaisance c. 1691 - Rome 1765).

Formé à Plaisance près des Bibiena, il serait venu à Rome vers 1711 pour apprendre la figure dans l'atelier de Benedetto Luti. Il ne repartit pas, s'installant à l'ombre du Palais Farnèse, ambassade des duchés de Parme et de Plaisance. Il fut rapidement célèbre, couvert de titres — Virtuose du Panthéon en 1718, Académicien de Saint-Luc en 1719 — surchargé de commandes, décorant à fresque villas et palais ou peignant des caprices architecturaux. Il se fit également une spécialité de la représentation des événements marquants de la vie romaine: fête place Navone en l'honneur de la naissance du Dauphin (Louvre) pour le cardinal de Polignac, remise du cordon bleu au prince Vaini (Caen), pour le duc de Saint-Aignan, cantate au Teatro Argentina (Louvre), pour l'abbé de Canilliac, visite du roi de Naples à Benoît XIV (Naples). Très lié à Nicolas Vleughels qui avait épousé sa belle-sœur, une fille du banquier Claude Gosset, il enseignait la perspective à l'Académie de France et fut un maître influent pour nombre de paysagistes français dont Hubert Robert. A la mort du directeur, «Jean-Paul», comme on l'appelait familièrement, fut pressenti pour lui succéder, mais aussitôt écarté parce qu'Italien.

J.B.M. Pierre. G. Voiriot, Versailles, musée du château.

Pierre,
Jean-Baptiste-Marie
(Paris 1714-1789).

Elève de Charles Natoire et de Jean-François de Troy, il obtint le Grand Prix en 1734; pensionnaire à Rome de 1735 à 1740, il grava beaucoup durant son séjour: une série des «costumes du peuple de Rome» en 1736, plusieurs tableaux du directeur de l'Académie, J.-F. de Troy et quatre contes de La Fontaine peints par Subleyras (nos 18-29). Rentré à Paris, il devint académicien en 1742 et fit une carrière officielle devenant en 1770, à la mort de Boucher, Premier peintre du roi. Ses grandes compositions, surtout religieuses, montrent un souci de sobriété qui annonce déjà le Néo-Classicisme, mais il ne plaisait guère à Diderot qui l'attaque violemment dans ses critiques des Salons.

Quirini, Angelo Maria
(Venise 1680 - Brescia 1755).

Il prit l'habit des Bénédictins à seize ans à Florence. Venu à Rome en 1714, il fut consulteur des congrégations de l'Index et des Rites, puis abbé de son ordre. Son caractère impétueux et sa rigueur de savant lui valurent plusieurs disgrâces suivies de nouvelles promotions: archevêque de Corfou en 1723, de Brescia en 1726, cardinal la même année, il reçut le titre de Saint-Augustin, bibliothécaire de l'Eglise en 1730 et enfin Préfet de l'Index en 1741. A la gloire que lui donnaient ses travaux érudits (*Vie de Paul II,* édition des lettres de Reginald Pole), il ajouta celle que lui valait un mécénat fastueux: il fit rénover à Rome les églises de Saint-Alexis, Saint-Grégoire, Saint-Marc et Sainte-Praxède; à Brescia sa cathédrale. Protecteur de la Congrégation des Hiéronymites de Lombardie à partir de 1741, il peut avoir un rôle dans l'achèvement de la décoration de l'église des saints Côme et Damien à la Scala de Milan où Subleyras peignit deux tableaux datés de 1739 et 1744 (nos 66 et 85).

A.M. Quirini.
G. Massi d'après P. Nelli (gravure).
Rome, Calcografia Nazionale.

Ramelli, Felice
(Asti 1666 - Rome 1741).

De la famille des comtes de Celle, il prit l'habit des Chanoines réguliers de Latran en 1682 et très jeune apprit la miniature avec un religieux de cet ordre, le père Denis Rho. On le trouve successivement à Verceil, Venise (autour de 1700), Bologne (1701-1703) et enfin à Rome au service de Clément XI qui le fit abbé du couvent de Santa Maria nuova d'Asti en 1707; victime d'une caballe, il doit se retirer à Gattinara et finalement revient à Rome en 1710. Conservateur des manuscrits à miniature de la Bibliothèque Vaticane par bref du 2 mars 1714, il ne quitte plus la Ville éternelle. En 1737, il «donna» au roi de Piémont 78 de ses œuvres. Charles-Emmanuel lui fit verser une pension à vie et créa au Palais Royal de Turin un Cabinet des miniatures où se trouve également le portrait du peintre, probablement d'après un tableau de Subleyras. Ramelli ne semble pas avoir été le maître de Tacchetti ni de Rosalba Carriera: sa seule élève connue est Maria Felice Tibaldi.

F. Ramelli. P.L. Ghezzi, Rome, Bibliothèque vaticane.

Revillas y Solis, Diego de
(Milan c. 1694 - Rome 1746).

Entré jeune chez les Hiéronymites de l'observance de Lombardie, il est en 1718 Arcade de la «colonia di Trebbia» qui venait d'être fondée en 1715 à Plaisance. Il arrive sans doute peu après à Rome, puisqu'il déclare en 1739, interrogé sur le «stato libero» de Maria Felice Tibaldi, qu'il habite Rome depuis vingt-deux ans et la connaît depuis qu'elle a dix ans environ. Savant, physicien et mathématicien, il passa toute sa vie dans le couvent de Saint-Alexis sur l'Aventin. Il fut le précepteur des enfants du «prétendant» Jacques III Stuart, et de 1727 à sa mort, lecteur de mathématiques à la «Sapienza». Il construisit lui-même un baromètre et un thermomètre et on lui doit un recueil d'observations météorologiques de 1734 à 1742, les

Ephemerides metheorologicae Romanae anni MDCCXLII où il tente un parallèle entre les variations de température, la pluviosité et les observations médicales faites durant la même période. En utilisant l'un des premiers la trigonométrie, il dressa la carte du diocèse des Marses (Pescina) en 1735 et de celui de Tivoli en 1737. Dans la dédicace de la seconde au futur cardinal Portocarrero, il énumère ses titres: abbé hiéronymite, lecteur de mathématiques à Rome, membre de la Royal Society de Londres, académicien de Bologne et de Messine. Il faut y ajouter l'Arcadie et l'Accademia Etrusca de Cortone. Ses liens précoces avec la famille Tibaldi l'ont vraisemblablement amené à demander à Subleyras les deux tableaux d'autel peints en 1739 et 1744 pour l'église des saints Côme et Damien de Milan (n°s 66 et 85) et l'effigie de saint Jean d'Avila (n° 112) lors de la reprise du procès de béatification dont il était nommé postulateur le 8 décembre 1744.

T. Ripoll. Anonyme, Rome, Couvent de Sainte-Sabine.

Ripoll, Tomas
(Barcelone 1652 - Rome 1747).

Entré au couvent dominicain de Sainte-Catherine à Barcelone, il fut provincial d'Aragon avant d'être associé en 1702 au Père Antonin Cloche qui fut général de 1686 à 1720, puis au Père Agostino Pipia qui le fut de 1721 à 1725. Général de 1725 à sa mort, il combattit le Jansénisme et le Gallicanisme. Travailleur infatigable, il fit pendant vingt ans des recherches à la Bibliothèque Vaticane sur les saints de son ordre et publia de 1729 à 1740, avec l'aide d'Antonin Brémond qui allait devenir son successeur, le *Bullarium Ordinis Praedicatorum.* C'est lui qui le 23 mars 1745 commanda à Subleyras le tableau du *Mariage mystique de sainte Catherine de Ricci* (n° 108) que l'on offrit au pape à l'occasion de la canonisation.

A. Rivalz. Autoportrait, Toulouse, musée des Augustins.

Rivalz, Antoine
(Toulouse 1667-1735).

Fils du peintre et architecte Jean-Pierre Rivalz (1625-1706), il fut l'élève de son père. Il fit le voyage de Paris (1686) puis de Rome (1689-1701) où il était recommandé aux continuateurs de Pierre de Cortone, mais son goût pour Raphaël, Guido Reni et Poussin le conduisirent dans l'atelier de Maratta. Ce «classicisme» — tempéré — lui valut un grand succès à Toulouse et la place de peintre de la ville. Son atelier florissant compte de nombreux élèves: Ambroise Crozat, Guillaume Cammas, Jean-Baptiste Despax, Pierre Subleyras et son propre fils, Pierre, dit le «chevalier Rivalz» (1720-1785), médiocre peintre qui voyagea en Italie de 1735 à 1746 où il peignit un portrait de Benoît XIV. Un cousin d'Antoine, Barthélemy était graveur; il vint probablement à Rome avec Subleyras, car on le trouve logé à l'Académie en 1729 et 1730; il grava le portrait d'un parent, le marchand Pierre Rivalz, d'après une peinture de Subleyras.

Saint-Aignan,
Paul-Hippolyte
de Beauvillier duc de
(Paris 1684-1776).

Fils de François de Beauvillier qui, à 70 ans, avait épousé Françoise Géré de Laubépine de Rancé, dame d'honneur de sa première épouse. Lorsque son frère aîné du premier lit, Paul, duc de Beauvillier (1648-1714) eut perdu ses deux fils, il fit passer à son cadet le titre de duc de Saint-Aignan. Paul-Hippolyte épousa le 22 janvier 1707 Marie-Geneviève de Monlézun de Besmaus (1691-1734), fille de Jean-Baptiste et de Marguerite Colbert de Villacerf. Son grand-père Besmaus était un gentilhomme gascon fort riche qui fut longtemps gouverneur de la Bastille. Chevalier de Malte, officier de cavalerie, il fut de 1715 à 1718 ambassadeur à Madrid, en 1719 membre du Conseil de régence, ambassadeur à Rome de 1730

Saint-Aignan présentant à Don Philippe-Pierre la croix du Saint-Esprit, M.A. Houasse, France, coll. privée.

à 1741, puis jusqu'en 1754 gouverneur du duché de Bourgogne pendant la minorité du prince de Condé. Il était membre honoraire de l'Académie des Inscriptions et Belles-lettres et membre de l'Académie française. Collectionneur, il encouragea les pensionnaires de l'Académie de France et possédait des tableaux de Blanchet, Frontier, Le Lorrain, Pierre et Subleyras.

Slodtz, René-Michel,
dit Michel-Ange
(Paris 1705-1764).

Fils et élève de Sébastien (Anvers c. 1655 - Paris 1726) comme ses frères Sébastien-Antoine (1695-1754) et Paul-Ambroise (1702-1758). Grand Prix en 1724, pensionnaire de 1726 à 1736, académicien de Saint-Luc en 1741, il resta à Rome jusqu'en 1747

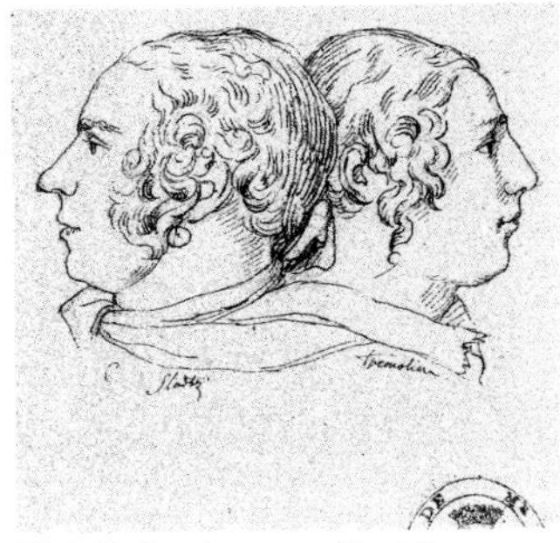

M.A. Slodtz. Anonyme (dessin), Besançon, Bibliothèque municipale.

et y travailla beaucoup: statue de saint Bruno refusant la mitre (Saint-Pierre), tombes de Vleughels (Saint-Louis) et du marquis Capponi (Saint-Jean des Florentins), bas-reliefs de sainte Thérèse (Santa Maria della Scala). Il envoya plusieurs œuvres en France dont le mausolée des archevêques de Montmaurin et de La Tour d'Auvergne pour la cathédrale de Vienne en Dauphiné. Rentré à Paris en 1747, académicien deux ans plus tard, il travailla avec ses frères aux «Menus plaisirs» et sculpta beaucoup pour les châteaux royaux et les églises, en particulier à Saint-Sulpice, Saint-Merry et la cathédrale de Bourges.

P.C. Trémolières. Autoportrait, Paris, coll. privée.

Trémolières, Pierre-Charles
(Cholet 1703 - Paris 1739).

D'une famille noble originaire d'Auvergne, il fut à Paris l'élève de Jean-Baptiste Vanloo et obtint deux fois le second Grand Prix en 1726 et 1727. Pensionnaire de l'Académie de France à Rome de 1728 à 1734 sous le directorat de Vleughels, il épouse, peu avant son départ, le

6 septembre 1734, Isabella Tibaldi dont la sœur aînée Maria Felice épousera Subleyras en 1739. Après un arrêt de plus d'un an à Lyon où il peint plusieurs tableaux d'église, il arrive à Paris au début de 1736. Agréé puis reçu à l'Académie, il connaît quelques succès aux Salons de 1737 et 1738, mais la mort interrompit bientôt une carrière qui semblait prometteuse.

J.F. Troy. Autoportrait,
Rome, Académie de Saint-Luc.

Troy, Jean-François de
(Paris 1679 - Rome 1752).

Peintre, élève de son père François (1645-1730), il n'obtint pas le Grand Prix et vint à ses frais en Italie, où il resta six ans de 1699 à 1705 environ. Revenu à Paris, il fut reçu à l'Académie en 1708. Son œuvre abondant lui valu de succéder à Vleughels à la direction de l'Académie de France à Rome (1738-1751). Sans négliger les pensionnaires qu'il traitait avec libéralisme, il peignit beaucoup: des cartons de tapisserie pour les suites d'Esther et de Jason, une *Résurrection* pour l'église de Saint-Claude des Bourguignons, un *Bienheureux Jérôme Emilien* pour celle de San Nicola ai Cesarini (aujourd'hui à Saint-Alexis) et trois grands tableaux pour le chœur de la cathédrale de Besançon.

Uzès, voir **Crussol,**
Jean-Charles de, duc d'.

Vaini, Girolamo
(Rome 1679-1744).

Prince de Cantalupo, duc de Selci, marquis de Vacone, descendant d'une famille illustre d'Imola qui,

G. Vaini. Subleyras,
Paris, coll. privée.

dès le XIe siècle, était au service de la papauté, il est le fils de l'excentrique Guido III (c. 1650-1720), le « principe del bisogno » qui avait lui-même reçu le cordon bleu en 1699 et défraya la chronique au début du XVIIIe siècle. Durant la guerre de succession d'Espagne, Girolamo combattit en Lombardie aux côtés de Vendôme. En 1707, il épousa Angela Eleonora Santinelli fille du marquis Francesco et de Maria Aldobrandini. Son oncle Antonio et son frère Pietro étaient chevaliers de Malte et un autre de ses oncles, Carlo, évêque de Nicée. C'est Guido III qui avait commandé à Domenico Guidi la statue en pied de Louis XIV que Girolamo donna en 1741 à l'Académie de France et que l'on voit aujourd'hui à l'entrée de la Villa Médicis. La cérémonie de la remise de l'ordre du Saint-Esprit par le duc de Saint-Aignan le 15 septembre 1737 a été évoquée de façon réaliste par Panini (musée de Caen) et allégoriquement par Subleyras (n° 42).

Valenti Gonzaga, Silvio
(Mantoue 1690 - Viterbe 1756).

Venu très jeune à Rome, il y fit une carrière brillante: d'abord chargé d'une mission diplomatique à Vienne, il devint en 1724 consulteur du Saint-Office, puis nonce à Bruxelles de 1731 à 1736 et à Madrid de 1736 à 1740. Cardinal en 1738, il participa en 1740 à l'élection de Benoît XIV qui en fit son Secrétaire d'Etat; il le resta jusqu'à sa mort malgré une santé déclinante. Grand érudit, il s'entourait de savants dont les PP. Jacquier et Leseur, grand amateur d'art il possédait plus de huit cent tableaux (dont un Antoine Rivalz, plusieurs Vernet et plusieurs Subleyras); il avait aussi encouragé une édition gravée des *Loges* de Raphaël, mais le travail de Paolo Fidanza que Mariette juge « bien mauvais » fit échouer l'entreprise. Il contribua enfin à la fondation de l'« Accademia del nudo » au Capitole. De son portrait par Subleyras existe une copie — attribuée curieusement à Panini — où il est assis en face de Benoît XIV copié lui aussi d'après un tableau de Subleyras (Museo di Roma).
Il fit de son neveu Luigi Valenti Gonzaga (1725-1808), lui-même cardinal en 1776, son héritier usufruitier. Cela explique qu'une gravure du portrait du P. Léonard de Port-Maurice ait été faite d'après un tableau lui appartenant.

S. Valenti Gonzaga. Subleyras,
Rome, coll. privée.

Les Vanloo

La lignée française des Vanloo remonte à Jacob (1614-1670) qui quitta Amsterdam en 1661 et s'installa à Paris où il fut membre de l'Académie. Son fils Louis-Abraham (1656-1712) s'établit en Provence, travaillant en particulier à Nice et à Toulon comme peintre des galères royales. De lui naquirent à plus de vingt ans d'intervalle Jean-Baptiste (1684-1745) et Charles-André, dit Carle (1705-1765). Les Vanloo sont voyageurs. Jean-Baptiste travailla en Provence, en Piémont et à Rome avant d'aller à Paris en 1720, d'y avoir un atelier prospère où se formèrent Trémolières et Dandré-Bardon, d'être reçu à l'Académie en 1731 et de repartir pour Londres où il resta de 1737 à 1742. Il fut peintre d'histoire et portraitiste comme son grand-père.
Carle suivit son frère dans ses déplacements à Turin et à Rome en 1714 où il entra dans l'atelier de Benedetto Luti. De retour à Paris, il ob-

F. et C. Vanloo. Anonyme,
Besançon, Bibliothèque municipale.

tint le premier Grand Prix en 1724, mais non la pension. Il revint cependant à Rome aux frais de son frère, emmenant avec lui ses deux neveux dont il avait l'âge, Louis-Michel (1707-1771) et François (1708-1732), qu'accompagnait François Boucher. Logés à l'Académie, ils s'y trouvèrent en même temps que Subleyras. Durant ce deuxième séjour, Carle fut reçu au Concours Clémentin de l'Académie de Saint-Luc et peignit entre autres le plafond de Saint-Isidore qui le couvrit de gloire. Pour lui éviter un mariage

L.M. Vanloo.
L'artiste faisant un portrait de son père,
Versailles, musée du château.

mal assorti, Vleughels lui fit quitter Rome en 1732. Il s'installa deux ans à Turin où il travailla pour le roi de Sardaigne et les églises de la ville. Rentré à Paris, il entreprit une glorieuse carrière officielle, nommé Premier Peintre du roi en 1762 et directeur de l'Académie. Maître de Doyen et rival de Boucher, il fut l'un des plus brillants représentants du rococo français.

Louis-Michel qui avait obtenu le premier Grand Prix en 1725 ne resta à Rome que deux ans, rentra en 1730 à Paris et devint académicien en 1733. Au service du roi d'Espagne de 1736 à 1753, il reçut le titre de «Pintor de camara», peignit de nombreux portraits de la famille royale, exécuta des cartons à sujets mythologiques pour les tapisseries et devint directeur de l'Académie de San Fernando en 1752, mais retourna en France cette année-là pour succéder à son oncle Carle comme directeur de l'Ecole des élèves protégés.

François était «un sujet qui promettait extrêmement» au dire de Vleughels; allant rejoindre son oncle à Turin en 1732, il mourut dans un accident de voiture, ses chevaux s'étant emballés. On sait qu'il fit à Rome des copies d'après Véronèse, le Guide et Raphaël.

Un cadet, nettement plus jeune, Charles-Amédée, dit Vanloo de Prusse (1719-1795), suivit la voie triomphale de sa famille, élève de son père, académicien en 1747. Au service de Frédéric de Prusse, de 1748 à 1758 et de 1763 à 1769, il laissa des œuvres nombreuses surtout à Berlin et à Potsdam. Rentré en France, il exécuta les cartons pour la tenture du «costume turc».

Vernet, Joseph
(Avignon 1714 - Paris 1789).

Fils du peintre Antoine Vernet (Avignon 1687-1753), il fut à quatorze ans l'élève dans sa ville natale de Philippe Sauvan (1697-1792), puis à Aix de Jacques Viali (1681-1745), peintre de paysages et de marines. En 1734, il partit pour l'Italie avec des recommandations de l'abbesse de Fontevrault, du marquis de Caumont et du comte de Quinson. Bientôt, grâce à Mgr. d'Inguimbert, il fut présenté au cardinal Neri Corsini neveu du pape. Ami des Franque, il entra aussitôt en contact avec l'Académie, espérant obtenir la pension, mais Vleughels

J. Vernet. E. Vigée-Lebrun,
Paris, musée du Louvre.

se contenta de l'accueillir avec bienveillance et de l'encourager à persévérer dans la voie qu'il avait choisie. Il fréquenta donc les peintres de marine et de paysage: Manglard, presque un compatriote, Panini, Locatelli, Gaspard van Wittel et naturellement les pensionnaires de l'Académie dont certains devinrent des amis comme Blanchet et surtout Subleyras. Le duc de Saint-Aignan, ambassadeur de France, lui commanda des peintures et à partir de 1740 sa réputation était faite. Il resta vingt ans à Rome, s'y maria en 1745 avec Virginia Parker, fille d'un Irlandais capitaine dans la marine pontificale et de Maddalena Stern, fille du peintre Ignaz. Rentré définitivement en 1753, il fit pendant douze ans pour le roi la célèbre série des ports de France. En 1762 il se fixa à Paris. Ses frères Jean-Antoine (Avignon 1716 - Naples? 1775) et François (Avignon 1730 - Paris 1779) et son fils Carle (Bordeaux 1758 - Paris 1836) furent peintres ainsi que son petit-fils Horace (Paris 1789-1863).

Verschaffelt, Pierre-Antoine
(Gand 1710 - Mannheim 1793).

Après un premier apprentissage dans sa ville natale, ce sculpteur partit pour la France vers 1728. En chemin il s'arrêta six mois à Amiens, gagna Paris et se mit à l'école d'un de ses compatriotes, Jacques Verberckt puis à celle d'Edme Bouchardon pour qui il exécuta un des apôtres de Saint-Sulpice. Se voyant refuser la pension du roi pour aller à Rome, il s'y rendit à ses frais en 1737. Les jeunes artistes de l'Académie eurent pitié de son dénuement et lui procurèrent de petites besognes, mais c'est à Subleyras qu'il dut ses premiers succès. Admirant une tête de petite fille qu'il avait modelée, le peintre l'exposa dans son atelier où il recevait nombre de visites. Un Anglais lui commanda aussitôt son buste en marbre. Jean-François de Troy le vit et obtint au sculpteur «de l'ouvrage pour le roi» et le logea à l'Académie. Le cardinal Valenti Gonzaga lui confia l'exécution d'un buste de Benoît XIV. Il travailla alors pour la cour pontificale et en particulier fit la statue de saint Michel qui couronne le château Saint-Ange. Bien qu'il ait été élu à l'Académie de Saint-Luc en 1745, devenu veuf, il quitta Rome en 1751, passa par Londres, travailla pour le prince de Galles, et enfin s'installa à Mannheim où il retrouvera son ami le peintre Lambert Krahe, tous deux au service de l'Electeur palatin Karl Theodor.

Vleughels. M.A. Slodtz,
Paris, musée Jacquemart-André.

Vleughels, Nicolas
(Paris 1668 - Rome 1737).

Fils et élève du peintre Philippe (Anvers c. 1620 - Paris 1694). Après avoir présenté plusieurs fois sans succès le Grand Prix, il vint à Rome vers 1703, habitant au Palais Farnèse dans l'atelier du sculpteur Pierre Legros. En 1707, il va à Venise où il rencontre Rosalba Carriera, puis à Modène. Revenu à Paris il est reçu à l'Académie en 1715. Intimement lié à Watteau, il en subira fortement l'influence. En 1724 il est nommé «adjoint» de Charles Poerson à l'Académie de France à Rome. Cette institution étant à l'étroit dans le Palais Capranica, en 1725, il trouvera au Palais Mancini un siège digne d'elle. Il succéda à Poerson en 1727, s'employa à décorer l'Académie et à organiser le travail des pensionnaires avec originalité: il les emmène dessiner le paysage dans la campagne et leur propose de copier, outre les peintres bolonais, les Vénitiens et Pierre de Cortone. Giovanni Battista Panini — dont il avait épousé en 1731 la belle-sœur, Thérèse Gosset — donnera des cours de géométrie et de perspective à l'Académie. Amateur, collectionneur de gravures et de pierres dures, il ne fut pas un très grand peintre, mais un bon pédagogue.

Zoboli, Giacomo
(Modène 1681 - Rome 1767).

Elève de Francesco Stringa dans sa ville natale, puis de Giovanni Giuseppe Dal Sole à Bologne, il vint à Rome vers 1712 où il fut protégé par les cardinaux Neri Corsini, Angelo Maria Quirini et Domenico Orsini. On lui doit nombre de tableaux d'autel, des peintures pour les canonisations et les cartons des mosaïques de la coupole de la chapelle de la Vierge à la colonne à Saint-Pierre, exécutées de 1742 à 1748. Il fit également un portrait solennel de Benoît XIV qui fut transposé en mosaïque (Bibliothèque de l'Université de Bologne).

Catalogue

Lorsqu'une œuvre n'est exposée
qu'à Paris ou à Rome, nous l'avons
indiqué sous son numéro.

Les portraits de Subleyras

Nous aurions souhaité ouvrir l'exposition par plusieurs autoportraits de Subleyras: malheureusement l'*Atelier* de Vienne sur lequel le peintre s'est trois fois (!) (peut-être même quatre) représenté n'a pu, pour des raisons (justifiées) qui tiennent à son extrême fragilité, nous être prêté. Et aucun des autoportraits de l'artiste — un au moins était sûr, signé et daté de 1740, mais sa trace est perdue depuis 1875, comme devait être de Subleyras le pastel de la collection Valenti Gonzaga — n'a pu être retrouvé.

Nous présentons donc Subleyras d'une part par un portrait qui le montre vraisemblablement mais qui, vraisemblablement, n'est pas de lui (H.C. 1) et par un dessin (H.C. 2) qui le représente à coup sûr mais qui peut être attribué à sa femme, Maria Felice Tibaldi. Comme est sans doute également d'elle le dessin — on aimerait écrire la miniature — qui lui fait pendant aux Offices (H.C. 3).

Nous avons eu plus de chance avec les portraits de Maria Felice par Subleyras. La toile de Worcester (n° 63) est sans conteste un des fleurons de notre exposition.

Portrait de Subleyras (?)

Toile H. 74; L. 61.
Rome, collection privée.

Quel était le vrai visage de Subleyras?

Il n'est pas aussi facile de répondre à cette question qu'on ne le croit généralement: l' *«autoportrait»* le plus célèbre de l'artiste, celui du Nationalmuseum de Stockholm (fig. 4), fréquemment reproduit (notamment par A.) et encore plus souvent cité, n'est ni un portrait par Subleyras ni un portrait de Subleyras (comme Clark l'avait déjà remarqué en 1964-65). Les portraits de Subleyras gravés au XVIIIe et au XIXe siècles (voir rubrique *Œuvres en rapport*) ne se ressemblent pas entre eux (et ne paraissent pas représenter l'artiste, sauf peut-être celui qui ouvre la *Vie* de Subleyras par Charles Blanc).

En fait, les seuls portraits absolument irréfutables, outre les dessins de Besançon (fig. 5) et de Florence (H.C. 2), sont ceux qui se voient sur l'*Atelier* de Vienne (fig. 1 et 2; voir aussi reproduction couleurs en frontispice du catalogue).

Dans la partie inférieure gauche de l'œuvre, le peintre, qui paraît flotter dans un manteau trop large, assis sur un petit tabouret, les traits amers et amaigris par la maladie, tient sur ses genoux son portrait antérieur d'une quinzaine d'années environ.

Subleyras se tourne vers nous comme pour dire «voilà comment j'étais, voici comment je suis». A la palette de l'autoportrait de jeunesse ont été substitués un porte-crayons et des cartons à dessins.

On se souvient qu'en 1968-1969, à l'occasion d'un rentoilage, un troisième autoportrait, jusqu'à cette date recouvert, fut retrouvé au verso du tableau.

Cette fois-ci, Subleyras, le tricorne sur la tête, se tourne vers nous, le porte-crayons entre les dents. Il tient un dessin, une tête de femme vue de profil et sur son chevalet est posée une tête d'oriental enturbanné, comme on en voit sur le *Repas chez Simon*.

Ces trois (ou quatre) autoportraits sur le même tableau nous permettent d'avancer que le portrait que nous exposons ici est bien celui de Subleyras: le menton avec sa fossette, la mâchoire lourde, l'ovale plein du visage exprimant une curiosité retenue, le regard direct, nous paraissent autoriser — avec prudence — une telle identification.

Fig. 1
L'atelier, Vienne, Akademie.

Reste à s'interroger sur sa date et... sur son auteur! En dépit de sa perruque poudrée et de son air grave, le modèle ne paraît pas avoir 30 ans. L'œuvre a-t-elle encore été peinte à Toulouse avant 1726, à Paris durant le séjour qui valut à l'artiste le Grand Prix ou, comme nous le pensons, et comme le costume romain du modèle le confirme, dans les premiers mois de l'installation de Subleyras à l'Académie de France à Rome, à l'automne 1728? Il est difficile de trancher.

Le tableau est-il bien de Subleyras? Certes le modèle donne l'impression de se regarder dans la glace et de s'observer pour se peindre. Certes, on s'en souvient, Subleyras, durant son séjour d'abord difficile au palais Mancini (« il a un peu de peine à se débarbouiller » écrit Vleughels), se signala par le mérite de ses portraits (« il fait à présent du portrait et a un peu de vogue » selon Vleughels, la citation est du 6 janvier 1735!), mais l'exécution de l'œuvre fait hésiter. Rien, ici, de ce chatoiement de couleurs qui caractérisait le *Portrait de Madame de Poulhariez et de sa fille* (n° 5), rien du réalisme direct et précis du *Portrait du sculpteur Lucas* (n° 2), rien enfin de l'harmonie du *Portrait de la comtesse Mahony* ou de la sévérité de celui de *Dom Cesare Benvenuti* (n°s 76 et 77). On rappellera encore que l'œuvre a été récemment attribuée à Marco Benefial, un rival et un ami de Subleyras.

Répétons-le: nous pensons reconnaître dans ce portrait les traits de Subleyras, mais nous n'excluons pas que l'artiste ait posé, soit encore à Toulouse, soit plutôt à l'Académie pour un de ses condisciples français ou italiens, certes non sans mérites, mais coloriste moins raffiné et dessinateur moins rigoureux que son modèle.

Fig. 2
Autoportrait,
verso de l'*Atelier*,
Vienne, Akademie.

Fig. 3
Tête d'homme,
New York, coll. privée.

Fig. 4
Anonyme,
Portrait d'un inconnu,
Stockholm, Nationalmuseum.

Provenance

Au verso, une inscription en anglais « Van Loo ? Self portrait » semble indiquer que le tableau est passé par l'Angleterre ; coll. Clementi, à Rome ; vente FinArte, n° 25, Milan, 10-13 mai 1966, n° 104 (« Marco Benefial ») ; Rome, coll. privée.

Bibliographie

Calbi, 1980, pp. 94-96, 99, note 7 et fig. 121 (« Marco Benefial », « Portrait d'un peintre »).

Œuvres en rapport

Tableaux :
— Pour les trois ou quatre autoportraits de Subleyras (fig. 1 et 2) qui figurent au recto et au verso de l'*Atelier* de Vienne, voir plus loin.
— Une *Tête d'homme* (H. 64 ; L. 49) d'une coll. part. américaine (fig. 3) a été exposée à Storrs (Conn.) en 1973 (n° 57) comme un autoportrait de jeunesse de Subleyras. L'œuvre revient bien à l'artiste, mais ne peut le représenter. Elle se distingue clairement sur le mur latéral droit de l'*Atelier* de Subleyras (fig. 1).
— Un portrait d'homme ovale, conservé au Nationalmuseum de Stockholm (fig. 4 ; A. 154, pl. XVI), passe pour un autoportrait de Subleyras : il ne le représente pas plus qu'il ne peut lui être attribué.
— Le cat. de la vente Magnan de la Roquette (22 novembre 1841, n° 151) mentionne sous le nom de Subleiras *(sic)* « son portrait peint par lui-même ». Plus importante est la vente du 2 avril 1875 où sous le n° 63 figurait un « Subleyras. Son Portrait. Le peintre s'est représenté tenant de la main droite son porte-crayon et de la gauche une académie. Il avait 41 ans. Signé sur le porte-feuille à gauche P. Subleyras, ft 1740. T. H. 1,25 m ; L. 0,97 m ». Relevons encore dans une vente du 19 novembre 1927, n° 10, sous le nom de Batoni, un « Portrait présumé du peintre Pierre Subleyras ».
— Mentionnons enfin le passage curieux de l'*Abecedario* de Mariette (IV, p. 404) : « Il (Barthélémy Rivalz) était à Rome lorsqu'il a gravé d'après Subleyras le portrait d'Antoine Subleyras, chez qui il logea et qui le nourrit par charité ». Mariette fait-il une confusion avec le portrait de Pierre Rivalz peint par Subleyras et gravé par Barthélémy Rivalz (cat. exp. Toulouse, 1951, n° 134, pl XI) ?

Dessins :
— Pour le portrait des Offices, voir H.C. 2.
— Un dessin montrant Louis-Gabriel Blanchet et Subleyras de profil, disposés dos à dos, en Janus, de la coll. Pierre-Adrien Pâris (1745-1819), est conservé à la Bibliothèque municipale de Besançon. Ce dessin, fort médiocre et souvent cité mais jamais reproduit, doit dater de 1730 environ (fig. 5).
— Dans une vente Le Brun du 23 décembre 1771, n° 483, figurait un « Portrait de Subleyras » par Bouchardon.
— En 1756, sont inventoriés, dans la coll. Valenti Gonzaga, deux portraits « uno di Monsieur Subleras e l'altro della Moglie in Pastello » (Pietrangeli, 1961, p. 51, n°s 266-267).

Gravures :
On connaît trois portraits gravés qui, tous différents les uns des autres, sont censés représenter Subleyras :
— par Michel Aubert (fig. 6), en frontispice de la *Vie* de Subleyras par Dezallier d'Argenville (1762) ;
— par Pannemaker, d'après un dessin d'Étienne-Gabriel Bocourt pour illustrer l'article du *Magasin pittoresque* de 1853 ;
— par J. Guillaume d'après le même Bocourt en frontispice de la *Vie* de Subleyras par Charles Blanc (1865, repris par Fabre, 1927).
On se souviendra enfin, à en croire Chennevières (1882, pp. 128-131), que Subleyras figurait « au sommet du véhicule » de la « Mascarade chinoise faite à Rome (à l'occasion du) Carnaval (de 1735) par… les Pensionaires *(sic)* du Roy de France en son Académie… » dont on garde le souvenir grâce à une splendide gravure de Pierre.

Fig. 6
M. Aubert,
Portrait de Subleyras,
Paris, Bibliothèque nationale.

Fig. 5
Anonyme,
Portrait de Louis-Gabriel Blanchet et de Subleyras,
Besançon, Bibliothèque municipale.

H.C.
2

Portrait de Subleyras

Pierre noire et sanguine sur papier blanc; contrecollé. H. 143 mm; L. 167 mm.
Florence, Cabinet des dessins du musée des Offices (Inv. 8413 S.).

Le dessin des Offices représente, d'une manière assurée à notre avis, Subleyras: la comparaison avec les trois autoportraits de l'*Atelier* de Vienne (voir notice H.C. 1) ne peut tromper: même arête du nez prononcée qui monte jusqu'aux sourcils, mêmes orbites enfoncées, même bouche bien dessinée à l'expression réservée.

Mais revient-il bien à Subleyras? Nous avions adopté une attitude prudente en 1968, à l'occasion de l'exposition des dessins français des Offices. Nous rappelions que les dessins de Subleyras étaient rares, que nous ne connaissions aucun portrait dessiné dont l'attribution puisse être acceptée sans réserve et que la technique minutieuse et précise du dessin des Offices (et de son pendant) évoquait plutôt l'art de la miniature que le métier du peintre.

Ce qui nous invitait à proposer une attribution à Mme Subleyras, miniaturiste professionnelle de grand talent, au métier sûr et délicat.

Nous n'avons pas, bien au contraire, changé d'avis.

Certes nous connaissons mieux aujourd'hui la personnalité artistique de Maria Felice Tibaldi et le nombre de ses œuvres retrouvées s'est accru. Mais aucun document, aucun dessin ne nous permet d'affirmer en toute certitude que le portrait de Subleyras des Offices est bien son œuvre. Disons simplement que l'hypothèse ne nous semble pas invraisemblable.

Subleyras paraît avoir une quarantaine d'années: que le dessin ait été réalisé au moment du mariage de l'artiste, en 1739, est vraisemblable.

Provenance

Coll. Emilio Santarelli (marque Lugt 907, en bas à droite), entrée aux Offices (marque Lugt 930, en bas à gauche) en 1866.

Exposition

Florence, 1968, n° 67, fig. 53.

Bibliographie

Cat. musée (coll. Santarelli), 1870, p. 558, n° 1; cat. musée (Ferri), 1890, p. 377; A. d. 94 et p. 72; Busiri Vici, 1974, p. 164, fig. 198.

Œuvres en rapport

Voir notice précédente.
Pour le pendant, le *Portrait de Mme Subleyras*, voir H.C. 3.

Portrait de Madame Subleyras née Maria Felice Tibaldi

Pierre noire et sanguine sur papier préparé; contrecollé.
H. 198 mm; L. 173 mm (ovale).
Florence, Cabinet des dessins du musée des Offices (Inv. 8414 S.).

Ce dessin représente à coup sûr Maria Felice Tibaldi (1707-1770): la comparaison avec son portrait conservé à Worcester (n° 63) écarte tout doute.

Elle porte un élégant petit bonnet de guipure, bien plus coquet que celui dont Ghezzi (fig. 2), dans sa caricature du Vatican, l'a affublée. Accoudée à un pupitre, elle tient à la main l'instrument de sa profession.

Si le dessin, comme le portrait de Subleyras des Offices (H.C. 2), date de 1740 environ, rien ne prouve qu'il est de la main de Subleyras. Nous avons exposé plus haut les raisons qui nous faisaient croire qu'il revenait plutôt à Maria Felice, dont les talents de miniaturiste sont attestés. Le fait qu'il soit dessiné sur un papier préparé vient conforter notre hypothèse.

Fig. 1
Gabriel de Saint-Aubin, *« Le Portrait de Madame Subleyras, peint par son mari »*, Paris, Bibliothèque nationale.

Provenance

Voir notice précédente (marque des Offices, en bas à gauche; marque de la coll. Santarelli sur le montage).

Exposition Florence, 1968, n° 66, fig. 54.

Bibliographie

Cat. musée (coll. Santarelli), 1870, p. 558, n° 2; cat. musée (Ferri), 1890, p. 377; A. d. 95 et p. 61.

Œuvres en rapport

— Pour le portrait de Worcester, voir n° 63.
— Pour le pendant, le *Portrait de Pierre Subleyras*, voir notice précédente.
— Pour le tableau de Baltimore, souvent considéré comme un portrait de Mme Subleyras, voir notice 62.
— Pour un portrait de Madame Subleyras au pastel, dans la coll. Valenti Gonzaga (Pietrangeli, 1961, p. 51), voir rubrique *Œuvres en rapport*, notice H.C. 1.
— Un « portrait de Madame Subleyras, peint par son mari; il est de forme ovale de 15 pouces de haut », passe à la vente [Fournelle], 14 octobre 1776, n° 36. Gabriel de Saint-Aubin (1724-1780) a dessiné ce portrait (fig. 1) en marge de son exemplaire du catal. (aujourd'hui conservé à la Bibliothèque nationale à Paris).
— Une caricature par P.L. Ghezzi (fig. 2) est conservée à la Biblioteca Apostolica Vaticana (Ottoboni Lat. 3318, fol. 59[1]). Datée du 18 mars 1739, cinq jours avant le mariage du modèle avec Subleyras, elle nous montre l'artiste tenant à la main une miniature: Ghezzi considère Mme Subleyras comme une « bravissima miniatrice » et son mari comme un « bravo pittore, ed anche bravissimo a far ritratti ».

Fig. 2
P.L. Ghezzi, *Madame Subleyras*, Rome, Biblioteca Apostolica Vaticana.

1

L'Adoration des rois mages

Toile H. 153; L. 109,5.
Aix-en-Provence, musée Granet (Inv. 860-1-603).

Le tableau du musée Granet est inédit. Non seulement nous pensons qu'il peut être attribué à Subleyras, mais encore nous croyons qu'il fait partie d'un groupe d'œuvres de jeunesse de l'artiste exécutées dans le midi de la France bien avant son départ pour Paris (1726).

Les deux œuvres les plus célèbres de ce groupe sont l'*Adoration des bergers* (fig. 1) et l'*Adoration des mages* (fig. 2), dans la collection Czernin dès 1844, aujourd'hui à la Residenzgalerie de Salzbourg (A. 14 et 15).

Font aussi partie de ce groupe les esquisses pour ce dernier tableau (fig. 3) et pour un *Songe de Joseph* (fig. 4), tout récemment entrées au Louvre avec la collection A.P. de Mirimonde (Mirimonde, 1966, pp. 134-135), une autre esquisse, mais en hauteur, représentant elle aussi le *Songe de*

Provenance

Coll. Bourguignon de Fabregoules, entrée au musée d'Aix en 1860.

Bibliographie

Cat. musée (Gibert), 1867, n° 475 («Pierre»); cat. musée (Pontier), 1900, n° 208 («inconnu»); Granoux-Lansard, 1980, repr. couleur p. 80 («École française du XVIIIe siècle»).

Œuvres en rapport

Tableaux:
Pour les tableaux de même sujet de Salzbourg et de la coll. de Mirimonde, voir la notice.
Deux *Adoration des mages* passent en vente au XIXe siècle, le 13 mars 1850, n° 60 («veuve Pinel-Grandchamp») et le 16 mai 1882, n° 59 («coll. du Prince de Lichtenstein» [*sic*]), toutes deux sans indication de dimensions.

Dessins:
On mentionnera pour mémoire l'*Adoration des bergers* du Louvre, dessin qui provient de la coll. du comte d'Orsay (Inv. 32927) ainsi que la *Nativité* du musée de Pontoise (cat. exp., 1971-72, n° 96, ill. recto et verso).

Fig. 2 *L'Adoration des mages*, Salzbourg, Residenzgalerie.

Fig. 1 *L'Adoration des bergers*, Salzbourg, Residenzgalerie.

Fig. 3 *L'Adoration des mages*, Paris, musée du Louvre.

Fig. 4 *Le songe de Joseph*, Paris, musée du Louvre.

Fig. 5
Le songe de Joseph, Paris, coll. privée.

Joseph (fig. 5) conservée dans une collection parisienne, une *Sainte Famille* (fig. 6) d'un format comparable (H. 63,5; L. 48,5), attribuée à Subleyras en 1967 par Hermann Voss et aujourd'hui dans la collection Denis Mahon à Londres (voir *Il Giornale dell'Arte*, n° 26, septembre 1985, p. 33; Mahon mentionne son esquisse et parle de Subleyras: « un peintre qui me plaît beaucoup »), une *Décollation de saint Jean-Baptiste* (fig. 7), elle aussi d'une taille voisine, passée en vente à Londres, chez Christie's, le 14 octobre 1983 (n° 34, « circle of Carle Vanloo »), un *Job sur son fumier* (fig. 8) de la collection Fesch aujourd'hui au musée d'Ajaccio (attribué autrefois à Strozzi) et enfin une *Apparition de la Vierge à saint Roch* (fig. 9), cintrée en hauteur, propriété aujourd'hui encore, d'une célèbre collection privée montpellieraine.

Ces dix tableaux se distinguent par un goût très marqué pour les contrastes vigoureux d'ombres et de lumières (révélateurs, pour certains auteurs, de l'influence du caravagisme) et une exécution rapide et robuste, parfois encore malhabile mais non sans saveur.

Si l'attribution à Subleyras de ces tableaux ne nous paraît pas pouvoir être remise en cause (on relèvera tout particulièrement les particularités de l'exécution par petites touches serrées et parallèles et certaines trouvailles chromatiques constantes dans l'œuvre de l'artiste), notre proposition de les dater de la jeunesse de Subleyras peut surprendre.

Les débuts toulousains de Subleyras sont mal connus. On voudra bien se reporter à notre introduction et à la biographie détaillée pour tout ce qui concerne les points d'ancrage assurés. Rappelons seulement que l'on s'accorde à juste titre à

Fig. 6
La Sainte Famille, Londres, coll. privée.

Fig. 7
La Décollation de saint Jean-Baptiste, Paris, coll. privée.

Fig. 8
Job, Ajaccio, musée Fesch.

attribuer au jeune artiste cinq des grands ovales destinés à orner le plafond de l'église des Pénitents Blancs (cf. n° 3), tableaux trop grands et en trop mauvais état pour être présentés ici, et le *Sacre de Louis XV* du musée des Augustins de Toulouse (dessin préparatoire conservé au musée du Vieux Toulouse), œuvre malhabile dont une tradition qui ne remonte en fait qu'à 1794 nous assure qu'il a été peint par Subleyras en 1722 à partir d'un dessin de son maître Antoine Rivalz.

Si très vraisemblablement Subleyras a beaucoup peint avant son arrivée à Paris (voir à ce propos, outre le catalogue de l'exposition de *La Peinture de langue d'oc*, Abbaye de Flaran, 1984, par Jean Penent, que nous aurons à citer à de nombreuses occasions, le récent article de J.-Cl. Boyer consacré aux tableaux de l'église de Lavaur, 1985), il n'est pas facile de se faire une idée précise sur ce que furent ses débuts et sur les raisons qui poussèrent les condisciples toulousains de Subleyras à engager l'artiste à se rendre à Paris pour participer au concours de Rome et pour tenter sa chance.

Or les dix tableaux que nous avons cités plus haut, à la fois si fortement marqués par la tradition toulousaine et déjà d'un style nouveau, nous paraissent un début de réponse à cette interrogation.

Une vente Paillet du 30 janvier 1782 (n° 66, acquis pour 351 livres par « du Roy ») concerne en effet deux d'entre eux : « Pierre Subleyras. Deux Tableaux de pareille grandeur ; l'un représente l'Enfant-Jésus adoré par les Mages, l'autre l'Adoration des Bergers. Ces deux Morceaux, peints par cet habile Artiste *à l'âge de 17 ans* — c'est nous qui soulignons — annoncent le degré de supériorité auquel il devoit atteindre ». Les dimensions des deux œuvres, 37 pouces sur 50, correspondent à celles des deux toiles de Salzbourg (fig. 1 et 2 ; H. 100 ; L. 135).

D'où l'auteur du catalogue, l'expert Paillet, tenait-il que Subleyras avait peint ces deux tableaux à l'âge de 17 ans, donc en 1716-1717 ?

L'un des deux tableaux de Salzbourg, l'*Adoration des mages*, est signé et daté. Si tout le monde s'accorde sur la lecture du nom du peintre, celle de la date pose problème (fig. 10). Les catalogues de Salzbourg de 1936 et 1980 lisent « ... 18 AUG ». Un examen récent et attentif, que M. Raoul Ergmann a accepté de mener à bien pour nous, ne permet pas de conclure définitivement. Il semble cependant que « le 1 et le 8 qui sont lisibles peuvent correspondre à la fin du millésime plutôt qu'au quantième du mois (comm. écrite) et que les lettres AUG avaient pu faire allusion, avant une restauration malhabile et mal comprise, à la patrie d'origine de l'artiste, Uzès » (rappelons que Subleyras, dans ses signatures, a fréquemment accompagné son nom de celui de la première ville où il a vécu).

Les trois *Adoration des mages* d'Aix, de Salzbourg et de la collection Mirimonde sont sans doute d'une date sensiblement voisine. Elles confirment la précocité du talent de Subleyras à laquelle tous les biographes de l'artiste du XVIIIe siècle — Mariette le déclare à son arrivée à Paris « déjà un peintre fait » — font allusion.

Fig. 9
L'Apparition de la Vierge à saint Roch,
Montpellier, coll. privée.

Fig. 10
Signature qui se voit sur l'*Adoration des mages*,
Salzbourg, Residenzgalerie.

2

Portrait du sculpteur Pierre Lucas

Toile H. 88; L. 69.
Toulouse, musée des Augustins (RO 277).

Si l'identité du modèle et l'auteur du tableau ne font aucun doute, la date précise de son exécution pose problème.

Pierre Lucas (1691-1752) eut de son vivant quelque réputation en tant que sculpteur. Il passe pour avoir été le condisciple de Subleyras dans l'atelier d'Antoine Rivalz.

Selon Roucoule (1836), une « étroite amitié » unissait les deux hommes. Surtout, Lucas travaille de 1722 à 1724 aux sculptures en stuc du plafond de la chapelle des Pénitents Blancs sur un dessin de lui, approuvé par Antoine Rivalz et, en 1725 et 1726 Subleyras exécute cinq des quinze toiles ovales qui seront placées dans ce plafond (voir n° 3). Leurs liens de 1722 à 1726 durent être constants.

Lucas est représenté tenant un ébauchoir, la main droite appuyée sur un plâtre, une tête de Niobide dont, selon Mesuret (1960), il existait depuis longtemps à Toulouse une réplique (en fait un marbre, cat. musée, 1912, n° 367) conservée aujourd'hui au musée Saint-Raymond.

Au premier plan, posé sur un tapis vert, le *Traité d'Architecture* de Vitruve. Accrochés au mur à gauche, un paysage avec des fabriques dans un style qui évoque Étienne Allegrain, et une palette confirment que Pierre Lucas maniait également les pinceaux.

L'artiste est représenté en costume de travail, vêtu d'une veste marron, la chemise blanche

ouverte sur la poitrine, la tête coiffée d'un mouchoir lilas bordé d'une fine dentelle festonnée, une manche de chemise retroussée jusqu'au coude.

La date de l'exécution de l'œuvre n'a jamais pu être précisée. Nous pensons comme O. Arnaud qu'elle doit être de peu antérieure à 1726, date du départ de Subleyras pour Paris, de 1725 sans doute.

La critique récente, généralement sévère pour la période toulousaine de Subleyras, marque une admiration certaine pour le *Portrait de Pierre Lucas*. Philippe de Chennevières le trouve « froid mais bien peint ». Odette Arnaud, mais surtout Ernst Goldschmidt, témoignent de leur admiration, ce dernier allant jusqu'à le comparer au *Portrait de Pierre Quthe* de François Clouet « ainsi qu'à l'art de Chardin ».

L'œuvre vaut avant tout pour la franchise de l'observation et pour son réalisme sans apprêt.

Œuvres en rapport

François Lucas, fils du modèle, a gravé le portrait de son père par Subleyras postérieurement à sa mort en 1752. Un exemplaire de cette gravure est conservé au musée Paul-Dupuy à Toulouse (Inv. 4339; cat. exp. 1951, n° 262; voir aussi 1958, n° 90 et 1959, p. 38; nous reproduisons celui de la Bibliothèque nationale; fig. 1).

Une lithographie en sens inverse par Laget est parue dans *L'Artiste méridional*, février 1843 (« Pierre Lulas (*sic*) Sculpteur Toulousain », sur un des exemplaires de la gravure conservée à la Bibliothèque nationale, AA^2; fig. 2).
Mesuret (cat. exp. 1951) rapproche le tableau et la gravure d'un dessin passé dans une vente la Béraudière les 16 et 17 avril 1883 (n° 92) : « École française du XVIIIe siècle. Portrait d'un sculpteur. Un jeune homme à mi-corps tourné à droite et regardant de face, la tête couverte d'une espèce de toque, *les mains* — c'est nous qui soulignons — appuyées sur une tête de statue. Au crayon noir et sanguine. Haut. 41 cent. ; larg. 31 cent. ». Rien ne prouve que ce dessin soit en relation avec le tableau du musée des Augustins.

Provenance

Appartenait en 1764 à François Lucas, fils du modèle (1736-1813) (et non au chevalier de Bernon comme l'avance A.) et en 1784 à son frère cadet Jean-Paul; offert par celui-ci, le 4 juillet 1803 (15 messidor an XI), au musée de Toulouse dans les termes suivants : « Citoyen préfet, j'ai l'honneur de vous prévenir que je fais don au Musée de Toulouse du portrait historié de Pierre Lucas, mon père, peint par Pierre Subleyras. L'amitié et l'attachement ayant conduit le pinceau de ce fameux artiste, j'ai cru qu'il ne pouvait être mieux placé pour servir à l'étude des arts. Cependant, si le Musée était transporté hors de Toulouse ou supprimé, mes héritiers pourront le reprendre » (Archives de Haute-Garonne, cité par Roschach). Jean-Paul Lucas fut le premier conservateur du musée.

Expositions

Toulouse, 1764, n° 21 (« Du cabinet de M. Lucas, Professeur »); Toulouse, 1784, n° 55 (« A M. Lucas cadet »); Paris, 1878, n° 683; Toulouse, 1887, n° 134; Versailles, 1937, n° 207; Toulouse, 1942, n° 46; Flaran, 1984, n° 59, ill.

Bibliographie

Cat. musée (Lucas), 1805, n° 346 (« donné au Musée par son fils, conservateur du Musée); cat. musée, 1806, n° 346; cat. musée (Roucoule), 1836, n° 374; cat. musée (Suau), 1850. n° 359; Chennevières-Pointel, 1862, p. 211; cat. musée (George), 1864, n° 285; Bénezet, 1887, p. 574; cat. musée (Roschach), 1908, n° 277; R. pp. 192 et 199; A. 147 et pp. 52-53; G. p. 28 et pl. p. 9; Réau 1925, p. 32; Guitard, 1934, s.p.; Mesuret, 1960, p. 457; Vergnet-Ruiz et Laclotte, 1962, p. 252; Mesuret, 1972, pp. 141 et 429; *Ménestral*, n° 16, déc. 1977-janvier 1978, p. 13, ill.

Fig. 1
François Lucas,
Portrait de Pierre Lucas,
Paris, Bibliothèque nationale.

Fig. 2
Laget, *Portrait de Pierre Lucas*,
Paris, Bibliothèque nationale.

Le songe de saint Joseph

Pierre noire, rehauts de blanc sur papier bleu-vert.
En bas à gauche, à la plume : « Subleyras ».
H. 229 mm ; L. 156 mm
(composition inscrite dans un ovale).
Londres, Courtauld Institute Galleries
(Witt Collection, n° 496).

Les premières œuvres de Subleyras déconcertent. Comment croire que l'auteur de cette feuille d'un grand raffinement est également responsable des trois dessins puissants mais non sans lourdeur du musée Fabre de Montpellier (fig. 3, 5 et 7) ? Comment accepter que les deux ravissantes esquisses de Malte (fig. 9 et 10) sont de la même main que les cinq grands ovales de Toulouse ?

On ne reviendra pas ici sur l'historique de la commande du décor de l'église de la confrérie des Pénitents Blancs de Toulouse évoqué plus haut en détail. On rappellera simplement que la décoration en fut confiée à quelques-uns des meilleurs artistes toulousains du premier quart du XVIIIe siècle, Pierre Lucas, Antoine Rivalz (dont le *Jésus guérissant un aveugle*, peint pour les Pénitents Blancs, est aujourd'hui conservé dans l'église de l'hôpital de Garches ; fig. 11), Ambroise Croizat. L'intervention de Subleyras, qui peignit cinq des grands ovales du plafond, date de 1722 et se poursuivit jusqu'à son départ pour Paris en 1726.

Mais est-il vraiment l'*inventeur* des cinq compositions que l'on s'accorde à lui attribuer ? Les trois dessins du musée Fabre sont encore d'un style si proche des œuvres de Rivalz que l'on pourrait en douter (sauf à admettre, ce que rien n'exclut, qu'à ses débuts, Subleyras ait pastiché son maître). Quant aux esquisses de Malte, elles paraissent postérieures en date tant leur exécution est raffinée et sans faiblesse technique. Certes, si l'on en croit Maillot (1808-10), Subleyras ne renonça pas, une fois établi à Rome, à mener à bien l'exécution des plafonds de l'église, mais le même Maillot affirme qu'il en avait réalisé les esquisses avant son départ pour Paris.

Reste le dessin de Londres : nous pensons pour notre part qu'il a été exécuté à Paris, en vue de l'eau-forte (que nous n'avons, hélas, pu retrouver) ; on se rappellera qu'approximativement à la même date, vers 1727, Subleyras grava son *Serpent d'airain*.

Subleyras, à en croire, entre autres auteurs du XVIIIe siècle, l'abbé de Fontenay (1776, p. 590), lorsqu'il « vint à Paris... montra plusieurs dessins d'un plafond de son invention, qu'il avait exécutés à Toulouse. Si ces premiers morceaux commencèrent sa réputation », les grands ovales du musée des Augustins ne reçurent pas le même accueil au XIXe siècle.

Il est vrai — Lucas le disait déjà en 1800 — « qu'ils avaient été maltraités par la pluie » et qu'ils sont en médiocre état. Clément de Ris (1861, p. 308) trouve qu'ils « ressemblent à s'y méprendre à des Rivalz et (sont) empreints... de tous ses défauts ». Chennevières, l'année suivante, n'est pas moins sévère : « ils n'ont rien de la riche valeur, de la simplicité presque noble du Subleyras que l'on connaît dans l'histoire des arts ».

Le dessin de Londres ne mérite pas ces reproches : d'une grande justesse dans le rendu des instruments de travail de Joseph au premier plan, d'une poésie fine et délicate, il prouve qu'avant son départ pour l'Italie, Subleyras savait déjà son métier, avait déjà sa personnalité et qu'il ne doit pas tout à Rome.

Fig. 1
Le songe de saint Joseph,
Toulouse, musée des Augustins.

Fig. 2
La Circoncision,
Toulouse, musée des Augustins.

Fig. 4
Saint Pierre guérissant le paralytique,
Toulouse, musée des Augustins.

Provenance

Coll. Sir Robert Witt (acquis à une date indéterminée de Spencer, Londres); offert au Courtauld Institute of Art en 1952.

Expositions

Londres, 1962, n° 30; Swansea, 1962, n° 37.

Bibliographie: Inédit.

Fig. 3
La Circoncision,
Montpellier, musée Fabre.

Fig. 5
Saint Pierre guérissant le paralytique,
Montpellier, musée Fabre.

Œuvres en rapport

Étude préparatoire pour le grand tableau de même sujet aujourd'hui au musée des Augustins de Toulouse (fig. 1; ovale; H. 268; L. 200). Le dessin de Londres a très certainement été gravé par Subleyras lui-même comme le confirment d'une part Robert-Dumesnil, 1871, p. 309, qui s'appuie sur les « notes manuscrites » de Mariette (que nous n'avons pu localiser), et d'autre part le fait qu'il est « rougi » au verso et passé au trait. En fait, un exemplaire de cette gravure passe à la vente Henri Delacroix le 31 mars 1962, n° 309; il nous a été malheureusement impossible de le retrouver.
Le tableau des Augustins a orné primitivement le plafond de la chapelle des Pénitents Blancs avec quatre autres compositions de Subleyras: la *Circoncision* (fig. 2; dessin préparatoire contrecollé sur toile avec variantes au musée Fabre de Montpellier autrefois attribué à Vouet; fig. 3; H. 38; L. 29; pour un tableau de même sujet, voir ventes Auvray, 7 mai 1868, n° 37 et Président de S... M..., Orléans, 8 avril 1875, n° 30), *Saint Pierre guérissant le paralytique* (fig. 4; dessin préparatoire à Montpellier; fig. 5), *Joseph explique les songes à Pharaon* (fig. 6; une esquisse — celle exposée à Toulouse en 1772, n° 80; Mesuret, 1972, p. 227? — passe en vente le 23 janvier 1824, n° 28; bois, H. 15 pouces sur 11 pouces; « on y reconnaît le génie de cet homme appelé à ramener les vrais principes dont on s'était trop longtemps écarté »; un dessin à Montpellier; fig. 7) et l'*Annonciation* (fig. 8; comme pour le *Songe de saint Joseph*, un dessin pour cette composition a très vraisemblablement été gravé par Subleyras lui-même). Nous connaissons encore deux esquisses dans la collection Cauchi à Rabat (Malte) représentant la *Présentation au Temple* (fig. 9) et l'*Adoration des bergers* (fig. 10; H. 37,5; L. 27). Ces deux tableaux sont sans doute les projets non réalisés pour deux des ovales du plafond de la chapelle des Pénitents Blancs. Les dix autres tableaux qui traitent eux aussi de l'Ancien et du Nouveau Testament, dont cinq *au moins* sont conservés au musée des Augustins de Toulouse, sont d'Ambroise Croizat (Roschach, en 1908, donne leurs sujets à partir de l'inventaire de la saisie révolutionnaire des 22-23 mars 1794).

Fig. 6
Joseph explique les songes à Pharaon,
Toulouse, musée des Augustins.

Fig. 8
L'Annonciation,
Toulouse, musée des Augustins.

Fig. 7
Joseph explique les songes à Pharaon,
Montpellier, musée Fabre.

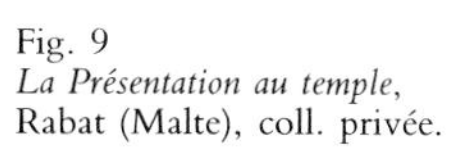

Fig. 9
La Présentation au temple,
Rabat (Malte), coll. privée.

Fig. 10
L'Adoration des bergers,
Rabat (Malte), coll. privée.

Fig. 11
Antoine Rivalz, *Jésus guérissant un aveugle*,
Garches, église de l'hôpital.

4

Moïse et le Serpent d'airain

Toile H. 96; L. 129.
Nîmes, musée des Beaux-Arts (dépôt du Louvre, Inv. 7999).

Le samedi 30 août 1727, Subleyras recevait le premier Prix de peinture de l'Académie sur présentation de son tableau le *Serpent d'airain* devant Louis-Gabriel Blanchet. Le 20 mars 1728, Louis de Boullongne, Premier peintre du roi, lui remettait la médaille d'or du Grand Prix. Ce sont là deux des rares renseignements qui nous soient parvenus sur le séjour parisien de Subleyras.

Les auteurs du XVIIIe siècle qui tous mentionnent le *Serpent d'airain* s'accordent, à quelques nuances près, sur les faits. « On l'envoya à Paris à l'âge de vingt-cinq ans en 1724 » (certains auteurs écrivent 1725; en fait, il est encore à Toulouse au début 1726; on aimerait en savoir plus sur ce mystérieux « on ») « et il montra plusieurs desseins de plafonds de son invention, qu'il avait exécutés à Toulouse » (ce sont, à notre avis, les trois études très achevées pour les plafonds des Pénitents Blancs de Toulouse conservées sous le nom de Vouet au musée Fabre à Montpellier; voir nº 3). « Ces premiers morceaux le déclarèrent un génie créateur et furent fort estimés: il concourut deux ans après » (en fait en 1727; le Grand Prix est souvent daté de 1726 sur la foi du texte erroné de d'Argenville) « et remporta le premier ».

Le tableau fut, à en croire Delamonce (1753), vite admiré (« une intelligence et une harmonie des plus rares dans de pareils essais ») et le resta jusqu'au début du XIXe siècle. La comparaison entre les textes des deux éditions de Landon est révélatrice du discrédit dans lequel l'œuvre de l'artiste tomba au début du XIXe siècle. « La richesse de l'ordonnance » (1802) « n'est pas toujours d'un grand caractère » (1832) et « le bon ton de couleurs et la délicatesse du pinceau » (1802) ont été « sacrifiés à une facilité d'exécution trop prisée de son temps » (1832). Charles Blanc en 1865, tout en appréciant la « couleur agréable et dorée », « la touche libre », est particulièrement sévère, qui juge la composition « théâtrale », « facilement conçue », « sans caractère » et insiste à juste titre cette fois « sur la répétition du même type de figures, particulièrement de certain modèle de femme ».

Le sujet imposé à l'artiste, souvent abordé par les peintres et les dessinateurs (Poussin, Bourdon, La Fage, cités par Blanc, Rubens par Goldstein, David (en fait Le Brun) par Rosenblum, Rivalz, dessin daté de 1690 à Amsterdam, fig. 5; voir Rosenberg, 1975, p. 185, fig. 5, dont Subleyras s'est évidemment souvenu, comme du tableau de Le Brun aujourd'hui à Bristol), est bien connu: Moïse montre aux

Israélites le serpent d'airain dont la vue doit guérir ceux que les reptiles envoyés par le Seigneur avaient mordus. L'intéressant est la manière dont il l'aborde. Il use de couleurs claires et juxtaposées avec délicatesse, notamment d'une grande variété de lilas et de bleus, sa composition encore trop chargée et trop chargée en références aux œuvres de Poussin se veut statique et claire. Elle retient de Lemoine, dont la marque semble évidente, non tant la liberté de l'exécution que la finesse de la touche et l'élégance et la fluidité des lignes.

On ne mentionnera pas le nom de Lemoine, sans évoquer celui de son rival Jean-François de Troy. Son père, François de Troy, né à Toulouse en 1679, était peut-être pour quelque chose dans la venue de Subleyras à Paris. On rappellera encore que quelques semaines avant que le Grand Prix ne soit attribué à Subleyras, le duc d'Antin, surintendant des Bâtiments, avait décidé de faire concourir les peintres d'histoire les plus en vue du moment. Lemoine et Jean-François de Troy s'étaient partagés les cinq mille livres du prix. Le concours de 1727 (voir Rosenberg, 1977) avait en tout cas permis à Subleyras de se faire une idée assez précise des talents de ses aînés.

Si nous ignorons tout sur les circonstances du voyage de Subleyras à Paris et sur les amitiés qu'il put y nouer, si aucun document ne nous a éclairés sur le détail de ce séjour et sur son importance, il faut cependant rappeler qu'il remporta le Grand Prix devant Blanchet, que Trémolières, qui allait devenir son beau-frère, avait obtenu le Second Prix en 1726, Natoire le Premier Prix en 1721, Boucher en 1723, Carle Vanloo en 1724, Dandré-Bardon en 1725 et Frontier en 1728 (qui abordera le sujet du *Serpent d'airain*, tableau du Salon de 1743, aujourd'hui à l'église Sainte-Blandine de Lyon). Quelques-uns de ces artistes qui avaient rivalisé à Paris devaient se retrouver à Rome. Tous, avec plus ou moins de bonheur, chacun avec sa personnalité, allaient jouer un rôle non négligeable dans l'histoire de la peinture française du siècle.

Fig. 6
Pujol de Mortry, *Le Serpent d'airain*,
Paris, Bibliothèque nationale.

Provenance

A l'Académie Royale de peinture et de sculpture jusqu'en 1799, exposé dans la deuxième salle du Modèle; dès 1799 au Louvre; déposé à Nîmes en 1954.

Exposition

Rennes, 1986, *n° 28*.

Bibliographie (essentielle)

Delamonce, 1753, voir Pérez, 1981; Pernéty, 1757, p. 284; Dezallier d'Argenville, 1762, pp. 449-50; Fontenay, 1776, p. 590; Papillon de la Ferté, 1776, p. 652; *Giornale*, 1786, p. 162; *Memorie*, 1786, pp. XXVII et XXXVI; cat. du musée central des arts, An VII (1799), n° 94; *Magasin pittoresque*, 1853, p. 340; cat. musée (Villot), 1855, n° 503; Nicolas, 1859, p. 23; Le Blanc, 1865, pp. 2 et 8; Lavice, 1870, p. 207; *Procès-verbaux*, 1883, VI, pp. 32 et 40; Saint-Raymond, 1892, p. 130; Saunier, 1896, pp. 9 et 20; Merson, 1900, p. 204; Guiffrey et Barthélémy, 1908, p. 26; Fontaine, 1910 (et 1930), p. 145, n° 66; cat. musée (Brière), 1924, n° 852; R. pp. 192 et 197; G. pp. 15 et 21-22; A. 7 et p. 53; Alcanter de Brahm, 1935, p. 106; Pigler, 1956, p. 107; Alauzen, 1962, pp. 73, 240 et fig. 32, p. 75 (détail en couleurs); Laclotte et Vergnet-Ruiz, 1962, p. 44 et 252; Chauvet, 1963, p. 64; Rosenblum, 1963, p. 558; Vergnet-Ruiz, 1966, pl. II; Goldstein, 1975, p. 106 et fig. 7; Rosenberg, 1977, pp. 29 et 32; Gaehtgens, 1978, p. 131 et fig. 6 (détail); Pérez, 1981, p. 498; Mc Allister Johnson, 1983, p. 124, fig. 5.

Œuvres en rapport

Tableau :
Une esquisse à l'huile sur papier (7 pouces de hauteur sur 8 pouces 6 lignes de largeur) passe à la vente du bailli de Breteuil le 16 janvier 1786, n° 45.

Dessins :
Une copie ancienne d'après la gravure au Cabinet des dessins de Copenhague (5968; fig. 1); une autre d'après le groupe central du tableau provenant de la coll. Chennevières et attribuée à Léon Bénouville (1821-1859) passée en

Fig. 1
D'après Subleyras, *Le Serpent d'airain*,
Copenhague, Cabinet des dessins.

vente à Paris le 6 décembre 1982, n° 85, est aujourd'hui conservée dans une coll. privée près de Metz (fig. 2). Un dessin «à la sanguine et au crayon noir» passe en vente à Paris les 13 avril 1863 et suivants (n° 191), un autre à l'encre de Chine, le 20 décembre 1869, n° 149 (coll. Pascalis, de Marseille). A. catalogue un dessin (A. d.1) à la sanguine dans la coll. «J. Beitscher, à Berlin» (le «dessin» du musée Fabre à Montpellier (07-6-2) n'est en fait qu'une gravure dont les marges ont été rognées).

Gravures :
Subleyras a gravé à l'eau-forte en sens inverse son tableau (Basan, 1767, p. 484; R.D. 2; Nagler, 2; A.g.1). Le Blanc (III, 1), puis Duplessis (p. 308, dans son supplément à R.D.), les premiers, ont signalé l'existence de deux états (le premier sans l'inscription «Tabula *à* Petro...»; fig. 3 et 4). Le second état figure dans l'ouvrage de Bouchard et Gravier, *Compositions de Grands Peintres Modernes...*, Rome, 1786, pl. 112. L'auteur du cat. de la vente His de la Salle du 21 avril 1856 (n° 1139) affirme avoir vu «une épreuve avant la lettre». Mesuret (cat. exp. Toulouse, 1959, n° 41) a voulu lire *Sublegras* sur l'épreuve de la gravure conservée au musée Paul-Dupuy. Toutes les épreuves que nous avons vues portent une inscription identique. La gravure passe fréquemment en vente (24 avril 1775, n° 708; coll. van den Zande, 1855, les deux états, n°s 2528 et 2529; 2 décembre 1861, n° 438, premier état; 24-25 avril 1866, n° 417; 13-15 mars 1876, n° 725, premier état «plus la copie de la même pièce par Pujol de Mortry»; 31 mars 1962, coll. H. Delacroix, les deux états, le premier en 1974 chez Colnaghi, etc.).
La gravure a été copiée en 1766 par Alexandre Denis Joseph de Pujol de Mortry (1737-1816), père d'Abel (Salon de Valenciennes, 1786, n° 4; Bibliothèque nationale, AA 3; fig. 6): un exemplaire de cette gravure passe à la vente James Hazard, le 15 avril 1780, n° 3746, un autre est signalé en 1876 (voir plus haut).
Le tableau a été gravé par C. Normand dans les *Annales du Musée...* de C. Landon, 1802, II, pl. 32 (avec une notice sur Subleyras, pp. 63-64; 2e éd., 1832, III, pl. 50, pp. 90-91, texte de la notice modifié) et par E. Bocourt et E. Sotain dans la *Vie* de Subleyras de Ch. Blanc (1865).
La gravure de Subleyras illustre l'ouvrage d'O. Merson (1900, p. 203, fig. 64).

Fig. 2
Léon Bénouville (?), *Le Serpent d'airain*, Metz, coll. privée.

Fig. 3
Le Serpent d'airain (premier état), Paris, Bibliothèque nationale.

Fig. 4
Le Serpent d'airain (second état), Paris, Bibliothèque nationale.

Fig. 5
Antoine Rivalz,
Le Serpent d'airain,
Amsterdam,
Rijksmuseum.

5

Portrait de Madame de Poulhariez et de sa fille

Toile H. 128; L. 96.
Carcassonne,
musée des Beaux-Arts
(Inv. 845.66.88).

L'attribution à Pierre Subleyras de ce double portrait de Mme de Poulhariez et de sa fille est de tradition familiale, puisque le tableau fut légué au musée de Carcassonne par le chanoine Pinel, curé de l'église Saint-Vincent et descendant direct des Poulhariez dont il habitait la maison. La date habituellement proposée est celle de son pendant, de la main d'Antoine Rivalz dit-on ou plutôt d'un élève peu doué, qui représente Pierre de Poulhariez en habit de capitoul de la ville de Toulouse (fig. 1). Ce portrait officiel entre dans le cadre des peintures exécutées chaque année en l'honneur du nouveau consistoire, ici 1724, inscrit au-dessus des armes du nouveau capitoul. On dit que c'est à cette occasion que Pierre Poulhariez commanda le portrait de sa femme et de sa fille à Pierre Subleyras.

Mais faut-il lier aussi étroitement dans le temps les deux tableaux? Celle que l'on voit assise sur une chaise basse à côté de sa mère est la quatrième des cinq filles de Pierre Poulhariez (1671-1748), marchand-drapier à Carcassonne, annobli par les charges municipales qu'il occupa à Toulouse et de Jeanne Dardé (1680-1758), issue d'une famille de Saint-Hilaire, de petite noblesse. L'aînée Jeanne, se maria en 1717 à 20 ans; les deux suivantes moururent en bas âge; la dernière Marguerite fut professe au couvent des hospitalières de Limoux. Il reste Anne née en 1715 qui épousa le 4 février 1731 à Carcassonne Louis Pascal, propriétaire de la manufacture royale de Montolieu. Elle paraît ici avoir plus des neuf ans qu'il faudrait lui donner si le tableau datait de 1724. Elle tient aussi dans la main un brin de fleur d'oranger que l'on interprète comme un symbole d'accordailles et qui tendrait à rapprocher le portrait de 1731.

On ne peut cependant reculer la date au-delà de l'été 1728 qui marque le départ de Subleyras pour Rome. Entre 1724 et 1728, on sait fort peu des allées et venues du peintre. Au début de 1726, il est de passage à Toulouse aux dires mêmes des Pénitents Blancs, mais il s'en ira bientôt tenter sa chance à Paris. Il y a aussi des présomptions qu'il soit passé par le Languedoc avant de quitter la France. Mieux encore qu'en 1726, il aurait alors corrigé le classicisme austère de Rivalz par un air parisien: recherche d'élégance, gratuité de certains détails comme le chien, le vase, l'étoffe déployée au premier plan.

Le *Portrait de Mme de Poulhariez et de sa fille* est très diversement jugé par la critique. O. Arnaud, en règle générale très sévère pour les œuvres toulousaines de Subleyras, le qualifie de «médiocre», alors que Goldschmidt, tout en regrettant son côté «portrait d'apparat», le trouve «plus monumental qu'un Rigaud» et admire avec raison «le jeu combiné des tonalités roses et des ombres bleutées».

Malgré des maladresses dans la composition, l'œuvre se veut élégante et tente de rivaliser avec les créations de Rigaud et de Largillierre, dont Subleyras avait pu admirer des exemples à Toulouse (et à Paris?). Elle insiste sur la réussite financière évidente des modèles, sur leurs riches toilettes, mais l'artiste n'idéalise pas plus les traits de l'opulente mère que ceux déjà empâtés de la grassouillette fillette.

L'œuvre prend tout son sens si l'on songe aux portraits de femmes peints quelques années plus tard en Italie. Elle n'en a pas encore la simplicité et la subtile harmonie colorée, mais déjà Subleyras, qui semble avoir trouvé son type féminin, surprend par la franchise de son ton, honnête et direct.

Pierre de Poulhariez paraît avoir gardé des contacts avec Subleyras. Il lui commanda pour la chapelle des Pénitents Bleus de Carcassonne une *Communion de saint Jérôme*, récemment retrouvée et restaurée, visible aujourd'hui à l'église Saint-Vincent (fig. 2). Ce tableau, qui pastiche les tableaux de même sujet du Dominiquin et plus encore d'Augustin Carrache, date très vraisemblablement des premières années romaines de Subleyras. Il semble encore lui avoir commandé (Mahul) pour Saint-Vincent de Carcassonne un *Empereur Héraclius portant sa croix* dont une esquisse qui appartient à une collection privée anglaise — identifiée dans le catalogue comme représentant *Saint Ambroise et l'empereur Théodose* — nous garde peut-être le souvenir (notice 96, fig. 8; cat. exp. Houston, 1973-75, n° 76, ill.).

Provenance

Ancienne coll. de l'abbé François-Xavier Pinel (1764-1837), arrière petit-fils de Pierre de Poulhariez, l'époux de Mme de Poulhariez; entré au musée entre 1836 et 1845.

Expositions

Carcassonne, 1859, n° 68 (notice par Jules Buisson); Toulouse, 1887, n° 122; Copenhague, 1935, n° 200; Carcassonne, 1938, n° 201; Flaran, 1984, n° 58, ill.

Bibliographie

Cat. musée, 1847, n° 91; cat. musée, 1864, n° 140; Buisson, 1870, p. 53; Mahul, 1872, pp. 210-211 et 380; Bénezet, 1887, p. 574; R. p. 199; Réau, 1925, p. 32, ill.; G. pp. 28-30 et pl. p. 13; A. 151 et p. 52; Mesuret, dans cat. exp. Toulouse, 1956, p. 74; Laclotte et Vergnet-Ruiz, 1962, p. 252.

Fig. 1
Antoine Rivalz (?)
Portrait de M. de Poulhariez,
Carcassonne, musée des Beaux-Arts.

Fig. 2
La dernière communion de saint Jérôme,
Carcassonne, église Saint-Vincent.

Étude de jeune femme agenouillée sur un lit (Psyché)

Pierre noire, estompe, rehauts de blanc sur papier bleu.
H. 470 mm; L. 376 mm (de format irrégulier).
Paris, musée du Louvre, Cabinet des dessins (Inv. 35052).

«Il y en a un autre plus fait, que la princesse Pamphile a recommandé; c'est un garçon qui a été élevé en province; ce n'est pas un méchant sujet; il a de la peine à revenir des premières préventions, aussi cela est-il très difficile; cependant, il vient de finir un de nos dessus de porte où il y a bien du bon et il y a à souhaiter», écrit Vleughels, directeur de l'Académie de France à Rome, à d'Antin, surintendant des Bâtiments, le 5 mars 1732 (*Correspondance des directeurs*, VIII, 1898, p. 306).

Ce «dessus de porte», peint pour le siège de l'Académie de France à Rome, le palais Mancini, nous savons par les *Memorie* (1786, p. XXXV) qu'il représentait *Amour et Psyché*. Récemment retrouvé en Belgique (cat. exp. Bruxelles, 1985, n° 8, ill.), il permet de rendre en toute certitude à Subleyras la feuille du Louvre exposée sans attribution à Paris en 1983.

Le dessin est capital: tout d'abord, nous savons aujourd'hui comment Subleyras dessinait en 1732, alors qu'il habitait Rome depuis quatre ans: s'il cerne le corps du modèle par une ligne nettement marquée, il indique les ombres en utilisant avec habileté la craie et l'estompe. Le dessin du Louvre nous apprend encore que l'artiste travaillait d'après le nu féminin, pratique formellement proscrite à l'Académie, mais dont nous gardons plusieurs témoignages: le *Nu* du Palais Barberini (n° 59) prouve que Subleyras ne se contenta pas de dessiner d'après le modèle féminin, mais qu'il alla jusqu'à le peindre, ce qui, à Rome, au XVIIIe siècle, demeure exceptionnel.

La redécouverte du dessus de porte de Subleyras de l'Académie de France à Rome, qui se trouvait seul, en 1758 «dans l'autre chambre qui est la dernière sur la rue» (*Correspondance...*, XI, 1901, p. 225), puis en 1781 dans la même pièce que celui de Trémolières (*Correspondance...*, XVI, 1907, p. 442), permet d'espérer que les autres tableaux qui ornaient le Palais Mancini, pillé rappelons-le en 1793, seront un jour retrouvés.

Le dessin du Louvre comme le tableau de Bruxelles prouvent que Subleyras reste encore, dans ses premières œuvres romaines, attaché aux exemples français: l'*Amour et Psyché* de Vouet (fig. 2; original? au musée de Lyon, Crelly, 1962, n° 60, fig. 26) a sensiblement influencé le tableau de même sujet de Subleyras.

Provenance

Coll. du comte d'Orsay (1748-1809; sa marque, Lugt 2239, en bas à gauche); saisie en 1793 (marque du Louvre, Lugt 1886).

Exposition

Paris, 1983, n° 86, ill. («École française, première moitié du XVIIIe siècle», notice par J.-F. Méjanès) et p. 182 (Ors. 861).

Œuvres en rapport

Étude préparatoire pour l'*Amour et Psyché* peint par Subleyras pour le Palais Mancini à Rome, en 1732 dans «l'autre chambre qui est la dernière sur la rue» (*Correspondance* [1758], XI, 1901, pp. 225-226; T. H. 137; L. 193: au verso de la toile, inscription ancienne: «Psyché ou la Raison armée contre l'Amour / auctor Subleyras»). Le tableau (fig. 1), à l'origine un dessus de porte, aujourd'hui dans le commerce à Bruxelles (cat. exp. 1985, n° 8, ill.), provient de la vente Laneuville, 20 janvier 1823, n° 32: nous ignorons à quelle date et dans quelles circonstances (on sait que l'Académie de France a été pillée en 1793) le dessus de porte de Subleyras disparut du Palais Mancini: il y était encore en 1781, date d'un «État des tableaux, portraits, qui sont dans l'appartement ci-devant du Roy et dans celui du directeur» signé par Vien et pour copie conforme le 9 juillet 1796 par Suvée (*Correspondance...* XVI, 1907, p. 442).

Fig. 1
Amour et Psyché,
Bruxelles,
commerce d'art.

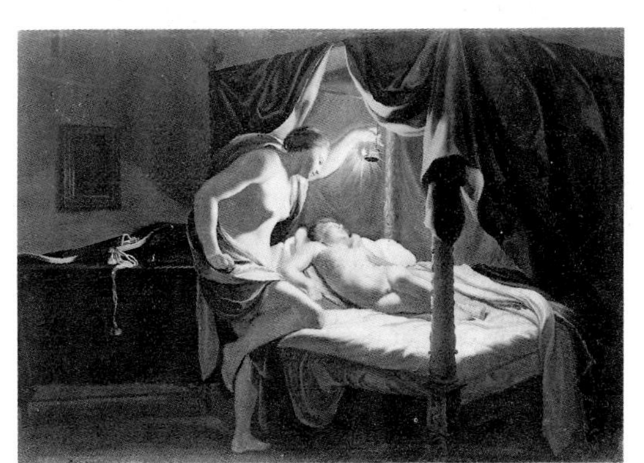

Fig. 2
Simon Vouet
(ou copie).
Amour et Psyché,
Lyon, musée
des Beaux-Arts.

Le Martyre de saint Hippolyte

Toile H. 74; L. 100.
Fontainebleau, musée du château (dépôt du Louvre, Inv. 8002).

Hippolyte, avait été condamné à mort. Les *Actes* des martyrs nous apprennent qu'il fut amené devant le préfet de Rome lequel s'écria, apprenant son nom « Eh bien, qu'il soit traité comme le fils de Thésée et traîné par des chevaux ». Le préfet Valerianus, entouré de ses conseillers, assiste à son martyre.

On ignore à quelle date Subleyras exécuta pour le duc de Saint-Aignan (1684-1776), ambassadeur de France à Rome, son *Martyre de saint Hippolyte*. On ignore également s'il avait peint en premier la version aujourd'hui perdue qui avait appartenu au peintre Charles Natoire (1700-1777) et que Louis-Joseph Le Lorrain (1715-1759) allait graver (fig. 4) durant son séjour à Rome (1740-1749).

En tout cas, Gabriel de Saint-Aubin dessina, au moment de leurs ventes, en 1776 et en 1778, en marge de ses catalogues, les deux versions (fig. 1 et 2) de la composition, et il paraît certain que le prénom de Saint-Aignan, Hippolyte, est pour quelque chose dans cette commande: au numéro suivant de la vente après décès du duc (n° 45; le tableau passe en vente à quatre reprises entre 1781 et 1844) figurait un « Hyppolite de la Fable, emporté dans son char par ses chevaux, que

Fig. 1
Gabriel de Saint-Aubin, *Le Martyre de saint Hippolyte* (version Saint-Aignan), Paris, Bibliothèque de l'Institut.

Fig. 2
Gabriel de Saint-Aubin, *Le Martyre de saint Hippolyte* (version Natoire), Paris, Bibliothèque nationale.

Fig. 3
Subleyras (atelier de), *Le Martyre de saint Hippolyte*, Rome, Ministère du Trésor.

Fig. 4
L.J. Le Lorrain, *Le Martyre de saint Hippolyte*, Paris, coll. privée.

Neptune excite de son trident » dont seul le dessin de Saint-Aubin (fig. 5), en marge de son exemplaire du catalogue, nous garde le souvenir. Jean-François de Troy avait déjà abordé ce même sujet en 1727, alors que le *Martyre* du saint par Subleyras allait inspirer le tableau de Simon Julien (1735-1800) peint en 1762 pour Jean de Jullienne, aujourd'hui conservé à la cathédrale Saint-Jean de Lyon (fig. 6; Ternois, 1978).

Pierre, Premier peintre du roi, jugeait sévèrement la collection Saint-Aignan (voir Furcy-Raynaud, 1906): « les tableaux françois, écrit-il en 1776, qui en forment la masse ont été peints par des pensionnaires dont les talents n'étoient pas totalement mûrs. M. Vernet mérite cependant une exception et lorsque M. Subleyras fit les siens, il terminoit ses études; mais il n'étoit point arrivé au degré de célébrité qu'il a mérité depuis ».

Ce sera cependant, de tous les tableaux de Subleyras acquis par le duc durant son ambassade romaine, le *Martyre de saint Hippolyte* qui sera choisi pour la collection du roi. A cette date, peu d'œuvres de l'artiste correspondaient aussi bien à la nouvelle esthétique « anti-baroque » depuis peu à la mode (Suvée, mais aussi Beaufort). Et que David ait regardé le tableau paraît assuré pour qui se souvient des *Funérailles de Patrocle* (1778-1779) de la National Gallery de Dublin (fig. 7). Louis Viardot l'avait remarqué, qui écrivait dès 1860: « S'il faut absolument trouver dans l'école française un lien traditionnel pour la peinture historique entre la décadence qui suivit Le Brun et la rénovation qui précéda Louis David, j'aimerais mieux la chercher dans François Lemoyne et dans Pierre Subleyras... ».

Subleyras fuit le mouvement: il fige sa composition qui pourtant appelle le geste, en fait une frise élégante et vibrante certes, mais volontairement arrêtée.

Si le martyre du saint ne nous touche guère et si Subleyras paraît quelque peu extérieur au sujet qu'il traite, « la touche libre et savante », le « ton de couleur », la finesse du dessin, tant vantés au XVIIIe siècle, n'ont aujourd'hui rien perdu de leur séduction.

Fig. 6
Simon Julien,
Le Martyre de saint Hippolyte, Lyon, cathédrale Saint-Jean.

Fig. 5
Gabriel de Saint-Aubin,
La mort d'Hippolyte, Paris, Bibliothèque de l'Institut.

Fig. 7
David,
Les funérailles de Patrocle,
Dublin, National Gallery.

Provenance

Coll. du duc de Saint-Aignan, sa vente après décès, 17 juin 1776, n° 44; acquis pour le roi à cette vente sur ordre du surintendant des Bâtiments, le comte d'Angiviller, pour 1 501 livres (une lettre de Pierre à d'Angiviller du 7 juin 1776 fait allusion à cette vente; voir Furcy-Raynaud, 1906); selon Durameau, à la Surintendance en 1784; déposé au Pavillon Neuf du Louvre en 1785; inventorié au Magasin de la Surintendance à Versailles le 23 septembre 1792, sous le n° 62 (A.N. F 17 - 1036 A, n° 11); Musée spécial de l'école française à Versailles en 1802 (cat. An X, n° 246); exposé en 1809 au musée Napoléon; musée du Louvre; déposé à Fontainebleau en 1904.

Expositions

Fontainebleau, 1920, n° 29; Moscou-Léningrad, 1978, n° 91.

Bibliographie

Cat. musée (Versailles), 1802, n° 246; cat. musée (Villot), 1855, n° 506; Blanc, 1865, p. 8; Lavice, 1870, p. 208; Engerand, 1900, pp. 631-632; Furcy-Raynaud, 1906, p. 95; Dacier, 1913, VIII, pp. 47, 60 et 10 du *fac simile*; Brière et Communaux, 1925, p. 67; cat. musée (Brière), 1924, n° 855; Voss, 1924, p. 643; R. p. 198; A. 62 et pp. 56 et 69; Rosenberg et Le Moël, 1969, p. 61; Rosenberg, 1978, pp. 175 et 199; Ternois, 1978, p. 235.

Œuvres en rapport

Tableaux:
— Le tableau de la vente Natoire (14 décembre 1778, n° 20; H. 28 pouces; L. 37 pouces) est dessiné, comme celui de la vente Saint-Aignan, par Gabriel de Saint-Aubin en marge de son exemplaire du cat. (fig. 2; Dacier, 1913). Une variante distingue ce tableau de celui de Fontainebleau dessiné, lui aussi, par Saint-Aubin, deux ans auparavant en marge de son exemplaire du cat. de la vente Saint-Aignan (fig. 1): sur ce dernier, deux anges, en haut à droite, se disputent une couronne de fleurs. Sur celui de la vente Natoire, un seul ange tient la couronne et la palme du martyre. La version de la coll. du comte de Merle (« Pierre Fubleyras (*sic*), 1 mars 1784, n° 9) est plus petite (H. 24 pouces; L. 30 pouces). Elle repasse en vente à Londres, chez Christie's, les 29-30 avril 1785, n° 70 (« Subilaris (*sic*), Hector exposing the body of Achilles, from the cabinet of M. le C. D. Merle »), puis, à deux reprises, chez Robit (6 décembre 1800, n° 145 et 11 mars 1801, n° 133; acquis pour 750 francs par Laneuville). Les descriptions des catalogues prouvent que ce tableau ne peut se confondre avec celui de la vente Natoire (1784: « un groupe de deux figures mortes occupe la droite; et en second plan, du même côté, sont placés des Juges »).
— Il existe une version de cette composition déposée par la Quadreria della Cassa Depositi e Prestiti au Ministère du Trésor de Rome (fig. 3; cat. Faldi, 1956, n° 77, pl. 28). Ce tableau, catalogué dès 1857 au Mont-de-Piété de Rome (p. 69, n° 1771), et vendu par celui-ci en 1875 (21 décembre, n° 974 / 1771), mesure H. 75; L. 96 et paraît correspondre au tableau Natoire. Quelques faiblesses dans son exécution nous interdisent d'y voir un original de la main de Subleyras et expliquent peut-être (sans la justifier) l'attribution qu'il portait depuis 1857 et encore en 1956: Niccolò Lapiccola (c. 1730-1790).
— Jean-Pierre Samoyault nous a signalé en 1974 une copie du tableau, dans une collection privée de Calais, attribuée par son propriétaire à Gericault.

— Le *dessin* du Louvre en relation avec le tableau est catalogué sous le n° 8.

— La *gravure* de Louis-Joseph Le Lorrain (fig. 4; Rosenberg, 1978, p. 175, ill. p. 173) copie le tableau de la collection Natoire et non pas celui du Louvre. Elle illustre l'ouvrage de Bouchard et Gravier, *Compositions de Grands Peintres Modernes*, Rome, 1786.

Le Martyre de saint Hippolyte

Pierre noire, lavis gris et jaunâtre avec rehauts de craie sur papier gris. H. 344 mm ; L. 487 mm (de format irrégulier).
Paris, musée du Louvre, Cabinet des dessins (Inv. 32923).

L'exécution de ce dessin est très soignée, minutieuse même. Et pourtant il offre des variantes importantes avec le tableau de Fontainebleau (voir notice précédente) et avec les autres versions connues de la composition (notamment en ce qui concerne le cheval, sur la gauche de la feuille). Subleyras, en fait, a aimé dessiner de cette manière sèche et précise, en réaction contre la virtuosité et la liberté dont avaient fait preuve tant d'artistes romains de la seconde moitié du XVIIe siècle et qu'à son tour Pompeo Batoni allait adopter.

Provenance

Coll. du comte d'Orsay (1748-1809 ; marque, Lugt 2239, en haut à gauche) ; saisie en 1793 avec l'ensemble de la coll. (marque du Louvre, Lugt 1886, en bas à droite).

Bibliographie

A. d. 36 ; Méjanès, dans cat. exp., 1983, p. 175 (Ors. 629).

Œuvres en rapport

Voir la notice précédente.

9

La Flagellation du Christ

Toile H. 155; L. 116.
Signé en bas à droite sur le socle de la colonne:
« SVBLEYRAS. IN. ET.P. / ROMAE. »
Montauban, musée Ingres (843-7).

Le tableau a souffert: il semble avoir été horizontalement plié régulièrement tous les dix centimètres comme s'il avait été roulé et écrasé et la restauration, vieille aujourd'hui d'une douzaine d'années, n'a que partiellement caché les dommages.

Signée, l'œuvre n'est hélas pas datée, contrairement à ce qui est souvent répété. Un point est certain, confirmé par la signature, elle a été peinte à Rome. Exposée à Toulouse dès 1760, elle pourrait avoir fait l'objet de quelque commande privée locale.

A quelle date a-t-elle été exécutée? On n'a guère de renseignements sur l'activité de Subleyras durant ses longues années (1728-1735) de pensionnat à l'Académie de France à Rome, d'autant plus, qu'en principe, l'artiste se devait de ne travailler que pour le roi. En outre — on le sent à la lecture de la *Correspondance* — Subleyras était en butte à l'hostilité du directeur, Nicolas Vleughels, irrité par les nombreuses prolongations de séjour obtenues grâce aux interventions régulières du duc d'Antin, de la duchesse d'Uzès et de la princesse Pamphili. On sait toutefois qu'il copia l'*Ecce homo* de l'Albane du Palais Colonna, copie expédiée de Rome à Paris en 1736, aujourd'hui au musée de Genève (fig. 3; Loche, 1964, pp. 269-270, ill.) et qu'il réalisa pour la décoration du Palais Mancini un dessus de porte, *Amour et Psyché*, récemment retrouvé (voir n° 6).

Tout porte à croire d'autre part qu'il peignit durant les mêmes années la *Communion de saint Jérôme* de l'église Saint-Vincent de Carcassonne (n° 5, fig. 2), quelques-uns de ses premiers portraits qui lui valurent du succès et quelques-uns des tableaux de la collection du duc de Saint-Aignan, ambassadeur à Rome de 1732 à 1741. La comparaison de ces œuvres avec la *Flagellation* de Montauban nous incite à dater celle-ci des dernières années du séjour à l'Académie, de 1735 environ : l'artiste vise à l'élégance du mouvement, à la souplesse du geste. Plus qu'aux contrastes qui silhouettent les formes, il s'intéresse aux gradations de la lumière, aux nuances du coloris. Sensible aux exemples de Francesco Trevisani, de Jean-Baptiste Vanloo (fig. 4; tableau de même sujet à Santa Maria in Monticelli à Rome) et de Benefial (fig. 5; tableau de même sujet daté de 1731 de l'église delle Stimmate), il tente d'adopter les caractéristiques du style romain à la mode et tempère son attirance naturelle vers le réalisme.

Œuvre de recherche (l'esquisse, n° 10 et le dessin préparatoire le prouvent; fig. 1 et 2), la *Flagellation* de Montauban est une œuvre de transition. Artiste plus tout à fait jeune, Subleyras, vers 1735, n'a pas encore parfaitement maîtrisé son style et trouvé sa voie.

Fig. 1
La Flagellation, Paris, coll. privée.

Fig. 2
La Flagellation (verso), Paris, coll. privée.

Fig. 3
Ecce homo (d'après l'Albane), Genève, musée d'Art et d'Histoire.

Fig. 4
Jean-Baptiste Vanloo, *La Flagellation*, Rome, Santa Maria in Monticelli.

Provenance

Appartenait en 1760 à « M. Lapeire », vraisemblablement à Toulouse (voir notice suivante) et vraisemblablement un des doreurs de ce nom, soit François soit Antoine, et en 1786 « à M. Daram » (nous connaissons un portrait de M. Daram peint vraisemblablement par Subleyras en 1728 et aujourd'hui conservé dans une coll. privée parisienne). Entré avant 1843 au musée de Montauban.

Expositions

Toulouse, 1760, n° 9; Toulouse, 1786, n° 1; Toulouse, 1887, n° 123; Bruxelles, 1975, n° 55, ill. p. 104.

Bibliographie

Cat. musée, 1863, n° 60; cat. musée, 1885, p. 52, n° 296; cat. musée (Bouisset), 1926, p. 42; A. 28 et p. 56; cat. musée (Ternois), 1959, p. 13; Laclotte et Vergnet-Ruiz, 1962, p. 252; Mesuret, 1972, pp. 97, 461; cat. musée (Barousse), 1973, p. 19.

Œuvres en rapport

Pour l'esquisse, voir le n° suivant.
Un dessin préparatoire double face à la sanguine appartient à une coll. privée parisienne (fig. 1 et 2). Il provient de la coll. Christian Hammer (cachet Lugt 1237, en bas à gauche sur le montage) et de la coll. Susini (cachet en bas à gauche; vente du professeur Susini, Paris, 4 juin 1982, n° 113, « attribué à Mattia Preti »).
Nous connaissons une autre *Flagellation* conservée dans une coll. privée parisienne, inachevée, au verso de laquelle se voit une première pensée pour le torse du Christ (pour le tableau de même sujet de Lavaur (Tarn), consulter Boyer, 1985). Pour le « pendant » du tableau, un *Baiser de Judas*, voir la notice suivante.

Fig. 5
Marco Benefial,
La Flagellation, Rome, église delle Stimmate.

La Flagellation du Christ

Papier marouflé sur toile. H. 38,5; L. 26,5.
Paris, collection privée.

Une *Flagellation* par Subleyras et un *Baiser de Judas* « par le même » étaient exposés par M. Daram au Salon de Toulouse de 1786. L'auteur du livret précise que « ces deux tableaux sont à vendre ». Tout porte à croire que la première de ces œuvres est celle conservée aujourd'hui au musée de Montauban (notre numéro précédent) sans qu'il soit entièrement exclu qu'il puisse s'agir de son esquisse.

Or si nous n'avons pas retrouvé de *Baiser de Judas* de grand format, nous connaissons une esquisse de ce sujet peinte sur papier, comme l'étude pour la *Flagellation*, de taille tout à fait comparable (H. 35; L. 24). Conservée au musée Magnin à Dijon (fig. 1; cat. 1938, n° 896), elle provient de la collection Anatole France (vente 20-21 avril 1932, n° 238, attribué à Pierre Subleyras).

Admirée en 1868 par Paul Mantz pour ses « tons gris argent », l'esquisse pour la *Flagellation* présente des variantes importantes par comparaison avec le tableau de Montauban. Si les deux protagonistes principaux de la scène ne feront plus guère l'objet de modifications, le bourreau qui lie les mains du Christ et surtout le décor architectural seront considérablement changés. Sur les deux dessins préparatoires (fig. 1 et 2 de la notice précédente), qui nous montrent le Christ de profil et non encore de trois quarts, les yeux tournés vers le ciel, Subleyras donne à son trait une nervosité et une brutalité, une angularité que n'aura plus le tableau définitif. L'esquisse est plus personnelle et plus caractéristique du style de Subleyras. L'exécution par petits traits parallèles, les mains aux doigts effilés et aigus, le personnage accroupi au second plan à gauche, qui tresse la couronne du Christ, avec sa chevelure en casque, la tache rose, au centre de la composition, reviennent déjà en propre à l'artiste.

Provenance

Appartenait en 1775 à « M. Cammas père » (Guillaume, 1698-1777) et en 1784 à « M. Lucas, professeur », très vraisemblablement François Lucas (1736-1813), un des fondateurs du musée de Toulouse (voir n° 2). En 1868, « à M. Pellot ». Acquis par le père de l'actuelle propriétaire, à l'Hôtel Drouot à Paris le 19 juin 1931, n° 19; coll. privée, Paris.

Expositions

Toulouse, 1775, n° 154 (« La Flagellation, Esquisse originale de Subleyras »); Toulouse, 1784, n° 89; Le Havre, 1868, cat. non retrouvé.

Bibliographie

Mantz, 1868, p. 473; Mesuret, 1972, pp. 277 et 431.

Œuvres en rapport

Voir le n° précédent.
Au Salon de Toulouse de 1775, une *Flagellation*, « esquisse originale de Subleyras », est exposée avec un « Couronnement d'épines, dessein original du même » (n°s 154 et 155) qui appartenait au même collectionneur. Les mêmes œuvres sont cataloguées chez un nouveau propriétaire au Salon de Toulouse de 1784 (n°s 89 et 90). Certes la *Flagellation* n'est plus qualifiée d'« esquisse », mais tout porte à croire qu'il s'agit du tableau du Salon de 1775 et probablement de celui exposé ici.
Pour le « pendant », le *Baiser de Judas*, de la coll. Magnin à Dijon (fig. 1), voir le texte de la notice (et pour le dessin de Pontoise, cat. exp. Pontoise, 1971-72, n° 96 verso, ill.).
On signalera enfin l'existence d'un *Couronnement d'épines* dans la coll. du marquis de Livois (H. 17 pouces sur L. 24 pouces; cat. Sentout, 1791, n° 206).

Fig. 1
Le Baiser de Judas,
Dijon, musée Magnin.

11
Pl. II

Charon passant les ombres sur le Styx

Toile H. 135; L. 83.
Paris, musée du Louvre (Inv. 8007).

L'attribution du tableau ne peut être mise en doute. Sur l'*Atelier* de Vienne (pl. en couleurs en frontispice du cat.), on en distingue, derrière la *Remise de l'Ordre du Saint-Esprit au prince Vaini*, la partie gauche, une étroite bande transversale. L'œuvre (ou une réplique) appartenait donc à Subleyras en 1746, date probable de l'*Atelier*. Elle ne semble pas mentionnée avant 1791, et n'a été remise à l'honneur que durant ces vingt dernières années.

Le sujet n'a guère été traité avant Subleyras (voir cependant Pigler) et la manière dont l'artiste l'aborde est neuve et originale. Le peintre a placé son chevalet sur la barque de Charon, qu'il nous montre de dos et nu. Le passeur des âmes s'appuie sur une longue gaffe grâce à laquelle il fait glisser sa sinistre embarcation sur le Styx. Deux âmes enveloppées dans d'amples suaires blancs ont pris place sur la barque. A l'arrière-plan, à droite, deux âmes, debout, et sur la gauche, sous un gibet, des corps sont allongés sur une roue dans une lumière rougeoyante. Toujours sur la gauche, une grosse chauve-souris volette.

L'œuvre se veut avant tout un exercice de virtuosité académique. Subleyras a appris, durant son long séjour au Palais Mancini, à peindre le nu et nous en fait la démonstration. Il sait également dessiner (et peindre) les draperies, exercice auquel tout pensionnaire devait se consacrer (voir à ce sujet la belle lettre de Natoire à Marigny du 18 octobre 1758 publiée dans le onzième volume de la *Correspondance*).

Subleyras prouve encore qu'il a attentivement étudié les grands maîtres du passé, le *Samson* du Guide (Stuffmann, 1972) et l'*Enlèvement d'une Sabine* de Jean de Bologne dont il possédait une réduction en plâtre (Poch-Kalous, 1969). En fait, tout porte à croire que l'œuvre date de la fin du séjour de l'artiste à l'Académie ou des premières années de son établissement définitif à Rome, vers 1735.

Mais en rapprochant cette belle académie masculine bien réelle et ses mystérieux accompagnateurs qui évoquent les pleurants des tombeaux médiévaux et en donnant à sa composition un sujet bien précis, Subleyras surprend par une œuvre qui paraît en avance sur son temps et semble annoncer les recherches des artistes de la fin de son siècle. Si Jean Clay, à la suite d'Olivier Merson (1900), évoque David, on remarquera qu'entre 1925 et 1957, la copie de la National Gallery de Londres avait été attribuée à Füssli.

Charon reste une œuvre unique dans la carrière d'un artiste qui ne s'est pas voulu d'avant-garde et dont les préoccupations n'ont rien en commun avec celles d'un Girodet ou d'un Ingres.

Provenance

Appartenait encore à Subleyras en 1746; faisait partie en 1791 du *Musée* de Monseigneur Alexandre-Amédée de Lauzières Thémines (1742-1829), évêque de Blois, à Blois; l'ensemble de la collection fait l'objet le 25 juillet 1791 d'une vente de « pure complaisance » (Cahen, 1912), au profit de Louis-Jean-Marie de Bourbon, duc de Penthièvre; saisie au château de Châteauneuf-sur-Loire en 1794 (A.N., F[17], 1270[b], n° 127 [n° 62]); à partir de 1822 à la manufacture de Sèvres (roulé depuis 1850); entré au Louvre en 1887.

Expositions

Bordeaux, 1958, n° 248; Paris, 1960, n° 686; Rennes et autres lieux..., 1964-65, n° 35; Cholet, 1980-1981, sans n°, non paginé [pp. 48-49].

Bibliographie

Cahen, 1912, p. 174; cat. musée (Brière), 1924, n° 862[A]; A. n° 80; Pigler, 1956, II, p. 58; Davies, 1957, pp. 208-209; Isarlo, 1958, p. 2, n° 50, ill.; Poch-Kalous, 1969, pp. 16, 29, fig. 13; Stuffmann, 1971, pp. 384-385, fig. 355; cat. musée (Rosenberg, Reynaud, Compin), 1974, n° 784, ill.; Clay, 1980, p. 31, ill. coul.; Laclotte et Cuzin, 1982, p. 70, ill. coul.

Œuvres en rapport

Une copie ancienne de dimensions comparables au tableau du Louvre, d'assez bonne qualité, appartient à la National Gallery de Londres (fig. 1; Davies, 1957, ill. dans cat. musée 1973, p. 704, n° 4133).
En 1960 (lettre au Service d'Etude et de Documentation du Département des Peintures du Louvre), F.H. Lem souhaitait offrir au Cabinet des dessins du Louvre, deux dessins à la sanguine « se rapportant à ce tableau ».

Fig. 1
D'après Subleyras,
Charon, Londres,
National Gallery.

Tête de femme enturbannée

Toile ovale. H. 65; L. 50,5.
Vesoul, musée Georges Garret (dépôt du Louvre, Inv. 9969).

Le tableau est inédit: il se confond très probablement soit avec celui de la collection La Live de Jully (1764 et 1770), soit avec l'exemplaire qui appartenait au peintre Natoire, contemporain de Subleyras à Rome (il fut aussi un de ses plus fervents collectionneurs).

Saisi à la Révolution, il perd sa paternité, est attribué à Simon Vouet avant d'être déposé, à la suite d'interventions du peintre Gérôme, au musée de Vesoul. Encadré à cette occasion, il était très vraisemblablement à l'origine de forme rectangulaire comme la version du musée de Varsovie (fig. 1).

Celle-ci est considérée par les récents catalogues du musée, sans doute à cause du bijou qui orne le turban, comme représentant une sibylle. Ne faut-il pas y voir plus simplement une tête de femme, « un buste de femme, vue presque de profil et coëffée d'un turban » comme le font les catalogues de vente du XVIIIe siècle? Est-ce pour autant un portrait? Les traits lourds du modèle, avec sa bouche charnue et ses gros yeux, passent pour typiquement romains (et correspondent à l'idéal féminin de Subleyras) mais ne sont pas assez caractéristiques pour nous permettre de l'affirmer.

On se souvient que La Live de Jully, propriétaire au XVIIIe siècle d'une version de l'œuvre, avait souhaité constituer un « cabinet de peinture et sculpture françoise » modernes: il voulait démontrer, non sans quelque nationalisme, non seulement que l'école française possédait de grands artistes, mais encore qu'elle avait, au même titre que les écoles du Nord ou de l'Italie, son individualité, son originalité, sa personnalité, qu'elle était autonome.

Dans ce contexte, le commentaire du catalogue de 1764 concernant le tableau de Subleyras est d'autant plus intéressant à relever: « ce tableau est totalement dans le style du Guide, tant pour la couleur, le dessein, que l'expression... On ne soupçonneroit pas à son pinceau qu'il (Subleyras) fut d'une autre École que celle d'Italie ».

Remarque significative si l'on admet que le tableau de Vesoul a été peint peu avant ou peu après 1735, à un moment où Subleyras, encore sous l'influence de l'enseignement de l'Académie de France et des préceptes de son directeur Vleughels, est à la recherche d'un style personnel.

Fig. 1
Tête de femme enturbannée,
Varsovie, musée des Beaux-Arts.

Provenance

Soit le tableau de la coll. La Live de Jully, « introducteur des Ambassadeurs, honoraire de l'Académie Royale de Peinture » (cat. 1764, p. 97; vente 5 mars 1770, n° 83, vendu 249 livres 19 sols), soit celui de la coll. du peintre Charles Natoire (1700-1777; vente après décès du 14 décembre 1778, n° 23; le tableau n'est pas dessiné par Saint-Aubin dans son exemplaire du cat.) : « ce morceau bien peint et du coloris le plus vrai est une répétition de celui qui a été vendu chez M. de La Live » (les deux tableaux, qui devaient l'un et l'autre être rectangulaires, mesuraient 23 ou 24 pouces de hauteur sur 18 pouces de large = 62 ou 65 sur 48,5).
Très vraisemblablement le tableau saisi chez « Billard dit Bélizard émigré... rue J.J. Rousseau, n° 394 », le 26 pluviose An III (14 février 1795), n° 21: « Trois tableaux représentant... une tête de femme avec turban, sur toile, 27 pouces sur 18 de Subleyras » (A.N., F[17], 1268, n° 228; Bélizard possédait également le *Diane et Endymion* aujourd'hui dans la coll. Brinsley Ford à Londres; pour un autre tableau faisant peut-être partie de ce lot, voir n° 37).
Le tableau est mentionné au Louvre dans les inventaires B (vers 1824): « maître inconnu », n° 1954 et Villot (vers 1848-1860), Inv. 9969: « École française 18e siècle », « forme ovale ».
Déposé à Vesoul en 1873 sur intervention du peintre Gérôme, originaire de la ville; le tableau est dit être de l'« École de Vouet » (dossier F[21] 474 aux Archives Nationales: lettre de Gérôme du 26 juillet 1873 qui précise que le tableau « par Vouet » est sans bordure).

Bibliographie Inédit.

Œuvres en rapport

Il existe une seconde version de l'œuvre, en tous points identique à la toile de Vesoul, au musée de Varsovie (fig. 1; T. H. 63; L. 53,6), rectangulaire et non ovale: mais s'agit-il du tableau La Live de Jully ou de celui de la vente Natoire? Il est impossible d'en décider. Le tableau de Varsovie appartenait dès 1795 au roi de Pologne Stanislas-Auguste et se trouvait au Palais Lazienki à Varsovie (A. 138; cat. musée 1970, II, p. 133, n° 1259, ill.).
Signalons encore la « belle tête de femme romaine, vue plus de trois quarts; sur toile qui porte 15 pouces de haut, sur 12 pouces de large » de la vente du prince de Conti du 8 avril 1777, n° 704, acquise pour 160 livres par Nicolas Beaujon (1718-1786; voir Masson, 1937, p. 200), par l'intermédiaire de Rémy, qui ne peut se confondre avec les tableaux de Vesoul et de Varsovie.

Observation qui reste d'actualité: négligé par les historiens d'art français car trop « romain », oublié par leurs collègues italiens pour qui le classicisme de son œuvre le rattache à la France, Subleyras n'a toujours pas trouvé la place qui lui revient parmi les personnalités artistiques les plus originales de la première moitié du XVIIIe siècle.

13 Portrait de Pietro Francesco Cornazzano

Toile H. 94; L. 71,5.
Ajaccio, musée Fesch (852-1-259).

Grâce au texte latin que le modèle tient de la main gauche et surtout aux livres placés près de lui, il est possible d'identifier l'abbé Pietro Francesco Cornazzano, auteur d'une traduction latine de l'*Historia delle guerre civili di Francia*, d'Enrico Caterino Davila (1576-1631).

Né à Imola vers 1680, Cornazzano fut secrétaire et archiviste du prince Fabrizio Colonna, ce qui lui valut l'honneur d'être le 17 août 1724 le parrain de Marc'Antonio Colonna. En 1735, il publia sa traduction sous le titre: *Henrici Catharini Davilae De bello civili Gallico historiarum libri quindecim... ex Italicis Latinos reddidit Petrus Franciscus Cornazanus Forocorneliensis.* Dédié au pape Clément XII, ce livre est orné d'un frontispice dessiné par Carle Vanloo et gravé par Girolamo Frezza (cat. exp. Nice et autres lieux, 1977, n° 471), où la Renommée tient un portrait de Davila tandis que Minerve semble inspirer un historien antique.

Le tableau est inédit. Son attribution à Subleyras n'est pas à mettre en cause: la tache rose raffinée de la tranche du livre, la plume et les manchettes blanches valent signature.

Il doit être de peu postérieur à 1735, date de la parution de la traduction de l'ouvrage de Davila par Cornazzano.

Provenance

Coll. du cardinal Fesch (1763-1839), offerte par l'oncle de Napoléon à sa ville natale en 1852.

Bibliographie

Cat. musée (Peraldi), 1892, n° 571 («Portrait de l'abbé E. Mallet» qui traduisit Davila en français en 1757, «Anonyme de l'école française»).

14
Pl. VI

Les cinq sens,
dit parfois
Les attributs des arts

Toile H. 72; L. 96.
Toulouse, musée des Augustins (RO 279).

Le tableau compte parmi les œuvres les plus célèbres de Subleyras et reste pourtant parmi les plus mystérieuses. La toile n'est mentionnée qu'à deux reprises au XVIIIe siècle et si elle est, sans raison, comparée avec une constance monotone, rapprochée et opposée, depuis Chennevières jusqu'à Gillet, de Goldschmidt à Faré, aux natures mortes de Chardin, né, comme Subleyras, en 1699, personne ne s'est sérieusement penché sur sa date, sur sa signification et sur sa place dans l'histoire de la nature morte romaine de son temps.

L'on s'accorde seulement à dater l'œuvre de la période romaine de Subleyras; certes le plâtre qui se voit sur la droite de la composition — une tête de Niobide — figurait déjà sur le *Portrait du sculpteur Lucas* (nº 2) que l'on date des dernières années du séjour toulousain de l'artiste, mais la *Sainte Suzanne* de Duquesnoy — l'œuvre originale est encore aujourd'hui à l'église Sainte-Marie de Lorette à Rome — le torse du Belvédère et jusqu'à la fiasque de vin habillée de paille évoquent l'Italie.

La volonté de faire habile, de tromper l'œil, le fond sombre sur lequel se détachent les sculptures, l'exécution soignée et toutes les nuances et les dégradés raffinés nous inciteraient à la dater vers 1735, mais il faut convenir que nous manquons de tout point de comparaison. Remarquons seulement que lorsque Subleyras représentera à nouveau la *Sainte Suzanne* et la Niobide dans son *Atelier* de Vienne qui date de 1746 environ (pl. en couleurs en frontispice du cat.), ce sera d'une manière toute différente. En tout cas, tout porte à croire que Subleyras possédait ces plâtres qu'il a à plusieurs reprises représentés.

Tous les auteurs, depuis Lucas (An V) et Maillot (1808-10), voient dans l'œuvre un « délassement de l'artiste » : Subleyras aimait jouer du violon et peignit le sien tel qu'il l'avait posé, un jour qu'il avait bien travaillé. « Il prit une toile et s'amusa à peindre tout ce qui était négligemment posé sur sa table… son violon, de la musique, sa palette et des plâtres… » (Lucas, An III et An V). L'œuvre reflèterait avant tout les « différents goûts » de l'artiste. Nous pensons qu'il faut y voir plus qu'une représentation des attributs des arts — la peinture, avec sa palette et ses brosses, la sculpture, la musique avec le violon et les partitions — une allégorie des cinq sens selon une iconographie toute conventionnelle.

Si, à ce jour, cette nature morte est unique dans l'œuvre de Subleyras — nous n'acceptons aucune de celles qui lui ont été successivement attribuées par Walter Friedlaender (Minneapolis) et par Faré (1976) — il convient de ne pas oublier que l'artiste — qui par parenthèse introduisit à plusieurs occasions dans ses tableaux de beaux morceaux de nature morte — s'inscrivait dans une tradition alors bien vivante à Rome. Sans même évoquer Ludovico Stern, Carlo Magini ou encore Louis-Joseph Le Lorrain, qui nous a laissé quelques admirables natures mortes d'une inspiration comparable (fig. 1; Rosenberg, 1978), citons Amorosi, Berentz ou encore Spadino.

Si, sur le tableau de Toulouse, la vue, l'ouïe, le goût, le toucher sont clairement symbolisés, l'on s'arrêtera un instant sur les fleurs, des « zinnias en état de floraison très avancé » (Penent, comm. écrite), qui évoquent l'odorat. Leurs taches rouge, rose et verte éclairent la composition entière et lui donnent sa poésie.

Provenance

Coll. du chevalier de Lassalle à Toulouse en 1773; saisi à la Révolution chez Jean de Cambolas, liste du 13 mars 1795, A.N., F[17], 1270[a], n° 123, n° 6 : « Un tableau de nature morte où il y a une figure de plâtre, un torse, un violon et une palète garnie ».

Expositions

Toulouse, 1773, n° 16 (« Tableau de nature-morte. Par M. Subleiras, de l'Académie de Saint Luc de Rome »); Toulouse, 1887, n° 131; Toulouse, 1942, n° 48; Bordeaux, 1958, n° 247; Paris, 1959, n° 52; Bordeaux, 1969, n° 63; Castres, 1971, n° 24, ill.; Moscou-Léningrad, 1978, n° 92.

Bibliographie

Cat. musée (Lucas), An III, n° 205; An V, n° 205; 1805, n° 354; cat. musée (Roucoule), 1836, n° 381; cat. musée (Suau), 1850, n° 366; Nicolas, 1859, p. 32; Chennevières-Pointel, 1862, p. 211; cat. musée (George), 1864, n° 286; Saint-Raymond, 1892, pp. 133-134; cat. musée (Roschach), 1908, n° 279; R. p. 200; G. pp. 37-39, ill. p. 35; Réau, 1925, p. 32; A. 129; Gillet, 1934, p. 284; Alcanter de Brahm, 1935, p. 108; Mesuret, 1960, p. 364; Faré, 1962, II, pp. 150, 225, 330, notes 530-532 et p. 339 note 825; Laclotte et Vergnet-Ruiz, 1962, pp. 94 et 252; Mesuret, 1972, p. 236; Faré, 1976, pp. 368 et 417, fig. 625; Mirimonde, 1977, p. 16; Sterling, 1981, pp. 113, 114, 169 et pl. 78.

Œuvres en rapport

Une copie avec variantes de la partie droite du tableau de Toulouse est passée en vente à l'Hôtel Drouot le 20 avril 1983, n° 26, ill. (« École française du XVIIIe siècle », H. 100; L. 69), puis à Versailles, le 17 juillet 1983, n° 1, ill., enfin à Chalon-sur-Saône, le 26 octobre 1986, n° 156.

Fig. 1
L. J. Le Lorrain,
Nature morte de fleurs,
Caen, musée des Beaux-Arts.

Judas Macchabée détruit l'autel et la statue de Jupiter

Huile sur papier marouflé.
H. 51,5; L. 96,5.
Dusseldorf, Kunstmuseum (Inv. 2294).

« Les ébauches de Subleyras valent généralement mieux que ses tableaux », écrivait dès 1839 Thoré, le « découvreur » de Vermeer. Celle du musée de Dusseldorf, peinte sur deux feuilles de papier distinctes — on voit nettement la séparation verticale des deux feuilles — a appartenu à un élève de Subleyras, le peintre allemand Lambert Krahe, par ailleurs propriétaire d'un des plus beaux ensembles de dessins de l'artiste qui soit resté réuni (avec Atger, aujourd'hui à Montpellier et Orsay, aujourd'hui au Louvre; voir ici notre 115).

L'épisode biblique, rarement représenté, n'est pas le martyre des sept frères Macchabées, mais la reconquête de Jérusalem et la purification du temple par Judas Macchabée (*Macchabées*, 2ᵉ livre, ch. 10, versets 1-2) qui vient d'écraser les troupes de Nicanor en décembre 164 avant J.-C.

Le combat s'achève devant le temple qu'un « vieillard d'Athènes », envoyé par Antiochus Épiphane « pour forcer les Juifs à abandonner les lois de leurs pères », avait consacré à Jupiter olympien. « Le temple était rempli de débauches et d'orgies par des païens qui s'amusaient avec des prostituées et avaient commerce avec des femmes dans les parvis sacrés » (*id.*, ch. 6, versets 1-5). Tandis que les soldats de Judas Macchabée repoussent le prêtre païen et les femmes de mauvaise vie, renversent l'autel, lui-même, armé d'une masse, entreprend de détruire la statue qui n'est autre que le célèbre Jupiter Verospi, aujourd'hui au musée du Vatican. Subleyras place en effet curieusement la scène dans un paysage romain: au centre une évocation archéologique du temple de Jupiter Capitolin; en arrière à droite, le palais des Empereurs, dans les jardins Farnèse du Palatin qui conservent leur enceinte du XVIᵉ siècle à peine modifiée; enfin à gauche une forteresse indique les premières pentes du Quirinal. A l'inverse de ses habitudes, Subleyras tente d'introduire dans sa composition le mouvement, l'action (on songe à l'*Enlèvement des Sabines* de Poussin): plusieurs groupes, Judas Macchabée qui s'apprête à frapper de son marteau la statue de Jupiter, le grand prêtre qui lève les bras au ciel, un cavalier sur le point d'être désarçonné, impriment à l'œuvre une dynamique peu fréquente dans les compositions de l'artiste. Rares sont aussi les œuvres de Subleyras qui se déroulent en plein air.

Nous pensons que le tableau de Dusseldorf a été peint vers 1735, à une date voisine des illustrations des *Contes* de La Fontaine.

Provenance

Coll. du peintre Lambert Krahe (1712-1790), qui vécut à Rome de 1736 à 1756 où il fut l'élève de Subleyras. Krahe vendit en 1778 l'ensemble de sa coll. à l'Académie de Dusseldorf nouvellement fondée (figure dans les deux inventaires de sa coll. rédigés par Krahe — le second est daté du 10 février 1779); prêt permanent, depuis 1932, de la Staatliche Kunstakademie de Dusseldorf au Kunstmuseum.

Bibliographie

Cat. musée (Levin), 1883, p. 269; cat. musée (Klapheck), 1928, p. 8, note 7, ill.; cat. musée, 1962, p. 39, nᵒ 165.

Œuvres en rapport

Un *Martyre des Macchabées* appartenant au peintre Lancelot Théodore Turpin de Crissé (1781-1859) fut exposé à Angers en 1839 (cat. exp. nᵒ 528; Thoré [Bürger], 1839, p. 219). Est-ce le tableau qui passe en vente le 5 juillet 1862 (nᵒ 37), puis les 26-27 avril 1866 (nᵒ 128, coll. de « M. R. Z... »)? Un (nouveau?) *Martyre des Macchabées*, toujours donné à Subleyras, est prêté par M. Clément, sculpteur, négociant, à l'exposition des Beaux-Arts de Périgueux en 1864 (nᵒ 546).

Le Mariage de la Vierge

Pierre noire
avec quelques rehauts de blanc
sur papier gris beige; collé en plein;
a conservé son montage Mariette.
La composition est encadrée
de plusieurs lignes à la pierre noire.
H. 405 mm; L. 253 mm.
Paris, musée du Louvre, Cabinet des dessins (Inv. 32914).

Nous exposons les cinq dessins de Subleyras qui ont appartenu à Mariette, vendus en un seul lot à sa vente après décès en 1775, acquis pour le roi et aujourd'hui au Louvre (voir n°s 17, 19, 57, 73).

On sait que Mariette se fit envoyer par Natoire — par l'intermédiaire de Marigny, surintendant des Bâtiments — de Rome en 1759, des « desseins ... du s^r Sublayras » (*Correspondance...*, XI, 1901, p. 279). On sait encore que Mariette possédait (n° 1366 de la vente de 1775) une miniature en « forme d'éventail » par Maria Felice Tibaldi, l'épouse de Subleyras, d'après un *Enlèvement des Sabines* de Ciro Ferri, mais nous ignorons sa localisation.

Si le sujet abordé par Subleyras n'a rien d'original (la composition de Maratta peinte pour San Isidoro de Rome, compte parmi les plus populaires de tout le XVIIe siècle italien), l'on comprend mal les raisons de l'encadrement si particulier de la composition. S'agit-il d'un projet pour un tableau d'autel ou pour le frontispice d'un ouvrage ou encore d'une copie d'une œuvre romaine contemporaine ? Il est difficile d'en décider.

On remarquera cependant les nombreux repentirs, notamment dans la coiffure du grand prêtre et la vigueur des coups de crayon qui donnent à penser que nous sommes en présence d'une étude préparatoire plus que d'une copie d'après les maîtres. Certains morceaux sont particulièrement bien venus, telles les colombes dans un panier posé à droite sur une marche du temple.

On rapprochera par ailleurs le dessin de Subleyras du petit tableau de même sujet peint en 1730 à Rome par Carle Vanloo pour le cardinal de Polignac (fig. 1 ; Nice, musée Chéret) et plus encore de son esquisse de Greenville (fig. 2 ; cat. exp. Nice et autres lieux, 1977, n°s 8 et 9). Subleyras avait-il été mis en compétition avec Vanloo, rappelons-le, de six ans son cadet, et dont les débuts romains furent aussi brillants que prometteurs ? Nous l'ignorons. En tout cas, une datation voisine de 1730 pour le dessin du Louvre, nous paraît peu probable. Nous le situerions plus volontiers vers le milieu de la décennie.

Fig. 1
Carle Vanloo,
Le Mariage de la Vierge,
Nice, musée Chéret.

Fig. 2
Carle Vanloo,
Le Mariage de la Vierge,
Greenville, Bob Jones
University Collection.

Provenance

Coll. Pierre-Jean Mariette (1694-1774 ; cachet de sa coll. en bas à droite, Lugt 1852) ; sa vente après décès, 15 novembre 1775 et jours suivants, partie du lot 1365, acquis par Lempereur pour le Cabinet du roi pour 131 livres ; entré au Louvre à la Révolution (cachets du Louvre, Lugt 1899 et 2207, en bas à droite et à gauche).

Expositions

Paris, 1869, n° 1305 ; Paris, 1950, hors cat. ; Paris, 1967, n° 43.

Bibliographie

A. d. 4 ; cat. exp. Nice et autres lieux, 1977, p. 28.

17
ROME

La chute de Phaéton

Pierre noire avec quelques rehauts de blanc sur papier verdâtre; collé en plein; a conservé son montage Mariette. H. 326 mm; L. 467 mm.
Paris, musée du Louvre, Cabinet des dessins (Inv. 32918).

Ce dessin représente sans équivoque possible la chute de Phaéton: fils d'Apollon et de Clymène, il voulut conduire le char du soleil. Mais les chevaux célestes s'emportèrent et Phaéton, foudroyé par Jupiter, fut précipité dans l'Eridan.

Si ce fleuve est généralement associé avec le Pô, il désigne parfois le Rhône. Est-ce le cas pour le dessin de Subleyras qui nous montre, sur la droite de la composition, une femme couronnée, levant les bras au ciel, accompagnée d'un lion?

L'attribution du dessin à Subleyras, confirmée par Mariette, ne fait aucun doute. Il nous paraît pouvoir être daté de 1735 environ, pour autant qu'il est possible de proposer une chronologie pour l'œuvre dessiné de Subleyras. Citons ici la belle définition que donne Dezallier d'Argenville (1762, p. 453) du style des dessins de Subleyras: « Ces desseins sont la plûpart à la pierre noire, ombrés de hâchures au même crayon en différens sens et rehaussés de craye blanche; la touche en est spirituelle et légère, l'ordonnance heureuse et bien digérée: la facilité de l'invention, l'élévation de la pensée, et la correction y marchent de compagnie. »

Provenance

Coll. Pierre-Jean Mariette (1694-1774; cachet de sa coll., Lugt 1852, en bas à gauche); sa vente après décès, 15 novembre 1775 et jours suivants, partie du n° 1365, acquis pour 131 livres par Lempereur pour le Cabinet du roi; entré au Louvre à la Révolution (marques du Louvre, Lugt 1899 et 2207, en bas à droite et à gauche).

Bibliographie

A. d. 46.

Subleyras, illustrateur des contes de La Fontaine

Depuis le XIXe siècle, l'on répète régulièrement que Subleyras a peint pour le duc de Saint-Aignan, ambassadeur de France à Rome entre 1732 et 1741, quatre tableaux inspirés par les *Contes* de La Fontaine (et indirectement par ceux de Boccace). Trois de ces tableaux, le *Faucon, Les Oies de Frère Philippe* et l'*Ermite*, dit également *Frère Luce,* appartiendraient au Louvre, le quatrième, *La Courtisane amoureuse* ferait partie de l'ancienne coll. Niel. Tous les auteurs (on nous dispensera de les citer ici) précisent encore qu'ils auraient été gravés entre 1735 et 1740, à Rome vraisemblablement, par Pierre (1714-1789).

Nous exposons ici huit tableaux et six dessins illustrant les *Contes* qui contredisent sensiblement ces affirmations.

Disons tout d'abord que nous sommes loin d'avoir pu résoudre tous les problèmes que soulève chacun des quatre thèmes. Du moins avons-nous tenté de les poser et de les mettre en ordre.

Précisons d'entrée de jeu que Subleyras a *plus ou moins souvent* répété chacune de ses compositions *en la modifiant plus ou moins:* les nombreuses mentions de vente du XVIIIe siècle, que, pour chaque tableau, nous avons regroupées, le confirment.

Ajoutons qu'en dépit des dessins fort précis de Gabriel de Saint-Aubin (1724-1780) en marge de ses exemplaires des catalogues des ventes Saint-Aignan (1776; Rosenberg et Le Moël, 1969) et Natoire (1778; Dacier, 1913), il ne nous a pas toujours été possible de préciser l'exacte origine des diverses versions de chacune des compositions.

— La version du Louvre de l'*Ermite* ou *Frère Luce* (n° 18), pour laquelle le Cabinet des dessins du Louvre conserve un beau dessin provenant de la collection Mariette (n° 19), semble être celle gravée par Pierre. La belle version de Boston (n° 20), pour laquelle il existe deux dessins préparatoires au Louvre et à Montpellier (nos 21 et 22), ne semble, à en juger par les dessins de Saint-Aubin, avoir appartenu ni à Saint-Aignan ni à Natoire!

— Nous exposons deux versions des *Oies de Frère Philippe* (nos 23 et 25). Des quatre compositions dites Saint-Aignan, c'est la seule qui ne soit mentionnée qu'une seule fois dans une vente du XVIIIe siècle. Le tableau du Louvre correspond fidèlement à la gravure de Pierre. La version récemment acquise par Boston (n° 25) l'emporte en qualité.

— *Le Faucon* (n° 26) est entré au Louvre sous la Révolution. Les documents contemporains le considèrent comme une « copie » alors qu'en fait il est de bien plus belle qualité que les *Oies de Frère Philippe* ou l'*Ermite*, entrés, eux aussi, au Louvre sous la Révolution. La gravure de Pierre copie une seconde composition originale disparue. Nous exposons le dessin de la coll. Goncourt (n° 27), première pensée pour l'une ou pour l'autre de ces compositions.

— *La Courtisane amoureuse,* Niel (n° 28) vient d'être donnée au Louvre. Un point est certain: Pierre a gravé une autre version de ce tableau, aujourd'hui elle aussi disparue. Le dessin exposé (n° 29) ne correspond ni au tableau ni à la gravure. Le dessin de Saint-Aubin semble offrir des variantes avec ces trois œuvres.

— A ces quatre compositions viennent s'en ajouter deux nouvelles: *Le Bât* (n° 30) et *La Jument de compère Pierre* (n° 31), qui appartiennent à l'Ermitage. Rarement citées, elles n'avaient jamais été reproduites à ce jour.

Si Pierre a gravé les quatre tableaux Saint-Aignan (mais ce n'est là qu'une hypothèse qu'aucun document ne vient étayer), seuls les *Oies de Frère Philippe* et l'*Ermite* du Louvre proviennent de cette collection. Et en ce cas pourquoi ne sont-ils pas de meilleure qualité (précisons en passant que les tableaux Saint-Aignan étaient à Paris avant 1745, Rambaud, 1971, p. 927)? D'un format sensiblement plus grand que les autres tableaux de la série (H. 30; L. 23), le *Faucon* du Louvre (H. 35; L. 28) devrait provenir des coll. de Natoire et de l'abbé de Gévigney (le tableau de ces ventes mesurait 13 pouces sur 10 1/2, alors que ceux de la collection Saint-Aignan n'en avaient que 11 sur 8 1/2).

Reste que la provenance ancienne de la *Courtisane amoureuse* demeure mystérieuse, que les gravures originales de Subleyras (dont font état, outre les *Memorie* de 1786, p. XXXVI, bien des auteurs de manuels de gravures, de Basan (1767 et 1789) à Joubert (1821), de Huber et Rost à Robert-Dumesnil; cependant aucun de ces auteurs ne déclare les avoir vues) n'ont pas été retrouvées (pas plus que celles d'Elluin et de Le Bas). De plus, la datation précise des tableaux Saint-Aignan et des autres versions connues est du domaine de la conjecture.

Il nous faut encore évoquer le sort réservé par la critique à ces tableaux. S'ils semblent avoir été fort bien accueillis par les collectionneurs du XVIIIe siècle et nous citerons plus loin les principaux commentaires des experts des ventes, les historiens des XIXe et XXe siècles ont porté sur eux des jugements souvent contradictoires.

Ainsi le sévère Louis Gillet (1934 mais aussi 1929) écrit « le pauvre Subleyras n'arrive pas à sourire »... « Rien de plus curieux que ce conte de La Fontaine traduit en style de Poussin ». « Subleyras est peu propre au plaisir... il n'a pas le sourire, ce pêcheur novice se sent mal à l'aise dans le péché. Il conserve dans ces historiettes le style de l'histoire... ». L'analyse enthousiaste de Saint-Raymond (1892) est d'un ton

Fig. 1
N. Vleughels,
Le Gascon puni,
Château-Thierry,
musée Jean de La Fontaine.

bien différent : « Les vraies inclinations du peintre ont ici plus que partout ailleurs l'occasion de paraître et elles s'y déploient avec tant d'abandon qu'elles font découvrir un Subleyras nouveau. Ce n'est plus l'homme d'école et d'Académie..., c'est l'artiste sincèrement ému... ». Ainsi pour Saint-Raymond (comme aussi pour Goldschmidt en 1925 et Fabre en 1927), le génie naturel de Subleyras aurait été en quelque sorte bridé par le milieu académique romain et par les commandes religieuses officielles et n'aurait pu librement s'exprimer que dans des œuvres où l'artiste aurait été laissé à lui-même.

Encore faudrait-il être certain que les *Contes* de La Fontaine ne sont pas eux aussi des commandes. Bien plus, est-il évident que le Subleyras des *Contes* est si différent de celui du *Repas chez Simon* ou de la *Messe de saint Basile* ?

Nombreux furent les artistes français qui, au XVIIIe siècle, peignirent, dessinèrent ou gravèrent certains des *Contes* de La Fontaine. Rappelons les plus célèbres, Pater, Lancret, Boucher et bien sûr Fragonard, sans même mentionner les nombreux illustrateurs. Nous nous attarderons ici quelque peu sur Nicolas Vleughels (1668-1737), le directeur de l'Académie de France à Rome. Outre un *Villageois qui cherche son veau*, il peignit, comme Subleyras, l'*Ermite*, le *Bât* et la *Jument de compère Pierre*.

Ces deux derniers tableaux sont datés de 1735 (mais *Le Gascon puni*, fig. 1, récemment acquis par le musée de Château-Thierry, date de 1728 et une version des *Oies de Frère Philippe*, passée en vente le 6 juin 1805, n° 61, était datée, à en croire le catalogue, de 1729). Sont-ils antérieurs à ceux de Subleyras ou postérieurs ? On rappellera que les relations entre le directeur et son pensionnaire n'étaient pas bonnes et l'on en vient à se demander s'il n'y eut pas, très tôt, entre les deux hommes, quelque rivalité artistique.

L'ambition de Vleughels, tourné vers l'art vénitien et dont le récit est souvent anecdotique, semble bien différente de celle de Subleyras qui insiste sur les notations familières et sur le pittoresque du récit. Il reste que les tableaux de Subleyras illustrent un chef-d'œuvre littéraire, avec une délicatesse dans l'invention colorée dont l'artiste sut très tôt se faire le spécialiste, sans pruderie mais sans excessive licence.

18
PARIS

L'Ermite, *dit également* Frère Luce

Toile H. 30; L. 23.
Paris, musée du Louvre (Inv. 8011).

« Un jeune ermite était tenu pour saint » : en réalité, Frère Luce souhaitait séduire une innocente jeune fille du voisinage. Pour ce faire, il se déguisa. Ainsi méconnaissable, il vint annoncer à sa belle voisine et à sa mère que le ciel avait chargé Frère Luce de tenir « compagnie » à la fille crédule, « car d'eux doit naître un Pape ». Mais de leur liaison, une fille verra le jour!

Subleyras a retenu du conte de La Fontaine (éd. La Pléiade, 1954, pp. 464-469) « inspiré de Boccace » le moment où l'Ermite repousse une première fois, avec hypocrisie et une feinte surprise, les offres de la mère qui « lui découvre » les charmes de sa fille.

Le sujet a souvent tenté les artistes français du XVIIIe siècle qui semblent privilégier l'épisode choisi par Subleyras : ainsi Vleughels (Hercenberg, 1975), Boucher (1742; cat. exp. New York, Detroit, Paris, 1986, n° 45, ill.), Eisen, Fragonard, H. Robert (Léningrad) et Volaire (?) (musée d'Agen) l'ont traité (voir aussi Clements, 1981). Hubert Robert, dans un tableau conservé au musée d'Art et d'Archéologie de l'Université du Missouri (Clements, p. 47, fig. 2), a fidèlement copié la composition de Subleyras et l'a introduite dans un vaste paysage de grotte. Il lui était d'autant plus facile de procéder de la sorte qu'il possédait, dans sa collection personnelle, un exemplaire du tableau de Subleyras (qui fera partie de sa vente après décès de 1809).

P. Rémy dans son catalogue de la vente Heineken de 1758, admire la composition de Subleyras et ajoute : « c'est dommage que cet Artiste soit mort si jeune à Rome où il était demeuré depuis qu'il avait été envoyé par l'Académie à celle de France ».

Quant à l'expert Paillet, il vante en 1783 (vente Suderini), « l'art et la vérité que [Subleyras] a mis dans ce petit tableau. Il a tout le charme de la poésie de La Fontaine, sa finesse et son élégante simplicité ».

L'accord bleu, blanc, rouge de la robe de la jeune fille fait contraste avec le froc de bure brune de l'ermite, tout comme s'opposent et se répondent les gestes des trois protagonistes de la scène. Il nous faut cependant admettre que Subleyras a quelque difficulté à transcrire sur sa toile l'alerte récit de La Fontaine qui a quelque peu perdu de sa fraîcheur et de sa naïveté apparente.

Fig. 1
Gabriel de Saint-Aubin,
L'Ermite (version Saint-Aignan),
Paris, Bibliothèque de l'Institut.

Fig. 2
Gabriel de Saint-Aubin,
L'Ermite (version Natoire),
Paris, Bibliothèque nationale.

Provenance

Plusieurs versions de l'*Ermite* passent en vente avant la Révolution :
— vente Heineken, 12 décembre 1757, en réalité 13-18 février 1758, n° 152 ;
— vente après décès Fortier, 2 avril 1770, n° 40 (« Un Sujet des Contes de La Fontaine, composé de trois figures... ») (?) ;
— vente après décès du duc de Saint-Aignan, 17 juin 1776, n° 42 (avec une *Courtisane amoureuse*, voir n° 28 ; le rédacteur du catalogue avait écrit par erreur *Frère Philippe* ; Saint-Aubin, dans son exemplaire, corrige *Luce* ; fig. 1) ;
— vente Natoire, 14 décembre 1778, n° 25 (avec *Le Faucon*, voir n° 26 ; fig. 2) ;
— vente abbé de Gévigney, 1-29 décembre 1779, n° 552 (avec *Le Faucon* ; le catal. précise que les deux œuvres « viennent de la vente faite après le décès de M. Natoire ») ;
— vente comte Suderini, 18 décembre 1783, n° 40 (repasse en vente en 1799, voir œuvres en rapport).
Le 9 mai 1793 sont saisis chez l'émigré Pestre [-Senef], n° 38 : « Deux petits tableaux, tirés des Contes de La Fontaine » (Tuetey, 1902). Ils figurent dans le « Registre des Objets d'Art... du Dépôt... de la rue de Beaune », 4 germinal An II (24 mars 1794), n° 56, « Deux » barré, remplacé par « Un sujet des Contes de La Fontaine par Subleiras (*sic*), l'un de 6 figures, l'autre » (ces derniers mots sont barrés) « de 3 » (F^{17} 373^{+}) ; « réservés pour la nation » dans l'inventaire des 29 ventôse et 1 germinal An III (19 et 21 mars 1795), n° 56 : « Deux sujets des Contes de La Fontaine par Subleyras, l'un de 6 figures, l'autre de 3, hauteur 10 pouces sur 8 ; 600 livres » (F^{17} 1268, n° 230, voir aussi Furcy-Raynaud, 1912). Ce sont l'*Ermite* et le *Faucon* (n°s 18 et 23), aujourd'hui au Louvre.
Nous avons exposé, dans notre introduction générale aux *Contes*, les raisons qui nous faisaient croire que le tableau du Louvre pouvait être celui de la vente Saint-Aignan et celles qui nous faisaient rejeter une provenance Natoire-Gévigney.

Fig. 3
L'Ermite, Paris, commerce d'art.

Fig. 4
L'Ermite, Nantes, musée des Beaux-Arts.

Fig. 5
Subleyras (d'après ?),
L'Ermite, Zurich, Kunsthaus.

Expositions

Paris, 1935, n° 653; Château-Thierry, 1960, n° 28.

Bibliographie

Cat. musée (Villot), 1855, n° 513; Merson, 1860, p. 196; Thoré [Bürger], 1860, p. 340; Lejeune, 1864, p. 367; Blanc, 1865, pp. 6-8; Lavice, 1870, p. 209; Tuetey, 1902, p. 338; Furcy-Raynaud, 1912, p. 326; Dacier, 1913, pp. 47, 60 et p. 10 du *fac simile*; cat. musée (Brière), 1924, n° 862; R. p. 199; Voss, 1924, p. 643; G. p. 33, note; A. 115 et pp. 56-57; Rosenberg et Le Moël, 1969, p. 61; cat. musée (Rosenberg, Reynaud, Compin), 1974, n° 780, ill.; Clements, 1981, p. 50, fig. 5.

Œuvres en rapport

Tableaux :
— Pour les mentions de ventes antérieures à 1789, voir *Provenance*.
— Pour le tableau de Boston, voir n° 20.
— Pour deux *Oies de Frère Philippe*, en fait à notre avis, deux *Frère Luce*, passés en vente en 1806 et en 1822-23, voir n° 23.
— Ventes des XIXe et XXe siècles: Cochu, 21-22 février 1799, n° 29 (le tableau de la vente Suderini de 1783); H. Robert, 5 avril 1809, n° 30; feu Alexandre Paillet, 2 juin 1814, n° 58; M. S..., 10-12 novembre 1817, n° 17 (le tableau de la vente H. Robert de 1809); Basset, 7 avril 1824, n° 195; 7-8 mars 1831, n° 116; 28-29 novembre 1831, n° 106; Alphonse Giroux père, 10-12 février 1851, n° 174; comte de Houdetot, 12-14 décembre 1859, n° 149; Martial Pelletier, 28 avril 1870, n° 32; Jules Burat, 28 avril 1885, n° 169; veuve B[ruant], 20-22 juin 1908, n° 271; Munier-Jolain, 9 octobre 1910, n° 47, ill. (A. 120); Henri Haro, 18-20 mars 1912, n° 230 (A. 120); comte de Demandolx, Marseille, 7 novembre 1916, n° 31, ill. (A. 119); Léon Michel-Lévy, 17-18 juin 1925, n° 155 (A. 118); 2 décembre 1927, n° 45; 27 avril 1928, n° 106; succession Georges Ryaux, 24 octobre 1979, n° 101, ill. (fig. 3).
— Un exemplaire d'assez bonne qualité est conservé au musée de Nantes (fig. 4; G. 1925, ill., p. 21; A. 117 et cat. musée).
— Un autre, plus faible, au musée de Zurich (fig. 5; A. 116).
— Nous ignorons la localisation actuelle de l'exemplaire Houdetot (1859), Burat (1885), Michel-Lévy (1925), Niel (A. 118), proche de la version de Boston avec laquelle il offre cependant des variantes. Est-ce à coup sûr l'exemplaire Ryaux (1979) ?
— Nous connaissons par la reproduction deux (autres?) versions, l'une chez Arthur Sambon à Paris en 1928, vraisemblablement l'exemplaire de la vente Demandolx (1916), l'autre, proche de Pierre, à Paris, en 1971.
Les tableaux de Nantes et de Zurich sont proches de la composition du Louvre. Les autres versions que nous connaissons par la photographie s'apparentent plutôt au tableau de Boston (avec quelques variantes concernant la coiffe de la mère, la position du crâne placé devant l'ermite).

Dessins :
Outre les trois dessins exposés (nos 19, 21 et 22), plusieurs feuilles sont signalées dans des ventes: A. Greverath, 7 avril 1856, n° 380; Daigremont, 3-7 avril 1866, n° 354; 14 novembre 1961, n° 83 (pierre noire) et 84 (sanguine) (la description du catalogue de la vente M. de B., 10-11 décembre 1883, n° 228, « conte de La Fontaine, dessin du tableau du musée du Louvre », est trop imprécise pour permettre de rapprocher ce dessin de *Frère Luce*).
On mentionnera encore un dessin du Louvre, classé aux anonymes (Inv. 34618), inspiré des différentes versions du tableau, mais dont l'attribution à Subleyras reste à nos yeux incertaine (fig. 6), un dessin récemment entré au Gabinetto Nazionale delle Stampe de Rome (FN 12328; cat. exp. Rome, 1985, n° 101, ill.) qui copie la version Niel (plutôt que le tableau de Boston) et diverses copies dessinées de la gravure.

Gravures :
Gravé par Pierre (fig. 7; voir notre introduction).
Nous n'avons pas plus retrouvé la gravure originale de Subleyras mentionnée par plusieurs auteurs du XVIIIe siècle que celles de Blaise Elluin (vente Beauvarlet, 13 mars 1798, n° 224; cat. de la coll. Paignon-Dijonval, 1810, n° 8316; Delignières, 1886, p. 538; Hédé-Haüy, 1893, p. 144), de Le Bas, signalée, à notre avis par erreur, par Bourcard (1885, p. 466) et de Bart (Hédé-Haüy, 1893, p. 146).

Fig. 6
Anonyme, *L'Ermite*, Paris, musée du Louvre, Cabinet des dessins.

Fig. 7
J.B.M. Pierre, *L'Ermite*, Paris, Bibliothèque nationale.

19
PARIS

L'Ermite, *dit également* Frère Luce

Pierre noire avec rehauts de blanc sur papier crème (avec montage Mariette). Un trait à la pierre noire encadre la composition. H. 318 mm ; L. 239 mm.
Paris, musée du Louvre, Cabinet des dessins (Inv. 32917).

Le dessin du Louvre est une étude poussée pour le tableau du Louvre (nº 18). On mentionnera cependant quelques variantes dans les costumes des trois protagonistes de la scène et dans le paysage du second plan.

De Rome, le 30 mai 1759, (*Correspondance*..., XI, p. 279), Natoire (qui possédait une version peinte de la composition) priait Marigny, le surintendant des Bâtiments, de bien vouloir remettre à Mariette « les desseins qu'il m'a demandé du Sr Sublayras » (*sic*). Les cinq dessins de la vente après décès de la collection Mariette sont aujourd'hui au Louvre (nºs 16, 17, 57, 73).

Provenance

Coll. Pierre-Jean Mariette (1694-1774 ; cachet de sa coll., Lugt 1852, en bas à gauche) ; sa vente après décès, 15 novembre 1775 et jours suivants, partie du lot 1365 : « Cinq sujets divers, dont le Mariage de la Vierge, Frère Luce, etc. à la plume et à la sanguine » (lot acquis pour 131 livres par Lempereur pour le Cabinet du roi) ; entré au Louvre à la Révolution (cachet du Louvre, Lugt 1899, en bas à droite).

Bibliographie

A. d. 62.

Œuvres en rapport

Voir notice précédente.

20

L'Ermite, *dit également* Frère Luce

Toile H. 29,7; L. 22,4.
Boston, Museum of Fine Arts, don de Colnaghi USA, Ltd (1983.592).

Le tableau est fort différent de la version du Louvre. Non seulement son exécution est-elle plus moelleuse, plus délicate et psychologiquement plus convaincante, mais encore Subleyras a sensiblement modifié le décor de la scène, la position des jambes de l'Ermite, le costume de la jeune fille, son tablier blanc, sa coiffure. En outre sa mère, qui se tient plus droite et dont la coiffe est toute différente, pointe la main gauche vers sa fille dans un geste d'invite. Et Subleyras a supprimé le livre, posé par terre au premier plan à droite, ainsi que le nœud bleu à l'épaule de la jeune fille et le ruban à son cou.

Il est difficile de décider lequel, du tableau du Louvre ou de celui de Boston, a été peint en premier. De plus nous ignorons les raisons qui ont conduit Subleyras à modifier sa composition. La première série (était-ce celle commandée par Saint-Aignan ?) eut vraisemblablement du succès. Sans doute d'autres amateurs souhaitèrent des répétitions de ces tableaux. En certains cas, Subleyras se contenta de les copier ; en d'autres, il dut en modifier la composition.

Provenance

Vente Londres, Sotheby's, 8 juillet 1981, n° 4, ill. en couleurs (selon le vendeur, aurait été acquis, ainsi que notre n° 25, par son père à Paris avant la première guerre mondiale, communication écrite d'Anabella Bailey)· [Colnaghi]; entré au musée de Boston en 1983.
Pour les nombreuses mentions de vente, se rapportant à cette composition, voir n° 18.

Œuvres en rapport

Voir notice 18.

Étude pour L'Ermite

Pierre noire, estompe, avec rehauts de blanc sur papier bleu, collé en plein. Une ligne à la pierre noire encadre la composition. H. 386 mm; L. 271 mm.
Paris, musée du Louvre, Cabinet des dessins (Inv. 32940).

Étude pour la mère et la fille telles qu'elles se voient sur la version de Boston. Subleyras, sur son tableau, modifiera la position du bras gauche de la vieille femme qu'il repliera.

On distingue nettement, dans la partie inférieure droite de la feuille du Louvre, une étude pour la main de la mère, telle que Subleyras la peindra sur la toile de Boston.

Provenance

Coll. du comte d'Orsay (1748-1809; sa marque, Lugt 2239, en haut à droite); saisie en 1793 (marque du Louvre, Lugt 1886, en bas à droite).

Expositions

Paris, 1967, n° 44, pl. X; Londres, 1968, n° 654, fig. 216; Paris, 1983, n° 94, ill. et p. 175 (Ors. 617).

Bibliographie

A. d. 71; Ananoff, 1964, p. 58, pl. p. 59.

Œuvres en rapport

Voir n° 18.

22

Étude pour L'Ermite

Pierre noire, rehauts de blanc, sur papier bleu devenu verdâtre; collé en plein. Sur le montage, à gauche, de la main d'Atger: « Subleyras fecit Romae » et au crayon: « religieux »; à droite, au crayon: « Subleyras ». H. 325 mm; L. 260 mm.
Montpellier, musée de la Faculté de Médecine (collection Atger).

Magnifique étude pour l'*Ermite*, version de Boston (n° 20).

On admirera la délicatesse avec laquelle l'artiste pose les rehauts de craie pour mieux indiquer les volumes. Il n'insiste pas sur les contours et c'est avant tout par un jeu habile d'ombres et de lumières qu'il construit sa figure.

On remarquera le petit trait en zig zag à la sanguine sur la gauche de la feuille, comme si l'artiste essayait son crayon ainsi que, dans l'angle droit supérieur du dessin, la reprise de la tête de l'ermite étudiée plus en détail.

Provenance

Coll. Xavier Atger (1758-1833); entrée au musée de la Faculté de Médecine en 1829 (marque du musée Atger, Lugt 38, en bas au centre).

Bibliographie

Cat. Atger, 1830, n° 261; A. d. 65.

Œuvres en rapport

Voir n° 18.

Les Oies de Frère Philippe

Toile H. 30; L. 23.
Paris, musée du Louvre (Inv. 8009).

Un veuf, entré dans les ordres, se retire du monde avec son fils et l'élève dans l'ignorance des femmes. Obligé de se rendre en ville, le fils, intrigué par ces créatures qu'il n'a jamais vues, interroge son père sur les «jeunes beautés» qui passent devant eux: «Qu'est-ce là?... C'est un oiseau qui s'appelle oie... lui répond-on. Menons-en une en notre bois, j'aurai soin de lui plaire».

La Fontaine (éd. La Pléiade, 1954, pp. 478-481) s'est inspiré de Boccace et a inspiré à son tour de nombreux artistes français du XVIIIe siècle (voir l'étude de Gisela Zick, 1976), dont Vleughels (dès 1729) et Boucher (fig. 3; gouache du musée de Besançon; cat. exp. New York-Detroit-Paris, 1986, n° 7, ill.) qui retient le même épisode que Subleyras.

Dans son catalogue de la vente Saint-Aignan, l'expert avait écrit à propos des *Oies* et du *Faucon*: «Ces précieux tableaux ne font qu'augmenter les regrets qu'on doit éprouver de la perte de ce grand Artiste, qui mourut à Rome à la fleur de son âge; on peut dire qu'il eut contribué beaucoup à immortaliser sa patrie». Saint-Aubin, moins louangeur mais plus soucieux du mot juste, barre dans son exemplaire du catalogue, le mot «immortaliser» qu'il remplace par «illustrer».

«On ne pouvait mieux réussir, dans les *Oies de Frère Philippe*, le mouvement que fait le jeune garçon, en apercevant ces jolis volatiles que l'on nomme des femmes, ni mieux exprimer la joie naïve qui s'épanouit sur son frais visage» (Blanc, 1865, p. 7).

S'il se montre coloriste raffiné, Subleyras a quelque mal à résumer sur sa toile la saynète. Pour en comprendre le récit, en suivre le déroulement, mieux vaut connaître le texte de La Fontaine. Subleyras l'illustre plus qu'il n'est capable d'inventer une image suffisamment claire et lisible qui nous dispense de nous reporter au conte.

On admirera cependant, dans cette rare scène de plein air, le morceau d'architecture de l'arrière-plan, la tonalité claire et pimpante de la composition et surtout, au premier plan à gauche, le charmant visage de la jeune femme penchée sur son chien maltais blanc (Quenot, 1964) qui nous regarde attentivement.

Provenance

Une seule version de cette composition passe en vente au XVIIIe siècle (fig. 1; vente après décès du duc de Saint-Aignan, 17 juin 1776, n° 43, voir n° 28), sans doute le tableau aujourd'hui au Louvre. Celui-ci a connu sous la Révolution et depuis lors le même sort que *Frère Luce* (voir n° 18).

Expositions

Paris, 1935, n° 652; Paris, 1960, n° 687.

Bibliographie

Cat. musée (Villot), 1855, n° 511; Blanc, 1865, pp. 6-8; Lavice, 1870, p. 208; Goncourt, 1898, I, p. 302; Merson, 1900, pp. 204-205 et fig. 65; Tuetey, 1902, p. 338; Furcy-Raynaud, 1912, p. 326; cat. musée (Brière), 1924, n° 860; R. p. 199; Voss, 1924, p. 643; Fabre, 1927, p. 193 (reprod. de la gravure); A. 121 et pp. 56-57; Gillet (1929), pp. 58-59, pl. 88; Alcanter de Brahm, 1935, pp. 108-109; Mesuret, cat. exp. Toulouse 1959, p. 38; Quenot, 1964, p. 33; Rosenberg et Le Moël, 1969, p. 61; Rambaud, 1971, p. 927; cat. musée (Rosenberg, Reynaud, Compin), 1974, n° 779, ill.; Zick, 1976, pp. 22-23, fig. 8 et note 19, p. 28.

Œuvres en rapport

Pour le tableau de Boston, voir n° 25.
Trois mentions de vente nous sont connues se rapportant aux *Oies de Frère Philippe*:
— 30 mai 1806, n° 22; la description du cat., «composition de trois Figures dans l'intérieur d'une grotte», semble prouver que le rédacteur du cat. s'est trompé dans l'identification du sujet et a confondu *Les Oies* avec *Frère Luce*;
— Coll. de feu Robert de Saint Victor, 26 novembre 1822-7 janvier 1823, n° 590: «Jolie composition de trois figures» (même remarque que pour le tableau de la vente de 1806);
— Coll. du Dr Aussant, 28-30 décembre 1863, n° 78.
— Une version de petites dimensions (H. 17,5; L. 9,5) appartenait autrefois à une coll. privée bruxelloise.
— Pour le *dessin* du Louvre, voir n° 24.
— Pour la *gravure* de Pierre (fig. 2), voir notre introduction.
— Le tableau a été gravé par A. Jourdain pour Blanc, 1865 et lithographié par Ch. Kreutzberger pour Olivier Merson, 1900, fig. 65.
— Nous n'avons retrouvé aucun exemplaire de la gravure originale de Subleyras.

Fig. 2
J.B.M. Pierre,
Les Oies de Frère Philippe,
Dusseldorf, Kunstmuseum.

Fig. 1
Gabriel de Saint-Aubin,
Les Oies de Frère Philippe,
Paris, Bibliothèque de l'Institut.

Fig. 3
Boucher, *Les Oies de Frère Philippe*,
Besançon, musée des Beaux-Arts.

Les Oies de Frère Philippe

Pierre noire et rehauts de blanc sur papier verdâtre. Une ligne à la pierre noire encadre la composition. H. 292 mm; L. 219 mm.
Paris, musée du Louvre, Cabinet des dessins (Inv. 32924).

Le dessin du Louvre est une étude poussée sans variantes majeures si ce n'est en ce qui concerne le second plan pour le tableau du Louvre. Il provient, comme tant des plus beaux dessins de Subleyras, de la collection du comte d'Orsay.

Provenance

Coll. du comte d'Orsay (1748-1809; marque, Lugt 2239, en haut à droite); entré au Louvre par saisie révolutionnaire en 1793 (marque Louvre, en bas à droite, Lugt 1886).

Expositions

Lyon, 1935, sans cat. (?); Berne, 1948, n° 47; Paris, 1983, n° 93, ill. et p. 175 (Ors. 616).

Bibliographie

A. d. 64.

Les Oies de Frère Philippe

Toile H. 29; L. 22.
Boston, Museum of Fine Arts,
don de Colnaghi USA, Ltd. (1983.593).

Les variantes entre le tableau de Boston et celui du Louvre sont nombreuses : le décor urbain est moins architectural, les jolies « oies » ne sont plus que trois, le chien maltais a été remplacé par une levrette. Frère Philippe, sans bonnet, est plus courbé en avant et porte une besace et un panier. Enfin l'habillement, la coiffure, l'expression du visage de l'innocent héros ont été sensiblement modifiés.

Parmi ces variantes, il en est une sur laquelle il convient de porter une attention toute particulière : on aura remarqué, sur la gauche de la composition, la jeune femme vêtue de blanc qui se tourne vers nous et nous regarde. Que nous soyons en présence d'un portrait paraît certain. Or, cette jeune femme a fait l'objet d'un portrait peint par Subleyras, aujourd'hui conservé à l'Académie des Beaux-Arts de Vienne (fig. 1).

Qui peut bien être le modèle de ce portrait ? L'on répète, depuis 1961 (cat. exp. Rome-Turin, 1961, n° 308, pl. 68), qu'il représenterait Virginia Parker Hunt, l'épouse, depuis 1745, du peintre Joseph Vernet (1714-1789).

D'une part, et le spécialiste de Vernet, Philip Conisbee, insiste sur ce point, sur plusieurs tableaux de Vernet (la *Villa Ludovisi* de 1749, conservé à l'Ermitage pour ne citer que l'exemple le plus célèbre), on reconnaît, la même jeune femme (accompagnée en l'occurrence du petit Livio, le fils de l'artiste né en 1747 ?). D'autre part, les liens entre Subleyras et Vernet sont anciens et bien connus (voir notice 61). Enfin, le tableau de l'Académie de Vienne se reconnaît nettement sur... l'*Atelier* de l'Académie de Vienne (reproduit en couleurs en frontispice du cat.).

Mais ces raisons, pour fortes qu'elles soient, sont-elles suffisantes pour affirmer sans hésitation que la jeune femme qui se voit sur la gauche du tableau de Boston représente bien Virginia Parker ? Pour le faire, il faudrait admettre que celle-ci était miniaturiste pour autant que l'objet qu'elle tient à la main est une miniature et que le tableau de Boston a été peint vers 1745, date de son mariage, à l'âge de dix-sept ans rappelons-le, avec Vernet.

Cependant nous ne comprenons pas les raisons qui ont amené Subleyras à « plaquer » ce personnage dans une composition déjà ancienne où elle prend un relief exceptionnel.

Provenance

Vente Londres, Sotheby's : « The Property of a Nobleman », 10 décembre 1980, n° 6, ill. ; pour la provenance récente du tableau, voir notice 20 ; [Colnaghi] ; entré au musée de Boston en 1983.

Œuvres en rapport

Voir les notices précédentes et pour le pendant notre n° 20.

Fig. 1
Portrait de Virginia Parker Hunt, épouse de Joseph Vernet (?),
Vienne, Akademie.

26
Pl. IV

Le Faucon

Toile H. 35; L. 28.
Paris, musée du Louvre (Inv. 8010).

Frédéric aime d'amour fou Clitie et se ruine pour elle. Devenue veuve, elle tente de sauver son fils malade, dont l'unique désir est de posséder le faucon de Frédéric, son dernier bien. Elle se rend chez lui, s'invite à sa table et lui fait sa demande:

« Hélas! reprit l'amant infortuné, L'oiseau n'est plus, vous en avez dîné »...

« Elle partit non sans lui présenter une main blanche... » et l'histoire se termine par un mariage d'amour (La Fontaine, éd. La Pléiade, 1954, pp. 506-512, « tiré de Boccace »).

De ce conte, un des plus délicieux, Subleyras a tiré un tableau d'une grande poésie: nous sommes à la fin du repas. Clitie, touchée par le sacrifice de son ami, paraît émue et sur le point de céder. « La figure de la jeune veuve est ravissante de candeur et de tendre compassion; sa pose est charmante de simplicité, de distinction, d'élégance. Le timide jeune homme va presser de ses lèvres la main de sa maîtresse... Le tableau a été peint avec le cœur et l'on éprouve à le contempler un charme inexprimable » (Nicolas, 1859).

On admirera la belle nature morte placée sur la table, les oignons posés dans un plat, le fusil accroché au mur, le chien et le chat indifférent à la scène, la description savoureuse du modeste intérieur que Frédéric a pu garder et surtout le contraste entre la robe d'un noir profond de la jeune veuve, richement ornée de perles, et la nappe blanche. Plus peut-être que dans les autres toiles illustrant La Fontaine, Subleyras a su rendre le récit parfaitement convaincant.

Provenance

Nous avons relevé, dans des ventes parisiennes antérieures à la Révolution, six mentions se rapportant à un *Faucon* de Subleyras :
— vente après décès du duc de Saint-Aignan, 17 juin 1776, n° 43 (fig. 1 ; avec *Les Oies de Frère Philippe*, voir n° 23) ;
— vente Randon de Boisset, 27 février 1777, n° 182 (avec *La Courtisane amoureuse*, voir n° 28) ;
— vente Natoire, 14 décembre 1778, n° 25 (fig. 2 ; avec *Frère Luce*, voir n° 18) ;
— vente Trouard, 22 février 1779, n° 67 (avec *La Courtisane amoureuse* ; le cat. précise qu'ils proviennent de la vente Randon de Boisset) ;
— vente comte de Vaudreuil, 26 novembre 1787, n° 67 (avec *La Courtisane amoureuse* ; même remarque que pour le tableau précédent) ;
— vente abbé de Gévigney, 1-29 décembre 1779, n° 552 (avec *Frère Luce* ; le cat. précise qu'ils proviennent de la vente Natoire).
Nous avons donné plus haut les raisons qui nous faisaient croire que *Le Faucon* du Louvre provenait des collections Natoire et Gévigney. Que le tableau du Louvre ait été saisi à la Révolution à l'émigré Montregard, rue de Lille, paraît certain, mais les quatre documents d'archives que nous avons pu réunir (Tuetey, 1902, Furcy-Raynaud, 1912, et deux documents inédits A.N. F^{17} 373, p. 131 et F^{17} 372, p. 354) sont peu clairs sur plusieurs points : ils semblent confondre les tableaux de la saisie Pestre-Senef (n°s 18 et 23) avec le *Faucon* de la saisie Montregard ; les différents rapporteurs qui inventorient le *Faucon* y voient une « copie » que Le Brun (F^{17} 372) va jusqu'à déclarer « vendue ».

Expositions

Paris, 1935, n° 654 ; Château-Thierry, 1960, n° 29 ; Paris, 1968, n° 123 ; Troyes-Nancy-Rouen, 1973, n° 33, ill. ; Beauvais et autres lieux, 1974-75, p. 10.

Bibliographie

Joullain, 1783, p. 91 ; Joullain, 1786, pp. 184-185 ; Thiery, 1787, II, p. 547 ; cat. musée (Villot), 1855, n° 512 ; Nicolas, 1859, pp. 28-29 ; Blanc, 1865, pp. 6-8 ; Lavice, 1870, pp. 208-209 ; Decamps, 1873, p. 232 ; Goncourt, 1898, I, p. 302 ; Tuetey, 1902, p. 228 ; Furcy-Raynaud, 1912, p. 303 ; Dacier, 1913, VIII, pp. 47 et 60 et p. 10 du *fac simile* ; cat. musée (Brière), 1924, n° 861 ; R. p. 199 ; A. 113 et pp. 56-57 ; Reff, 1964, p. 558 ; Rosenberg et Le Moël, 1969, p. 61 ; Rambaud, 1971, p. 927 ; *Revue du Louvre*, 1973, p. 75, ill. ; cat. musée (Rosenberg, Reynaud, Compin), 1974, n° 781, ill. ; cat. exp. Bruxelles, 1983, ill. sous le n° 83.

Œuvres en rapport

Tableaux :
Pour les mentions de vente du XVIIIe siècle, voir plus haut, section *Provenance*
Voici une liste des principales mentions de ventes postérieures à la Révolution :
— vente Basset, 7 avril 1824, n° 194 (avec un *Frère Luce*, n° 195) ;
— vente après décès du marquis de Saint-Marc, 23 février 1859, n° 14 (avec une *Courtisane amoureuse*) ;
— vente après décès de M. R. Papin, 28-29 mars 1873, n° 85 (voir Decamps, 1873, p. 232 et cité par A. sous le n° 112).
— A. 114 catalogue une réplique de la taille du tableau du Louvre, autrefois dans la coll. Tavel du Bourget à Lausanne, dans la coll. de Mme Edmond Dollfus à Paris.
— Aux Archives du Louvre (P^5 1906, 17 mai) est conservée une lettre accompagnée d'une photographie d'une réplique du tableau provenant de la coll. François Duval de Genève et appartenant à cette date (1906) à Mme Demole van Muyden.
— Nous connaissons par la photographie trois répliques non autographes du tableau, une de grand format (H. 43 ; L. 35,5) (qui se confond peut-être avec notre mention précédente) dans le commerce à Londres en 1971, une seconde à Paris en 1973 (H. 27 ; L. 21) et une troisième à Avranches vers la même date (H. 34 ; L. 28).
— Achille Emperaire, l'ami de Cézanne, entreprit de copier le tableau du Louvre, le 25 novembre 1856 (Reff, 1964).
Pour le *dessin*, voir la notice suivante.
Pour la *gravure* de Pierre (fig. 3), fort différente du tableau du Louvre, voir introduction aux *Contes* (et aussi McAllister Jonhson, 1986, p. 195, fig. 6).
Nous n'avons retrouvé aucun exemplaire de la gravure originale de Subleyras, mentionnée au XVIIIe siècle par plusieurs auteurs, ni de celle d'Elluin, signalée par Bourcard (1885, p. 466), pas plus que de celle de Ph. Le Bas qui figure à la vente après décès de l'artiste (décembre 1783, n° 675, 5 épreuves !) et à une vente Beurdeley du 8 mars 1913, n° 195 bis.

Fig. 1
Gabriel de Saint-Aubin,
Le Faucon (version Saint-Aignan),
Paris, Bibliothèque de l'Institut.

Fig. 2
Gabriel de Saint-Aubin,
Le Faucon (version Natoire), Paris,
Bibliothèque nationale.

Fig. 3
J.B.M. Pierre,
Le Faucon, Paris,
Bibliothèque nationale.

27

Le Faucon

Sanguine.
H. 259 mm; L. 195 mm.
Belgique, les Amis du Dessin.

Les sanguines sont rares dans l'œuvre de Subleyras comme sont rares les dessins d'une grande liberté de facture. L'étude pour le *Faucon* est avant tout une mise en place de la composition : le chien, remplacé par une chaise, passera sur la gauche, une servante, à l'arrière-plan, disparaîtra.

Goncourt qui possédait ce dessin n'a rien su en dire et n'a pas compté Subleyras parmi les artistes du XVIIIe siècle qu'il souhaitait réhabiliter. Il ira même jusqu'à écrire que Gabriel de Saint Aubin, s'il s'était rendu en Italie, « serait devenu un peintre dans le genre de Subleyras » (cité par Dacier, 1929, I, p. 30), faisant preuve d'une attitude anti-italienne tout aussi agaçante que le pan-italianisme si souvent de rigueur de son temps.

Provenance

Acquis par Edmond de Goncourt après 1881 (?); vente Goncourt, Paris, 15-17 février 1897, n° 375 (Lugt 1089, marque en bas à droite; suppl. au cat.; « attribué à Subleyras » ; acquis par Bezins pour 105 francs); vente M. G. et T., Paris, 31 janvier-1er février 1898, n° 203; Bruxelles, coll. privée.

Exposition

Bruxelles, 1983, n° 83, ill.

Bibliographie

A. sous le n° 112; [Launay], 1983-84, pp. 789-792.

Œuvres en rapport Voir la notice précédente.

28
Pl. V

La Courtisane amoureuse

Toile H. 30; L. 23.
Paris, musée du Louvre (don sous réserve d'usufruit de Mme A. Patino, R.F. 1985-80).

Une courtisane de Rome, la belle Constance, tombe amoureuse de Camille. Ce dernier obtient d'elle, avant de l'épouser, une totale abnégation et un parfait dévouement...

« L'amoureuse Constance
veut aujourd'hui de laquais vous servir;
... le jeune homme y consent.
Elle s'approche, elle le déboutonne...
Ce ne fut tout; elle le déchaussa » (La Fontaine; éd. La Pléiade, 1954, pp. 513-520).

Subleyras décrit cette petite scène de mœurs avec beaucoup de retenue et de pudeur. Il sait, mieux peut-être que dans les autres tableaux de la série, décrire l'atmosphère enchanteresse du conte de La Fontaine: Constance est vaincue et est heureuse de servir Camille; convaincu de sa sincérité et touché par son amour, il s'apprête à lui céder.

L'accord des couleurs est particulièrement bien venu: le rose et le jaune de la robe de chambre du héros, la robe bleue de Constance, la chemise et le bas blanc se marient avec bonheur.

Boucher, en 1736, dessinera la même scène (fig. 3; Waddesdon Manor), mais il la placera dans un riche décor Louis XV.

Provenance

Coll. du duc de Saint-Aignan, sa vente après décès, 17 juin 1776, n° 42 (fig. 1; avec *Frère Luce*, voir n° 18); vente Randon de Boisset, 27 février 1777, n° 182 (avec le *Faucon*, voir n° 26); vente Trouard, 22 février 1779, n° 23 (avec le *Faucon*); coll. M. de Saint-Julien en 1783 (voir Joullain 1786); vente Vaudreuil, 26 novembre 1787, n° 67 (avec le *Faucon*); vente après décès du marquis de Saint-Marc, 23 février 1859, n° 15; coll. Burat dès 1860; vente Burat, 28 avril 1885, n° 168; vente Léon Michel-Lévy, 17 juin 1925, n° 154; [Paul Cailleux]; coll. comte Niel, Paris; à partir de 1929, coll. du docteur N. Beets à Amsterdam; vente Müller, Amsterdam, 9-11 avril 1940, n° 343, ill.; J. de Monchy, Pays-Bas (?); commerce à Londres, en 1969. Don au Louvre sous réserve d'usufruit en 1985 par Mme Antenor Patino.

Expositions

Paris, 1860, n° 253; Paris, 1874, n° 477; Paris, 1883-84, n° 129; Amsterdam, 1929, n° 143.

Bibliographie

Joullain, 1783, p. 91; Joullain, 1786, pp. 184-185; Thiery, 1787, II, p. 547; Thoré [Bürger], 1860, p. 340; Blanc, 1865, p. 6; A. 111 et p. 57; Alcanter de Brahm, 1935, p. 109; Rosenberg et Le Moël, 1969, p. 61 et p. 62, fig. 8; Rambaud, 1971, p. 927.

Œuvres en rapport

Pour la *gravure* par Pierre (fig. 2), voir n° 18 et le texte de la notice. Elle offre quelques variantes avec le tableau.
Pour le *dessin*, voir n° 29.

Fig. 2
J.B.M. Pierre,
La Courtisane amoureuse,
Paris, Bibliothèque nationale.

Fig. 1
Gabriel de Saint-Aubin,
La Courtisane amoureuse
(version Saint-Aignan), Paris,
Bibliothèque de l'Institut.

Fig. 3
Boucher,
La Courtisane amoureuse,
Waddesdon Manor.

29

La Courtisane amoureuse

Sanguine.
H. 306 mm; L. 228 mm.
Inscription: « Subleyras » en bas à gauche.
Boulogne-sur-Seine, coll. privée.

Ce dessin à la sanguine, une technique peu commune pour Subleyras, et d'une exécution soignée, offre des variantes aussi bien avec la gravure de Pierre qu'avec le tableau nouvellement entré au Louvre (n° 28) : le bout de la pantoufle est tourné vers nous, le fauteuil est bien plus rustique, mais surtout on aperçoit au lieu du lit, cette fois à gauche, un guéridon sur lequel Camille, dont la chemise est serrée au cou, a posé son tricorne.

Serions-nous en présence du dessin dont Subleyras fit une gravure dont nous savons l'existence, mais dont nous n'avons pu retrouver aucun exemplaire?

Provenance

Acquis par le père de l'actuel propriétaire en 1952 [chez Caillac].

Bibliographie

Inédit.

30 Le Bât

Toile H. 30,5; L. 24,5.
Leningrad, musée de l'Ermitage (Inv. 4703).

« Un peintre était, qui, jaloux de sa femme,
Allant aux champs, lui peignit un baudet
Sur le nombril, en guise de cachet.
Un sien confrère, amoureux de la dame,
La va trouver, et l'âne efface net,
Dieu sait comment; puis un autre en remet
Au même endroit, ainsi que l'on peut croire.
A celui-ci, par faute de mémoire,
Il mit un bât; l'autre n'en avait point.
L'époux revient, veut s'éclaircir du point:
« Voyez, mon fils, dit la bonne commère,
L'âne est témoin de ma fidélité.
— Diantre soit fait, dit l'époux en colère,
Et du témoin, et de qui l'a bâté! »
(La Fontaine, éd. La Pléiade, 1954, p. 527).

La scène se déroule dans l'atelier du peintre trompé. Sur un livre posé ouvert sur le sol, en bas à gauche, son collègue copie l'âne fatal. On comprend que le tableau, parmi les plus lestes que Subleyras nous ait laissés, n'ait jamais été reproduit.

Comme Vleughels, qui semble avoir peint son tableau en 1735 (Hercenberg, 1975, fig. 145 pour la gravure), Subleyras s'est plu à décrire l'atelier d'un artiste avec son chevalet, ses châssis retournés, la palette du peintre et ses œuvres accrochées au mur. L'épouse infidèle ne semble guère prêter attention à l'occupation de son amant. Subleyras lui a donné les traits de ses modèles habituels avec leurs cheveux tirés en arrière formant chignon, leurs fronts bombés et leurs nez à l'arête bien marquée.

Provenance

Coll. Baillet de Saint-J. (ulien), sa vente 21 juin 1784, n° 24; repasse en vente le 14 février 1785, n° 88 (à la même vente, n° 80, figurait un tableau de Vleughels de même sujet, Hercenberg, 1975, n° 225); coll. Youssoupov, entrée à l'Ermitage en 1924. Saint Julien, à en croire Joullain (1783 et 1786), possédait un *Faucon* et une *Courtisane amoureuse* qui ne passent pas dans ces deux ventes.

Bibliographie

A. p. 57; cat. musée (Nemilova), 1982, n° 319.

Œuvres en rapport

— Vente 18 mars 1861, n° 52: « Sujet tiré d'un conte de La Fontaine » (inscription en marge du catalogue, *l'âne bâté*);
— vente 20 mars 1876, n° 48, *Le Bât*;
— vente Boyer de Fons Colombe, 18 janvier 1790, n° 83: « Boucher d'après Subleyras. L'âne bâté connu par le conte de La Fontaine ».
Vente Drouot, 3 décembre 1985, n° 25, ill. (« attribué à Subleyras »). Le tableau, qui offre des variantes notables par comparaison avec la composition de Leningrad, est aujourd'hui dans une coll. privée de New York (fig. 1).

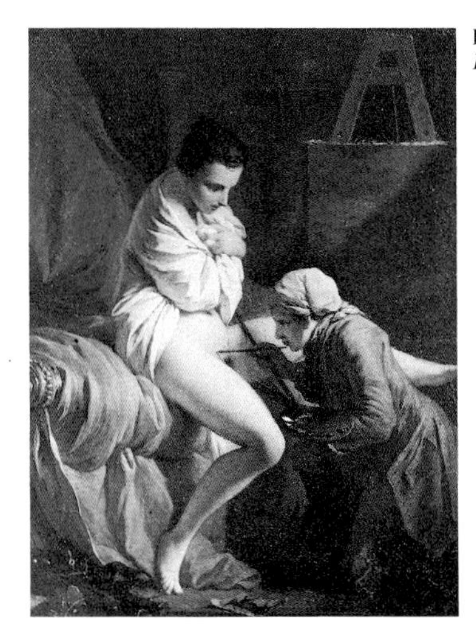

Fig. 1
Le Bât, New York, coll. privée.

31

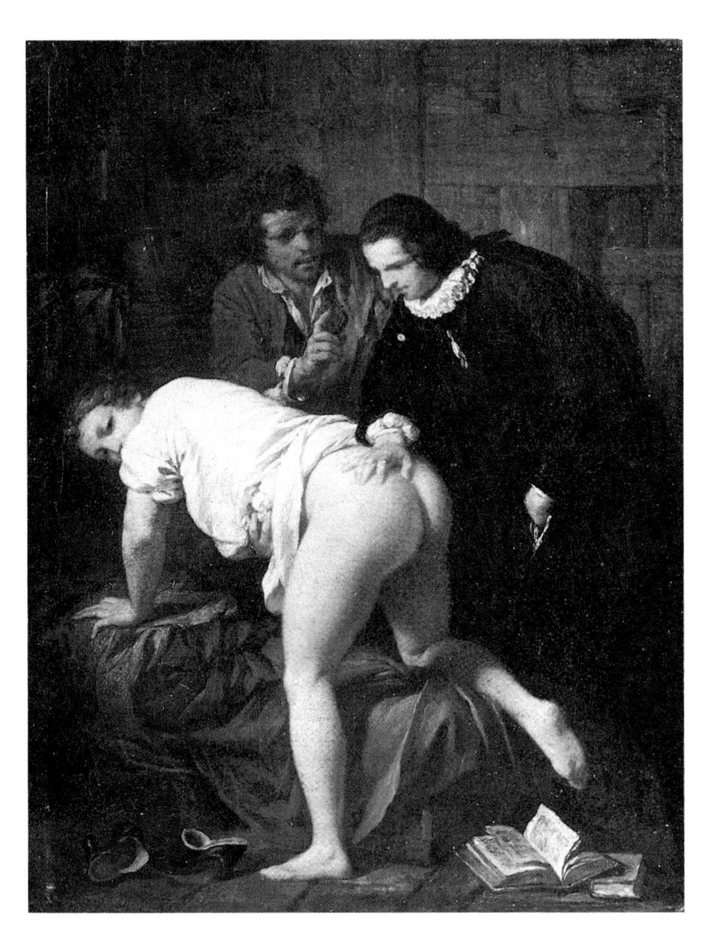

La Jument de compère Pierre

Toile H. 30,5; L. 24,5.
Leningrad, musée de l'Ermitage (Inv. 4704).

Un prêtre, Messire Jean, lorgne l'épouse d'un pauvre voisin, compère Pierre:
« Il avait femme belle et jeune encore
Ferme surtout: le hâle avait fait tort
à son visage et non à sa personne ».

Jean promet à Pierre de transformer Magdeleine (c'est son nom) durant la journée en une jument qui lui rendra bien des services, mais pour ce faire, il lui faut la déshabiller. Hélas, durant que Jean caresse l'épouse du paysan afin d'obtenir le résultat voulu (c'est le moment retenu par Subleyras), compère Pierre, quelque peu surpris par les agissements du prêtre, ne tient pas le silence qu'il avait promis de garder.

« Foin de toi!
T'avais-je pas recommandé, gros âne,
De ne rien dire et de demeurer coi?
Tout est gâté... ».
(La Fontaine, éd. La Pléiade, 1954, pp. 589-594).

Comme en ce qui concerne le tableau précédent, il existe une composition de même sujet peinte très vraisemblablement en 1735 à Rome par Vleughels (Hercenberg, 1975, fig. 146, repr. de la gravure), mais l'on ignore si le tableau du directeur de l'Académie de France est antérieur en date à celui de son pensionnaire.

L'œuvre permet de nuancer quelque peu l'image que l'on se fait parfois, d'un Subleyras austère se consacrant entièrement à l'Eglise et à la peinture religieuse.

Provenance

Voir le n° précédent.

Bibliographie

A. p. 57; cat. musée (Nemilova), 1982, n° 320.

Deux femmes debout, drapées

Pierre noire avec quelques rehauts de blanc sur papier verdâtre ; sur le montage, de la main d'Atger, à la plume et à l'encre brune, à gauche : « Subleyras fecit Romae » et, à droite, d'une autre écriture, au crayon : « religieuses » et, à la pierre noire : « Subleiras ». H. 400 mm ; L. 267 mm.
Montpellier, musée de la Faculté de Médecine (collection Atger).

Ce dessin, peut-être le plus célèbre de Subleyras, est aussi un des plus mystérieux.

Que nous montre-t-il ? On a souvent voulu reconnaître dans les modèles, et ceci dès Atger, le donateur de l'œuvre en 1823, deux religieuses. En fait, Subleyras a dessiné deux « ammantate », jeunes filles romaines choisies selon une procédure complexe afin d'être dotées par la confraternité della Annunziata. Elles se rendaient à la messe pontificale à Santa Maria sopra Minerva, chaque année, le 25 mars, drapées de manière à ne laisser voir que leur visage. Ce costume — une grande pièce d'étoffe blanche, partie de leur dot qu'il convenait de ne pas couper — les enveloppait presqu'entièrement (sur les « ammantate », voir Pietrangeli, 1980, p. 10 et aussi le tableau de Vleughels, fig. 1).

De par son style, ce dessin, qui n'est pas sans rapport avec les études pour l'*Ermite* (n°s 18 à 21), nous paraît pouvoir être daté de 1735 environ.

On insistera à nouveau sur l'habileté avec laquelle Subleyras sait donner leurs justes plis et leur juste volume aux « robes » des modèles, sur l'intelligence de l'artiste dans l'utilisation de la craie, sur sa poésie à la fois élégante et réservée et ... sur le goût d'Atger qui, plus qu'aucun autre collectionneur de dessins de Subleyras — Krahe, Mariette, Orsay pour ne mentionner que les premiers — sut réunir les plus belles feuilles de l'artiste. On signalera enfin l'amusante manie de Subleyras d'essayer la pointe de ses crayons sur un coin de sa feuille, ici en bas à droite.

Provenance

Don Xavier Atger (1758-1833) en 1823 (marque du musée, Lugt 38, en bas au centre).

Expositions

Hambourg-Cologne-Stuttgart, 1958, n° 74 ; Rome-Milan, 1959-60, n° 71 ; Paris, 1974-75, n° 22.

Bibliographie

Cat. Atger, 1830, n° 259 ; Lagrange, 1860, p. 141 ; Saunier, 1922, p. 166 ; A. d. 93 ; Claparède, 1957, pp. 7 et 15, n° 10, pl. 10 ; Bacou, 1970, p. 82, pl. X en couleurs.

Fig. 1
N. Vleughels,
Une « ammantata », New York, coll. privée.

33
PARIS
Pl. X

La Madeleine aux pieds du Christ chez Simon le Pharisien, *dit aussi* Le Repas chez Simon

Toile H. 215; L. 677.
Signé et daté en bas du tableau: «P. Subleyras. Uticiensis Pinxit Romae 1737».
Paris, musée du Louvre (Inv. 8000).

Tous les auteurs du XVIIIe siècle le répètent, c'est grâce à sa *Madeleine aux pieds du Christ chez Simon le Pharisien*, dit aussi *le Repas chez Simon*, que Subleyras établit sa réputation. Exposée à «l'admiration générale» à Rome, avant son envoi à Asti en Piémont, l'œuvre «fut favorablement commentée par une foule de visiteurs» (*Giornale*, 1786, p. 163).

Daté de 1737, cet immense tableau (on oublie qu'il mesure près de sept mètres de longueur) avait été commandé quelques temps auparavant par les chanoines réguliers de Latran. Dès 1735 vraisemblablement, Subleyras se penche sur son élaboration.

Une phrase d'une lettre de Vleughels, le directeur vieillissant de l'Académie de France à Rome, au surintendant des Bâtiments le duc d'Antin (lui aussi à la veille de sa mort), fait allusion au tableau d'Asti. La lettre date du 9 septembre 1735 et a été écrite alors que Subleyras s'apprêtait enfin, et cette fois-ci sans ultime rémission, à abandonner le Palais Mancini: «Sublairas (*sic*)... a même entrepris quelques grands ouvrages». Agacé par les incessantes pressions exercées par l'artiste afin que son séjour à l'Académie soit une nouvelle fois prolongé, Vleughels, peut-être quelque peu envieux des premiers succès du peintre, précise: Subleyras «minutoit bien... de rester toujours à l'Académie», tout en travaillant pour l'extérieur. Il ajoute «et cela étoit commode».

Les critiques du XIXe siècle ne furent pas unanimes à partager l'enthousiasme des contemporains. Si Gautier (1882) vante le tableau («quelle facilité, quelle abondance, quel esprit et quelle couleur agréable dans la gamme argentée»), Lecoy de La Marche, dix ans plus tard, en critique «les têtes faites de pratique... et les costumes (qui) n'ont pas plus de vérité que les visages».

Pour tous les auteurs, le *Repas chez Simon* évoque les noms de deux peintres: Véronèse et Chardin. Or, s'il a pu admirer le tableau de Véronèse de même sujet de la collection du roi aujourd'hui à Versailles, Subleyras ne s'est pas rendu à Venise, et il est à peu près certain qu'il n'a jamais vu de tableaux de Chardin! Plus grave, les ambitions de Subleyras n'ont pas grand-chose en commun avec celles du maître vénitien ou du plus parisien des artistes français du XVIIIe siècle. Ce que Subleyras cherche, c'est plus à renouer avec la tradition classique de Poussin, auquel il emprunte les grandes lignes de son Sacrement de la *Pénitence* (fig. 3; Edimbourg) et peut-être aussi la figure du Christ allongé sur la gauche de la composition. Certes, certains détails «réalistes», le chien au premier plan qui ronge un os, les paniers de vaisselle, la table richement mise, les morceaux de nature morte, pourraient justifier ceux qui voudraient voir dans ce tableau une œuvre avant tout décorative. Et si, il faut bien en convenir, Subleyras n'entraîne plus guère aujourd'hui l'adhésion lorsqu'il peint le sentiment religieux, il triomphe lorsqu'il s'agit de maîtriser et de rendre lisible et claire une composition qui compte trente protagonistes dont on se doit d'admirer la noblesse des attitudes. Il sait guider avec sureté notre regard vers l'épisode essentiel de la scène et surtout fait preuve d'une maîtrise dans le choix des couleurs et d'un raffinement dans leur juxtaposition, uniques en son temps. On a souvent vanté

Détail

les blancs, la « tonalité finement argentée », les gris et les roses de l'œuvre: la restauration du tableau permet enfin de les apprécier.

Une phrase du texte des *Memorie*... en 1786 n'a peut-être pas suffisamment retenu l'attention des historiens d'art. A propos du triomphe du *Repas chez Simon* d'Asti, l'auteur écrit: « Les étrangers accusent à tort Rome d'être jalouse et envieuse de leurs progrès dans les Beaux-Arts et de tenter de dénigrer leurs talents. Rome est juste dans ses jugements; elle sut reconnaître les mérites de Subleyras, bien qu'elle possédât alors Mancini, Masucci, Benetial (pour Benefial) et Bianchi ».

Subleyras eut à s'imposer à Rome, comme il aurait eu à le faire s'il était revenu à Paris. S'il put refuser les offres qui lui furent faites de retourner à Toulouse (selon Maillot) ou de s'établir à Dresde (1739; n° 64) ou à Madrid (1741; n° 69), c'est qu'un tableau comme le *Repas chez Simon* lui avait permis de prendre place parmi ses contemporains romains et lui avait assuré une prééminence que la commande par Benoît XIV de son portrait (1740; n° 69) allait conforter.

Provenance

Commandé par les chanoines réguliers de Latran, (sur le rôle du P. Ramelli, voir p. 82), pour le réfectoire du couvent de Santa Maria nuova d'Asti, près de Turin; y reste jusqu'en 1798; 9 février 1798: bref de Pie VI autorisant Charles Emmanuel IV de Savoie à dépouiller les couvents pour couvrir les frais de guerre contre les Français (Bianco, p. 150); porté à la basilique de Superga, près de Turin, afin d'éviter la vente de l'œuvre; y sera saisi en 1799 par les Français; exposé au Musée Central des Arts en 1799 (n° 95); à Versailles, au musée spécial de l'Ecole française, de 1799 à 1816 (n° 242 du cat. de l'an X); au Louvre depuis cette date. Le tableau a été restauré à l'occasion de l'exposition.

Exposition

Le tableau fut exposé en 1737 à Rome, à Santa Maria dell'Anima, avant d'être envoyé à Asti (Pasqualoni, 1786).

Bibliographie

(mentionné par tous les auteurs).
Bartoli, 1776, p. 62; Pasqualoni, 1786, p. 163; *Memorie*, 1786, pp. XXVIII et XXXIV; cat. musée (Versailles), 1802, n° 242; cat. musée (Villot), 1855, n° 504 («1739»!); Lavice, 1870, pp. 207-208; Gautier, 1882, p. 179; Lecoy de la Marche, 1892, pp. 214-215; Saint-Raymond, 1892, p. 131; Dutilleux, 1895, pp. 239, 241; cat. musée (Brière), 1924, n° 853; R. pp. 193, 196-197; Voss, 1924, p. 643; G. p. 27; Réau, 1925, p. 32 («1739»); A. 21 et pp. 59-60; Gillet, 1934, p. 285; Blumer, 1936, p. 334, n° 465; *Schede Vesme*, 1968, pp. 1014-1015; Boyer, 1969, p. 82; cat. musée (Rosenberg, Reynaud, Compin), 1974, n° 783, ill.; Faré, 1976, p. 368; Gabrielli, 1977, p. 21, ill. pp. 156-157 («1739»).

Œuvres en rapport

Tableaux:
Nous exposons le grand tableau, l'esquisse du Louvre, le *modello* de Dresde, l'étude de l'Académie de Saint-Luc à Rome, les deux études à l'huile d'Ajaccio et de Moscou (et son «pendant» de Léningrad) ainsi que deux dessins préparatoires, tous deux au Louvre.
Le *Repas chez Simon* fut rapidement célèbre: il en existe de très nombreuses versions, répliques d'atelier et copies. Nous ne prétendons pas les énumérer toutes ici.
Versions identiques à l'*esquisse* du Louvre:
— Utrecht, musée archiépiscopal (T. H. 23,5; L. 60,5);
— ancienne coll. Nuñes, Rome (T. H. 29,5; L. 64; vente *FinArte* 33, Milan, 10 mai 1967, n° 36, pl. X);
— Boston College (T. H. 45; L. 100);
— Coll. privée, Bootle, Grande-Bretagne (T. H. 23 inches; L. 50 inches), anc. coll. Louis Dimier (T. H. 48; L. 100; provient d'une vente sans cat. du 11 février 1929; voir L. Dimier, *Gazette des Beaux-Arts*, 1929, I, pp. 381-382).
Signalons encore les versions Gherardesca à Florence (photographie à la Witt Library), du commerce d'art à Milan (Magugliani, 1974, XII, n° 6, pp. 36-37), Weitzner (1970; H. 22 1/4 inches; L. 49 inches), signée à tort P. Puvis de Chavannes d'une coll. privée parisienne et Cailleux (1985, B. H. 24,5; L. 62).
La version du presbytère de l'église Saint-Eustache à Paris (voir A. 23) a, selon G. Brunel (comm. écrite), disparu.
Il est extrêmement ambitieux de vouloir relever toutes les mentions concernant ce tableau: avant 1756, coll. Valenti Gonzaga, certainement un original (*Memorie*, 1786, p. XXIX; Pietrangeli, 1961, p. 58, n° 457), Mangin à Rome (Perrier, 1860, p. 197), abbé Dessane à Toulouse (A. 22; H. 45; L. 102, signé et daté 1726!), Lürman à Brême (Parthey, 1864), colonel Griffith à Londres (A. 24; B. H. 23; L. 61) et acquis à Rome en 1822 par le prince Stanislas Poniatowski (Corbo, 1970, p. 109); ventes 20-21 mai 1835, n° 55; 23-24 janvier 1837, n° 76; 24 janvier 1843, n° 33; Londres, Christie's, 14 juin 1845, n° 114 (A. 24); Bruxelles, 23-24 novembre 1868, n° 56 (A. 24); Berlin, coll. Bruchmann, 1-2 mars 1904, n° 153 (A. 26); 25 avril 1928, n° 186; Londres, Christie's, 14 juin 1937; Versailles, 1 mars 1970, n° 287; 13 décembre 1974, n° 92.
Mentionnons encore la célèbre copie en miniature sur parchemin par Maria Felice Tibaldi (fig. 1, Rome, musée du Capitole) exécutée en 1748, exposée en 1750 (voir Waga, 1968, p. 10), achetée par Benoît XIV pour 1 000 écus en 1752.

Fig. 1
Maria Felice Tibaldi,
La Madeleine aux pieds du Christ,
Rome, Pinacothèque Capitoline.

Une copie du tableau de l'Académie de Saint-Luc est passée en vente à l'Hôtel Drouot le 21 février 1964 (sans cat.).
Pour les études de tête du type de celle du musée d'Ajaccio, voir rubrique *Prov.* de la notice 12.

Dessins :
Le dessin autrefois dans la coll. de l'abbé Thuélin (A. d. 18; cat. exp. Londres, 1932, n° 760) n'est qu'une copie d'après la gravure, de même que celui à la sanguine conservé à la Pinacothèque de Bologne (Inv. 75) et celui d'une coll. privée de Vérone. Nous n'acceptons pas l'attribution à Subleyras d'un dessin d'une coll. part. de Carpentras, ni de celui, pourtant fort intriguant, exposé chez B. de Bayser en 1980 (n° 44, ill.).
Voici quelques mentions de vente concernant des dessins en relation avec cette illustre composition : 28 février-25 mars 1811, n° 541 (coll. Silvestre); 19 février 1827, n° 247; 28-30 janvier 1833, n° 30; 5-7 mars 1860, n° 370; 4-7 avril 1864, n° 227; 1 février 1877, n° 296 (A. d. 18); 3 décembre 1900, n° 133. Le dessin de la vente Kaïeman (26 avril-1 mai 1858, n° 1345), puis de la coll. Chennevières (Chennevières, janvier 1897, p. 22), est mis en relation par A. (27 et d. 19) avec le tableau de l'Académie de Saint-Luc et le dessin du Louvre.

Gravures :
La gravure de Subleyras d'après l'esquisse du Louvre, dédiée au duc de Saint-Aignan, date de 1738 (fig. 2, A. g. 5 et cat. exp. Boston et autres lieux, 1985, n° 22, ill.). On en connaît cinq états. Elle passe assez régulièrement en vente. Cent exemplaires en furent tirés en 1787 (G. Duplessis, 1871, XI, pp. 308-309 et cat. exp., 1959, n° 42). Le cuivre, qui appartenait au citoyen Galland, était à vendre en 1794 (*Affiches, annonces et avis divers*, 20 mars 1787, p. 790 et 22 brumaire An III, p. 770; voir aussi Cantarel-Besson, 1981, II, p. 113; Archives du Louvre AA[1], pp. 72-73, 84-85 et C[5], 12 novembre 1794).
C. Normand a gravé l'esquisse du Louvre pour Landon (1832, 2e éd., t. 3, pl. 51). On en signale une lithographie avec variantes par J. Prat.

Fig. 2
La Madeleine aux pieds du Christ,
Rome, Chalcographie nationale.

Fig. 3
Poussin,
La Pénitence, Edimbourg,
National Gallery.

La Madeleine aux pieds du Christ chez Simon le Pharisien, *dit aussi* Le Repas chez Simon

Toile H. 24; L. 63.
Paris, musée du Louvre (Inv. 8001).

Plus que le tableau d'Asti, c'est l'esquisse du Louvre qui confirma au XVIIIe siècle la célébrité de Subleyras. Gravée par l'artiste lui-même en 1738 (fig. 2 de la notice précédente), très souvent copiée, elle obtint la plus grosse enchère de toute la vente Natoire qui ne contenait pas moins de quinze tableaux de l'artiste. Huit ans plus tard, elle fut achetée par le roi pour plus de 8 000 livres, somme respectable pour l'époque. En 1778, Paillet en vantait la « belle ordonnance » et la considérait comme un « chef-d'œuvre, tant par sa touche légère et précieuse que par la belle harmonie de couleur qui y règne ». En 1786, dans une notice de catalogue d'une pertinence caractéristique du XVIIIe siècle, il est encore plus lyrique: « Une composition brillante et qui rappelle la grande manière et le plus beau style des anciens Maîtres, une distribution sage et noble tant dans les figures principales que dans celles placées pour accessoires, une entente parfaitement raisonnée des effets de lumière, et au moyen de laquelle l'œil du Connoisseur tourne facilement autour de chaque objet: on y remarquera en outre une grâce de couleur infiniment délicate, une touche moëlleuse, et une liaison parfaite dans tous les tons ». L'œuvre est aujourd'hui bien oubliée et personne ne songerait à la considérer comme « un des chefs-d'œuvre de Peinture de notre Ecole » !

Très proche du tableau définitif, l'esquisse du Louvre s'en distingue par plusieurs variantes. Moins haute, tout son arrière plan architectural a été modifié, notamment le dressoir coupé par le milieu. Mais surtout, alors que, sur le tableau d'Asti, le serviteur au centre de l'œuvre se tourne, justement, vers le centre d'intérêt de la composition — le groupe de la Madeleine qui essuie les pieds du Christ avec ses cheveux - sur l'esquisse, il nous regarde.

On relèvera encore d'assez nombreuses modifications

dans le choix des couleurs, en particulier en ce qui concerne les habits des protagonistes de la scène. Certes, on peut estimer que la petite étude du Louvre « respire » mieux, mais, dans la version définitive, Subleyras réussit le tour de force de maîtriser parfaitement sa composition, tout en nous permettant de découvrir, pour le plaisir de l'œil, les trouvailles de son imagination, comme par exemple les reflets de la lumière sur le carrelage du premier plan ou encore, au centre de l'œuvre, la note rose du tapis de table recouvert par la grande nappe blanche.

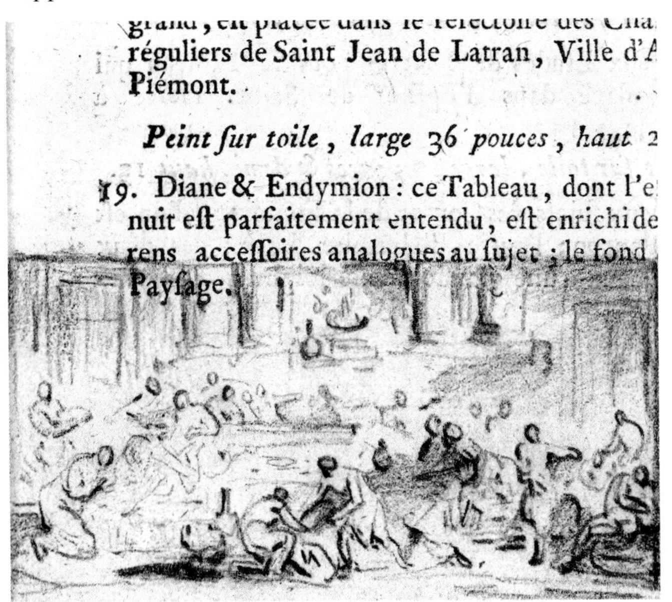

Fig. 1
Gabriel de Saint-Aubin,
La Madeleine aux pieds du Christ, Paris, Bibliothèque nationale.

Provenance

Propriété de Subleyras; vendu par sa veuve à Natoire durant le séjour de celui-ci à Rome de 1752 à sa mort? Coll. du peintre Charles Natoire (1700-1777); sa vente après décès, 14 décembre 1778, n° 18 (acquis pour 8 106 livres par Ménard de Clesne); vente [Ménard de] C.[lesne], 4 décembre 1786, n° 57; acquis pour 8 101 livres pour le roi (voir A.N. 0^{1} 1920 (1) 15 et lettre de d'Angiviller à Hubert Robert qui acheta, sous son nom, le tableau pour le roi (0^{1} 1180 fol. 231; voir Gabillot, [1895], qui reproduit p. 177 le reçu de Robert); au Pavillon Neuf du Louvre avant la Révolution; au Museum en 1793 (Tuetey et Guiffrey, 1909).

Expositions

Paris, 1936, n° 81; Paris, 1960, n° 689; Compiègne-Aix-en-Provence, 1977, p. 51, fig. 48; Paris, 1979, p. 9 et p. 56, note 30.

Bibliographie

Memorie, 1786, p. XXIX, note 1; cat. du musée central des Arts, An VII (1799), n° 95; Gault de Saint-Germain, 1818, II, pp. 275-276; cat. musée (Villot), 1855, n° 505; Lavice, 1870, p. 208; Gabillot, 1895, pp. 175-176; Engerand, 1900, p. 593; Tuetey et Guiffrey, 1909, p. 383, n° 63; Dacier, 1913, VIII, pp. 46-47 et note 1, pp. 60 et 9 du *fac simile*; cat. musée (Brière), 1924, n° 854; R. p. 197; Voss, 1924, p. 643; G. pp. 24 et 27; A. 23, p. 60 et pl. 14; Gillet, 1929, pp. 57-58, pl. 67; Gadille, 1972, fig. entre p. 14 et p. 15; cat. musée (Rosenberg, Reynaud, Compin), 1974, n° 782, ill.

Œuvres en rapport

Voir notice 33.
Le tableau a été dessiné par Gabriel de Saint-Aubin (1724-1780) en marge de son exemplaire du cat. de la vente Natoire (fig. 1).

La Madeleine aux pieds du Christ chez Simon le Pharisien, *dit aussi* Le Repas chez Simon

Toile H. 50,5; L. 122.
Dresde, Staatliche Kunstsammlungen, Gemäldegalerie (Inv. 351).

La grande esquisse de Dresde, fort proche de celle du Louvre, s'en distingue par les deux pots-à-feu qui ornent le second plan architectural et par le chien, d'une robe plus claire (pour les variantes entre l'esquisse du Louvre et le tableau achevé d'Asti, on voudra bien se reporter à notre notice précédente).

Le 29 avril 1739, le comte Hans Moritz von Brühl, frère aîné du célèbre premier Ministre, qui avait accompagné à Rome son maître, le prince Frédéric Christian de Saxe, adressa à Auguste III, prince électeur de Saxe et Roi de Pologne, un mémoire sur les artistes les plus en vue que l'on pouvait songer faire venir à Dresde: Subleyras « est autant pour l'histoire que pour le portrait... ses ouvrages lui ont acquis une grande réputation, particulièrement un tableau de vingt-cinq pieds de longueur, présentant la Ste Cène de Notre Seigneur, dont il a présenté l'esquisse à S.A.R., laquelle fait tirer actuellement son portrait par le dit peintre » (Dresde, Staatsarchiv, A° 1739, III, Loc. 768, p. 185). Grâce aux lettres conservées à Dresde et que nous a généreusement communiquées le Dr. Harald Marx, nous connaissons les dates des séances de pose (pour plus de détails, on consultera la notice consacrée à ce portrait, n° 64). Nous apprenons encore que, toujours en 1739, Subleyras « vient d'essuyer une grande maladie ».

De dimensions deux fois supérieures à celles du Louvre, l'esquisse de Dresde, d'une exécution très habile, a vraisemblablement été utilisée par l'artiste pour la réalisation de son grand tableau d'Asti.

Provenance

Cadeau de Subleyras au prince Frédéric Christian de Saxe, lors de son séjour à Rome en 1739 (Subleyras fit à cette occasion son portrait, voir notice 64); transféré du château à la galerie de Dresde en 1742.

Bibliographie

Lejeune, 1864, I, p. 367; Parthey, 1864, p. 598; Dussieux, 1876, p. 234; cat. musée (Woermann), 1902, p. 252, n° 789; R. p. 197; Voss, 1924, p. 643; A. 95 et p. 60; cat. musée (Posse), 1930, p. 19 et n° 789.

Œuvres en rapport

Voir notice 33.

Un serviteur, un genou à terre, *étude pour le* Repas chez Simon

Toile H. 78; L. 96.
Rome, Accademia di San Luca.

Cette étude a été offerte par Subleyras à l'occasion de sa réception à l'Académie de Saint-Luc en 1740.

Elle nous montre le serviteur du premier plan du *Repas chez Simon*, non pas tel qu'il se voit sur les esquisses du Louvre et de Dresde (n°s 34 et 35), mais bien plus tel que Subleyras le peindra dans la version définitive de son œuvre (n° 33). Nous pensons qu'elle a été réalisée peu après les deux études du Louvre et de Dresde: Subleyras s'était rendu compte — ou peut-être les commanditaires de l'œuvre le lui avaient-ils fait remarquer — qu'il avait commis une erreur en représentant le jeune serviteur face à nous, détournant ainsi notre attention de ce qui est le centre d'intérêt de la composition. Mais le tableau de l'Académie de Saint-Luc se suffit à lui-même: pour qu'il en soit ainsi, Subleyras a quelque peu modifié la position de la tête de son modèle. La rigueur toute classique de la mise en page, la simplicité de la composition, un retour à une observation fidèle de la réalité (le panier d'osier), le sens du quotidien, la fraîcheur des couleurs, les blancs des linges, les gris des argenteries, les bleus, font de cette œuvre une des plus séduisantes de l'artiste.

Provenance

Offert par l'artiste à l'Académie de Saint-Luc de Rome à l'occasion de son élection «à l'unanimité», le 14 février 1740 (voir Locquin, 1909, Boyer, 1955, pp. 141-142, Gadille, 1972). Il «prit possession» de son titre d'académicien le 6 mars 1740.

Bibliographie

Dezallier d'Argenville, 1762, p. 450; Fontenay, 1776, p. 591; *Memorie*, 1786, p. XXIX, note 1; Rivoire, 1842, p. 596; Barbier de Montault, 1870, p. 339; Dussieux, 1876, pp. 490-491 et note 1; Saint-Raymond, 1892, p. 131; R. p. 197; A. 27 et p. 60; Pericoli, 1961, p. 39 et fig. p. 40; Sade, 1967, p. 310 («Un marmiton récurant sa vaisselle du Subleiras, morceau plein de nature et de vérité»); Gadille, 1972, pp. 14-16; Faldi, dans *Accademia nazionale di San Luca*, 1974, pp. 167-168, p. 166, fig. 62; Rudolph, 1983, fig. 655.

Œuvres en rapport

Voir notice 33.
Pour le dessin préparatoire, voir n° 40.

Tête d'homme enturbanné, *étude pour le* Repas chez Simon

Toile H. 64,5; L. 49,5.
Ajaccio, musée Fesch (1852-1-959).

Étude pour la tête du pharisien, à l'extrême-droite de la table du banquet.

Provenance

Provient très vraisemblablement de la coll. du peintre Charles Natoire (1700-1777); sa vente après décès, 14 décembre 1778, n° 26: « Deux différentes têtes de vieillard, l'une est coëffée d'un turban... »; le n° 27, « deux autres têtes », précise: « études pour son grand Tableau de Jésus chez le Pharisien ». Saint-Aubin (Dacier, 1913, VIII, p. 11 du *fac simile*) a dessiné deux de ces têtes: l'une paraît bien être celle de nos jours au musée Fesch (fig. 1). « Trois » des « études de têtes » provenant de la collection Natoire passent à la vente (B(oynes), 15-19 mars 1785, n° 77. Il n'est pas possible de préciser si celle, aujourd'hui à Ajaccio, faisait partie de ce lot. Faisait semble-t-il partie d'un lot de tableaux saisi chez « Billard dit Bélizard émigré... rue J.J. Rousseau, n° 394. Trois tableaux représentant... deux des vieillards, l'un coiffé d'un turban, l'autre tête nue, tous deux à barbe... » (A.N. F^{17} 1268, n° 228, n° 21). Pour un autre tableau de ce lot, voir n° 12. Coll. du cardinal Fesch, oncle de Napoléon, entrée au musée d'Ajaccio en 1852; a été restaurée à l'occasion de l'exposition.

Bibliographie

Cat. musée (Peraldi), 1892, n° 727 (« Anonyme de l'école flamande »).

Œuvres en rapport

Voir notice 33.
Pour le dessin de Saint-Aubin, voir *Provenance*.

Fig. 1
Gabriel de Saint-Aubin,
Tête de vieillard,
Paris, Bibliothèque nationale.

38

Tête de garçonnet, *étude pour le* Repas chez Simon

Toile ovale. H. 36; L. 27,5.
Moscou, musée Pouchkine (Inv. 1101).

Ce séduisant portrait d'enfant est en fait une étude pour le garçonnet qui figure à l'extrême-gauche du *Repas chez Simon* (n° 33). L'hypothèse qui voyait dans cette œuvre le portrait d'un des fils de Subleyras ne peut être retenue: en 1737, Subleyras était encore célibataire; il ne devait épouser Maria Felice Tibaldi que deux ans plus tard.

Le visage, à l'ovale prononcé, au nez bien marqué, avec ses mèches plaquées sur le front, est caractéristique des modèles de Subleyras.

Provenance

Provient très vraisemblablement de la vente après décès de M. de Billy, 16 novembre 1784, n° 44: « Deux Tableaux de forme ovale, faisant pendant; ils représentent un Jeune Garçon et une Jeune Fille. Ces deux morceaux, Etudes terminées de ce Maître, sont d'un pinceau ferme et gracieux. Hauteur 13 pouces, largeur 9 pouces et demi ». Coll. du comte A.G. Golovkine à Moscou jusqu'en 1823; de 1827 à 1924, coll. Youssoupov à Arkhangelskoë, puis à Saint-Pétersbourg; à l'Ermitage de 1924 à 1927; à Moscou depuis 1927

Exposition

Moscou, 1955, p. 57.

Bibliographie

Cat. coll. Youssoupov, 1839, n° 43; Ernst, 1924, p. 40, repr. p. 41; Réau, 1928, n° 642; A. 142; cat. musée, 1948, p. 76; cat. musée, 1957, p. 135, ill.; Sterling, 1957, p. 217, note 65; cat. musée, 1961, p. 177, n° 1101, ill.; Mesuret, 1972, p. 331; Kouznetsova et Gueorguievskaïa, 1980, n° 56, ill. en couleurs; cat. musée, 1982, p. 184, ill.

Œuvres en rapport

Voir la notice suivante et notice 33.

39

Tête de fillette

Toile ovale. H. 36; L. 27.
Leningrad, musée de l'Ermitage (Inv. 4674).

Le tableau fait, depuis 1784 au moins, pendant avec la *Tête de garçonnet* exposée au numéro précédent. Nous l'avons dit, cette tête est l'étude pour une figure du *Repas chez Simon*. Or, notre fillette n'apparaît pas dans ce tableau.

On remarquera que la facture des deux œuvres n'est pas identique — le coup de pinceau est plus visible sur le tableau de Léningrad — et que le souci de faire ressemblant est plus sensible sur le *Portrait de fillette*.

S'agirait-il de deux études sans lien direct entre elles, artificiellement réunies dans la seconde moitié du XVIIIe siècle ?

Provenance

Voir la notice précédente.
A l'Ermitage depuis 1924.

Bibliographie

Cat. coll. Youssoupov, 1839, n° 44; Ernst, 1924, p. 42, repr. p. 43; Réau, 1928, n° 643; A. 139; cat. musée, 1958, I, p. 341; Mesuret, 1972, p. 331; cat. musée (Nemilova), 1982, n° 321, ill.

Œuvres en rapport

Voir le n° précédent et la notice 33.
« Un Portrait d'Enfant par Sublairas » est exposé au Salon de Toulouse, en 1753 (n° 115), « Un Enfant » en 1761 (n° 64), 1778 (n° 2) et en 1778 (n° 26).

40
ROME

Un serviteur un genou à terre, *étude pour le* Repas chez Simon

Pierre noire avec traces de rehauts de blanc sur papier verdâtre; collé en plein.
En bas à la plume, à l'encre brune: «p. Subleyras».
H. 290 mm; L. 228 mm.
Paris, musée du Louvre, Cabinet des dessins (Inv. 32919).

Étude d'une exécution assez dure, pour le serviteur au premier plan du *Repas chez Simon*, dans la version définitive d'Asti (n° 33).

Provenance

Sur le montage, en bas à droite, marque sèche *FRO* (Lugt, 1045), celle d'un monteur du XVIIIe siècle.
Provient très probablement de la coll. du comte de Saint-Morys (1743-1795); saisie à la Révolution (marque du Louvre, Lugt 2207, en bas à droite).

Bibliographie

A. d. 19.

Œuvres en rapport

Voir notice 33, notamment pour ce qui concerne le dessin de la coll. Chennevières.

Étude pour une figure du Repas chez Simon

Pierre noire, rehauts de blanc sur papier gris. Une ligne à la pierre noire encadre le dessin. H. 214 mm; L. 268 mm.
Paris, musée du Louvre, Cabinet des dessins (Inv. 32964).

Étude pour le personnage penché sur le Christ du *Repas chez Simon* (n° 33).

Nous n'avons pu identifier que deux dessins préparatoires pour ce tableau : il est certain qu'il dut en exister bien plus.

Provenance

Coll. du comte d'Orsay (1748-1809; marque, Lugt 2239, en haut à droite); saisie à la Révolution (marque du Louvre, Lugt 1886, en bas à droite).

Bibliographie

Cat. exp. Paris, 1983, p. 175 (Ors. 634).

Œuvres en rapport

Voir notice 33.

42

Le duc de Saint-Aignan remet le Cordon du Saint-Esprit au prince Vaini

Toile H. 148; L. 114.
France, collection privée.

Le 1er janvier 1737, Louis XV accordait au prince Vaini duc de Selci, prince de Cantalupo, marquis de Vacone, le Cordon bleu, le Cordon du Saint-Esprit qu'il souhaitait depuis longtemps. La famille de Jérôme Vaini venait d'Imola; alliée aux Barberini, elle faisait partie de la clientèle de la France: le père de Girolamo avait déjà reçu le Cordon en 1699. Girolamo Vaini devait cette distinction avant tout au fastueux ambassadeur de France, le duc de Saint-Aignan (1684-1776).

La remise de l'Ordre eut lieu à Rome le 15 septembre 1737 à l'église de Saint-Louis-des-Français (et non à l'Ambassade de France, comme l'affirme le président de Brosses, éd. 1931, II, p. 97), «avec une pompe digne de la France et un bon goût que tout Rome admira».

Laissons la parole à O. Arnaud (p. 58) qui résume les nombreux récits consacrés à l'événement:

«Dans le cortège de l'ambasseur figuraient un carrosse et deux berlines qui n'avaient jamais paru. La livrée était neuve, lui-même portait la tenue des grands officiers de l'Ordre: manteau semé de flammes, culotte blanche, camail bleu retenu par une cordelière, chapeau orné de plumes blanches et d'aigrettes noires. Dix cardinaux se trouvaient là, toute la noblesse de Rome, les ministres étrangers, une musique délicieuse, bref, de quoi faire tourner la tête à tous les Vaini du monde. Les nobles furent dans l'éblouissement. En ville le retentissement fut tel qu'il fallut dans les jours suivants tenir ouverts les salons de l'ambassade afin de permettre à ceux que leur rang n'avait pas mis au nombre des invités, de contempler la décoration qu'on avait faite à cet effet. «C'est, écrit un témoin, une procession continuelle. Il vint plus de 40.000 personnes».

On sait, par les *Memorie* (1786, p. XXX), que Subleyras peignit «*due* (c'est nous qui soulignons) quadri storiati rappresentanti la funzione fatta dall'Ambasciador di Francia nel dare il Cordon Bleu al Principe Vaini». L'un de ces tableaux est sûrement celui que nous exposons ici, resté dans la famille du duc de Saint-Aignan et mentionné en 1786 et en 1818. Un second exemplaire, bien plus grand, a été acheté en 1925 par le musée de la Légion d'honneur à Paris à une descendante des Saint-Aignan. Il semble ne pas toujours avoir appartenu à cette famille. Il serait logique qu'un des deux exemplaires ait été commandé par le prince Vaini (mais nous n'en avons aucune preuve). Il faut rappeler en outre que Gault de Saint-Germain, en 1818, connaît l'existence d'un exemplaire «en grand» peint selon lui «pour être placé au couvent des Grands-Augustins». Il ajoute: «il a disparu, et je crois même qu'il a été exposé en vente publique». Il conclut et nous partageons son jugement: «mais le petit dont nous faisons ici mention «(notre n° 42)» est bien supérieur et doit être considéré comme un des chefs-d'œuvre de l'Ecole française» (plus haut, il l'admire comme «le plus beau tableau de Subleyras»).

Peut-on avancer l'hypothèse que le grand tableau, celui de la Légion d'honneur (fig. 1), n'entra pas, dans la collection du prince Vaini, que Subleyras le garda (d'où sa présence dans l'*Atelier* de Vienne pour autant que cette œuvre nous montre l'atelier de Subleyras tel qu'il était et non pas idéalisé, regroupant les réalisations les plus notoires de l'artiste) et qu'il n'arriva en France que plus tard?

Le tableau est savamment composé sur le mode allégorique. L'événement réel n'est évoqué que par l'essentiel: la remise même du Cordon bleu par le duc de Saint-Aignan au prince Girolamo Vaini agenouillé devant lui et les deux figures semblent bien être des portraits. Tous les autres personnages ont valeur de signe. Le tableau est conçu sur deux registres comme une composition religieuse. A la scène «terrestre», répond dans la partie supérieure l'évocation des monarques protecteurs, absents à la cérémonie mais la présidant en pensée. Se font face la France à gauche, Rome à droite à qui est donné légèrement plus d'importance, le pape dominant le roi et le prince occupant un plus large espace. Mais le peintre a rétabli l'unité par un jeu de diagonales et de correspondances, médaillons, lances, couleurs enfin: le bleu et le blanc au cœur du tableau signifiant l'ordre lui-même. Quant aux allégories, Subleyras les emprunte traditionnellement à l'*Iconologie* de Ripa. Le médaillon de Clément XII est soutenu par la Foi catholique, une femme voilée de blanc, accompagnée d'un putto; celui de Louis XV par Minerve symbolisant la Sagesse du roi. Se penchant sur le fauteuil du duc de Saint-Aignan, un Mercure armé du Caducée et coiffé d'un casque ailé représente la « Fama chiara », la Renommée; il est aussi le messager qui fait le lien entre le roi et son ambassadeur. Le prince Vaini, le héros de la scène, est accompagné de trois figures. L'Honneur, la plus à droite, a la forme d'un homme jeune vêtu de pourpre, couronné de laurier, une lance dans la main droite et une corne d'abondance dans la gauche. Un peu en retrait, une femme tenant une clé, un chien blanc à ses pieds, c'est la Fidélité. Au centre, la Noblesse, une étoile sur le front, richement vêtue de bleu, tendant un sceptre. Elle est celle sans qui le prince n'aurait pu obtenir du roi de France la récompense suprême qu'il convoitait depuis longtemps.

Fig. 1
Subleyras (et son atelier),
Le duc de Saint-Aignan remet le Cordon du Saint-Esprit au prince Vaini,
Paris, musée de la Légion d'honneur.

Il est impossible de préciser le lieu dans lequel se déroule l'événement, en fait, nous l'avons vu, Saint-Louis des Français. Panini au contraire, tout aussi « francophile » que le prince Vaini, dans son tableau du musée de Caen (fig. 2; Rosenberg et Le Moël, 1969, p. 56, fig. 5) nous décrit l'église tendue de rouge et la foule des assistants.

Subleyras se consacra avec zèle à cette commande, sa première commande d'importance avec le *Repas chez Simon* d'Asti (n° 33) : les esquisses que nous avons réunies autour du tableau en témoignent. Elles permettent de se pencher attentivement sur la méthode de travail du peintre.

Subleyras ne se contente pas des habituelles études d'ensemble (n°s 43 à 48), il peint en pied les principaux protagonistes de l'événement (n°s 44 et 45), fait leur portrait (n°s 46 et 48), étudie tel détail de la composition (n° 47). Nous savons aussi (voir notre rubrique *Œuvres en rapport*) qu'il fit le « portrait » du chien, hélas disparu ! Egalement, il paraît clair qu'en 1737 déjà, Subleyras se faisait aider : le grand tableau de la Légion d'honneur en fournit la preuve, comme les répliques des bustes du prince Vaini (fig. 4) et du duc de Saint-Aignan (fig. 3).

Mais si ce tableau est parfois durement jugé (« l'œuvre se solde presque par un échec », Thuillier et Châtelet, 1964,

Fig. 2
G. P. Panini,
Le duc de Saint-Aignan remet le Cordon du Saint-Esprit au prince Vaini,
Caen, musée des Beaux-Arts.

p. 209), ce n'est pas seulement à cause de la participation de l'atelier. La composition, fort savante, est peut-être trop chargée et l'ambitieux jeune artiste ne maîtrise pas parfaitement encore l'espace. Il associe, sans toujours convaincre, le genre allégorique et le portrait.

Les esquisses valent mieux. Elles séduisent autant par les trouvailles de la mise en page (n° 47) que par le bonheur des accords de couleurs.

Précisons pour conclure que les quelques variantes entre le tableau Saint-Aignan et celui de la Légion d'honneur sont de peu de signification (le chien tourne la tête vers la gauche, la lance passe derrière la tête de la Noblesse etc...). La qualité de l'exécution du premier tableau, la masse blanche de l'habit du prince, le bleu du cordon, les ors, les rouges et les bleus entraînent l'adhésion.

Fig. 3
Subleyras (atelier),
Le duc de Saint-Aignan,
France, coll. privée.

Fig. 4
Subleyras (atelier),
Le prince Vaini,
France, coll. privée.

Provenance

Semble n'avoir jamais quitté la collection de la famille du duc de Saint-Aignan (s'il est normal que le tableau ne figure pas dans la vente après décès du duc en 1776, il est plus surprenant qu'il ne soit pas mentionné dans l'inventaire que nous avons pu consulter en 1971). En tout cas, en 1776, le tableau est mentionné par Papillon de la Ferté comme à l'hôtel Saint-Aignan à Paris et par Gault de Saint-Germain en 1818 comme dans la famille du duc.

Exposition

Blois, 1875, n° 112 (au prince de Chalais).

Bibliographie

L'exemplaire de la Légion d'honneur (voir plus loin) est cité par la plupart des biographes de l'artiste: Papillon de la Ferté, 1776, II, p. 654; Gault de Saint-Germain, 1818, II, p. 276, note 1 (voir aussi, selon A., éd. 1841, II, p. 279); Rosenberg et Le Moël, 1969, p. 53, note 11.

Œuvres en rapport

Nous n'avons pas tenu à exposer le grand tableau du musée de la Légion d'honneur à Paris (fig. 1; T. H. 323; L. 242; il est vraisemblablement légèrement coupé sur la gauche). Il vient d'être délicatement restauré à la suite de l'attentat dont il a été victime en avril 1983 (cat. exp. Paris, Légion d'honneur, 1986, pp. 108-111; ill. en couleurs). Sa restauration a montré qu'il n'avait été que partiellement exécuté par l'artiste lui-même. Propriété de M. de Baillehache en 1911 (cat. exp. Turin, 1911, n° 121), acquise en 1925 de Mlle de Blacas, elle aussi une descendante du duc de Saint-Aignan. L'œuvre a-t-elle été commandée par Girolamo Vaini et non acquise? (elle n'est pas mentionnée dans l'inventaire après décès du prince). Elle est citée par la plupart des biographes de Subleyras (signalons plus particulièrement G. pl. p. 30; R. p. 194 et note 1, p. 199; A. 100; Poch-Kalous, 1969, pp. 11-13, fig. 2).
Nous exposons l'exemplaire de moyen format qui appartient encore de nos jours aux descendants du duc de Saint-Aignan (n° 42), une petite esquisse d'ensemble (n° 43), quatre études de détails (n°s 43 à 47) et un dessin, mise en place de la composition (n° 48). Une cinquième étude (n° 49) doit être en fait le projet, non réalisé, d'un portrait en pied du duc de Saint-Aignan.
Dans l'*Atelier* de Vienne (pl. en couleurs en frontispice du cat.), outre une version de grand format du tableau, on distingue, à l'extrême droite, une étude pour un buste du duc de Saint-Aignan dont nous connaissons une version d'atelier, conservée de nos jours chez les descendants du duc (fig. 3) et, au-dessus, une étude pour le chien placé à la droite du prince Vaini (Poch-Kalous, 1969, fig. 3 et 17).
L'auteur des *Memorie* (p. XXXVI, note 1) qui le date de 1741 assure que le tableau a été gravé, mais déclare n'avoir jamais vu d'épreuves de cette gravure.

Le duc de Saint-Aignan remet le Cordon du Saint-Esprit au prince Vaini

Toile H. 50; L. 40.
France, collection privée.

En certains détails encore proche du dessin (n° 48), cette esquisse, librement exécutée, constitue une étape importante dans l'élaboration de la composition définitive.

Provenance

Vente de la coll. du peintre H. L(emonnier), Paris, 26-27 novembre 1810, n° 16; appartient en 1861 au comte Sinéty à Aix-en-Provence. Acquis par le père de l'actuel propriétaire en 1922, chez [Fabius], à Paris (il le tenait « de la coll. Lionville de Toul »).

Exposition

Marseille, 1861, n° 984.

Bibliographie

Lagrange, 1861, p. 544; Chaumelin, 1862, p. 257; A. 101 et p. 59; Rosenberg et Le Moël, 1969, p. 53, note 11.

Œuvres en rapport

Voir la notice précédente.

44

Le duc de Saint-Aignan tenant le Cordon du Saint-Esprit

Toile H. 62,5 ; L. 48.
Paris, musée Carnavalet (P. 1007).

Pour son tableau définitif, Subleyras ne modifiera guère cette étude montrant le duc de Saint-Aignan s'apprêtant à remettre le Cordon Bleu. Toujours en vue de son tableau, Subleyras fit encore un portrait en buste du duc dont nous connaissons une version d'atelier (voir n° 42, fig. 3; T. H. 63; L. 48). On en distingue une autre version, partiellement cachée par le grand tableau de la *Remise du Cordon*, à droite, sur le mur latéral de l'*Atelier* de Vienne (pl. en couleurs en frontispice du catalogue).

Provenance

Coll. du peintre Louis-Mathurin Clérian (1763-1851), directeur du musée d'Aix; sa vente après décès, Paris, 14-16 mars 1853, n° 94 (avec n°s 45 et 49) ; coll. Honoré Gibert d'Aix-en-Provence, en 1861 ; acquis par le musée Carnavalet de Georges Bernard en 1910 pour 2 000 francs.

Expositions

Marseille, 1861, n° 986 (ou 987 ou 988); Londres, 1968, n° 644; Bucarest, 1971, pp. 154-156, ill.

Bibliographie

Lagrange, 1861, p. 544; Chaumelin, 1862, p. 257; Jadart, 1910, p. 46; *Bulletin de l'art ancien et moderne*, 1910, pp. 162-163; A. 102 et p. 59; G. pp. 33-34 et fig. p. 29; R. p. 194, note 1 et p. 199; Rosenberg et Le Moël, 1969, p. 53, note 11 et fig. 2, p. 52.

Œuvres en rapport

Voir notice n° 42.

45

Le prince Vaini à genoux

Toile H. 62,5; L. 47,5.
Paris, musée Carnavalet (P. 1009).

Dans son tableau, Subleyras modifiera sensiblement le visage du prince et le geste de sa main droite.

Provenance

Voir la notice précédente.

Expositions

Marseille, 1861, nº 987 (ou 986 ou 988); Paris, 1934, nº 307; Paris, 1958, nº 40; Rome-Turin, 1961, nº 306; Londres, 1968, nº 646.

Bibliographie

Voir la notice précédente.
R. p. 194, note 1 et p. 199; G. pp. 33-34 et pl. p. 25; A. 104 et p. 59; Rosenberg et Le Moël, 1969, p. 53, note 11.

Œuvres en rapport

Voir notice 42.

Étude pour la tête du prince Vaini

Toile H. 65; L. 40.
Paris, collection privée.

Il paraît certain que le prince Vaini a posé devant Subleyras pour cette étude que l'artiste ne modifiera plus guère dans son tableau définitif. On remarquera l'usage de la hampe du pinceau pour indiquer les détails de la dentelle.

Provenance

Inconnue.

Bibliographie

Rosenberg et Le Moël, 1969, p. 53, note 11.

Œuvres en rapport

Une répétition de bonne qualité (voir notice 42, fig. 4; T. H. 63; L. 48) existe dans la collection des descendants du duc de Saint-Aignan.

47
Pl. III

Études de bras pour la remise du Cordon du Saint-Esprit

Toile H. 63; L. 47,5.
Paris, collection privée.

Subleyras a utilisé deux des études du registre supérieur de ce tableau pour peindre les mains et les bras de l'Honneur, sur la droite de la composition. La mise en page de l'œuvre, si originale, l'accord des rouges, des blancs et des ors, la rend particulièrement séduisante.

On remarquera, détail amusant, les traces du pinceau, sur le bord de la toile à droite.

Provenance

Inconnue.

Bibliographie

Inédit.

Œuvres en rapport

Voir notice 42.

48

Le duc de Saint-Aignan remettant le Cordon du Saint-Esprit au prince Vaini

Pierre noire avec rehauts de blanc sur papier gris. H. 305 mm; L. 208 mm.
Londres, collection privée.

Seul dessin retrouvé à ce jour pour la *Remise du Cordon bleu au prince Vaini*. Subleyras modifiera sensiblement les attitudes des deux protagonistes de la scène, mais la composition, dans ses grandes lignes, est déjà en place.

Provenance

Pourrait se confondre avec le dessin de la vente de feu M. de B[eurnonville], 10-11 décembre 1883, n° 228: « composition allégorique tirée de l'histoire de Louis XV. Crayon noir sur papier teinté ». Vente anonyme, Paris, 29 janvier 1927, n° 160 (est dit à tort — voir Launay — provenir de la coll. Goncourt); acquis à cette vente par Seymour de Ricci; avant 1930, propriété d'Odette Arnaud. Vente Londres, Christie's, 30 mars 1971, n° 39; acquis à cette vente par l'actuel propriétaire (l'identification de ce dessin avec celui de la coll. d'Odette Arnaud n'est pas tout à fait certaine).

Expositions

Paris, 1933, n° 273; Paris, 1946, n° 439.

Bibliographie

A. d. 55 (?); [Launay], 1983-84, p. 791.

Œuvres en rapport

Voir n° 42.

49

Le duc de Saint-Aignan debout

Toile H. 62; L. 48.
Paris, musée Carnavalet (P. 1008).

Subleyras n'a pas fait usage de cette étude pour son tableau *Le duc de Saint-Aignan remettant le Cordon du Saint-Esprit au prince Vaini*. En fait, il s'agit d'une esquisse montrant le duc debout en tenue de chevalier. Elle laisse supposer que l'artiste ou son modèle songèrent à la réalisation d'un grand portrait d'apparat qui, très vraisemblablement, ne fut, hélas, pas mené à bien.

Provenance

Voir la notice 44.

Expositions

Marseille, 1861, nº 988 (ou 986 ou 987); Londres, 1968, nº 645.

Bibliographie

Voir la notice 42.
G. pp. 33-34 et note 1; A. 103 et p. 59; Rosenberg et Le Moël, 1969, p. 54, note 11 et p. 55, fig. 4.

Œuvres en rapport

Voir notice 42.

50
PARIS

Sept anges en adoration de l'Enfant Jésus

Pierre noire et rehauts de blanc sur papier bleu; collé en plein. Plusieurs lignes à la pierre noire encadrent la composition. H. 203 mm; 149 mm.
Paris, musée du Louvre, Cabinet des dessins (Inv. 32934).

Provenance

Coll. du comte d'Orsay (1748-1809); sa marque, Lugt 2239, en haut à gauche; saisie en 1793; marque du Louvre, Lugt 1886, en bas à droite.

Bibliographie

A. d. 39? (« Mort de la Madeleine », « Inv. 32134 »); cat. vente coll. Clark, Londres, Christie's, 6 juillet 1978, sous le n° 58; cat. exp. Albuquerque, 1980, sous le n° 57; cat. exp. Paris, 1983, p. 175 (Ors. 623).

Œuvres en rapport

Etude pour un tableau aujourd'hui dans une coll. privée anglaise (fig. 1; T. H. 29,8; L. 22,2; cat. exp. Albuquerque, 1980, n° 57, ill.), autrefois dans la coll. Anthony Clark à Minneapolis. Le tableau est passé à trois reprises en vente au XVIIIe siècle: M. de B[èze], 3 avril 1775, n° 95; prince de Conti, 8 avril 1777, n° 705 et anonyme, 19 janvier 1778, n° 97. Il semble se confondre avec le « quadruccio » décrit dans l'inventaire après décès de l'orfèvre Costantino Bartolomei, du 14 décembre 1767 (Archivio di Stato di Roma, Notai della R.C.A., busta 1117, Silvester Antonius Mariottus, 1767, 2[a] parte, fol. 1066 v; estimé 5 scudi).
Une autre version du tableau, avec quelques variantes (l'Agneau divin a remplacé l'enfant Jésus), attribuée au peintre Joseph-Siffred Duplessis (fig. 2; carton, H. 40; L. 33), qui fut élève de Subleyras à Rome entre 1744 et 1747, appartient au musée de Carpentras.

Fig. 1
Sept anges en adoration de l'Enfant Jésus,
Londres, coll. privée.

Fig. 2
J.S. Duplessis,
Sept anges en adoration de l'Agneau divin,
Carpentras, musée des Beaux-Arts.

Anthony Clark, le meilleur spécialiste de la peinture romaine du XVIIIe siècle, à qui l'étude peinte appartenait, la datait des années 1730-1740: datation parfaitement acceptable pour le dessin préparatoire du Louvre. Selon les principes techniques mis au point par Subleyras, le trait nerveux et cassé revient avec insistance sur les principales figures, les lumières sont posées et les volumes indiqués grâce à des accents de craie blanche, la composition, simple et rythmée, est d'une grande élégance.

51

L'Ange gardien

Toile ovale H. 65,5; L. 53.
Poli, église San Pietro Apostolo.

Nous ignorons tout sur les conditions de la commande et la provenance de ce petit tableau de dévotion inédit qui nous a été signalé en 1979 par Sylvain Laveissière. On remarquera son extraordinaire cadre qui semble d'origine et on insistera sur les raffinements des accords de couleurs: robe rouge et écharpe jaune de l'ange gardien au long nez et aux épais cheveux noirs, bien plaqués sur la tête, robe vert olive du jeune enfant qui ne paraît guère effrayé, par le dragon.

Une date entre 1735 et 1740 paraît probable.

Provenance Inconnue.

Bibliographie Inédit.

Œuvres en rapport

L'*Ange gardien* du musée de Châlon-sur-Saône (A. 42), souvent attribué à Subleyras, revient en fait à Francesco Zugno.

52

Jeune femme avec une colombe (allégorie de la simplicité?)

Huile sur carton H. 16; L. 13,5
(inscrit dans un ovale; au verso, au crayon sur le carton: «Sublera» (?)).
Châlons-sur-Marne, Musée Garinet (899-11-214).

Voir le numéro suivant.

Provenance

Coll. M. Carlier, peintre, sa vente après décès, Paris, 25-27 mars 1819, n° 79: «Une femme tenant un pigeon» (?). Légué à la ville de Châlons-sur-Marne par Jules (1797-1877) et Marguerite-Victoire Garinet (1808-1897) avec l'ensemble de leur collection et leur maison.

Bibliographie Inédit.

Œuvres en rapport Voir le n° suivant.

53

Jeune femme avec deux colombes (allégorie de la simplicité ?)

Toile ovale H. 24; L. 19,5 (au verso, à l'encre sur le chassis: «Subleiras»). *Paris, collection privée.*

Si l'attribution à Subleyras de ce tableau et de la version de Châlons (n° 52) ne fait aucun doute, l'identification de leur sujet pose problème: selon l'*Iconologie par figures* de Gravelot et Cochin (IV, p. 89) «l'emblême de la Simplicité est une jeune fille vêtue de blanc et tenant une colombe; l'ingénuité qu'on remarque dans ses traits et dans son attitude achève de la caractériser». Mais, selon Ripa (1545, p. 575), la Simplicité, outre la colombe blanche, devait tenir à la main un faisan. J. Montagu pour sa part (comm. écrite) n'exclut pas que le tableau de Châlons puisse être une allégorie de la chasteté matrimoniale (Ripa, 1545, p. 87): «in capo haverà una ghirlanda di ruta, nella destra mano tenga un ramo d'allora, e nella sinistra una Tortora».

La date des deux tableautins, vers 1735-40, les situerait au moment des fiançailles et du mariage (1739) de l'artiste avec Maria Felice Tibaldi.

L'exécution est rapide, la touche, large et nerveuse, résume les formes, l'artiste donne toute leur importance aux drapés, d'un savoureux blanc crémeux. On signalera, pour conclure, les variantes entre les deux œuvres qui concernent principalement le panier de colombes.

Provenance

Coll. Georges Aubry; sa vente, Paris, 4 mai 1951, n° 98; vente 4 mai 1959, n° 145; 13-14 mai 1959, n° 226; 4 décembre 1967, n° 90; 30 novembre 1970, n° 38, ill.; 1er décembre 1972, n° 37, ill. («attribué à»); 13 décembre 1977, n° 35, ill. («attribué à»); 17 mars 1980, n° 99 («attribué à»). Acquis par l'actuel propriétaire à cette vente.

Œuvres en rapport

Voir le n° précédent.

La Vierge de l'Annonciation

Huile sur papier.
H. 17; L. 13,5. *Paris, collection privée.*

Première pensée pour le tableau de la galerie Barberini à Rome.

Comme en ce qui concerne les deux *Allégorie de la Simplicité (?)* (n°s 52 et 53), les variantes entre les deux œuvres sont notables. Il semblerait que Subleyras ait souvent, sinon régulièrement, préparé ses compositions par de petites études à l'huile sur papier.

Provenance

Coll. de l'expert et historien d'art Jacques Mathey; vente Mathey, 7 mars 1970, n° 62, ill. (« attribué à Charles-Joseph Natoire »); acquis à cette vente par l'actuel propriétaire.

Bibliographie

Inédit.

Œuvres en rapport

Voir le n° suivant.

La Vierge lisant

Toile H. 71; L. 59.
Rome, Galerie Nationale d'Art Ancien (Palais Barberini).

Le tableau de Rome est à coup sûr celui des ventes du prince de Conti de 1777 et de 1779: Gabriel de Saint-Aubin (1724-1780) l'a fidèlement dessiné (fig. 1) en marge de son exemplaire du catalogue de la seconde vente (Dacier, 1913). Tout porte à croire encore qu'il a appartenu au cardinal Fesch, l'oncle de Napoléon: la description de l'inventaire et du catalogue de la vente après-décès («la tête couverte d'un voile blanc retombant sur les épaules» etc.) et les dimensions concordent. Qu'il se con-

Fig. 1
Gabriel de Saint-Aubin.
La Vierge lisant, Autrefois Paris, coll. privée

fonde avec le tableau de la collection du marquis Sgariglia à Ascoli est difficile à assurer, mais paraît probable : Orsini, dans son guide des richesses de la ville paru en 1790, conclut sa notice sur le tableau par ces mots : « I panni bianchi sono il suo forte, e li ha dipinti al pari di ogni altro », qui nous paraissent bien mettre en évidence le principal mérite du tableau, la qualité des blancs.

Les mains croisées sur la poitrine, la Vierge, vue de profil, semble autant lire que méditer. Subleyras s'attache à la décrire avec une grande simplicité et insiste sur la délicate découpe de son visage sur le fond sombre et sur la tranche du livre relié de bleu, grand ouvert devant elle. La sévérité de la mise en page est tempérée par l'élégance du geste et par la légère flexion du cou.

L'œuvre paraît être antérieure à 1740.

Provenance

Première vente de la coll. du prince de Conti, 8 avril 1777, n° 703 (acquis pour 140 livres par Langlier) ; deuxième vente Conti, 15 mars 1779, n° 79 (acquis pour 140 livres par la marquise de Cossé) ; coll. du marquis Pietro Emilio Cav. Sgariglia, à Ascoli dans les Marches en 1790 (voir Orsini, 1790, mais l'auteur ne donne pas une description détaillée du tableau : « La Vergine Annunziata in mezza figura... » et n'en précise pas les dimensions) ; coll. du cardinal Fesch (Inv. après décès de 1839, Archivio di Stato, trenta notaii capitolini, ufficio II, Augusto Appollonii, vol. 611, fol. 354 r, n° 5581 ; estimé 20 scudi) ; vente Fesch, Rome, 17-18 mars 1845, n° 1049 - 1201 ; coll. du Mont-de-Piété de Rome, vente du 26 novembre 1875 et jours suivants, n° 707 - 2756 ; semble appartenir au Mont-de-Piété jusqu'en 1908 ; galerie Corsini puis Palais Barberini.

Bibliographie

Orsini, 1790, pp. 143-144 ; Dussieux, 1876, p. 491 (?) ; Hermanin, 1908, p. 87, ill. ; Dacier, 1913, X, p. 68 et p. 28 du *fac simile* ; cat. musée (Hermanin), 1924, p. 75, n° 893 ; A. 12 (et 13 ?) ; Boyer, 1936, p. 213 (?).

Œuvres en rapport

Pour une étude préparatoire, voir le n° précédent.

56 Deux saints apparaissant à des pénitents blancs

Toile H. 40 ; L. 30.
Montpellier, musée Fabre (830-1-4).

Ce ravissant tableau n'a pas livré tous ses secrets : deux saints apparaissent à six pénitents blancs revêtus de leurs robes et de leurs cagoules. Si l'un des saints paraît bien être saint François, ou en tout cas un saint franciscain, l'on s'accorde généralement à reconnaître dans le second, saint Etienne. Cette identification a été proposée pour la première fois en 1780 par le rédacteur du catalogue de la vente Soufflot qui, cependant, restait prudent « deux Saints qui paroissent être Saint Etienne et Saint François ». Ne pourrait-il pas tout aussi bien s'agir de saint Vincent ou de tout autre saint diacre ?

Depuis Odette Arnaud, le tableau de Montpellier est rapproché d'un des médaillons non exécutés du plafond de l'église des Pénitents Blancs de Toulouse. Il s'agirait d'une des esquisses réalisées par l'artiste avant son départ pour Paris en 1726. Mais la présence, sur le tableau du musée Fabre, des pénitents blancs et de saint Etienne, un des saints patrons de Toulouse, n'est pas suffisante pour rendre acceptable cette supposition. De plus, le style de l'œuvre et celui des deux dessins préparatoires indiquent une date sensiblement plus tardive. On sait que Soufflot — le premier propriétaire connu du tableau — possédait quelques esquisses de « camarades de séjour » à Rome : Frontier, Pierre, Le Mettay, etc... Peut-on suivre Marie-Félicie Pérez (cat. exp. Soufflot, 1980, pp. 58 et 60) qui avance avec prudence l'idée que Subleyras aurait pu offrir à Soufflot, qui, on le sait, séjourna à Rome entre 1734 et 1738, le petit tableau aujourd'hui à Montpellier ? L'hypothèse, qu'il est vrai rien ne vient confirmer, est séduisante même si la datation proposée nous paraît quelque peu précoce. D'autant plus que Soufflot devait se rendre à nouveau à Rome en 1750, en compagnie de l'abbé Le Blanc, de Cochin et du (futur) marquis de Marigny.

On ne peut que souscrire au jugement du célèbre expert Le Brun qui écrivait en 1780 à propos du tableau aujourd'hui à Montpellier : « tout le monde connoit le mérite et la rareté des productions de Subleyras ; il a peint celui-ci dans toute sa force ». Les robes blanches des pénitents, la cagoule avec la fente sombre qui marque l'œil, celle en forme de mèche du pénitent qui, sur la droite, joint les mains, donnent à l'œuvre un caractère quelque peu étrange, inhabituel chez Subleyras.

Provenance

Coll. de l'architecte Jacques-Germain Soufflot; sa vente après décès, 20 novembre 1780, n° 7; vente « d'un cabinet connu » [Lenglier], 24 avril 1786, n° 126 (racheté pour 240 livres); vente 6 [en fait 15] avril 1789, n° 113; coll. du « citoyen Le Lorrain », en fait le sculpteur Le-Lorrain; sa vente après décès, 6 octobre 1794, n° 57; peut-être coll. Brunot, « ancien peintre et sculpteur » ; sa vente après décès, 12 février 1827, n° 45 (« moines en extase devant leur patron ») ; acquis (pour 300 francs), en 1830, par François Xavier Fabre (1766-1837), pour son musée, sur la rente Collot (archives municipales de Montpellier du 13 avril 1830, R 2/3).

Expositions

Uzès, 1949, (sans cat.); Lyon-Paris, 1980, n° 127; Flaran, 1984, n° 57, ill. (notice par Jean Penent).

Bibliographie

Nicolas, 1859, p. 31; Renouvier, 1860, p. 22; Lavice, 1870, p. 380; cat. musée Toulouse (Roschach), 1908, pp. 138-140; A. 5, p. 52; cat. musée (Joubin), 1926, p. 230, n° 755; Claparède, 1947, n° 221; Claparède, 1964, p. 265.

Œuvres en rapport

Pour les deux dessins préparatoires du Louvre, voir n°s 57 et 58.

Deux saints apparaissant à des pénitents blancs

Sanguine sur papier blanc; quelques traits à la pierre noire. Le dessin a gardé son montage Mariette. H. 231 mm; L. 171 mm.
Paris, musée du Louvre, Cabinet des dessins (Inv. 32916).

Les variantes entre le dessin du Louvre et le tableau de Montpellier sont intéressantes: les cagoules des pénitents sont plus discrètes et la composition n'a pas encore la clarté que Subleyras saura donner à son esquisse.

Ajoutons que le saint, sur la droite de la composition, tient la palme du martyre et paraît bien plus jeune et précisons encore que les dessins à la sanguine sont rares dans l'œuvre de Subleyras.

Provenance

Coll. Pierre Jean Mariette (1694-1774); cachet de sa coll., Lugt 1852, en bas à droite; sa vente après décès, 15 novembre 1775 et jours suivants, n° 1365 (avec quatre autres dessins); acquis par Lempereur, pour le Cabinet du roi, pour 131 livres; entré au Louvre à la Révolution (cachets du Louvre, Lugt 1899 et 2207, en bas à droite et à gauche).

Bibliographie

A. d. 34

Œuvres en rapport

Voir n°s 56 et 58.

Un saint diacre

Pierre noire, rehauts de blanc sur papier bleu. En bas à gauche, inscription à la pierre noire: «Tremolière». H. 264 mm; L. 190 mm.
Paris, musée du Louvre, Cabinet des dessins (Inv. 33139).

Ce dessin était autrefois attribué à Trémolières (1703-1739). Les deux artistes s'étaient rendus ensemble à Rome en 1728 et se lièrent d'amitié au Palais Mancini. Ils travaillèrent l'un et l'autre pour le duc de Saint-Aignan, dans un style parfois voisin, sans qu'il soit possible de décider qui influença l'autre. On se souvient que Trémolières avait épousé en 1734 Isabelle Antoinette Laure Eléonore Tibaldi, sœur de Maria Felice Tibaldi, la future épouse de Subleyras.

Le dessin du Louvre a été rendu à Subleyras par Morel d'Arleux, comme le note J.F. Méjanès en 1973. Il s'agit d'une étude détaillée pour le saint diacre, dit aussi et peut-être à tort saint Etienne, du tableau de Montpellier; le geste du saint, qui semble désigner les Pénitents à la Miséricorde de Dieu, confirme l'importance de son rôle dans la composition.

Provenance

Porte sur le montage, en bas à droite, une marque sèche *FRO* (Lugt 1045), celle d'un monteur du XVIIIe siècle.
Provient très vraisemblablement de la coll. du comte de Saint-Morys (1743-1795); saisie à la Révolution (marque du Louvre, Lugt 2207, en bas à droite).

Bibliographie

Cat. exp. Trémolières, Cholet, 1973, p. 131, pl. LVII.

Œuvres en rapport

Voir les deux numéros précédents.

59
Pl. VII

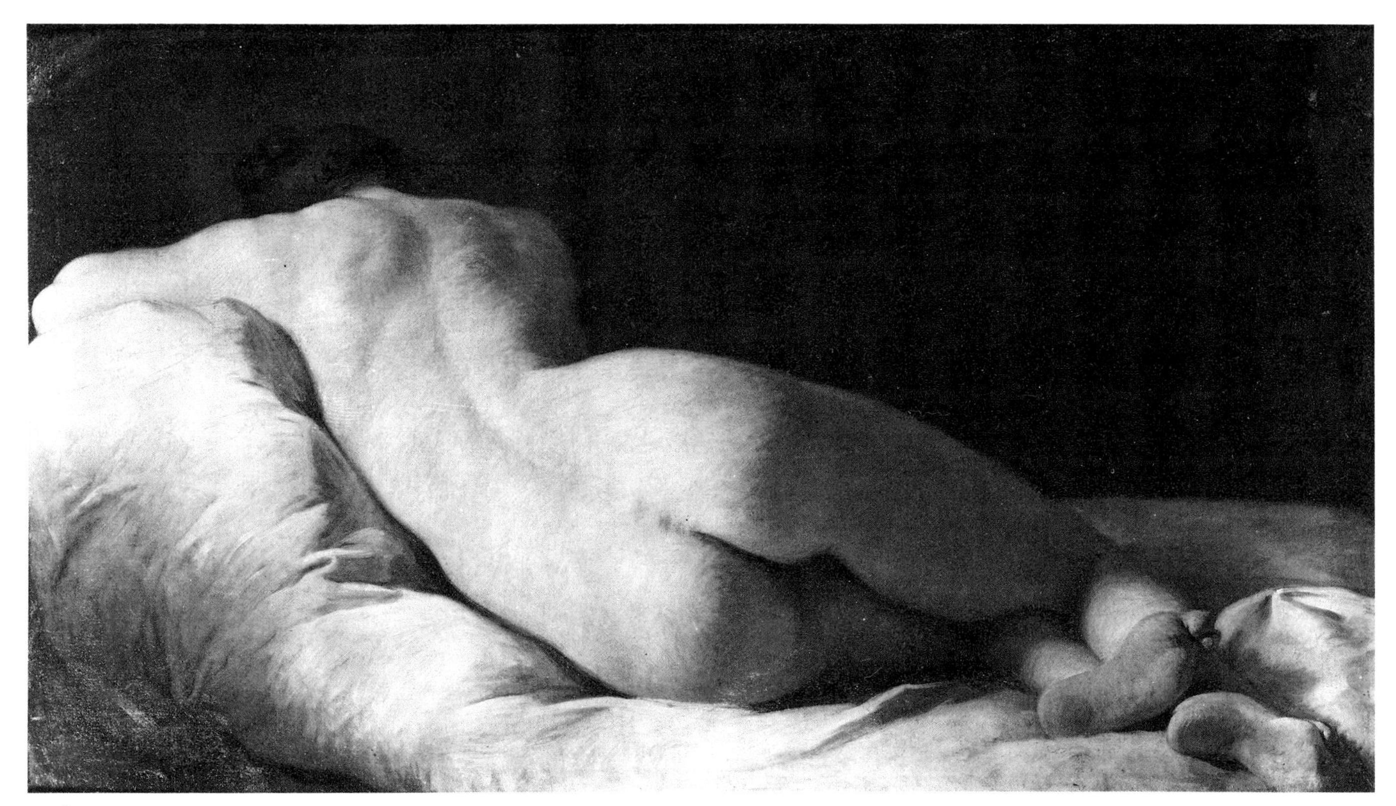

Étude académique de femme nue vue de dos

Toile H. 74; L. 136.
Rome, Galerie Nationale d'Art Ancien (Palais Barberini).

Le tableau, entré dans les collections de la Galerie Nationale de Rome en 1945, avait été attribué à Piazzetta puis à l'un des Gandolfi avant que nous ne le rendions à Subleyras en 1970.

Attribution certaine qui s'appuie autant sur le style de l'œuvre que sur plusieurs mentions du XVIIIe siècle. Ainsi, dans l'inventaire après décès du peintre et marchand de tableaux Jérôme-François Chantereau qui date de 1757, est signalée « *une Vénus couchée, par Soubleyra* » (Guiffrey, 1884, II, p. 244), qui lui avait été confiée par un certain Etienne Marchèse. A la vente après décès de M. de Billy, le 16 novembre 1784, figure sous le n° 45 et le nom de Subleyras « Un Tableau représentant une Académie de Femme couchée et vue par le dos. Cette superbe Etude est reconnue pour être du meilleur tems de ce Maître. Hauteur 19 pouces, largeur 24 pouces, T. ». Est-ce ce tableau que Thiéry (1787, I, p. 180) voit chez M. de Courmont (« un agréable tableau de *Oubleyras*, représentant une femme vue de dos ») ? Est-ce toujours le même tableau qui passe en vente les 17-18 mars 1812, n° 120 : « Une jeune Femme nue, couchée sur un lit jaune, et vue par le dos. On sait combien ce maître estimable a su se faire une manière parfaite qui lui mérita les éloges de ses contemporains. Hauteur 20 p. ; largeur 25 p. ; sur toile » ? Signalons encore une Académie d'après Subleyras exposée à Toulouse en 1754 (n° 8) qui appartenait à M. Panent et la « figura nuda con pelli di tigri di Monsù Subleras » inventoriée en 1807 dans la coll. Rondinini (Salerno, 1964, p. 295, n° 282), mais ces deux dernières mentions font vraisemblablement référence à des académies masculines (un Bacchus ?).

Ces mentions anciennes prouvent que Subleyras peignit plusieurs nus féminins. Que le tableau de Rome soit l'un d'eux est confirmé par son style : la gamme raffinée des gris avec une note de rose tendre, la courte chevelure ramassée en chignon sur la nuque, le fort accent réaliste, la touche plate et sèche par petits traits ne peuvent tromper, même si la photographie ne rend pas compte de l'extraordinaire raffinement de l'œuvre.

Si les nus féminins sont bien plus rares au XVIIIe siècle que les académies masculines (voir n° 11), obligatoires à partir de 1666 pour tout pensionnaire de l'Académie de France à Rome, celui de Subleyras n'est pas unique dans la peinture française de l'époque. Un contemporain de Subleyras, vraisemblablement un ami de l'artiste, dont la mort en 1732 à l'âge de 24 ans fut ressentie comme une perte cruelle pour la peinture française, François Vanloo, en peignit deux qui passèrent à la vente après décès de son frère Louis-Michel en

Fig. 1
Vénus observée par un satyre, Dusseldorf, Kunstmuseum.

Fig. 2
Sir P. Lely ?, *Etude d'un nu féminin*, Dublin, commerce d'art.

novembre 1772 (nos 76 et 77). L'un, « Une Femme endormie et couchée sur un lit ; elle présente le dos et comme elle est en opposition avec un rideau rouge qui lui sert de fond, les chairs en paroissent plus fraîches et elles sont en effet d'un excellent ton de couleur », est d'une composition proche du tableau de Subleyras. Un dessin de Gabriel de Saint-Aubin (1724-1780), en marge de son exemplaire de la vente L.M. Vanloo (fig. 3; Dacier, 1911, V, p. 34 et p. 41 du *fac-simile*), nous a permis d'identifier deux versions du tableau de François Vanloo, une première reproduite dans la publicité du *Burlington Magazine* de décembre 1971 sous le nom de Subleyras (fig. 4) et une seconde dans le commerce new yorkais en 1964, puis londonien avant 1970 (fig. 5). Dans les dernières années du XVIIIe siècle, un des tableaux de François Vanloo, alors dans la collection Sebastian Martinez, fut jugé « obscène » par l'Inquisition de Cadix (Baticle, 1973, p. 22).

Il n'est pas facile d'avancer une date convaincante pour le tableau de Rome. Celle de 1739 conviendrait parfaitement du point de vue stylistique. Cette date est aussi celle du mariage longuement attendu de Subleyras avec Maria Felice Tibaldi.

On voudra bien nous pardonner de ne pas voir ici une banale étude d'après un modèle professionnel féminin, mais une œuvre plus directe, en quelque sorte plus intime. (Nous admettons bien volontiers la hardiesse de cette hypothèse, en contradiction aussi bien avec la mentalité de l'époque qu'avec la religiosité des Tibaldi et de Subleyras).

Le tableau, à mi-chemin entre la *Vénus Rokeby* et la *Marietta* de Corot, ne devrait-il pas aider à faire disparaître le parti pris dont l'œuvre principalement religieux de Subleyras est encore souvent la victime ?

Provenance

Don de la Marquise Mariarosa Gabrielli Gagliardi à la Galerie Nationale de Rome, en 1945.

Expositions

Rome, 1970, n° 29; Toledo-Chicago-Ottawa, 1975-76, n° 95, pl. 64.

Bibliographie

Rosenberg, 1970, pp. 641-642 et fig. 122; Rosenberg, 1973, p. 1 note 1; Clay, 1980, p. 30, ill. couleurs; Conisbee, 1985, p. 63, pl. 53.

Œuvres en rapport

On rapprochera ce tableau d'un dessin de Subleyras représentant *Vénus observée par un satyre* conservé à Dusseldorf (fig. 1 ; 174/6682/26) et d'un dessin attribué à Sir Peter Lely reproduit dans le cat. de l'exp. consacrée à l'artiste (fig. 2; Londres, 1978-79, p. 10, fig. 3).

Fig. 3
Gabriel de Saint-Aubin,
Nu de femme, Paris, Bibliothèque nationale.

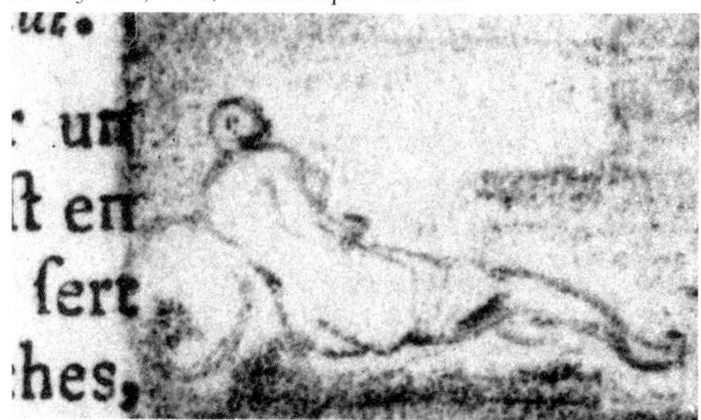

Fig. 4
François Vanloo, *Nu de femme*, autrefois dans le commerce d'art à Florence.

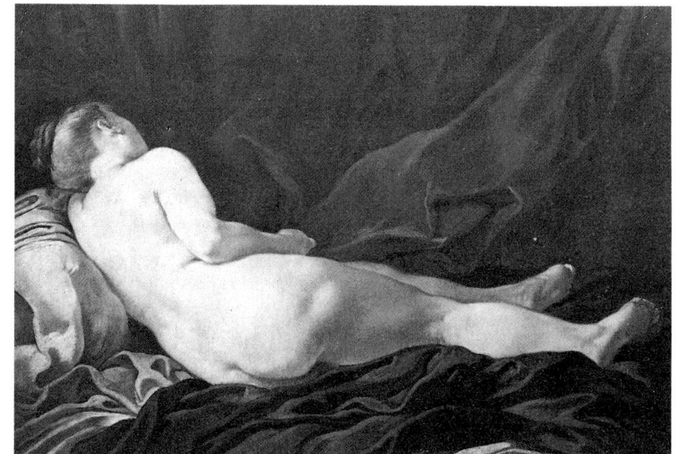

Fig. 5
François Vanloo, *Nu de femme*, autrefois dans le commerce d'art à Londres.

60

Portrait de Marco Foscarini

Toile ovale. H. 88; L. 68.
Venise, museo Correr (Inv. 123).

Le procurateur Marco Foscarini (1695-1763), à son retour de Vienne où il avait été ambassadeur de 1732 à 1735, reçut la charge d'historiographe officiel de Venise qui le rendit célèbre. Il fut nommé ambassadeur à Rome en 1736, mais n'arriva qu'en avril 1737 et fit son entrée solennelle en mai 1738. Il prit congé du nouveau pape, Benoît XIV, en septembre 1740, mais resta officieusement encore quelques mois. Revenu à Venise en avril 1741, il repartit pour son ambassade à Turin en novembre. En 1762, un an avant sa mort, il fut élu Doge. On connaît de lui un ouvrage intitulé *Della letteratura veneziana*, paru en 1752, en tête duquel se trouve un portrait gravé anonyme, proche de celui-ci.

C'est au moment de son séjour à Rome que Subleyras fit le portrait de Marco Foscarini: il s'appuie sur un volume de l'*Histoire de Venise* (comm. écrite de T. Pignatti) et tient à la main la plume qui fait allusion à ses fonctions. C'est à Foscarini, rappelons-le, que Venise doit le *Portrait de Benoît XIV* qui orne aujourd'hui le réfectoire du séminaire de la Salute (voir n° 69; voir à ce sujet Moschini, 1842, p. 127).

Si l'identification du modèle a toujours paru certaine aux érudits vénitiens, celle de l'auteur du tableau est récente. Le nom de C. Giaquinto avait été en un premier temps proposé par F. Bologna (voir Pignatti, 1959 et 1960) avant qu'Anthony Clark ne rende l'œuvre à Subleyras (voir Levey, 1961).

Le visage, finement modelé, se détache vigoureusement sur un fond sombre: le modèle, sûr de lui et quelque peu hautain, « homme plein de feu et d'esprit » (Président de Brosses, éd. Bézard, 1931, II, p. 201), a cette noblesse naturelle que Subleyras sait donner à ses portraits.

A elle seule, la description du tableau par Pignatti en 1960: « Un clair-obscur dense accentue la plastique de la figure, tandis que le coloris..., le rouge profond du manteau, le pâle visage rose-gris a des accents suggestifs de vérité », invite à une attribution à Subleyras.

Provenance

Provient du fonds primitif du musée, le fonds Teodoro Correr, 1830.

Exposition

Venise, 1959, n° 16, ill.

Bibliographie

Cat. musée (Lazari), 1859, p. 23 (« Inconnu »); cat. musée, 1899, p. 97, n° 42; Pignatti, 1959, pp. 19-20, fig. 27; cat. musée (Pignatti), 1960, pp. 86-87, ill. (« Corrado Giaquinto? »); Levey, 1961, p. 399; Clark, 1963, p. 6, fig. 2; Clark et Bowron, 1985, p. 213.

Œuvres en rapport

Giuseppe Cameratta (1718-1803) semble s'être directement inspiré du tableau de Subleyras pour son portrait gravé de Marco Foscarini (fig. 1).

Fig. 1
G. Cameratta,
Portrait de Marco Foscarini,
Rome, G.N.S.

61

Portrait de Joseph Vernet (1714-1789)

Toile H. 45; L. 38.
Au dos, d'une écriture ancienne se lisait (le tableau a été rentoilé à une date récente): «Portrait de M. Cochin par M. du Plessis».
Amiens, musée de Picardie.

Fig. 1
Maria Felice Tibaldi (?),
Portrait de Joseph Vernet,
Paris, coll. privée.

L'attribution du tableau à Subleyras est dûe à Jean-Pierre Cuzin (comm. orale). L'identification du modèle repose sur une miniature (de Maria Felice Tibaldi?, fig. 1) qui, aux dires des descendants du modèle, représenterait Joseph Vernet.

L'œuvre était entrée en 1849 au musée d'Amiens comme portrait de Charles-Nicolas Cochin (1715-1790) par Joseph Siffred Duplessis (1725-1802). Or, si ce dernier a bien été l'élève de Subleyras entre 1745 et 1749 (il copia plusieurs de ses tableaux aujourd'hui encore conservés au musée de sa ville natale, Carpentras), il avait quitté Rome lorsque Cochin s'y rendit en 1750, en compagnie de Soufflot, de l'abbé Le Blanc et du marquis de Marigny (alors encore Vandières). L'attribution à Tocqué, proposée dès 1878, est stylistiquement indéfendable (elle a d'ailleurs été rejetée par Doria en 1929). Quant au modèle, rien ne prouve qu'il s'agit bien de Cochin.

Joseph Vernet a été à coup sûr un des plus proches amis de Subleyras. Il paraît sur le tableau d'Amiens n'avoir guère plus de vingt-cinq ans, ce qui situerait l'œuvre vers 1739. A cette date, Duplessis que Vernet devait aider de ses conseils et aussi de ses finances (Lagrange, 1864, pp. 44, 140, 376-378; Belleudy, 1913, pp. 5-6; Belleudy, cité par Doria, 1929, rejette lui aussi l'attribution de l'œuvre à Duplessis) n'était bien évidemment pas en mesure de peindre ce portrait.

Les liens entre Vernet, arrivé à Rome dès 1734, et Subleyras furent étroits: une lettre de Subleyras adressée au comte de Quinson (publiée par le comte de Montlaur en 1857-58 datée du « 11 décembre 1739 » en fait foi. En 1746, Vernet prête de petites sommes d'argent à Subleyras (cité d'une manière incomplète par Lagrange, 1864, pp. 376-377). Enfin, l'auteur des *Memorie* nous confirme que parmi les artistes amis de Subleyras « il famoso Vernet occupo' il primo luogo ».

Il n'y a donc rien d'étonnant à ce que Subleyras ait peint son ami et aucun des nombreux portraits de Vernet (Roslin, Stockholm; La Tour, Dijon; Boizot et Vigée Le Brun, Louvre; Labille-Guiard, perdu; Chéry, Quimper) ne s'oppose à l'identification que nous proposons ici. La comparaison avec le célèbre portrait de Vernet par Louis-Michel Vanloo, daté de 1768, du musée Calvet d'Avignon (fig. 2), postérieur de près de trente ans à celui de Subleyras, nous paraît digne d'attention et particulièrement concluante.

Le tableau d'Amiens nous montre Joseph Vernet en habit gris clair portant cadogan et chaconne noirs. Vu de face, le peintre nous regarde fixement de ses beaux yeux sombres. Trente ans plus tard, ses traits se seront amaigris, le visage aura perdu son côté poupin, mais Vernet gardera sa fossette au menton, ses sourcils bien plantés, son front haut et ce nez à l'arête et aux narines bien dessinées.

Provenance

Don de Mr. Sujol, « ancien maître de pension », en 1849.

Bibliographie

Cat. musée, 1878, n° 144; cat. musée, 1899, n° 284; Rocheblave, 1927, p. 3 et reproduction en frontispice de l'ouvrage; cat. musée (Boinet), 1928, p. 46, ill.; Doria, 1929, pp. 99-100, n° 54; Brunot, 1931, p. 155, ill.

Œuvres en rapport

Pour la miniature ovale reproduisant Joseph Vernet (fig. 1) et restée chez les descendants du peintre, dûe peut-être à Maria Felice Tibaldi, voir la notice (nous ne souhaitons pas ouvrir ici le débat concernant l'identification du soi-disant portrait de Virginia Parker, l'épouse de Vernet, conservé aujourd'hui à l'Akademie de Vienne; voir notice 25).

Fig. 2
Louis-Michel Vanloo,
Portrait de Joseph Vernet,
Avignon, musée Calvet.

62

Portrait de femme

Toile H. 118,5; L. 86.
Baltimore, Walters Art Gallery (Inv. 37.260).

Le tableau était attribué à Anton Raphaël Mengs avant que le regretté Anthony Clark ne le rende à Subleyras. Il pensait reconnaître dans le modèle Maria Felice Tibaldi, qui avait épousé Subleyras en 1739 (nº 63), ou, ajoutait-il, une de ses sœurs, la cadette Teresa elle aussi miniaturiste. S'il faut une nouvelle fois rendre justice à la pertinence du jugement d'Anthony Clark pour ce qui est de l'attribution du tableau, nous ne pensons pas pouvoir le suivre en ce qui concerne l'identification du modèle. Rien ne désigne une miniaturiste et la ressemblance avec Maria Felice, plus apparente que réelle — si l'on compare leurs bouches, par exemple — est celle de tous les modèles de Subleyras.

En l'occurence l'inconnue de Baltimore nous paraît d'une autre classe sociale; sa robe de soie, l'éventail, le petit chien noir et blanc avec son nœud bleu, assis sur un coussin rouge à gland d'or, la console, la fourrure, les bijoux, relèvent du monde de l'aristocratie. Si l'on veut absolument mettre un nom sur le lourd visage de cette romaine au port de tête non sans noblesse, à la gorge délicatement mise en valeur et à la moue si particulière, on pourrait penser à une autre sœur de Maria Felice, Giovanna qui avait épousé le riche avocat Domenico Bagnara.

Magnifique portrait féminin, la toile de Baltimore résume parfaitement les mérites de l'artiste dans un genre qui lui avait valu, dès la fin de son long séjour à l'Académie, ses premiers succès.

Provenance

Coll. Massarenti à Rome au Palais Accoramboni avant 1897 (pour un autre tableau de cette coll., voir nº 64, rubrique *Œuvres en rapport*; nous avons pu voir des photographies anciennes des appartements du Palais Accoramboni où la coll. Massarenti était conservée avant 1897 qui nous permettent d'affirmer ce point); acquis par Henri Walters en 1902 et offert au musée de Baltimore en 1937.

Bibliographie

Cat. coll. Massarenti, 1897, nº 512 (« Raphaël Mengs, Portrait d'une dame en costume de gala »); Clark, 1964-65, pp. 49-50, fig. 2, p. 51.

Œuvres en rapport

Ce tableau passe pour représenter Mme Subleyras (voir rubrique *Œuvres en rapport* des notices H.C. 1 et 3).

63
Pl. IX

Portrait de Madame Subleyras née Maria Felice Tibaldi (1707-1770)

Toile H. 99; L. 74,5.
Worcester, Worcester Art Museum (Mass.) (1901.54).

On ignore à quelle date et comment Subleyras rencontra Maria Felice Tibaldi (1707-1770). On rappellera ici (voir aussi notre biographie) qu'elle était la fille d'un célèbre musicien Giovanni Battista Tibaldi. Une de ses sœurs, Isabella, avait épousé en 1734, quelques jours avant de quitter définitivement Rome, le peintre Charles Trémolières (1703-1739; sur celui-ci et sur ses liens d'amitié avec Subleyras voir le cat. de l'exp. *Trémolières*, Cholet, 1973). Il est en tout cas assuré que le 23 mars 1739 lorsqu'elle épousa Subleyras à Santa Maria in Via, elle le connaissait depuis plusieurs années. Si Subleyras avait tant tardé à se marier, c'est qu'il ne souhaitait le faire que lorsqu'il serait en mesure d'assurer à son épouse le vivre et le logis. Le rôle de Maria Felice fut sans doute déterminant dans la décision de Subleyras de s'installer à Rome en 1735 et de refuser les offres qui lui vinrent de Toulouse, de Dresde, de Madrid...

Maria Felice était une miniaturiste de grand talent. Si l'on cite toujours sa réduction du *Repas chez Simon*, exécutée en 1748, aujourd'hui conservée à la Pinacothèque Capitoline, acquise en 1752 pour 1 000 écus par Benoît XIV (voir notice 33, fig. 1), on néglige trop ses miniatures de Toulouse, du Bayerisches Nationalmuseum de Munich, de l'Ermitage et du château de Bussy-Rabutin (celle-ci, datée de 1758, est une réduction du *Portrait du Cardinal Prospero Colonna di Sciarra* de P. Batoni, reproduit par A. Clark dans l'article de 1964-65 où il publiait le portrait de femme de Subleyras du musée de Baltimore!, voir notice précédente). Son activité de miniaturiste fut d'ailleurs considérable, à en juger par les nombreuses mentions de vente du XVIIIe siècle qui font référence à ses œuvres.

Subleyras a peint Maria Felice à l'occasion de son mariage ou peu avant. Elle tient une miniature que nous n'avons pas pu identifier. Un tableau qui doit être de Subleyras, une liseuse, lui aussi disparu, est posé sur un chevalet. Sur la toile se voit une miniature encadrée, vraisemblablement de Maria Felice : elle copie — qu'on veuille bien nous croire ! — un tableau de Francesco Mancini (1679-1758), *Amour et Pan* (Sestieri, 1977, fig. 23 ; Rudolph, 1983, pl. 421), conservé au Vatican. Faut-il voir dans le sujet quelque allusion malicieuse au mariage du modèle et de son peintre ?

Maria Felice Tibaldi a le visage rond, bien en chair, bien potelé. A en juger par ses portraits, masculins ou féminins, ce type de visage devait séduire Subleyras. Ses cheveux sont poudrés et à son sage décolleté sont fixés un gros œillet et une branche de jasmin. Les manches de son élégante robe, piquée de passementeries et de pierreries, sont ornées d'un volant de dentelles et serrées à mi-bras par de coquets rubans.

Maria Felice paraît quelque peu intimidée et sur sa réserve, mais son visage respire la bonté et la bienveillance. Subleyras l'a représentée avec honnêteté. Il n'a pas hésité à la montrer telle qu'elle était et, ce faisant, l'a rendue séduisante et attendrissante.

Provenance

Acquis chez [Muller] à Amsterdam par Helen Bigelow Merriman qui l'offre au musée en 1901.

Expositions

Boston, 1902, n° 25, ill. ; Londres, 1968, n° 647, fig. 218.

Bibliographie

A. 155 et pp. 60-61 ; Juynboll, 1934, p. 186 ; Wilenski, 1945, p. 119 ; Clark, 1964-65, pp. 49-50 et fig. 1 p. 48 ; cat. musée (Daniel Catton Rich), 1974, p. 288, fig. p. 601.

Œuvres en rapport

Voir notices H.C. 1 et 3.

Détail

Détail

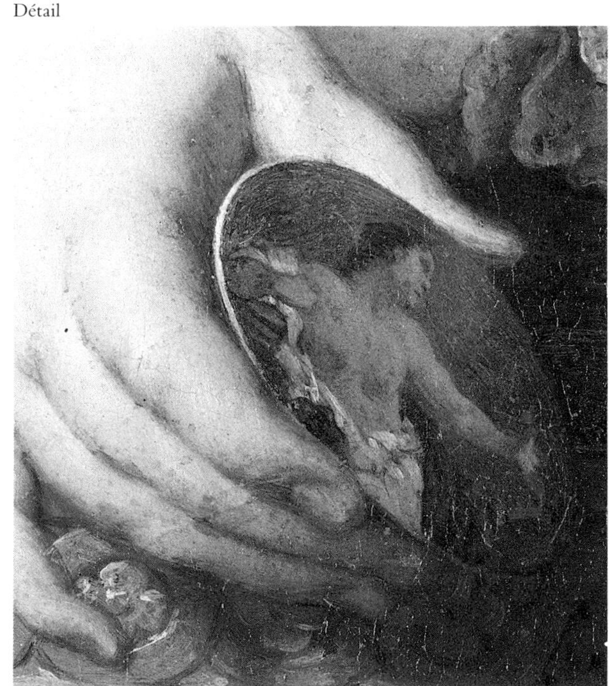

64

Portrait de Frédéric Christian, prince électeur de Saxe

Toile H. 123; L. 94.
Dresde, Staatliche Kunstsammlungen Gemäldegalerie (Inv. 3841).

Frédéric Christian de Saxe (1722-1763), fils d'Auguste III, Electeur de Saxe et roi de Pologne et de l'archiduchesse Marie-Josephe d'Autriche, ne régna que quelques mois en 1763 comme prince électeur de Saxe. En 1738, il accompagna sa sœur Marie-Amélie à Naples où elle devait épouser Charles VII de Bourbon, roi de Naples et futur roi (Charles III) d'Espagne. A l'occasion de ce voyage, Frédéric Christian reçut le Grand Cordon de l'ordre de Saint-Janvier qu'il porte fièrement, avec celui de l'Aigle Blanc de Pologne, sur le tableau de Subleyras; le jeune prince, il n'a alors que 17 ans, séjourna presqu'un an à Rome du 17 novembre 1738 au 14 octobre 1739. Grâce à divers documents conservés au Staatsarchiv de Dresde (A° 1739, III, Loc. 768, p. 63b, 280, 307b, 501) qu'a bien voulu nous communiquer le Dr. Harald Marx, et à l'Archivio di Stato de Naples, nous connaissons les circonstances de l'exécution du portrait. Les lettres écrites par Joseph Anton von Wackerbarth-Salmour (1685-1761) à Auguste III nous apprennent que le prince posa pour Subleyras le 6 avril, le 1er juin et le 8 juin (« Subleyras a mis la dernière main à Son Portrait »). « Le Tableau a beaucoup de ressemblance » écrit-il le 27 août, « mais il a peint le Prince encore plus gras qu'il n'est, et avec des Traits plus formés, de sorte qu'il lui ressemblera peut-être d'avantage dans une ou deux années d'ici. D'ailleurs les Connoisseurs en ont beaucoup approuvé le dessin, l'attitude, la Composition et le Coloris ».

L'intérêt des lettres de Dresde est ailleurs: elles nous apprennent qu'Auguste III souhaitait attirer à Dresde de jeunes artistes (parmi lesquels Joseph Vernet).

Le comte de Brühl (1693-1755), le frère aîné du Premier Ministre du roi, semble pencher pour Subleyras: « Il est autant pour l'histoire que pour les portraits ». « Il demande d'être mis sur le même pied que Mr. Silvestre (il s'agit de Louis de Silvestre, Premier peintre depuis 1716) à Dresde et d'avoir la survivance sur son poste de Directeur de l'Académie, ses ouvrages paiés et le voiage franc pour lui et pour sa femme ».

Le « voyage » ne se fit pas. Est-ce à cause « des préparatifs de guerre qu'on fait de tous côtés (qui) ne donneront pas grande envie au Roi d'employer l'argent en Peinture », de la santé de Subleyras « frappé par une grande maladie » ? N'est-ce pas plutôt parce que l'artiste, à cette date, avait reçu de nombreuses commandes importantes et était suffisamment en vue pour lui permettre de s'établir à Rome sans crainte pour son avenir ?

Subleyras dut avoir quelque plaisir à peindre le prince électeur: son visage plein et poupin lui convenait et correspondait à son type physique idéal.

Certes la formule du portrait d'apparat à la Rigaud était nouvelle pour Subleyras: elle ne le déconcerta pas. Il sut satisfaire ses commanditaires sans pour autant renoncer à ses qualités personnelles: honnêteté de l'analyse psychologique et raffinement des couleurs.

Fig. 1
Portrait de Frédéric Christian, prince électeur de Saxe, Londres, coll. privée.

Une dernière remarque: le comte Porta, agent du roi de Naples à Rome, à qui l'on avait demandé de rechercher un peintre capable d'exécuter le portrait du roi, répond le 14 août 1739, après avoir cité Agostino Masucci (nous traduisons): « L'autre peintre est français et s'appelle Subleras (*sic*). Il a été proposé comme le meilleur pour faire le portrait du prince royal de Pologne, qu'il a déjà terminé mais pour dire la vérité le tableau plaît parce qu'il est parfaitement peint, et non parce qu'il ressemble parfaitement à l'original » (Archivio di Stato de Naples, Affari esteri, busta 1244).

Provenance

Peint à Rome en 1739; commencé le 6 avril; achevé le 8 juin, retouché en août; expédié à Dresde le 27 août 1739, coll. princières de Saxe; au château de Pillnitz en 1930; à la galerie de Dresde à partir de 1972.

Exposition

Berlin, 1910, n° 130, ill. (n° 90 du cat. petit format).

Bibliographie

Pernéty, 1757, p. 285; Dezallier d'Argenville, 1762, p. 451; Pasqualoni, 1786, p. 165; *Memorie*, 1786, p. XXIX; R. p. 193 et 199; A. 140 et p. 62; cat. musée, 1979, p. 309, n° 3841, ill.; Röttgen, 1985, pp. 132-133.

Œuvres en rapport

Une réplique du tableau de Dresde, légèrement plus petite (fig. 1; H. 106,5; L. 86), signée en capitales en bas à gauche, est conservée dans une coll. privée de Londres. Qu'elle soit de la main de Subleyras est confirmé par une lettre de Joseph Wackerbarth à Auguste III, roi de Saxe, datée de Rome le 3 septembre 1739: « S.A.R. (il s'agit de l'électeur Frédéric Christian) passa la matinée au logis attendu le mauvais tems qu'il faisoit. Elle s'assit devant le peintre Subleras (*sic*) pour lui faire retoucher la copie du tableau dont l'original a été envoyé à V. M.té par l'estafette précédente » (Staatsarchiv de Dresde, A° 1739, III, Loc. 768, p. 507). Le tableau de Londres provient de la coll. Massarenti, à Rome (pour un autre tableau de cette coll., voir n° 62) et est catalogué en 1897 sous une attribution à « Vanloo. Portrait d'un prince » (p. 61. n° 246, en fait 346; nous avons pu voir des photographies anciennes des appartements du Palais Accoramboni où la coll. Massarenti était conservée avant 1897 qui nous permettent d'affirmer ce point; on semble distinguer le même tableau sur une photographie de l'atelier du peintre Attilio Simonetti prise à Rome vers 1875; Di Castro, 1968, pl. p. 121).
Les variantes entre le premier exemplaire de Dresde et celui de Londres méritent d'être relevées. Elles concernent avant tout le second plan, Rome avec Saint-Pierre et le château Saint-Ange. Sur le tableau anglais, le prince paraît plus rapproché de nous.

L'embarquement de sainte Paule

Toile cintrée à oreilles. H. 63; L. 35,5.
Newcastle upon Tyne, University, Hatton Gallery (1964.1.P).

Aucun spécialiste n'avait à ce jour identifié le sujet de cette esquisse. Nous pensons qu'elle représente l'*Embarquement de sainte Paule pour la Terre Sainte*. En ce cas, l'œuvre pourrait être mise en relation avec la commande des Hiéronymites de Milan : dans l'église Saints-Cosme-et-Damien de cet ordre se voyaient, avant 1799, le *Saint Jérôme* et la *Crucifixion* de Subleyras, aujourd'hui tous deux à la Brera (n°s 66 et 85). Mais l'abbé général de l'ordre, Paolo Alessandro Serponti, avait souhaité deux autres tableaux qu'il avait demandés à des peintres romains, Pompeo Batoni (*Sainte Famille*, peinte entre 1738 et 1740; Clark et Bowron, 1985, n° 29, pl. 32), et aussi Giuseppe Bottani (1717-1785). Celui-ci peignit en 1745 une *Sainte Paule quittant les siens pour se rendre en Terre Sainte* (fig. 1; Bianconi, 1787, p. 442; Perina, 1964, p. 52, fig. 1). Est-il exclu que la commande de cette œuvre ait été en un premier temps passée à Subleyras? En ce cas l'esquisse anglaise de la Hatton Gallery pourrait être datée de 1738-39, ce qui, du point de vue de son style et de son exécution, serait une date parfaitement acceptable.

On rappellera que sainte Paule était en quelque sorte la fille spirituelle de saint Jérôme et que sa présence dans un cycle hiéronymite est parfaitement logique.

Le métier par petites touches croisées est caractéristique de l'art de Subleyras.

Provenance

Pourrait se confondre avec l'« Embarquement de sainte Ursule, esquisse » de la vente « Clérian, Directeur du Musée d'Aix » les 14-16 mars 1853, n° 95 (pour d'autres Subleyras de cette coll., voir n°s 44, 45 et 49); [Colnaghi], Londres en 1953; coll. Miss Venetia Buddicum entre 1953 et 1964; acquis par le musée de Newcastle de [Colnaghi] en 1964.

Exposition

Londres, Colnaghi, 1964, n° 28.

Bibliographie

The Burlington Magazine, septembre 1953, publicité p.i. ; Wright, 1976, p. 196.

Fig. 1
G. Bottani,
Sainte Paule quittant les siens pour se rendre en Terre Sainte,
Milan, Brera.

La vision de saint Jérôme

Toile cintrée. H. 408; L. 232.
Signé et daté en bas sur une pierre: «Petrus Subleyras Gallus / Fecit Romae 1739».
Milan, Pinacoteca di Brera.

La réfection de l'église Saints-Cosme-et-Damien, appartenant à l'ordre des Hiéronymites, fut entreprise à la fin du XVIIe siècle. En 1674, un décret de Rome autorisait les moines à tirer du Banco di Sant'Ambrogio l'argent nécessaire. Carlo Torre dans son *Guide de Milan* de 1714 note que l'ancienne église à une nef avec plafond de bois et décorations pariétales est alors détruite et que la future est en cours de construction. En 1738, Serviliano Latuada signale l'achèvement du nouvel édifice à l'exception de la façade. A nef unique, il comprend cinq chapelles dont celle du chœur qui est déjà meublée de tableaux exécutés par des peintres de l'école lombarde comme les Milanais Stefano Maria Legnani, Filippo Abbiati, Giuseppe Nuvolone, encore actifs au début du XVIIIe siècle. Cela paraît signifier que cette partie du sanctuaire fut ouverte au culte avant la fin des travaux et considérée comme une église provisoire. Une nouvelle campagne de décoration visant les quatre autels de la nef est entreprise par Paolo Alessandro Serponti, abbé général de 1737 à 1740, qui fait appel à des peintres romains. On sait par les comptes qu'il a laissés concernant l'aménagement de l'église, qu'il est à l'origine de la commande, en tant qu'abbé général de l'ordre d'abord, mais surtout en tant qu'abbé de « governo » de Saint Damien, c'est-à-dire supérieur du couvent de Milan, ce qu'il restera jusqu'à sa mort en 1769.

Le premier tableau exécuté par Subleyras, représentant *Saint Jérôme écoutant les trompettes du Jugement dernier*, est signé et daté de 1739. Il fut payé 200 écus comme celui de Pompeo Batoni (Clark et Bowron, 1985, n° 29, fig. 32) peint au même moment. Les deux artistes reçurent en plus quelques compléments en remboursement de leurs frais matériels et au titre de don gracieux. Le *Saint Jérôme*, installé d'abord sur le second autel à droite, face à la *Sainte Famille* de Batoni, y sera remplacé par la *Crucifixion* (n° 85) et remonté au premier autel à droite, face à la *Sainte Paule* de Bottani (voir notice précédente).

Les diverses esquisses retrouvées prouvent que Subleyras étudia avec soin sa composition. Il s'attache avant tout à décrire l'expression du saint surpris par l'apparition des quatre anges divins qui sonnent de la trompette. Jérôme est accompagné de son fidèle lion auquel Bianconi (1787) reproche de n'avoir pas assez de « verisimiglianza ». Le même auteur admire le « dessin harmonieux » de la composition, mais apprécie moins sa couleur « non idéale ».

Subleyras s'attarde avant tout à la description du corps du saint. Son torse nu, magnifique étude anatomique, est peint avec ce grand savoir que l'artiste avait acquis durant ses années au Palais Mancini. Le geste de surprise de Jérôme, son visage étonné et radieux animent une œuvre monumentale et imposante (O. Arnaud prononce les noms de Guido Reni et de David). A son habitude, Subleyras privilégie l'idéalisation des formes et des gestes à laquelle il sacrifie tout réalisme excessif.

Fig. 1
Saint Jérôme, New York, coll. privée.

Fig. 2
Saint Jérôme, Milan, coll. privée.

Provenance

Peint pour l'église des Pères Hiéronymites de Milan, Saints-Cosme-et-Damien ; resté dans cette église jusqu'en 1796 (second puis premier autel à droite) ; lorsque l'église fut transformée en théâtre, il fut donné à l'Académie de la Brera qui le remit en 1809 au musée de la Brera.

Bibliographie

Dezallier d'Argenville, 1762, p. 454 ; Bartoli, 1776, p. 153 ; Chiusole, 1782, p. 115 ; *Memorie*, 1786, p. XXXI ; Bianconi, 1787, pp. 441-442 ; cat. musée, 1841, p. 71, n° 300 ; Viardot, 1852, pp. 83-84 ; Lejeune, 1865, p. 319 ; Dussieux, 1876, pp. 437 et 491 ; cat. musée, 1904, p. 120 ; cat. musée, 1908, p. 361, n° 689 ; R. p. 198 ; A. 63 et p. 63 ; Boyer, 1936, p. 224 ; cat. musée, 1950, p. 129 (E. Modigliani) ; Clark et Bowron, 1985, p. 217 (datent le tableau de 1743 !).

Œuvres en rapport

— Coll. Channing Blake, New York (fig. 1 ; T., traces du cintre, H. 76,5 ; L. 44,5 ; provient d'une vente à Sotheby's, Londres, 4 avril 1962, n° 22 ; ancienne coll. C. Molesworth à Londres et P. Ganz à New York ; cat. exp. Atlanta, 1983, n° 8, ill. en couleurs, notice par Eric M. Zafran). Les variantes entre ce tableau et celui de la Brera nous autorisent à le considérer comme une œuvre autographe en dépit d'une certaine mollesse.
— Coll. privée, Milan (fig. 2 ; T. cintrée à oreilles, H. 63 ; L. 37) ; *modello* fidèle au tableau achevé, mais de très belle qualité.
— Coll. privée (n° 67).
— Signalons encore un « *S. Jérôme* » qui appartenait à M. Delrieu, exposé en 1766 à Toulouse (n° 37 ; Mesuret, 1972, p. 160, n° 1427), exposé à nouveau (mais est-ce le même ? il appartenait cette fois-ci à M. Francés) en 1784 (n° 118 ; Mesuret, 1972, p. 433, n° 4873).
— Un « Saint Jérôme en méditation, figure de proportion naturelle, vue à mi corps de 4 pieds 8 pouces de haut sur 3 pieds 6 pouces de large » appartenait au duc de Penthièvre au château de Chateauneuf-sur-Loire en 1786 (cat. n° 34, réimprimé dans *Ville de Chateauneuf-sur-Loire*, octobre 1985, n° 45, p. 7).
— Enfin un *Saint Jérôme* de Subleyras est mentionné à la vente de la coll. de Mme Jumel à New York, 24 avril 1821 ; n° 64 « An old man considering a head » (Benisovich, 1956, p. 290).
— La Brera conserve un autre *Saint Jérôme* (T. H. 152 ; L. 114) catalogué à plusieurs reprises comme de Subleyras (A. 64) : il s'agit en fait d'une copie du célèbre tableau de Guido Reni, aujourd'hui conservé au Kunsthistorisches Museum de Vienne.

Étude pour La Vision de saint Jérôme

Papier marouflé sur toile. H. 24,5; L. 18.
Paris, collection privée.

Rapide esquisse pour la seule figure du *Saint Jérôme* de la Brera (nº 66). Sur son tableau achevé, Subleyras renoncera à la pierre qu'il tient à la main, mais gardera dans ses grandes lignes la mise en place générale de sa composition. Il recherche avant tout une pose qui ne soit pas trop banale et tente avec succès de renouveler un sujet traité avec prédilection par les artistes italiens du XVIIe et du XVIIIe siècles.

Provenance

Se confond peut-être avec le tableau de la vente M*** du 23 mars 1784, nº 43 bis: «L'apparition de l'Ange à saint Jérôme en méditation, Esquisse terminée, peinte sur papier» (H. 8 pouces; L. 6 pouces 1/2 = H. 21,5; L. 17,5).

Bibliographie Inédit.

Œuvres en rapport Voir notice 66.

Nous venons de découvrir un nouveau Subleyras, une *Académie masculine* (T. H. 100; L. 73), qui prouve que pour peindre son *Saint Jérôme,* l'artiste avait fait usage d'une œuvre voisine de composition mais d'un sujet tout différent, vraisemblablement exécutée durant son séjour à l'Académie de France (voir aussi pour ce nouveau tableau, notre notice 59).

Scène de martyre

68

Toile cintrée dans le haut. H. 64; L. 40,5.
Amiens, musée de Picardie.

J. Montagu (comm. écrite) pense reconnaître, dans le tableau du musée d'Amiens, le *Martyre de sainte Théodore d'Antioche*, décapitée à Alexandrie sous Dioclétien en 304. Condamnée à être conduite « dans un lieu infâme pour y être exposée à la brutalité publique », elle put s'échapper grâce à un chrétien appelé Didyme. Le juge ordonna qu'ils aient tous deux la tête tranchée.

Sur le dessin préparatoire, la sainte fait le geste de la prière, alors que sur l'esquisse d'Amiens, elle croise les bras sur la poitrine comme pour retenir ses vêtements. Un ange, vêtu de blanc et de vieux rose, lui apporte la palme et la couronne du martyre. Le corps de Didyme se distingue nettement au centre de la composition derrière le bourreau, aux pieds du juge accoudé à l'autel d'une idole.

La robe de la sainte, bleue et rouge, ses manches blanche et jaune, bleue et blanche, donnent à ce petit tableau une note élégante et pleine de charme, en contraste avec le tragique du sujet. De par son style, l'œuvre nous paraît avoir été exécutée vers 1740.

Fig. 1
Scène de martyre,
Paris, coll. privée.

Provenance

Coll. Ernest et Olympe Lavalard offerte au musée d'Amiens en 1890.

Bibliographie

Cat. musée (coll. Lavalard), 1899, n° 195; cat. musée, 1911, p. 139, n° 191; A. 73 (selon l'auteur, serait le pendant du *Martyre de saint Pierre* du même musée d'Amiens; cf. n° 78); cat. musée (A. Boinet), 1928, p. 13.

Œuvres en rapport

Un dessin préparatoire, aujourd'hui dans une coll. part. parisienne, est passé en vente à New York, chez Sotheby's, le 12 juin 1982, n° 54, ill. (fig. 1; « attribué à Jean Restout »; H. 245 mm; L. 160 mm; pierre noire avec rehauts de blanc sur papier bleu).

69
Pl. XIII

Portrait du pape Benoît XIV (1675-1758)

Toile H. 118; L. 96.
Versailles, musée du Château (M. V. 3852).

L'iconographie de Benoît XIV (1675-1758) est immense, de G.M. Crespi qui l'aurait peint alors que le futur pape n'avait que six ans, à Pietro Bracci qui réalisa son monument funéraire pour Saint-Pierre (voir en dernier Giovanucci Vigi, 1983, pp. 363-377).

A son élection au trône pontifical en 1740, une rivalité semble avoir opposé pour l'exécution officielle du portrait du nouveau pape le plus respecté des élèves de Maratta, Agostino Masucci, et Subleyras. Si ce dernier fut préféré, ce n'est pas seulement à cause de la francophilie affichée du pape et de l'amitié que celui-ci portait à l'artiste (Pasqualoni, p. 163), mais aussi, pour reprendre les mots d'A. Clark (1967), parce que l'académisme quelque peu superficiel mais plus frais et plus poétique de Subleyras l'emporta sur le « chilled hippopotamus » que Masucci avait représenté (son tableau est aujourd'hui à l'Académie de Saint-Luc à Rome; fig. 20). La victoire de Subleyras lui assura désormais une prééminence artistique certaine à Rome.

Le portrait du pape par Subleyras a été répété à de très nombreuses reprises. L'exemplaire « original » (le mot est utilisé par le rédacteur du *Mercure de France* de septembre 1757, p. 198, mais aussi par Barbier et le duc de Luynes, tous deux en 1757), peint peu après l'accès au trône pontifical du cardinal Lambertini en 1740 et achevé au tout début de 1741, a été offert en 1757 à la Sorbonne par le pape « comme un gage assuré de son estime ». Benoît XIV avait envoyé ses œuvres à la Sorbonne. Celle-ci souhaita recevoir son portrait. Il resta exposé jusqu'à la Révolution entre le portrait de Louis XV et celui de son beau-père, Stanislas Leczinski. Que ce soit celui aujourd'hui au musée Condé à Chantilly (dont le règlement interdit tout prêt aux expositions) est certain : saisi à la Révolution, on le retrouve chez Alexandre Lenoir (un inventaire de sa collection précise qu'il provient de la Sorbonne), le duc de Sutherland et enfin en 1876 chez le duc d'Aumale.

Le succès du tableau fut immédiat : le roi d'Espagne s'en fit expédier un exemplaire (perdu); si les *Memorie* (p. XXX) prétendent que Philippe V souhaitait ardemment recevoir le peintre à sa cour, en fait il semblerait que « Subleyras désirait s'employer au service du roi ». La lettre du cardinal Aquaviva au marquis de Vilarias du 3 mars 1741 ajoute que « sa femme est la meilleure miniaturiste d'Italie » (Simancas, Estado 4917). Marco Foscarini, que Subleyras avait peint peu auparavant (n° 60), en commanda un exemplaire pour Venise (aujourd'hui au Séminaire patriarcal). Le cardinal Valenti Gonzaga, le plus proche collaborateur du pape (dont Subleyras devait également faire le portrait, aujourd'hui conservé dans une collection privée à Rome (fig. 21, Arizzoli-Clémentel, 1975, p. 9, fig. 1), en possédait à sa mort en 1756 deux exemplaires, le duc de Saint-Aignan, ambassadeur à Rome, un (dont on a longtemps cru qu'il avait été acquis pour le roi à sa mort en 1776). Enfin Subleyras lui-même en conservait une étude que l'on voit sur l'*Atelier* de Vienne (pl. en couleurs en frontispice du catalogue).

Le tableau de Versailles provient sans aucun doute de l'Académie royale de Peinture et de Sculpture. Il resta exposé, jusqu'à la Révolution, au-dessus de la cheminée de la salle d'assemblée. Il avait été offert à l'Académie par son puissant secrétaire, Charles-Nicolas Cochin le 31 mai 1766. Si l'on ignore d'où il le tenait, on se souvient que Cochin avait accompagné, avec l'abbé Le Blanc et l'architecte Soufflot, à Rome, peu après la mort de Subleyras (il arrive dans la Ville Eternelle le 17 mars 1750), le futur marquis de Marigny, futur surintendant des Bâtiments. A son retour, Cochin prononçait à l'Académie, le 4 mars 1752, une conférence restée inédite (dont nous devons la communication à la

Fig. 1
Subleyras (atelier), *Benoît XIV*, Bergame, église San Giuseppe.

Fig. 2
Subleyras (dérivation), *Benoît XIV*, Bologne, Biblioteca Universitaria.

Fig. 3
Benoît XIV, Chantilly, musée Condé.

généreuse obligeance de Christian Michel; Ecole des Beaux-Arts, ms. 175[1]) : « Au reste, je dois dire à la gloire de l'académie de France qu'un des plus habiles peintres de Rome entre les modernes a été un Français élève de cette Académie : je veux parler de Mr Subleraz (*sic*) mort depuis environ deux ans. Ses ouvrages sont d'une grande beauté ».

Il existe quelques variantes entre les différentes versions de l'œuvre aujourd'hui connues. Si l'exemplaire de Chantilly, l'exemplaire « officiel », celui que Rocco Pozzi a gravé dès 1741 (fig. 19), a été le plus souvent répété par l'artiste, il est aussi celui qui a été le plus souvent copié. On distinguera cependant les belles versions de Ferrare (qui provient de l'héritage du pape), de Venise et d'une grande collection parisienne (fig. 5, 12 et 8). Le tableau de Versailles, restauré à l'occasion de l'exposition, s'en distingue par certains détails : l'absence des lettres et surtout les modifications apportées à l'encrier et au poudrier de vermeil posés à droite, sur la table recouverte d'un tapis rouge.

La personnalité de Benoît XIV est bien connue : il suffit de citer ici la page fameuse du Président de Brosses, écrite avant l'accession au trône pontifical du cardinal (éd. 1931, II, p. 492) : « Bolonais, évêque de Bologne, bonhomme, uni, facile, aimable et sans morgue, chose rare en ceux de son espèce ; goguenard et licencieux dans ses discours ; exemplaire et vertueux dans ses actions ; plus d'agrément dans l'esprit que d'étendue dans le génie ; savant surtout dans le droit canon ; passe pour pencher vers le jansénisme ; estimé et aimé dans son corps, quoique sans morgue, ce qui est très singulier ».

Subleyras n'innove guère — comment l'aurait-il pu ? — dans cette représentation officielle de Benoît XIV : mais en ôtant à son modèle cet air débonnaire qui assurait sa popularité et en idéalisant l'image du pape, il répond mieux à l'idée que la chrétienté pouvait se faire du souverain pontife (et sans doute également à celle que Benoît XIV souhaitait laisser). Subleyras réussit le tour de force de ne rien sacrifier à la ressemblance tout en peignant la fonction dans toute sa noblesse.

Fig. 4
Subleyras (copie),
Benoît XIV, Dresde,
Kunstsammlungen.

Fig. 5
Benoît XIV, Ferrare, museo civico.

Fig. 6
Subleyras
(dérivation),
Benoît XIV,
Hampton Court,
H.M. The Queen.

Fig. 7
Subleyras
(atelier),
Benoît XIV,
University
of Notre Dame.

Fig. 8
Benoît XIV, Paris, coll. privée.

Fig. 9
Subleyras (bonne copie),
Benoît XIV, Rome,
museo di Palazzo Venezia.

Provenance

Le tableau de Versailles, restauré à l'occasion de l'exposition, est à *coup sûr* (voir la notice) celui offert par le secrétaire de l'Académie, Charles-Nicolas Cochin, le 31 mai 1766, à l'Académie Royale de Peinture et de Sculpture (voir *Procès-Verbaux*); était exposé en 1781 (et encore en 1787, Thiéry) dans la salle d'assemblée, cinquième pièce de l'Académie, « sur la cheminée » (Dezallier d'Argenville le fils, voir Montaiglon, 1893, p. 45); saisi à la Révolution; transporté au dépôt de la rue de Nesle le 3 thermidor An IV; envoyé au dépôt de la rue de Beaune le 23 messidor An V (« Benoît VI » !); réservé pour le Museum central et exposé à Versailles en 1802; au château de Fontainebleau entre 1808 et 1833; à Versailles depuis 1833.

Bibliographie

(Le *Portrait de Benoît XIV* est cité par tous les auteurs anciens ou modernes qui se sont penchés sur Subleyras).
Bibl. se rapportant plus particulièrement au tableau aujourd'hui à Versailles: Thiéry, 1787, I, p. 371; cat. musée (Versailles), 1802, n° 245; Dussieux, 1876, p. 491; *Procès-Verbaux*..., 1886, VII, p. 330; Montaiglon, 1893, p. 45; Rocheblave, 1893, p. 134; *Correspondance*..., 1900, X, pp. 200-201; Fontaine, 1910, p. 70, 99, 108, 111, 210; R. p. 199; A. sous le n° 132 et p. 62; Clark, 1967, p. 264, fig. 20; cat. musée Constans, 1980, p. 124, n° 4277; Clark, 1981, pp. 98 et 115, fig. 120.

Œuvres en rapport

Tableaux encore existants aujourd'hui
— Albi, coll. privée. Réplique ancienne de la tête seule;
— Barcelone, coll. privée. Copie à mi-corps avec variantes (cliché Mas 3914). L'auteur du tableau connaissait-il le *Benoît XIV* de Masucci?
— Bergame, église San Giuseppe, via Garibaldi (dans une salle de conférence des pères du Sacré-Cœur). Copie ancienne (fig. 1; H. 150; L. 100; voir D.G.P.; *Bergomum*, 1958, p. 192 et pl. 188);
— Bologne, Biblioteca Universitaria. Copie ovale avec d'importantes modifications attribuée à Gaetano Savorelli (fig. 2; voir A. 132);
— Chantilly, musée Condé. C'est la version la plus célèbre et la plus belle du tableau (fig. 3; T. H. 125; L. 98; A. 132). Elle a été offerte en 1757 à la Sorbonne par Benoît XIV lui-même et fut placée entre les portraits de Louis XV et du beau-père du roi, Stanislas Leczinski. « La maison de Sorbonne a fait le (6 juin 1757) une députation au nonce du pape » pour le remercier. L'œuvre est citée par tous les auteurs, du *Mercure de France* (septembre 1757) et du duc de Luynes (XVI, p. 83) à Waagen et à Lomax. C'est à coup sûr le tableau du dépôt des Petits-Augustins passé de la coll. d'Alexandre Le Noir dans celle du duc de Sutherland à Stafford House en 1838 avant d'être acquis par le duc d'Aumale en 1876 (voir Lenoir, 1845, p. 314 et Lenoir, 1865, p. 145);
— Dresde, Kunstsammlungen. Copie ancienne (fig. 4; T. H. 134,5; L. 98);
— Ferrare, museo civico. Bonne version vraisemblablement originale (fig. 5; T. H. 152; L. 110; A. 134). Provient du château des Lambertini à Poggio Renatico (voir cat. exp. Ferrare, 1981, p. 130, ill.);
— Hampton Court, coll. de la Reine. Copie ancienne à mi-corps, avec variantes significatives, « signé » P. Batoni (fig. 6);
— Kiev, musée. Copie du buste. (T. H. 63,5; L. 49; cat. musée 1961, p. 126, ill.);

Fig. 10
Subleyras (copie),
Benoît XIV, Rome,
museo di Roma.

Fig. 11
Subleyras (copie),
Benoît XIV, Rome,
Ambassade de France
près le Saint Siège.

Fig. 12
Subleyras (bonne copie),
Benoît XIV, Toulouse, coll. privée.

Fig. 13
Benoît XIV, Venise,
musée du Séminaire patriarcal.

— Mdina (Malte), cathédrale. Serait une copie par Favray exécutée en 1774 (T. H. 146; L. 108; cat. exp. *Favray*, Mdina, 1982, n° 4; le catalogue cite une autre copie dans la sacristie de la cathédrale de La Valette);
— Neuilly-sur-Seine, coll. privée. Bonne copie de la tête seule;
— Notre Dame (University of), Snite Art Museum. Bonne copie souvent exposée (fig. 7; T. H. 120,5; L. 94; voir en dernier cat. exp. Atlanta, 1983, n° 27, ill. en couleurs);
— Paris, coll. privée. Réplique originale (fig. 8; est-ce le tableau avant-guerre chez Cailleux?);
— Rome, Palais de Venise. Bonne copie ancienne (fig. 9; T. H. 107; L. 87; voir Rudolph, 1983, pl. 658);
— Rome, Museo di Roma. Copie ancienne (fig. 10; don Eugenio di Castro en 1964);
— Rome, Ambassade de France près le Saint-Siège. Copie à mi-corps déposée par Versailles en 1932 (fig. 11; M. V. 4494; voir A. 133);
— Toulouse, coll. privée. Copie ancienne coupée sur la droite (fig. 12);
— Venise, musée du Seminario Patriarcale. Réplique originale médiocrement restaurée, commandée par Marco Foscarini à l'artiste en 1741 (fig. 13; T. H. 149; L. 113; Moschini, 1842, p. 127; pour Foscarini, voir cat. 60; A. 135).

Tableaux anciennement mentionnés
— On distingue une version du portrait de Benoît XIV à l'extrême-droite de l'*Atelier* de Vienne (Poch Kalous, 1969, fig. 5; voir aussi ill. en couleurs en frontispice du catalogue). Elle montre le pape à mi-corps, non pas assis dans son fauteuil, mais comme derrière un parapet.
— Une réplique du portrait de Benoît XIV fut commandée à Subleyras par le roi d'Espagne, Philippe V. Le cardinal Aquaviva annonçait son envoi le 3 mars 1741. Elle fut trouvée « muy bien » par leurs majestés (voir en dernier Bottineau, 1962, p. 480; voir aussi notre notice).
— Deux exemplaires figurent dans l'inventaire après décès du cardinal Valenti Gonzaga de septembre 1756 (Pietrangeli, 1961, p. 60, n°s 500 et 509, ce dernir montrant le pape « in busto »).
— Un exemplaire de « quatre pieds et demi sur trois pieds et demi » appartenait au duc de Saint-Aignan (vente du 17 juin 1776, n° 49, dessiné par Gabriel de Saint-Aubin dans son exemplaire du cat. (fig. 14); voir A. 132 et Le Moël et Rosenberg, 1969, p. 62). Engerand le dit par erreur acquis par le roi, ce qui est d'autant plus invraisemblable qu'il passe aux deux ventes du prince de Conti (8 avril 1777, n° 864 « il vient du Cabinet de M. le Duc de Saint-Aignan » et 15 mars 1779, n° 80, à nouveau dessiné par Saint-Aubin; Dacier, 1919, X, p. 28 du *fac simile*, p. 68 du texte de Dacier).
— Citons encore les toiles des ventes du 10 février 1779 (n° 250, « Deux portraits de Papes, par Subleeras » (*sic*)), du 8 avril 1779 (n° 182, « Le Portrait d'un Pape, par Sublézas » (*sic*)), du 2 juin 1779 (n° 160) et l'exemplaire Corsini mentionné dans un inventaire datable de 1808 environ (Magnanimi, 1980, p. 108 [26]) et plus récemment des ventes du 29 mai-2 juin 1860 (feu M. Delamarche à Dijon, n° 305, « Portrait d'un évêque... vêtu des habits pontificaux » ! qui pourrait aussi se rapporter au *Saint Ambroise absolvant Théodose*; n° 96), de 1889 (vente Pirri à Rome, p. 24, n° 167: au verso de la toile se lisait une ancienne inscription « Petrus Subleyras Usutiensis pinxit Romae Anno 1746 »; elle pourrait se confondre avec la « réplique ancienne (appartenant) à M. G. Christin à Nyon achetée en juin 1911 en Italie à l'amiral Comte de Saint-Bon avec ceci

Fig. 14
Gabriel de Saint-Aubin,
Benoît XIV, Paris, Bibliothèque de l'Institut.

Fig. 15
Subleyras (?),
Benoît XIV, Munich, Pinacothèque.

Fig. 16
G.P. Panini (?),
Benoît XIV et le cardinal Valenti Gonzaga, Rome, museo di Roma.

au dos Pietro Subleiras 1746», voir A. 133), des 4-13 janvier 1923 (coll. de Mme Emily Montgomery à Rome, n° 231), 19 juin 1934 (n° 43), 6 mars 1942 (n° 86, «un pape») et du 30 octobre 1942 (n° 10).

— Nous ignorons tout sur les versions du château de Coussac Bonneval, de la coll. du marquis Lanzi à Lucques (T. H. 64; L. 49; A. 133) et de l'église Saint-Jérôme de Toulouse.

— Signalons encore le pastel de la pinacothèque de Munich (fig. 15) prudemment attribué à Subleyras par A. Clark (comm. écrite) et récemment publié par Kultzen (1985, pp. 54-56, fig. 17) et le double portrait de Benoît XIV et du cardinal Valenti Gonzaga attribué à Panini, l'un et l'autre inspirés par les portraits de Subleyras (fig. 16; Rome, Museo di Roma; Arisi, 1961, n° 210, fig. 263 et Di Domenico Cortese, 1970, pp. 118-121, ill.).

— Le *Benoît XIV* du museo Lazaro Galdiano de Madrid, donné à Subleyras, copie en fait la toile de Masucci de l'Académie de Saint-Luc à Rome.

Dessins

Un dessin du musée du Vieux Toulouse (fig. 17 et 18) représenterait «Mr Sublairas peignant le portrait de Benoît quatorze». Le verso nous montre plusieurs figures allégoriques tenant un portrait d'homme en médaillon (Subleyras ?).

Gravures

Le portrait «officiel» du pape a été gravé en 1741 par Rocco Pozzi (fig. 19). La gravure de N. de Beauvais mentionnée par le *Mercure de France* de novembre 1740, p. 2513 (et par A. 132) copie un portrait du pape par Amigoni. La gravure de Petit copie Masucci; celle de P.S. Negges ne fait que s'inspirer de Subleyras.

Fig. 19
Rocco Pozzi,
Benoît XIV, Rome.
Chalcographie nationale.

Fig. 20
A. Masucci,
Benoît XIV, Accademia di San Lucca.

Fig. 17
Anonyme,
Subleyras peignant Benoît XIV,
musée du Vieux Toulouse.

Fig. 18
Anonyme,
Figure allégorique, musée du Vieux Toulouse,
(verso du dessin précédent).

Fig. 21
Le cardinal Valenti Gonzaga,
Rome, coll. privée.

L'Assomption de la Vierge en présence de saint Charles Borromée et saint Léonce

Toile H. 46; L. 30.
Bourg-en-Bresse, musée de Brou (dépôt du Louvre, M.I. 1417).

Définitivement établi à Rome en 1728, Subleyras n'en continua pas moins de recevoir des commandes de la France: en 1741, il peignit deux grands tableaux pour son pays d'origine. Il exécuta pour l'église Saint-Etienne de Toulouse un *Saint Joseph*, aujourd'hui au musée des Augustins (n°s 74 et 75) et pour la cathédrale de Grasse, une grande *Assomption de la Vierge en présence de saint Léonce et de saint Charles Borromée*. Ce tableau (fig. 1), mentionné dès 1762 par Dezallier d'Argenville (p. 454) et en 1786 par les *Memorie* (p. XXX), fut miraculeusement sauvé d'un incendie en 1795 (Doublet, 1911, p. 122) et faillit être vendu par le Conseil de Fabrique en 1861 (Farnarier, 1981, p. 34). Il est toujours en place, visible mais sans recul, dans le chœur de la cathédrale (ill. dans J.B. Jolly et J. Willaume, *La Cathédrale de Grasse*, 1964).

L'œuvre a été commandée par Mgr d'Antelmy (Fréjus, 1668 - Grasse, 1752), mais on ignore les raisons qui poussèrent l'évêque de Grasse (depuis 1727) à s'adresser à Subleyras.

Fig. 1
L'Assomption de la Vierge,
Grasse, cathédrale.

Fig. 2
Subleyras (attribué à)?,
Assomption de la Vierge,
Gray, musée Baron-Martin.

Si saint Léonce, évêque de Fréjus, et saint Charles Borromée contemplent la Vierge, c'est que Mgr d'Antelmy se prénommait Charles Léonce Octavien.

Léguée au Louvre en 1869 par le docteur La Caze, l'esquisse de Bourg-en-Bresse avait été attribuée à Vanloo, d'abord à Carle (1705-1765) puis à Jean-Baptiste. Inversée (pour quelles raisons?) par rapport au tableau de Grasse (et aux deux études que nous exposons ici, n°s 71 et 72), elle revient à coup sûr à Subleyras. Exécutée avec brio, elle est caractéristique du style de l'artiste, vif, nerveux et plein d'élégance, parfois proche de celui d'un Pellegrini (1675-1741).

On ne manquera pas de rappeler qu'un autre artiste originaire du Midi de la France recevra, treize ans après Subleyras, une commande importante pour la cathédrale de Grasse: Fragonard, né à Grasse en 1732, peindra en 1754 son *Lavement des pieds*, toujours en place, un de ses premiers chefs-d'œuvre.

Provenance

Pour deux mentions de ventes concernant, à notre avis, d'autres interprétations du sujet, voir la rubrique *Œuvres en rapport*. Coll. du docteur Louis La Caze, donnée au Louvre en 1869; déposé à Bourg-en-Bresse en 1872.

Bibliographie

Cat. musée, 1875, p. 54, n° 163; Baudson, mai 1977, p. 71, ill.

Œuvres en rapport

Tableaux:
— Cathédrale de Grasse (fig. 1; T. H. 384; L. 278; A. 33).
— Une esquisse, « Un Tableau représentant l'Assomption de la Vierge », passe en vente le 25 novembre 1782, n° 37 (H. 24 pouces; L. 20 pouces = H. 65; L. 54).
— Une autre, sur carton (H. 23; L. 17), passe à la vente Eugène Disant à Reims le 26 mai 1870, n° 172. La description ne fait allusion ni à saint Charles, ni à saint Léonce.
— Pour l'étude de Munich, voir n° 71.
— Une *Apparition de la Vierge à des saints* (T. H. 33; L. 23) a été détruite au musée de Vire en 1925 (A. 34).
— Une *Assomption de la Vierge* (T. H. 52,5; L. 36,5; R.F. 1985-45; fig. 2), donnée par A.P. de Mirimonde au musée de Gray et attibuée à Trémolières, nous paraît trop proche de Subleyras et tout particulièrement du dessin du Louvre (n° 73) pour ne pas être mentionnée ici.

Dessins:
— Pour deux dessins représentant l'*Assomption de la Vierge*, voir n°s 72 et 73.
— Une Assomption de la Vierge, « à la plume, lavé d'encre de Chine », passe en vente le 15-17 mai 1883 (n° 190; coll. « de feu M. le docteur G. ... »).

71

Étude pour Saint Léonce

Toile H. 67; L. 51,5.
Munich, Pinacothèque (1206).

Étude pour le saint Léonce qui se voit sur la gauche de l'*Assomption de la Vierge* de la cathédrale de Grasse. On se souvient que saint Léonce était un des saints patrons de Charles Léonce Octavien d'Antelmy, évêque de Grasse et commanditaire du tableau en 1741. On admirera la délicatesse de l'exécution par petits traits croisés et la justesse des accents lumineux qui éclairent la barbe et la mitre du saint.

Provenance

Provient des coll. du prince-archevêque de Bamberg; entré dans les coll. de la pinacothèque de Munich avec la sécularisation des biens du clergé en 1805.

Bibliographie

Mannlich, 1805, II, p. 65, n° 324; cat. musée, 1908, p. 285, n° 1361; A. 136.

Œuvres en rapport

Voir notice précédente.

72

L'Assomption de la Vierge en présence de deux saints

Pierre noire avec rehauts de craie sur papier verdâtre, encadré de traits à la pierre noire (au verso, dans la même technique, tête de fillette dans un médaillon).
H. 198 mm; L. 263 mm.
Paris, collection privée.

Première pensée pour le tableau de la cathédrale de Grasse, l'*Assomption de la Vierge*: Subleyras ne modifiera guère les saints Léonce et Charles Borromée qui, de chaque côté du tombeau, lèvent les yeux au ciel. Mais il déplacera la Vierge, la faisant glisser de la gauche de la composition vers le centre et la représentant de face et non de profil.

Exécuté vraisemblablement peu avant 1741, ce dessin est un précieux témoin de la technique de l'artiste à cette date.

Provenance

Coll. John Auljo (sa marque, Lugt 48, en bas à droite; aucun dessin ne porte le nom de Subleyras dans la vente Auljo, Londres, Christie's, 14 juillet 1859); vente Londres, Christie's, 10 avril 1985, n° 104, ill. (« circle of Subleyras »); coll. privée (sa marque, absente de Lugt, en bas à droite).

Œuvres en rapport

Voir notices 70 et aussi 73.

L'Assomption de la Vierge

Pierre noire, rehauts de blanc sur papier gris-jaune; cintré à oreilles dans le haut. Le dessin a gardé son montage Mariette. Dans l'angle supérieur gauche, des indications de dimensions. H. 245 mm; L. 174 mm.
Paris, musée du Louvre, Cabinet des dessins (Inv. 32915).

Ce dessin représente certainement l'*Assomption de la Vierge*: mais s'agit-il d'une première pensée pour le tableau de Grasse (n° 70) ou d'une étude pour une composition perdue de même sujet?

Nous penchons pour la seconde hypothèse et cela pour deux raisons. Tout d'abord sa mise en page, l'absence de saint Léonce et de saint Charles Borromée, sa forme (il est cintré, alors que la toile de Grasse est rectangulaire), l'éloignent considérablement de la composition de Grasse. Plusieurs anciennes mentions de ventes (voir rubrique *Œuvres en rapport*) semblent indiquer, d'autre part, que Subleyras a peint deux *Assomption de la Vierge*.

La technique encore hésitante et menue, la composition quelque peu confuse nous inciteraient à placer le dessin du Louvre (qui par ailleurs a souffert et a été plié) peu avant 1735, au moment où Subleyras quitte le Palais Mancini pour s'établir à son compte.

Provenance

Coll. Pierre-Jean Mariette (1694-1774; marque, Lugt 1852, en bas à gauche); sa vente après décès, 15 novembre 1775 et jours suivants, sous le n° 1365 («Cinq sujets divers...»); acquis par Lempereur pour le cabinet du roi, pour 131 livres; entré au Louvre à la Révolution (marques du Louvre, Lugt 1899 et 2207, en bas à gauche et à droite).

Bibliographie

A. d. 24.

Œuvres en rapport

Voir notice 70.

Saint Joseph et l'Enfant Jésus

Pierre noire avec rehauts de blanc sur papier bleu; en bas à droite à la plume: « Subleyras ». H. 274 mm; L. 210 mm.
Vienne, Albertina (Inv. 12058).

Œuvres en rapport

Etude préparatoire pour le *Saint Joseph tenant l'Enfant Jésus*, peint à Rome en 1741, pour la cathédrale Saint-Etienne de Toulouse (fig. 1; aujourd'hui au musée des Augustins; signé et daté; T. H. 223; L. 176; A. 16). Ce tableau a été très souvent copié au XVIIIe et au XIXe siècles: nous en connaissons quatre copies à Toulouse et dans la région. Une cinquième version est passée en vente à Rome, galleria d'arte Palazzo Borghese, le 20-22 juin 1985, s.n., pl. 122. Un exemplaire, « con figure grandi al naturale » appartenait encore en 1786 aux fils de Subleyras (*Memorie*, p. XXXVI, note 1).
Pour une autre étude pour le tableau de Toulouse, voir la notice suivante.

Le dessin de l'Albertina est une étude d'ensemble pour le *Saint Joseph et l'Enfant Jésus* du musée de Toulouse (fig. 1). Subleyras modifiera sensiblement sa composition: il ajoutera sur la droite le bâton fleuri de lys, mais surtout il introduira, sur la gauche de l'œuvre, la figure de la Vierge qui lit, pour laquelle le musée Atger conserve une très belle étude préparatoire (n° 75). Plus que le détail de la mise en page, Subleyras cherche avant tout à mettre en place les grandes masses de sa composition.

La feuille doit être de peu antérieure au tableau qui, rappelons-le, est signé et daté de 1741.

Provenance

Coll. du prince Albert de Saxe-Teschen (sa marque, Lugt 174, en bas à gauche); entré avec l'ensemble de cette coll. à l'Albertina.

Bibliographie

A. d. 6.

Fig. 1
Saint Joseph et l'Enfant Jésus,
Toulouse, musée des Augustins.

75

Femme assise lisant

Pierre noire avec rehauts de blanc sur papier crème (autrefois bleu?); annotation en partie effacée en bas à gauche, à la plume: «Subleiras à Rome»; sur le montage à droite, de la main d'Atger: «Subleiras fecit Roma». H. 365 mm; L. 265 mm.
Au crayon, sur le montage, à gauche en bas: «belle étude d'ap Nature».
Montpellier, musée de la Faculté de Médecine (collection Atger).

Étude pour la Vierge lisant, à l'arrière-plan, à gauche du *Saint Joseph* de Toulouse qui date de 1741 (nº 74, fig. 1).

Les auteurs ont, tous, insisté sur la «justesse du costume aux plis souples»: Subleyras donne à la draperie une attention extrême... [et] ... choisit volontiers les étoffes lourdes qui tombent en cassures». Goldschmidt, pour sa part, s'exclame: «C'est du Chardin... On dirait l'annonce des temps nouveaux: Subleyras est à mi-chemin entre les frères Le Nain et Millet».

Subleyras dessine avec soin une femme, en train de lire, assise sur une chaise paillée. Grâce à une utilisation savante de la pierre noire et de la craie blanche, il joue avec habileté des ombres et de la lumière pour donner au corps tout son volume.

Que Subleyras par la suite ait transformé cette image de la vie de tous les jours, observée avec une grande acuité, en une composition religieuse n'a rien pour surprendre pour qui connaît la pratique de l'artiste. La force des compositions religieuses les plus ambitieuses de l'artiste tient souvent à cet *enracinement* dans la réalité quotidienne.

On rappellera enfin que la même année 1741, P.L. Ghezzi signait son *Saint Joseph et l'Enfant Jésus*, aujourd'hui conservé au musée de Nantes (fig. 1; Lo Bianco, 1985, nº 77, ill.). La Vierge, plongée dans la lecture de son livre, est directement copiée — la chaise exceptée — sur celle du dessin de Subleyras. Il semble possible que ce soit Ghezzi qui se soit inspiré de Subleyras, pourtant de vingt-cinq ans son cadet!

Provenance

Coll. Xavier Atger (1758-1833); don à la bibliothèque de la Faculté de Médecine en 1826 (marque, Lugt 38, en bas au centre).

Exposition

Paris, 1974-75, nº 21 et pl. XII (notice par L. Duclaux).

Bibliographie

Cat. Atger, 1830, nº 63; Lagrange, 1860, p. 141; Saunier, 1922, p. 166, ill. p. 167; G. p. 30, ill. p. 17; A. d. 70 et p. 65; Claparède, 1957, pp. 7-8, nº 11, pl. 11 (en couleurs); cat. exp. Paris, *Brest...*, 1974-75, pp. 23-24; Lo Bianco, 1985, p. 134.

Œuvres en rapport

Etude pour le *Saint Joseph* de Toulouse de 1741 (voir la notice précédente).

Fig. 1
P.L. Ghezzi,
Saint Joseph et l'Enfant Jésus,
Nantes, musée des Beaux-Arts.

Portrait de Dom Cesare Benvenuti (1669-1746)

Toile H. 138; L. 101.
Paris, musée du Louvre (R.F. 1969.10).

Dom Cesare Benvenuti joua dans la première moitié du XVIIIe siècle un rôle nullement négligeable dans la vie de l'Eglise. Né d'une famille noble à Montodine, près de Crema en Italie du Nord, en 1669, il fut destiné très tôt, comme trois de ses frères, à entrer dans les ordres. Il prit l'habit de chanoine régulier de Latran, à Vérone, en 1686, avant d'être pour plusieurs années et dans plusieurs villes d'Italie *lettore*. Nommé à Rome en 1708 *abate perpetuo privilegiato*, il fut chargé de trancher les « cas de conscience » (« casi di coscienza ») qui, chaque mois, réunissaient les curés dans la « canonica della Pace », Santa Maria della Pace, la maison mère des chanoines. Le cardinal Francesco Barberini le choisit comme « teologo ed esaminatore sinodale », chargé d'inspecter les prêtres et les confesseurs des églises épiscopales et abbatiales. Le cardinal Lercari le confirma dans cette charge. Négociateur apprécié, Dom Cesare se rendit en 1737 à Munich, puis à Vienne. Il devint procurateur général de sa congrégation et, l'année suivante, fut élu abbé général des chanoines réguliers de Latran le 8 mai 1740. Il mourut à Naples en 1746, laissant de copieux ouvrages théologiques (l'inscription VITA COM que l'on lit sur la tranche d'un des volumes, sur la gauche du modèle, font allusion à son *Discorso istorico... della vita commune de' chierici de' primi sei secoli della Chiesa*). Il se consacra en outre à plusieurs béatifications et canonisations, dont celles de Jeanne de Chantal et de Battistina Vernazza.

Grâce à l'inscription en lettres d'or qui se voit sur le tableau, l'identité du modèle ne fait aucun doute. Celle qui se lisait au verso de la toile originale la confirme, comme elle livre le nom de l'auteur du tableau (curieusement prénommé « Domenicus » !). Quant à sa date, 1742, elle nous est donnée par l'étiquette ancienne collée sur le châssis original et dont nous avons recopié l'essentiel du texte plus haut dans la rubrique *Provenance* (remarquons au passage la qualification de Subleyras « rinomatissimo Pittore Francese »).

L'œuvre se place sans conteste parmi les chefs-d'œuvre du portrait européen du XVIIIe siècle. L'artiste analyse les rudes traits du modèle, alors âgé de 73 ans, avec une rigueur sans concession. Il décrit avec précision son visage osseux, sa mâchoire carrée, sa bouche aux lèvres serrées, la ride profonde qui, de la base de la narine au menton, balafre le visage de l'abbé. L'élégance des mains (Subleyras les a-t-il peintes d'après celles d'un autre modèle que Dom Cesare Benvenuti ?) adoucit quelque peu l'austérité du visage de l'abbé, la sévérité hautaine et distante de son regard. De même, les notes rouges, or, olive du fauteuil, du dos des livres, de la croix et de sa chaînette ainsi que du rideau tempèrent les masses blanches et noires du surplis et de la robe de Dom Cesare.

Rarement, Subleyras aura-t-il su combiner avec autant de bonheur, la description réaliste des traits de son modèle avec l'analyse de son caractère, sans pour autant renoncer à ce qui définit son style, une distinction et une noblesse d'une inspiration toute classique.

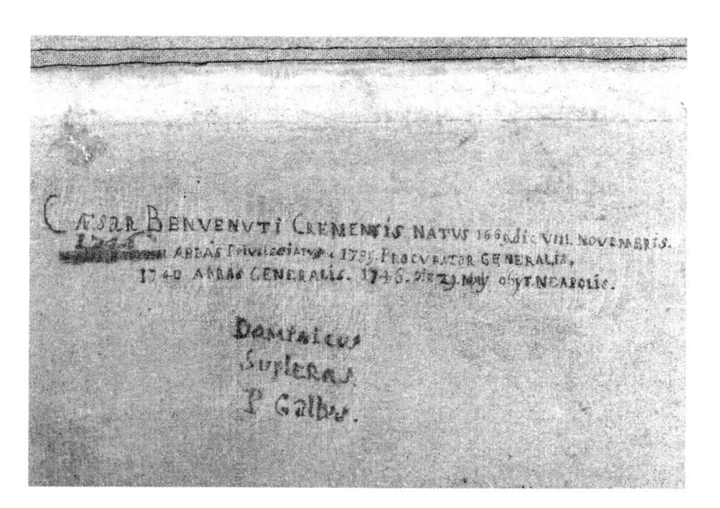

Fig. 1
Inscription qui se lisait au verso, sur la toile originale du *Portrait de Dom Cesare Benvenuti.*

Provenance

Le nom du modèle, écrit en lettres capitales, se lit dans l'angle supérieur gauche de l'œuvre. Au verso de la toile originale, avant le récent rentoilage du tableau, figurait l'inscription du XVIIIe siècle dont nous donnons ici la reproduction photographique (fig. 1). Une étiquette, anciennement collée sur le châssis original (et conservée aujourd'hui avec le dossier du tableau au service d'étude et de documentation du Département des peintures), donne les grandes lignes de la biographie du modèle. Elle précise que le portrait « fu dipinto in Roma dal rinomatissimo Pittore Francese Pietro Subleyras nel 1742 ». Elle ajoute que l'œuvre fut acquise en vente publique (« pubblico incanto ») à Crema en 1830 par Camillo Schiavini quand furent vendus les biens mobiliers « del fallito Balio Ottavio Benvenuti Nipote e discendente del P. Generale » (*id est* le modèle). Sur Camillo Schiavini, podestat de Crema de 1835 à 1837, mort en 1856, voir Perolini, 1975, pp. 61-62. Acquis par le Louvre en 1969 à Londres de la [galerie Heim].

Exposition

Londres, Heim, 1969, n° 20, ill.

Bibliographie

(reproduit et cité par de nombreux journaux et revues anglais au moment de son exposition à Londres et de son achat par le Louvre en 1969).
B.N. [icolson], *The Burlington Magazine*, juillet 1969, p. 464, fig. 59; *La Chronique des Arts*, supplément à la *Gazette des Beaux-Arts*, février 1970, p. 10, fig. 54, ill.; Rosenberg dans Gadille, 1972, pp. 7-8; cat. Louvre (Rosenberg, Reynaud, Compin), 1974, n° 785, ill.; Lomax, 1978, p. 14 et pl. 1; Laclotte et Cuzin, 1982, p. 71, ill. en couleurs.

77
Pl. VIII

Portrait de la comtesse Mahony (1715-1793)

Toile H. 100; L. 74,5.
Caen, musée des Beaux-Arts (80.4.1.).

Lady Anne Clifford (1715-1793), fille du comte Thomas Clifford of Chudleigh, avait épousé en premières noces le comte James Joseph O'Mahoney, dit Mahony, lieutenant général au service du Roi de Naples Charles VII. Elle devait se remarier en 1773, seize ans après la mort du comte, avec Don Carlo Severino, de vingt ans son cadet.

L'attribution du tableau de Caen à Subleyras ne peut être mise en doute. Avant qu'il ne soit retrouvé en 1979, on connaissait son existence grâce à deux copies (fig. 1 et 2). Celle de Pompeo Batoni date de 1785 et porte, dans le bas à gauche, en lettres capitales, une inscription qui ôte tout doute quant à l'auteur de l'original: « copiato da un quadro di Subleras » (*sic*). Toujours en 1785, Batoni peignait la fille du modèle, la princesse Cecilia Giustiniani (Edimbourg, National Gallery of Scotland) et son mari, le prince Benedetto (Rome, coll. Busiri Vici). De même, il existe un portrait du mari de la comtesse Mahony, bien évidemment le pendant de celui de Subleyras (les deux œuvres étaient encore encadrées à l'identique en 1979), passé lui aussi en vente en 1979, sous une juste attribution à Francesco de Mura (1696-1762). Ce tableau appartient aujourd'hui au Fitzwilliam Museum de Cambridge (fig. 3).

A quel moment les deux tableaux furent-ils exécutés? L'on s'accorde pour dire, peut-être un peu rapidement, qu'ils furent peints en 1747. A cette date, les modèles, Subleyras et de Mura habitaient Naples. L'on sait que Subleyras s'y était rendu en novembre 1746 et y séjourna jusqu'en juin 1747 pour y soigner la tuberculose qui devait l'emporter. Il y peignit un portrait du duc de la Vieuville à cheval, hélas aujourd'hui disparu (voir cependant notice 115).

Mais Anne Clifford ne nous paraît pas avoir 33 ans sur le tableau de Subleyras qui, de par son style, nous semble antérieur à 1747.

Il paraît donc plus raisonnable d'avancer l'hypothèse que Subleyras a peint son tableau à Rome. Le modèle, qui s'était mariée le 22 décembre 1739, était seule à Albano en juin 1740. Une lettre d'Horace Mann à Horatio Walpole (cat. 114) nous apprend qu'elle « is going to her husband ». Ne serait-ce pas plutôt vers cette date que Subleyras l'aurait représentée ? Le portrait de son mari par de Mura est en tout cas antérieur au 28 juin 1747. A cette date en effet, le comte Mahony reçoit le cordon de l'Ordre de San Gennaro que l'artiste n'aurait pas manqué de faire figurer sur son œuvre.

La comtesse — une beauté au visage plein — porte un déshabillé généreusement ouvert sur sa poitrine et tient un *King Charles* d'humeur joyeuse.

De grosses perles ornent son bras. L'accord des gris des cheveux poudrés, du blanc de la chemise et du pelage du chien, des bleus du manteau et du rideau, des ors du fauteuil, des roses du ruban et du nœud, des joues et des lèvres est particulièrement bien venu. La mise en page de la composition, que l'on pourrait qualifier de conventionnelle, est d'une grande simplicité, mais Subleyras sait retenir notre attention par le côté très direct de l'analyse.

Provenance

Appartenait en 1778 et en 1785 à la princesse Cecilia Giustiniani, fille du modèle (1741-1789) qui habitait alors Rome. Coll. Durazzo-Pallavicini Negrotto-Cambiaso conservée au château d'Arenzano, à 22 km à l'ouest de Gênes ; vente au Palais Borromeo Arese à Cesano Maderno, près de Milan, 5-6 octobre 1979, n° 536, ill. (« Pier Leone Ghezzi ») ; commerce à Rome ; acquis par le musée de Caen en 1980.

Expositions

Caen, 1980, n° 40, ill. ; Tokyo et autres lieux, 1983, n° 16, ill.

Bibliographie

La Chronique des Arts, supplément à la *Gazette des Beaux-Arts*, mai-juin 1981, p. 9, fig. 11 ; Rosenberg, 1982, pp. 89-91 et p. 87, fig. 7 ; Clark et Bowron, 1985, pp. 362-363.

Œuvres en rapport

On connaît deux copies de ce tableau : la première fait partie de la collection John Chichester-Constable. Elle a été exécutée par Pompeo Batoni en 1785 et payée 30 zecchini (fig. 1 ; T. H. 72 ; L. 62 ; Clark et Bowron, 1985, n° 454, ill.). Elle avait été commandée par James Byres pour William Constable (1721-1791), cousin germain du modèle par sa mère, à cette date depuis longtemps de retour en Angleterre (sur ce tableau, voir cat. exp. *William Constable as patron*, Kingston upon Hull, 1970, n° 73 et surtout Ford, 1974, pp. 408-415 et fig. 10).
La seconde copie, autrefois attribuée à Amigoni, appartient à l'Academia San Fernando à Madrid (fig. 2 ; T. H. 99 ; L. 73). Elle a été publiée à plusieurs reprises (en derniers : Luna, 1975, pp. 365-384 et fig. 6 p. 375 ; *idem*, 1976, pp. 182-184, Urrea Fernandez, 1977, p. 77 ; Lomax, 1978, p. 17). On aimerait identifier cette copie avec celle commandée à Domenico Cherubini (1754-1815) par les mêmes Byres et Constable en 1778. Celle-ci aurait été perdue en mer avec le *Westmorland* qui la transportait en Angleterre, mais le navire aurait fort bien pu être capturé par des corsaires espagnols. Une lettre de Byres du 10 août 1785 (citée par le cat. de Kingston upon Hull, 1970), qui précise que la copie de Cherubini « was a half length (*sic*) the size of the original », vient contredire cette hypothèse.

Fig. 1
P. Batoni,
La comtesse Mahony,
Grande-Bretagne, coll. privée.

Fig. 2
D'après Subleyras,
La comtesse Mahony, Madrid,
Academia San Fernando.

Fig. 3
F. de Mura,
Le comte Mahony,
Cambridge, Fitzwilliam Museum.

Le Martyre de saint Pierre

Toile cintrée. H. 136,5; L. 81,5.
Paris, musée du Louvre (Inv. 8003).

Les circonstances de l'achat de ce tableau par Louis XVI sont bien connues grâce aux lettres échangées entre le surintendant des bâtiments, le comte d'Angiviller, son Premier peintre Pierre et le directeur de l'Académie de France à Rome Vien: le 9 février 1777, d'Angiviller demande à Vien: «n'y aurait-il pas moyen d'acheter à Rome quelque bon tableau capital de ce maître (Subleyras)? Il est à peine connu dans le Cabinet des tableaux du Roy et je désirerais fort, pour l'honneur de la nation, avoir quelque bon morceau de lui» (*Correspondance*..., p. 276). Le 24 mai, Pierre, averti par Vien (la lettre de ce dernier est perdue), annonce à d'Angiviller: «une esquisse... est trouvée». «La Personne qui la possède est déterminée à la céder pour le prix de mille livres, et il n'y a pas à balancer» (Furcy-Raynaud, 1905). Le 11 juin, Vien précise le nom de cette «personne», «l'Ambassadeur de Malte», le bailli de Breteuil, Ambassadeur de Malte auprès du Pape, connu pour sa collection de tableaux. Avant le 19 juillet, le tableau quitte Rome. Mais «le Soubleras», sur lequel Vien a «collé du papier», est endommagé durant le transport: «je ne l'aurais pas fait de mon chef — écrit-il à d'Angiviller — mais M. Pierre a cru... m'indiquer un moyen qu'il croyait sûr pour garantir sa couleur» (*Correspondance*..., p. 364)

Arrivées à ce point, les choses se compliquent. On connaît en effet aux Archives Nationales (0[1] 1922[A] n° 34) un document daté de 1779 qui indique que le tableau de Subleyras a été, à son arrivée à Paris, «détaché de dessus le bois et remis sur toile par Hacquin». Or tout prouve — le Laboratoire et le Service de Restauration du Louvre nous l'ont confirmé — que si le tableau de Subleyras a considérablement souffert, il avait été peint sur toile (comme presque tous les tableaux de l'artiste; pour une exception, le cuivre de Turin, voir n° 84). Il est par contre certain que la restauration a été exécutée par «le Sr Hooghstoel», qui assure «avoir nettoyé et restauré beaucoup de choses» (0[1] 1922[A]). En dépit de cette intervention, il faudra la remise en état de l'œuvre, à l'heure où nous écrivons en cours d'achèvement, pour lui rendre son apparence première.

Une comparaison entre la gravure de Barbault, réalisée avant son achat par le Roi, et le tableau tel qu'il est aujour-

Détail

Fig. 1
Le Martyre de saint Pierre,
Amiens, musée de Picardie.

Fig. 2
Subleyras (atelier),
Le Martyre de saint Pierre,
Londres, coll. privée.

d'hui prouve que certains morceaux ont perdu de leur lisibilité, il est vrai en partie à cause des modifications apportées par Subleyras au cours de l'exécution de l'œuvre.

Le *Martyre de saint Pierre*, bien que souvent copié au Louvre au XIXe siècle, n'a guère été apprécié par les critiques qui reprochent à son auteur d'avoir « outré l'observation et la vérité » (Filhol, 1828), son « manque de style dans les figures », le « procédé vulgaire » (Ch. Blanc, 1865) « qui consiste à sacrifier tout le premier plan pour concentrer la lumière sur le corps du saint » (Lecoy de La Marche qui pastiche Ch. Blanc). Cependant ces critiques le comparent pour le préférer au *Martyre de saint Pierre* de Sébastien Bourdon (1643, *May* de Notre-Dame). Seul Thoré (1839) y voit « un petit chef-d'œuvre ».

Subleyras accordait une grande importance à son tableau : il en possédait une version (le tableau du Louvre que la famille du peintre aurait vendu au bailli de Breteuil ?) qui ornait un mur de son atelier tel qu'il le décrit sur le tableau de l'Académie de Vienne.

L'œuvre marque une étape de sa carrière. Grâce à l'auteur des *Memorie* (1786), nous apprenons que, dès 1740, Benoît XIV, conseillé par le cardinal Valenti Gonzaga, avait souhaité une toile de Subleyras pour remplacer à Saint-Pierre soit le *Martyre de saint Pierre* de Passignano, soit la *Messe de saint Basile* de Muziano. « Le premier sujet qui avait été traité si magistralement par le Guide devait faire reculer un peintre moderne, mais en revanche il offrait à son talent un champ plus vaste. Le second était tout à fait neuf, mais paraissait ingrat et difficile à traiter. Subleyras fit les esquisses des deux sujets et le choix tomba sur saint Basile ». L'auteur des *Memorie* ajoute plus loin « qu'il aurait plus volontiers traité le sujet de la Crucifixion de saint Pierre ».

Il s'agissait pour le peintre de créer une image iconographiquement aussi exacte que possible, forte et lisible. Les esquisses peintes et les dessins que nous reproduisons ici, qui datent tous des années 1740-1743, donnent-ils l'impression qu'il y avait réussi ? Nous le pensons d'autant plus qu'avec la *Messe de saint Basile* dont le sujet fut en définitive retenu, il aura à résoudre des problèmes de composition d'une autre complexité.

Provenance

Un tableau de même sujet et de dimensions comparables appartenait à Subleyras et se voit sur l'*Atelier* de Vienne (pl. en couleurs en frontispice du cat. ; voir Poch-Kalous, 1969). Coll. du bailli de Breteuil à Rome, avant 1762, date de la mort de Barbault (voir *Œuvres en rapport, Gravures*) ; acquis en 1777 pour 1 000 livres pour le roi grâce aux peintres Vien, directeur de l'Académie de France, et Pierre, Premier peintre du roi ; le tableau souffrit du voyage et dut être restauré en 1778 par Hacquin et par Godefroid (A. N. O[1] 1922[A] ; voir plus loin la notice) ; inventorié dans les locaux de la surintendance à Versailles en 1784 par Durameau (« Martyre de saint André ») et, l'année suivante, parmi les nouvelles acquisitions du roi ; à Versailles en 1794 et 1802 ; « envoyé » au Musée Royal (Louvre) le 23 novembre 1817. Restauré en 1985.

Exposition Beauvais et autres lieux, 1974-75, sous le n° 64.

Bibliographie

Memorie, 1786, pp. XXX-XXXI et XXXIV; cat. musée (Versailles), 1802, n° 243; Thoré [Bürger], 1839, p. 219; cat. musée (Villot), 1855, n° 507; Blanc, 1865, pp. 6 et 8; Lavice, 1870, p. 208; Lecoy de la Marche, 1892, p. 215; Engerand, 1900, p. 631; *Correspondance...*, XIII, 1904, pp. 276, 278, 296, 364; Furcy-Raynaud, 1905, pp. 121-122; cat. musée (Brière), 1924, n° 856; R. pp. 194, 196, 198; G. p. 16; A. 69 et p. 66; Roux, 1933, p. 43; Picault, 1951, p. 29; Poch-Kalous, 1969, pp. 15-16, 27 et fig. 8; cat. musée (Rosenberg, Reynaud, Compin), 1974, n° 788, ill.

Œuvres en rapport

Tableaux :
— Un *Martyre de saint Pierre* se voit sur le mur du fond de l'*Atelier* de Vienne (pl. en couleurs en frontispice du cat.).
— Pour l'esquisse de Leipzig, voir notice n° 79.
— Une première pensée avec d'importantes variantes dans la composition fait partie des coll. du musée d'Amiens (fig. 1; T. cintrée, H. 64; L. 48), provenant du legs Lavalard en 1890.
— Une esquisse appartenant à Turpin de Crissé et exposée à Angers en 1839 (n° 527) est mentionnée par Thoré en 1839 (p. 219): « plus petite que celle du Louvre », elle ne se confond pas non plus avec celle d'Amiens. Thoré signale en effet « un bel ange aux ailes bariolées », absent sur celle-ci.
— Une (autre ?) figure aux ventes du comte d'Espagnac du 1-3 mars 1866, n° 261 (T. H. 44; L. 30) et 2-3 mai 1873, n° 193 (*idem*; sur cette coll., voir P. Mantz, 1847, p. 101).
— Une nouvelle à la vente Pirri à Rome, les 21-26 janvier 1889, n° 169 (T. H. 35; L. 31).
— Mentionnons encore le tableau d'une coll. privée anglaise, très voisin dans sa composition du tableau d'Amiens, mais de qualité plus modeste (fig. 2; P. Walch, cat. exp. Albuquerque, 1980, n° 59, ill.), la copie (du XIXe siècle ?), plus proche du tableau du Louvre, passée en vente à Paris le 10 décembre 1984, salle 4 (cat. n° 15, ill. ; T. H. 130; L. 82) et à nouveau le 28 novembre 1985, salles 1 et 7 réunies, n° 5, et enfin une petite copie (fig. 3) du XIXe siècle, d'une grande liberté d'exécution attribuée à Manet par Jacques Mathey (comm. écrite).
Pour la version en largeur, et les études du musée de Roanne, voir notices 83, 80 et 81.

Dessins :
Pour les dessins du Louvre, voir notices nos 82 et 83.

Gravures :
Selon Basan (1767, II, p. 484), le tableau aurait été gravé par Subleyras (nous n'avons retrouvé aucun exemplaire de cette gravure avec la lettre; l'Albertina en conserve une épreuve avant toute lettre; Franz. Kl. M. Suppl. Bd. 5 Bl. 22).
— Gravé (fig. 4) dans le sens du tableau par Barbault (1718-1762; cat. exp. Barbault, Beauvais et autres lieux, 1974-75, n° 64, pl. LXXVII). La lettre de la gravure précise que le tableau appartient au bailli de Breteuil (voir cat. exp. Breteuil, 1986, n° 66).
— Gravé par Gelée, d'après un dessin de Coeuré, pl. II, n° 8 de la *Galerie du musée de France* publié par Filhol (pp. 6-7) en 1828 (t. XI de la seconde éd.).
— Gravé par J. Gauchard d'après P. Cabasson pour Ch. Blanc, 1865, p. 5, gravure reproduite à nouveau par Lecoy de La Marche (1892, p. 209) et dans le compte rendu de son livre paru dans *L'Art*, 1892, I, p. 140.

Fig. 3
D'après Subleyras,
Le Martyre de saint Pierre,
localisation inconnue.

Fig. 4
J. Barbault,
Le Martyre de saint Pierre,
Paris, Bibliothèque nationale.

Le Martyre de saint Pierre

Toile cintrée dans le haut.
H. 136,5; L. 80.
Leipzig, Museum der bildenden Künste.

L'absence de repentir visible à l'œil nu sur la version de Leipzig du *Martyre de saint Pierre* semble indiquer qu'elle a été exécutée postérieurement à celle du Louvre. On comparera avec d'autant plus d'intérêt les deux œuvres que la question des répétitions originales de Subleyras — esquisses, modellos, répliques — demeure fort débattue.

Provenance

Dans la coll. Speck von Sternburg à Lützschena, près de Leipzig, depuis 1837 (voir Becker, 1905, pp. 263-270). Acquis en 1945.

Bibliographie

Parthey, 1864, II, p. 598; Lejeune, 1865, III, p. 319; Dussieux, 1876, p. 236; A. 72; cat. musée, 1973, n° 12, ill.; cat. musée, 1979, p. 88, n° 32.

Œuvres en rapport

Voir la notice précédente.

Homme tirant sur une corde

Toile H. 65; L. 49,5.
Roanne, musée Joseph Déchelette (dépôt du musée de Charlieu).

Cette étude académique a été tout récemment retrouvée et identifiée par Eric Moinet et Jacques Foucart. Subleyras l'a utilisée pour son *Martyre de saint Pierre* et plus particulièrement pour la figure du bourreau qui, sur la gauche de la composition, tire de toutes ses forces sur une corde afin de dresser la croix sur laquelle le saint est attaché. Subleyras est avant tout attentif à la musculature du dos et des mollets du bourreau, déformée par l'effort, qu'il peint avec une grande exactitude dans le rendu. Selon son habitude, l'artiste introduit dans ses compositions religieuses, en les modifiant quelque peu, ses études peintes d'après le modèle.

Provenance

Don du comte de Brosse à la Société des Amis des Arts de Charlieu.

Bibliographie

Inédit.

81

Homme penché en avant en train de creuser

Toile H. 63; L. 49,5.
Roanne, musée Joseph Déchelette (dépôt du musée de Charlieu).

Lorsqu'elle fut retrouvée, cette étude était encadrée avec la précédente (n° 80). Tout porte à croire que Subleyras avait songé à l'utiliser pour son *Martyre de saint Pierre*. En effet, un bourreau qui creuse le trou destiné à recevoir la croix de saint Pierre occupe la place centrale sur l'esquisse d'Amiens. Il disparaîtra des tableaux, postérieurs en date, du Louvre et de Leipzig, mais l'étude de Roanne en est vraisemblablement une première pensée.

Provenance

Voir notice précédente.

Bibliographie

Inédit.

Le Martyre de saint Pierre

Pierre noire,
rehauts de blanc, papier bleu.
Une ligne à la pierre noire
délimite la composition.
H. 251 mm; L. 156 mm; cintré.
Paris, musée du Louvre,
Cabinet des dessins (Inv. 32939).

Très belle première pensée pour les tableaux du Louvre et de Leipzig (n°s 78 et 79).

Provenance

Coll. du comte d'Orsay (1748-1809; marque, Lugt 2239, en haut à gauche); entré au Louvre en 1793 (marque, Lugt 1886, en bas à droite).

Expositions

Beauvais et autres lieux, 1974-75, sous le n° 64; Paris, 1983, n° 97, ill. et p. 175 (Ors. 630).

Bibliographie

A. d. 42.

Œuvres en rapport

Pour la version en largeur du dessin, voir n° 83.
Pour les différentes versions du tableau, voir n° 78.

Le Martyre de saint Pierre

**Pierre noire et lavis gris sur papier blanc; collé en plein.
Un trait à la pierre noire délimite la composition.
H. 338 mm; L. 457 mm.**
Paris, musée du Louvre, Cabinet des dessins (Inv. 32922).

Fig. 1
Le Martyre de Saint Pierre,
localisation actuelle inconnue.

Étude pour une version en largeur du *Martyre de saint Pierre*. Cette version nous semble légèrement antérieure en date à celles, en hauteur, du Louvre et de Leipzig (n°s 78, 79).

Est-elle également en relation avec la commande pour Saint-Pierre de Rome? Rien ne permet de l'affirmer.

Provenance

Coll. du comte d'Orsay (marque, Lugt 2239, en haut à droite); entré au Louvre à la Révolution (marque, Lugt 1886, en bas à droite).

Bibliographie

A. d. 43; cat. exp. Paris, 1983, sous le n° 97 et p. 175 (Ors 631).

Œuvres en rapport

Une version peinte, en médiocre état de conservation, très proche dans sa composition du dessin du Louvre, est passée en vente à Florence, Sotheby Parke Bernet, les 3 et 4 juin 1977, n° 339 (fig. 1; ill. au cat. T. H. 100; L. 125; les indications de dimensions semblent inversées dans le catalogue de cette vente).

Portrait de l'abbé Tacchetti (1703?-1772)

Cuivre ovale. H. 31; L. 24.
Turin, Galleria Sabauda.

L'abbé Camillo Tacchetti, né à Vérone vers 1703, était chanoine régulier de la congrégation de Latran, du couvent de San Leonardo de Vérone d'abord, puis à Rome de celui de Santa Maria della Pace. Pratiquant le dessin et l'art de la miniature, il se mit alors à l'école d'un autre religieux de son ordre, miniaturiste de grand renom, l'abbé Giovanni Felice Ramelli dont Maria Felice Tibaldi fut également l'élève. Il noua ainsi des liens d'amitié étroits avec Pierre Subleyras, recueillant, après la mort du peintre, sa femme et ses enfants dans la paroisse de Santa Maria della Pace dont il était curé. Tacchetti, comme les Subleyras, appartenait à l'Académie des Arcades où il fut inscrit par le « custode » Morei, c'est-à-dire après 1743 et sans doute à une date proche de celle-ci, au moment où nombre d'artistes célèbres furent agréés. La gravure de Polanzani (fig. 1), tirée du tableau de Subleyras, fait allusion à cette distinction comme au titre de membre de l'Académie Clémentine de Bologne. Sur la peinture de Subleyras, on voit dans le fond, outre une miniature et des livres qui symbolisent le talent et la culture de Tacchetti, une guirlande d'olivier mêlée de laurier emblème de l'Arcadie. Le portrait pourrait donc avoir été fait à l'occasion de l'élection à l'Arcadie, aux environs de 1744; la gravure, de peu postérieure, est de 1745. De l'âge indiqué, quarante-deux ans, on a déduit la date approximative de la naissance du modèle.

Subleyras analyse le visage de son ami avec ce souci de la vérité, cette franchise et cette sobriété qui caractérisent ses portraits. L'accord noir et blanc de l'habit sert le visage aux traits agréables et au regard incisif.

Peint sur cuivre — ce qui est exceptionnel chez Subleyras — le portrait de l'abbé Tacchetti prend place dans cette série d'images d'ecclésiastiques dont Subleyras sut se faire une spécialité.

Provenance

En 1755, de Rome, Tacchetti « offre » à Charles-Emmanuel III de Savoie dix miniatures de sa main ainsi que son portrait par Subleyras. P. Batoni et A. Masucci examinèrent ces œuvres et jugèrent « veramente bello » le portrait de Subleyras « le cui pitture sono qui in molta estimazione ».
Le roi de Sardaigne aurait offert ces œuvres à Giuseppe Augusto Carron, marquis de San Tomaso (et aussi d'Aigueblanche) ; celui-ci aurait légué le portrait de Tacchetti au comte Cibrario (*Schede Vesme*, 1968).
Appartenait en tout cas en 1868 au comte Luigi Cibrario de Turin, sénateur du royaume d'Italie. Son fils vendit l'œuvre en 1892 au musée de Turin. Est parfois identifié (A.) avec le « Portrait d'un prêtre par Subleyras » cité par Millin en 1816 à Turin dans la coll. Cambiasi (I, p. 323).

Exposition

Rome, 1959, n° 590.

Bibliographie

Memorie, 1786, p. XXXVI; *Alcuni dipinti... Cibrario...*, 1868, p. 64; cat. musée (Baudi de Vesme), 1909, p. 108, n° 357; Voss, 1924, p. 644; A. 156 et p. 60, ill. pl. 17; R. p. 199; Boyer, 1936, p. 226; H.V. [oss], dans Thieme-Becker, 1938, pp. 268-269; cat. musée (Gabrielli), 1959, p. 60, ill.; *Schede Vesme*, 1968, III, pp. 1020-1021.

Œuvres en rapport

Le tableau a été gravé par Felice Polanzani (1700-circa 1783) en 1745 (fig. 1). La gravure néglige les livres et le décor architectural du second plan qui se voient sur le petit cuivre.

Fig. 1
F. Polanzani,
L'abbé Tacchetti, Vienne, Albertina.

INRI

Le Christ en croix entre saint Eusèbe, saint Philippe Neri et la Madeleine

Toile cintrée. H. 408; L. 232. Signé et daté en bas au centre: «Petrus Subleyras Pinxit Romae 1744».
Milan, Pinacoteca di Brera.

Nous avons évoqué plus haut les circonstances de la commande pour l'église des Saints Cosme et Damien du *Saint Jérôme* (1739) aujourd'hui à la Brera (n° 66). Le tableau fut-il bien accueilli? Nous l'ignorons, mais le fait que Subleyras ait eu à peindre pour la même église et pour les mêmes pères Hiéronymites, cinq ans plus tard, un second tableau tendrait à le prouver.

Nous ignorons également les raisons qui poussèrent Hermann Voss à reconnaître dans les deux personnages qui assistent le Christ et la Madeleine, or Lupo da Olmeto (à genoux) et saint Andrea Avellino (debout): Chiusole (1782) et Bianconi (1787) sont précis, qui identifient le premier avec saint Philippe Neri et voient dans le second saint Eusèbe «Monaco Gerolimino» (voir les notices 86 et 87, deux études peintes pour ces deux figures; relevons en passant cette remarque révélatrice de Bianconi qui considère Subleyras comme «francese, ma più romano per i studi e lunga stazione»).

Comparer le *Saint Jérôme* de 1739 et le *Christ en Croix* de 1744 permet de se rendre compte des progrès de Subleyras: Voss le remarquait déjà qui admirait «la sobriété aristocratique de l'art du maître», «plus enclin à exprimer le solennel, le sublime de la scène que l'émotion qu'elle éveille». En cinq ans, Subleyras a encore accentué le statisme de sa composition. Volontairement anti-expressionniste et anti-réaliste, il prend ses distances et fuit toute extériorisation du sentiment, non par indifférence à l'égard du sujet qu'il traite, mais comme pour mieux nous permettre d'en apprécier lucidement la signification et l'exemplarité profondes. Cette conception élevée de son métier de peintre, Subleyras n'en fera que rarement la démonstration d'une manière aussi éclatante que dans son *Christ en croix* de la Brera.

Fig. 1
La Madeleine, Paris, coll. privée.

Fig. 2
La Madeleine, Paris, coll. privée.

Provenance

Voir notice 66. Ce tableau se voyait sur le second autel de droite dans l'église des Saints-Cosme-et-Damien de Milan. L'église fut supprimée en 1796 et le tableau transféré à la Brera.

Bibliographie

Dezallier d'Argenville, 1762, p. 454; Bartoli, 1776, p. 153; Chiusole, 1782, p. 115; *Memorie*, 1786, p. XXXI ; Bianconi, 1787, pp. 441-442; cat. musée, 1841, p. 71, n° 299; Viardot, 1852, pp. 83-84; Dussieux, 1876, pp. 437 et 491; cat. musée, 1904, p. 120; cat. musée, 1908, p. 360, n° 687; R. p. 198; Voss, 1924, p. 644, pl. p. 405; A. 30, p. 63 et pl. 15; Gillet, 1934, p. 283; Boyer, 1936, p. 224; cat. musée, 1950, p. 125 (E. Modigliani); Réau, 1959, III, 3, p. 1073; Clark et Bowron, 1985, p. 217 (datent le tableau de 1740); Wakefield, 1984, p. 12.

Œuvres en rapport

Tableaux :
L'inventaire du Palais Rondinini de 1807 publié en 1964 par L. Salerno mentionne (p. 299, n° 377) un «quadro da testa per alto, cornice dorata, rappresentante un *Cristo in croce con la Madalena*, opera di Monsù Subleras» estimé 20 scudi.
Pour les deux études que nous exposons, voir notices 86 et 87.
Nous connaissons dans une même coll. parisienne deux études pour sainte Marie Madeleine. Sur l'une, plus proche du tableau de Milan, la Madeleine lève les yeux au ciel et se détache devant une échelle (fig. 1; T. H. 64; L. 48, provient d'une vente sans cat. du 19 février 1968 à Paris), la seconde version, plus qu'une étude, pourrait être considérée comme un tableau en soi (fig. 2; T. H. 65; L. 49,5). Une de ces Madeleine doit se confondre avec la «Magdelaine à genoux au pied de la Croix; elle est vue de profil, les mains jointes, la tête a le caractère de la douleur» (T. H. 24 pouces; L. 18 = H. 65; L. 48,5) de la vente Collet, 14 mai 1787, n° 97 ou (et) avec celle de la vente [Capretif de Versailles] du 20 juin 1797, n° 47 (T. H. 23 p.; L. 17 p.). Une

Fig. 3
Le Christ en croix,
Nîmes, musée
des Beaux-Arts.

« Madeleine » passe en vente les 4-6 février 1835, n° 52, une autre (« manière de Subleyras ») les 27-28 février 1850, n° 29; sur celle d'une vente du 3 juin 1793, n° 64, plus petite (T. H. 18 p.; L. 14 p.) se voyaient « Trois jolies têtes de chérubins... dans le haut et sur la droite de la composition », et celle de la vente du 27 nivôse An XI (17 janvier 1803), n° 147 était « couchée dans une grotte » (T. H. 18 pouces; L. 23 pouces; celle d'une vente du 20 décembre 1777, n° 2, était « assise dans une grotte » et copiait le Guide!).

Dessins:
Voir notices n°s 88 et 89.
Le musée de Nîmes conserve un dessin (fig. 3; cat. 1940, n° 17) qui pourrait être une première pensée pour le tableau de Milan.
Pour un dessin représentant une « Madeleine », voir le cat. de la vente Fabisch à Lyon, 22 31 janvier 1889, n° 291.

Gravure:
Une gravure d'après le tableau de Milan de Michele Bisi (fig. 4) illustre l'ouvrage de Robustiano Gironi: *La Pinacoteca del Palazzo Reale delle Scienze e delle Arti di Milano*, 1833, t. III, n° 2.

Fig. 4
M. Bisi,
Le Christ en croix avec la Madeleine et deux saints,
Rome,
Bibliothèque
Vaticane.

Étude *pour* Saint Eusèbe

Toile H. 40,5; L. 32,5.
France, collection privée.

Selon son habitude, Subleyras, sur cette étude pour le saint Eusèbe du tableau de la Brera (n° 85), rajeunit son modèle. Grâce à de subtils contrastes de lumière, il donne aux plis de sa robe leur volume et leur « poids ».

Saint Eusèbe, né à Crémone, mort vers 423, rencontra saint Jérôme (voir notice 66) qui l'emmena avec lui en Orient. Il l'aida dans la construction d'un monastère à Bethléem et l'aurait assisté dans sa dernière maladie.

Provenance

Ne fait qu'un avec le « Religieux en prière: il est à genoux vu de profil, la tête est coëffée d'une calotte brune; son habillement est une robe blanche couverte d'une dalmatique brune... Hauteur 14 pouces 6 lignes; Longueur 11 pouces 6.B. » de la vente Collet du 14 mai 1787, n° 98? Nous n'aurions pas signalé ici cette mention, en contradiction sur plusieurs points avec le tableau que nous exposons ici, si le n° 97 de la même vente n'était pas à coup sûr une étude pour le *Christ en croix* de Milan (voir rubrique *Œuvres en rapport*). Dans la même coll. depuis plus d'un demi-siècle.

Bibliographie

Inédit.

Œuvres en rapport

Voir notice précédente et plus haut.

87

Étude pour Saint Philippe Neri

Toile H. 40,5; L. 31.
Munich, Pinacothèque (4744).

Comme pour l'étude précédente, Subleyras donne à Philippe Neri (1515-1595) les traits d'un homme jeune, alors qu'il nous le montrera, selon une iconographie plus traditionnelle, chauve et barbu, sur le tableau achevé de Milan (n° 85).

Subleyras, avant de réaliser ses grandes commandes, semble avoir peint isolément les figures principales de sa composition. Ces études, aujourd'hui plus appréciées que les tableaux achevés, étaient-elles réalisées « sur le vif », d'après le modèle ou bien, la pratique aidant, Subleyras les peignait-il à partir de poncifs ? Nous l'ignorons. Leur originalité tient à un mélange très raffiné entre une observation rigoureuse des effets d'éclairage et des détails vestimentaires et une stylisation des expressions, une idéalisation des attitudes.

Provenance

Appartenait aux coll. princières des Deux-Ponts. Envoyé sur les ordres du prince devenu Electeur de Bavière par le peintre Christian Mannlich à Munich en 1811; pendant longtemps, en dépôt à Schleissheim.

Bibliographie

Cat. musée Schleissheim, 1905, p. 157, n° 754 (1195); cat. musée Schleissheim, 1914, p. 234, n° 3754; A. 152.

Œuvres en rapport

Voir notice 85.

Le Christ en croix avec trois saints

Pierre noire, rehauts de blanc et lavis gris sur papier blanc; collé en plein. Un trait à la pierre noire encadre la composition. H. 246 mm; L. 153 mm; cintré dans le haut.
Paris, musée du Louvre, Cabinet des dessins (Inv. 32935).

Sur le dessin du Louvre, saint Eusèbe est debout et saint Philippe Neri se tient tout près du Christ. Sur le tableau de Milan (n° 85), Subleyras isolera davantage chacune des quatre figures de sa composition. Les études peintes — deux sont ici exposées — sont sans doute pour beaucoup dans ce changement.

A l'inverse des artistes romains de la première moitié du XVIIIe siècle qui insistent sur les articulations des groupes qu'ils veulent habilement lier ensemble, Subleyras accentue ici l'individualité, la personnalité, l'autonomie, l'isolement de chaque figure.

Provenance

Coll. du comte d'Orsay (1748-1809; sa marque, Lugt 2239, en haut à droite); saisie à la Révolution en 1793 (marque du Louvre, Lugt 1886, en bas à droite).

Bibliographie

A. d. 23; cat. exp. Paris, 1983, p. 175 (Ors. 624).

Œuvres en rapport

Voir notice 85, notamment pour le dessin du musée de Nîmes (fig. 3), à notre avis, première pensée pour le tableau de la Brera.

La Madeleine en prière

Pierre noire avec rehauts de blanc sur papier bleu devenu crème; le dessin est mis au carreau; collé en plein.
H. 315 mm; L. 216 mm.
Sur le montage, en bas à gauche, à la plume, de la main d'Atger: « Subleiras fecit Romae ».
Montpellier, musée de la Faculté de Médecine (collection Atger).

Grâce à l'admirable feuille de Montpellier, nous comprenons mieux le processus créatif de Subleyras et pouvons en suivre le cheminement. L'artiste étudie tout d'abord l'ensemble de sa composition. Puis il dessine et (ou) peint chaque figure séparément. Il est rare que l'on conserve à la fois l'étude dessinée et l'étude peinte. Parfois, comme c'est le cas ici, il répète celle-ci afin d'en faire un tableau autonome.

Le splendide dessin de Montpellier est à la fois dépouillé et élégant, monumental et raffiné.

Provenance

Coll. Xavier Atger (1758-1833); don à la Faculté de Médecine en 1826 (?) (marque du musée Atger, Lugt 38, en bas au centre).

Bibliographie

Cat. Atger, 1830, n° 62; Lagrange, 1860, p. 141; A. d. 38.

Œuvres en rapport

Voir notice 85 et notamment pour les deux études peintes, les fig. 1 et 2.

Le bienheureux Bernard Tolomei intercédant afin de faire cesser la peste

Pierre noire, rehauts de blanc sur papier bleu; collé en plein; en bas à droite, à la plume: «m 419» (voir rubrique Prov.). H. 217 mm; L. 126 mm.
Paris, collection privée.

Ce dessin représente très vraisemblablement, comme a bien voulu nous le confirmer J. Montagu (comm. écrite), *Le bienheureux Bernard Tolomei intercédant afin de faire cesser la peste*. Bernard Tolomei de Sienne (1272-1348) fut le fondateur du monastère de Monte Oliveto Maggiore, maison mère de l'ordre des Olivétains. Ce dessin nous montre le bienheureux entouré de victimes de la peste, levant les yeux vers l'ange céleste. Est-il exclu, qu'en un premier temps, avant d'entreprendre son *Saint Benoît ressuscitant un enfant*, aujourd'hui conservé à l'église Sainte-Françoise-Romaine de Rome (n° 91), Subleyras ait songé à traiter ce sujet? Quoiqu'il en soit, une date voisine ou de peu antérieure à 1744 s'impose.

On notera en tout cas que Stefano Pozzi, né comme Subleyras en 1699, avait peint, pour les Olivétains de Pérouse, avant 1739 selon Rudolph (1983), un tableau de même sujet (fig. 1), aujourd'hui à l'église Sainte-Françoise-Romaine (esquisse à la galerie Barberini à Rome).

Provenance

Le dessin porte en bas à droite, à la plume, un n° *419* précédé d'un *m*: on retrouve le même type d'inscriptions sur un certain nombre de dessins, en général romains, de la fin du XVIIe ou de la première moitié du XVIIIe siècle (voir cat. exp. Philadelphie, 1980, p. 39 qui mentionne trois dessins de Trevisani, de Masucci, de ou d'après Giaquinto, autrefois dans la coll. Clark, et Turčić, 1982, p. 278 qui publie un dessin de Masucci aujourd'hui au Metropolitan Museum). Turčić a eu l'obligeance de bien vouloir nous signaler d'autres feuilles de Masucci (Ashmolean Museum; coll. Holland et coll. privée) et de Garzi (Metropolitan Museum) portant le même type d'indications, celles sans doute d'un collectionneur romain du XVIIIe siècle.
La documentation photographique du Cabinet des dessins des Offices, à Florence, conserve, classée à Benefial, la photographie du dessin que nous exposons. Elle précise qu'il est passé en vente à Londres, chez Sotheby's, le 14 juillet 1926. Nos recherches pour identifier ce dessin dans le catalogue de cette vente sont restées vaines.

Bibliographie

Inédit.

Fig. 1 Stefano Pozzi,
Le bienheureux Bernard Tolomei intercédant afin de faire cesser la peste, Rome, église Sainte-Françoise-Romaine.

91
PL. XIV

Saint Benoît ressuscitant un enfant

Toile H. 325; L. 215.
Signé et daté en bas au centre sur une marche:
«Petrus Subleyras Pinxit Romae/1744».
Rome, église Sainte-Françoise-Romaine.

Le miracle de saint Benoît de Nursie (vers 480-547), illustré dans cette composition, a été emprunté par Subleyras aux *Dialogues de saint Grégoire* (liv. II, chap. XXXII). Il se situe après 528, date de la fondation par le futur saint du célèbre monastère du Mont-Cassin où il composa la Règle de l'Ordre des Bénédictins.

Un jour que le père Benoît était sorti pour aller travailler aux champs, un jardinier apporta au monastère son enfant mort et demanda à le voir. Apprenant qu'il n'était pas là, il posa le corps de l'enfant et courut le chercher. Il demanda à Benoît avec une grande insistance de ressusciter son fils: « Le serviteur de Dieu demanda « où est-il? » « ici » répondit le père: « vois son corps étendu devant la porte du monastère ». Quand l'homme de Dieu arriva avec les frères, il fléchit les genoux et se pencha sur le petit cadavre en posant sa joue sur le mort pour lui rendre vie « à la manière des prophètes Elie et Elisée ». Puis, s'étant redressé, il pria et à peine avait-il terminé que le corps de l'enfant frémit et revint à la vie. Ce sont bien entendu les Olivétains de Pérouse, commanditaires du tableau, qui fournirent le texte de référence que Subleyras a si fidèlement suivi.

On a parfois accusé l'artiste d'avoir ignoré — volontairement ignoré, tant, ont prétendu certains, le blanc est sa couleur de prédilection — que l'habit des Bénédictins était noir. C'était oublier que les Olivétains — il suffit de se rendre à Sainte-Françoise-Romaine pour en avoir la confirmation — portaient (et portent toujours) des robes blanches. C'est très vraisemblablement pour se conformer à leurs désirs que Subleyras a vêtu Benoît de blanc. Cette licence — il faut en convenir — ne devait pas lui déplaire et explique en tout cas qu'on a souvent voulu voir dans l'esquisse du Louvre un épisode de la vie de saint Bruno (ou de saint Norbert, en ce qui concerne la réduction de Munich).

Le tableau a toujours été admiré: pour l'auteur des *Memorie*, c'est « un des plus beaux que nous ait laissé son pinceau » ; Hermann Voss apprécie l'économie des moyens et le calme de la composition; Conisbee (1981), sa noble simplicité et assure que si jamais Chardin avait eu à peindre un jardinier, il aurait ressemblé à la figure qui se voit sur la droite de la composition. « C'est le chef-d'œuvre de Subleyras » s'exclame O. Arnaud. Même Louis Gillet, pourtant généralement si sévère pour Subleyras, voit dans l'œuvre un « majestueux oratorio où l'artiste surpasse son modèle, le *Saint Romuald* de Sacchi » (fig. 14). La comparaison, reprise par Held et Posner et par Conisbee, a le grand mérite d'insister sur un peintre qui ne dut pas laisser indifférent Subleyras et dont le nom est trop rarement cité à son propos. L'artiste français ne pouvait qu'admirer la sobre retenue, le goût pour les amples draperies et l'intellectualisation de l'art du maître italien.

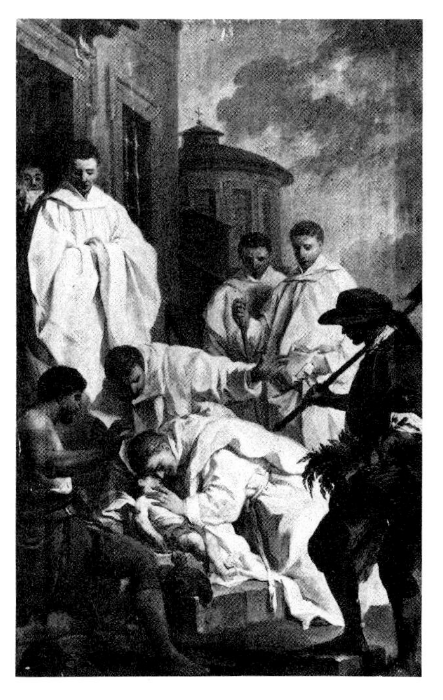

Fig. 1
Saint Benoît ressuscitant un enfant,
Pérouse,
Pinacothèque.

Le tableau de Sainte-Françoise-Romaine, lui-même copié plusieurs fois peut-être par Subleyras lui-même (version de Pérouse, fig. 1), a été précédé par deux esquisses — du moins n'en connaissons-nous aujourd'hui pas d'autres — chacune répétée à plusieurs reprises.

L'étude du Louvre (n° 92), la plus copiée, notamment au XIXᵉ siècle, se distingue du tableau romain par plusieurs détails : l'enfant mort est nu, saint Benoît paraît plus jeune, le baluchon et le bâton posés sur la première marche ont disparu, un seul Olivétain, à l'extrême-gauche, se penche par-dessus l'épaule de son compagnon pour regarder le miracle ; on ne distingue que le bras droit du père de l'enfant, sur la gauche de la composition.

Sur l'esquisse de Munich (fig. 7), l'enfant est partiellement recouvert d'un linge blanc. A en juger par d'autres détails, comme par exemple celui de la main de l'Olivétain penché sur le saint et l'enfant au centre de la composition et surtout la position des mains autour de la tête de l'enfant, il semblerait qu'elle ait été peinte postérieurement à celle du Louvre.

Comme pour les autres commandes de Subleyras, on peut s'interroger sur les raisons de la multiplicité de ces versions et sur leurs auteurs, esquisses originales ou réductions réalisées à des fins commerciales. Elles confirment la célébrité de Subleyras qui fut particulièrement grande, en France en tout cas, durant la seconde moitié du XVIIIᵉ siècle : on se souviendra à ce propos que l'esquisse du Louvre appartenait au surintendant des Bâtiments, le comte d'Angiviller, dont le rôle dans le retour à l'Antique et dans le changement du goût en France dans le dernier quart du XVIIIᵉ siècle, bien qu'encore mal étudié, fut essentiel. On rappellera encore que Natoire possédait une autre étude pour le tableau, hélas disparue (fig. 10).

On ne pourra pas s'empêcher aussi de penser que le *Saint Bruno* de Houdon (fig. 15), entrepris en 1766 pour Sainte-Marie-des-Anges, a pu s'inspirer de l'exemple du *Saint Benoît* de Subleyras.

L'œuvre compte sans conteste parmi les plus parfaites réussites de l'artiste qui guide magistralement notre regard vers le miracle auquel assistent six jeunes compagnons de Benoît. C'est volontairement que Subleyras leur a donné ces visages anonymes et impassibles, se ressemblant les uns les autres, ces traits sans expressions. Même le jardinier, sur la droite de la composition, avec sa bêche sur l'épaule et son

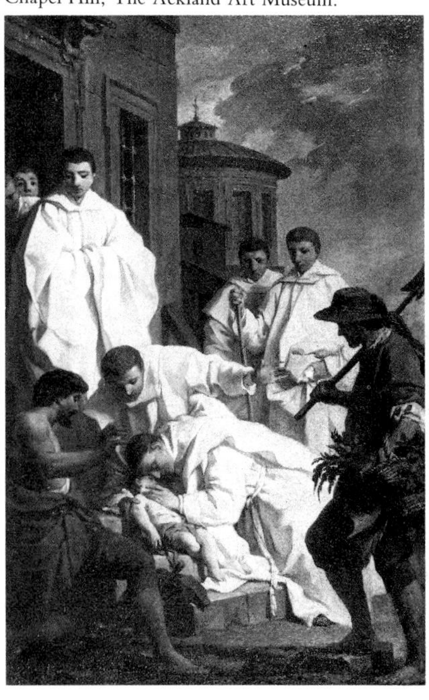

Fig. 2
Subleyras (atelier),
Saint Benoît ressuscitant un enfant,
Chapel Hill, The Ackland Art Museum.

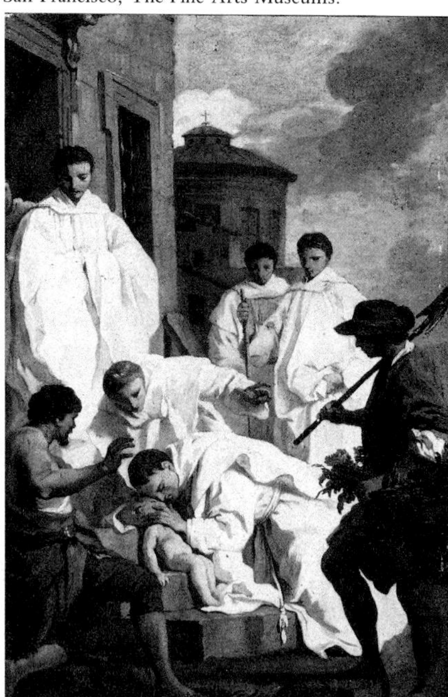

Fig. 3
Subleyras (atelier),
Saint Benoît ressuscitant un enfant,
San Francisco, The Fine Arts Museums.

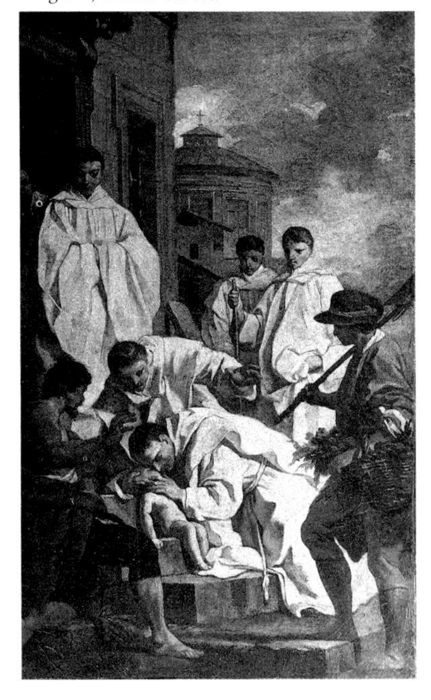

Fig. 4
Subleyras (copie),
Saint Benoît ressuscitant un enfant,
Avignon, musée Calvet.

panier d'osier rempli d'artichauts avec leurs feuilles, ne paraît guère étonné. Seul le père, torse nu, exprime par son geste sa surprise et sa joie. Le saint, au crâne rasé, plus âgé que ses compagnons, se penche avec compassion sur le corps du garçonnet pour lui rendre la vie.

L'œuvre n'a rien de déclamatoire; l'artiste veut et sait garder ses distances à l'égard du miracle.

Si le décor architectural, volontairement plat, n'a pas grande importance, certains détails amoureusement peints, les nœuds et les glands de la corde de Benoît, le baluchon couleur violâtre posé sur la marche, le chapeau du jardinier, ôtent à l'œuvre son caractère excessivement rigoureux (et par trop démonstratif). Le jeu des regards des protagonistes du miracle donne à la scène un rythme que le manche de la bêche et le long bâton que tient un moine viennent appuyer.

On n'insistera pas à nouveau sur l'audacieuse monochromie, les grandes plages blanches des habits des moines, qui couvrent l'essentiel de la toile. L'œuvre est-elle émouvante? Ses qualités sont autres: Subleyras peint le miracle avec un sentiment de calme, une paix et une sérénité qu'il sait nous transmettre. Le tableau date de 1744, année qui marque l'apogée du talent de Subleyras.

Provenance

Peint pour l'église du couvent des Olivétains de Pérouse, bâtie à partir de 1739 sur dessins de Luigi Vanvitelli, achevée par Carlo Murena (aujourd'hui chapelle de l'Université, piazza di Monte Morcino; le tableau était sur le premier autel à droite, le *Saint Ambroise* (n° 95) sur l'autel de gauche). Le couvent fut supprimé en juin 1810 et l'Université s'y installa à partir de 1811. Transféré le 1er avril 1822 « per volere de' monaci » (Siepi, 1822) à l'église Sainte-Françoise-Romaine à Rome où le tableau est visible dans la sacristie.

Bibliographie

Dezallier d'Argenville, 1762, p. 454; Orsini, 1784, pp. 167-168; *Memorie*, 1786, p. XXXI et XXXIV; Orsini, 1802, p. 63; Siepi, 1822, I, pp. 240-243; Blanc, 1865, p. 7; Rossi, 1875, p. 216; Dussieux, 1876, p. 491; R. p. 198; Voss, 1924, p. 644, pl. p. 404; A. 51, pp. 66-68 et pl. 12; Réau, 1933, p. 121, pl. 18; Gillet, 1934, p. 283; Golzio, 1960, p. 1083, fig. 837 p. 1085; Gadille, 1972, ill. entre p. 30 et 31; Gaehtgens, 1974, pp. 68-69, fig. 13; Held et Posner, 1972, p. 322, fig. 331; Conisbee, 1981, pp. 63-64, fig. 46; Wakefield, 1984, p. 97 et 96, fig. 112; Hayward, s.d., repr.

Œuvres en rapport

Tableaux :

A) *Tableau de Sainte-Françoise-Romaine* (n° 91) : nous connaissons deux bonnes répliques anciennes de l'œuvre (provenant de l'atelier de Subleyras ?), à Pérouse déposée par l'Accademia di Belle Arti à la Pinacothèque (fig. 1; T. H. 41; L. 26, citée dès 1784 par Orsini (« bozzetto

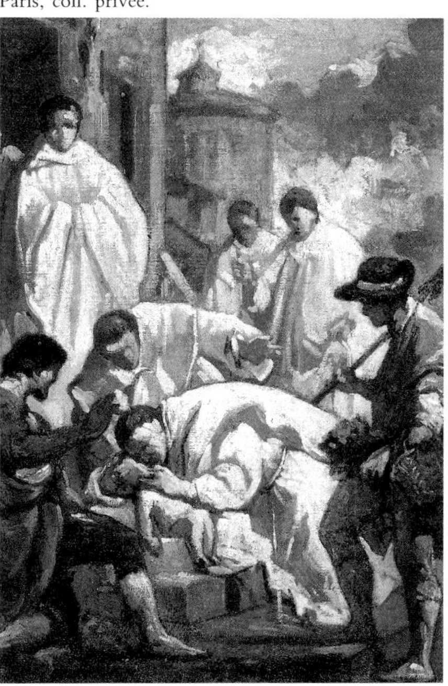

Fig. 5
Subleyras (copie du XIXe siècle),
Saint Benoît ressuscitant un enfant,
Paris, coll. privée.

Fig. 6
Subleyras (copie du XIXe siècle),
Saint Benoît ressuscitant un enfant,
Paris, commerce d'art.

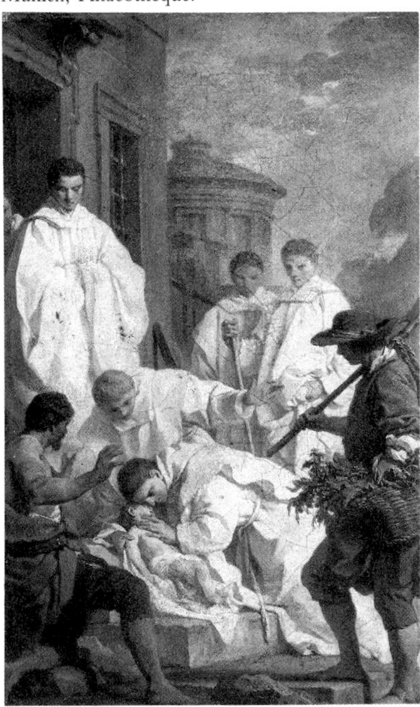

Fig. 7
Saint Benoît ressuscitant un enfant,
Munich, Pinacothèque.

terminato »); se trouvait alors dans « l'appartamento del P. Abate » et à Chapel Hill (fig. 2; The Ackland Art Museum, The University of North Carolina, T. H. 41,5; L. 27,5; voir cat. musée 1971, n° 63, ill., cat. exp. New York, 1967, n° 17, ill. et cat. exp. Storrs, 1973, n° 58).

B) *Esquisse du Louvre* (n° 92) : l'œuvre a été très souvent copiée : San Francisco, The Fine Arts Museum (fig. 3; T. H. 48; L. 31,5, voir notre cat. du musée en cours de publication, la meilleure version après celle du Louvre) ; Avignon, musée Calvet (fig. 4; A. 54; T. H. 52; L. 33) ; Paris, coll. privée ; anc. coll. Louis Malbos (fig. 5 ; copie du XIXe siècle) ; Paris, commerce d'art en 1971 (fig. 6 ; copie du XIXe siècle).

C) *Version de Munich* (fig. 7) : sur la version de la Pinacothèque de Munich (T. et non huile sur papier, H. 40; L. 26), voir A. 53 et cat. musée, 1972, pp. 57-58, n° 1209, pl. 24 ; copies anciennes : coll. privée, Wiltshire, autrefois dans le commerce à Londres (fig. 8 ; T. H. 40,3 ; L. 26,4 ; cat. exp. Heim, Londres, 1969, n° 35, ill. et K. Roberts, *The Burlington Magazine*, décembre 1969, p. 768 et fig. 75) et Londres, commerce d'art en 1972 (fig. 9 ; T. H. 42,5 ; L. 27,5), provient de la coll. Serra, « duca di Cardinale » *(sic)* (selon cat. exp. Albuquerque, 1980, sous le n° 76).
Natoire (1700-1777) possédait une étude pour le groupe principal de la composition (sa vente après décès, 14 décembre 1778, n° 28 ; H. 9 pouces sur L. 9 pouces 1/2), dessinée par Gabriel de Saint-Aubin (fig. 10) en marge de son exemplaire du cat. de la vente (Dacier, 1913, VIII, p. 60 et p. 11 du *fac simile*).
Mentionnons encore les tableaux des ventes Lecurieux « artiste peintre », 12-13 décembre 1862, n° 37 : « L'Exorcisme. Ce Tableau est de la première manière du maître. Il représente un prêtre entouré de tout son clergé qui, tout en invoquant le ciel, exorcise un enfant. De nombreux assistants sont témoins de ce miracle », ainsi qu'un « Saint

Fig. 8
Subleyras (atelier),
Saint Benoît ressuscitant un enfant,
Grande-Bretagne, coll. privée.

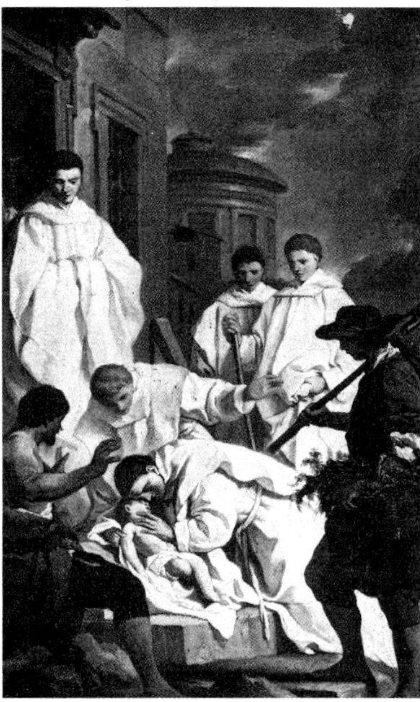

Fig. 9
Subleyras (atelier),
Saint Benoît ressuscitant un enfant,
Londres, commerce d'art.

Fig. 10
Gabriel de Saint-Aubin,
Saint Benoît ressuscitant un enfant,
Paris, Bibliothèque nationale.

Fig. 11
Subleyras (d'après),
Saint Benoît ressuscitant un enfant,
Paris, musée du Louvre,
Cabinet des dessins.

ressuscitant un mort» (!) d'une vente du 23 mars 1914, n° 31 (T. H. 53; L. 34).

Dessins :
Voir notices 92 (nous citons plusieurs mentions de vente qui peuvent se rapporter à cette feuille), 93 à 95.
Le Cabinet des dessins du Louvre conserve une copie du tableau de Sainte-Françoise-Romaine (Inv. 32980), provenant de la coll. du comte d'Orsay (fig. 11; sanguine, H. 371 mm; L. 248 mm; Méjanès, 1983, p. 176, Ors. 650).
On sait d'autre part que Vincenzo Camuccini a librement copié à la plume le tableau de Rome (Pfister, 1928, p. 21, fig. 1; cat. exp. Camuccini, Rome, 1978, n° 37, ill.).

Gravures :
Subleyras aurait gravé lui-même son tableau en 1747: la gravure («Saint Bruno»!) est mentionnée par les *Memorie* (p. XXXVI, note), Watelet (1792, IV, p. 594), Robert-Dumesnil (1835, pp. 258-259, n° 4), Nagler (1847, p. 540), et Le Blanc (s.d., III, p. 608, n° 3). Elle passe en vente à Vienne, le 4 novembre 1842, n° 1264, «pièce extrêmement rare», coll. du docteur Beng Petzold. Nous reproduisons ici l'exemplaire de cette gravure, en sens inverse de la composition peinte (fig. 12), conservé à l'Albertina de Vienne.
Le tableau de Sainte-Françoise-Romaine est gravé dans Rosini, 1847, face à la page 87.
L'esquisse du Louvre est gravée à l'eau-forte dans Filhol (*Galerie du Musée Napoléon...*, texte rédigé par Joseph Lavallée), par Jean-Nicolas Lerouge, terminé par Niquet sur un dessin de Bourdon (fig. 13; 1809, VI, n° 403, pl. 1); au trait par C. Normand dans C.P. Landon, 1832, 2e éd., 1832, III, pl. 53 et pp. 95-96; par Pannemaker sur un dessin de E. Bocourt dans le *Magasin Pittoresque*, 1853, p. 341 et par J. Fagnion d'après un dessin d'A. Hadard dans Ch. Blanc (1865, p. 3).

Fig. 14
A. Sacchi,
Saint Romuald, Rome,
Pinacothèque vaticane.

Fig. 15
Houdon,
Saint Bruno, Rome,
église Sainte-Marie-des-Anges.

Fig. 12
Saint Benoît ressuscitant un enfant,
Vienne, Albertina.

Fig. 13
J.N. Lerouge,
Saint Benoît ressuscitant un enfant,
Paris, Bibliothèque nationale.

92
PARIS

Saint Benoît ressuscitant un enfant

Toile H. 50; L. 32.
Paris, musée du Louvre (Inv. 8006).

On admirera, outre la franchise de la touche, certaines trouvailles de couleurs comme le chapeau vert-de-gris à ruban rouge du jardinier et le pantalon bleu du père de l'enfant, sur la gauche de la composition.

Provenance

Coll. du comte d'Angiviller, ancien Surintendant des Bâtiments du roi, coll. inventoriée entre le 10 et le 21 avril An II de la République (1793); saisi, avec l'ensemble de la coll., le 12 frimaire An III (2 décembre 1794): « Un moine ressuscitant un enfant »; exposé au Louvre dans la Grande Galerie, le 18 germinal An VII (7 avril 1799).

Expositions

Paris, 1960, n° 685; Paris, 1961, n° 568; Rome, 1961, n° 567; San Diego-San Francisco-Sacramento-Santa Barbara, 1967-68, non paginé, ill.

Bibliographie

Cat. du musée central des Arts, An VII (1799), n° 97 (« Saint Bruno guérissant un enfant »); cat. musée (Villot), 1855, n° 510; Clément de Ris, 1861, II, pp. 151-152; Blanc, 1865, pp. 7-8; Lavice, 1870, p. 208; Tuetey, 1902, p. 334, n° 4; Furcy-Raynaud, 1912, p. 249, n° 3; cat. musée (Brière), 1924, n° 859; R. 1924, p. 198; A. 52 et p. 67; cat. musée (Rosenberg, Reynaud, Compin), 1974, n° 786 (ill.).

Œuvres en rapport

Voir notice 91.

Saint Benoît ressuscitant un enfant

93

Pierre noire, rehauts de blanc
sur papier gris-vert; mis au carreau; des traits
à la pierre noire entourent la composition.
H. 222 mm; L. 155 mm.
New York, The Metropolitan Museum of Art (1974.354).

Cette très belle étude est révélatrice des préoccupations de Subleyras: l'artiste cherche avant tout à construire sa composition; il la divise en six carrés de taille identique et entoure le motif principal (Saint Benoît penché sur l'enfant, qu'il place au second plan), de deux figures, le jardinier et le père de l'enfant, destinées à faire repoussoir, selon une convention bien établie. Les visages sont sommairement indiqués, mais déjà l'œuvre, dans ses grandes lignes, est en place.

Provenance

Pourrait se confondre avec les dessins de la vente B[ellangée], 17 mars 1788, n° 43: « Saint Bruno rendant la vue à un aveugle, belle composition de dix figures dessinée à la pierre noire, rehaussée de blanc, sur papier gris. Les dessins de cet artiste (Subleyras) sont très-rares et celui-ci est un des plus capitaux qu'on connoisse » (H. 11 pouces; L. 10 pouces = H. 297 mm; L. 270 mm) et de feu M. de Maumejan, 29 juin-2 juillet 1825, n° 197: « Un saint prêtre sur les marches d'un autel opère la guérison d'un aveugle en présence de plusieurs personnages ». Vente Londres, Christie's, 27 novembre 1973, n° 276, ill.; [Stein] à Paris; acquis en 1973, grâce au Harry G. Sperling Fund.

Exposition

New York, 1978, p. 17, n° 57.

Bibliographie

Metropolitan Museum of Art Annual Report, 1974-75, p. 51; cat. musée (J. Bean et L. Turčić), 1986, pp. 250-252, n° 285, ill.

Œuvres en rapport

Voir plus haut: *Provenance*. Voir aussi notices 94 et 95.

Un Olivétain, étude pour Saint Benoît ressuscitant un enfant

Pierre noire, rehauts de blanc
sur papier gris-vert autrefois bleu; collé en plein.
H. 380 mm; L. 250 mm.
Sur le montage, à gauche, de la main d'Atger:
« Subleyras fecit Romae », presque au centre: « monachus »
et à droite, au crayon: « belle Etude d'après Nature ».
Montpellier, musée de la Faculté de Médecine
(collection Atger).

Admirable dessin dont Subleyras fera usage, sans le modifier sensiblement, pour son tableau de Sainte-Françoise-Romaine. « Subleyras s'y montre presque le frère de Lesueur... » (Lagrange, 1860). « Il donne à la draperie une attention extrême; il l'étudie de fort près, la dispose heureusement, choisit volontiers les étoffes lourdes qui tombent en cassures, et dans tout le rendu, jamais ne se départit de sa sobriété » (A. p. 65).

Provenance

Coll. Xavier Atger (1758-1833); don à la Bibliothèque de la Faculté de Médecine en 1829 (marque, Lugt 38, en bas à droite).

Bibliographie

Cat. Atger, 1830, pl. 260; Lagrange, 1860, p. 141; Claparède, 1957, p. 15, pl. 9 en coul.; A. d. 63.

Œuvres en rapport

Voir les notices précédentes et la suivante.

Saint Benoît ressuscitant un enfant

Pierre noire avec rehauts de blanc sur papier bleuâtre; collé en plein.
Une ligne à la pierre noire encadre la composition.
H. 216 mm; L. 155 mm.
Paris, musée du Louvre, Cabinet des dessins (Inv. 32933).

Première pensée pour le *Saint Benoît ressuscitant un enfant* aujourd'hui à Sainte-Françoise-Romaine à Rome (n° 91): le père montre son enfant mort au saint qui se tourne vers le ciel pour intercéder auprès de Dieu. Subleyras modifiera radicalement sa composition.

Provenance

Coll. du comte d'Orsay (1748-1809; sa marque, Lugt 2239, en haut à droite, celle du Louvre, Lugt 1886, en bas à droite); saisie en 1793.

Bibliographie

A. d. 31; cat. exp. Paris, 1983, p. 175 (Ors. 625).

Œuvres en rapport

Voir notice générale n° 91; voir aussi les deux dessins exposés aux deux numéros précédents.

Saint Ambroise donnant l'absolution à l'empereur Théodose

Toile H. 327; L. 2,05.
Signé et daté au centre sur la marche: « P^us^ Subleyras Pin. / 1745 ».
Pérouse, Galleria Nazionale dell'Umbria.

Théodose (qui régna de 379 à 394) avait fait massacrer cinq mille habitants de la ville de Thessalonique qui s'étaient révoltés contre leur gouverneur. Saint Ambroise, archevêque de Milan et un des Pères de l'Eglise (vers 340-394), menaça l'empereur de la vengeance divine et lui interdit l'entrée des temples sacrés. Théodose reconnut publiquement sa faute et se soumit à la pénitence qui lui fut imposée. Il est représenté ici agenouillé, aux pieds du saint qui lui donne l'absolution. Subleyras, pour peindre son tableau, a suivi fidèlement le récit de la *Légende dorée* de Jacques de Voragine.

L'œuvre est moins bien venue que le *Saint Benoît* qui lui fait pendant (n° 91). La composition est d'une simplicité qui nous paraît classique, quelque peu conventionnelle, mais à laquelle les contemporains romains de Subleyras, habitués aux œuvres pleines de mouvement et peintes avec fougue des Conca, des Giaquinto, des Mancini et des derniers disciples de Gaulli, devaient être sensibles. Orsini, dès 1784, signalait la « maniera francese » de l'œuvre. Ce retour à un art plus contrôlé, qui reste à la surface de la toile, qui fuit le geste et cherche à rendre la noblesse des attitudes, devait connaître une grande fortune à Rome et dans l'Europe de la seconde moitié du XVIIIe siècle. Il faut cependant reconnaître, qu'en 1745, Subleyras, surchargé de commandes et atteint des premiers signes du mal qui allait l'emporter, n'a pas su éviter la banalité d'une mise en page sans profondeur. Si certaines trouvailles de couleurs, comme la violine des hauts-de-chausses de Théodose, et si certaines figures — le diacre au visage inspiré qui assiste son évêque, les soldats qui accompagnent leur empereur — emportent la conviction, la scène nous est décrite sans grande émotion. Et pourtant le thème même du tableau, l'humiliation d'un empereur devant son évêque, récompensé dans sa fermeté, le dialogue entre le spirituel et le politique, ne pouvait que plaire à Subleyras.

Le *Saint Ambroise* de Pérouse et le *Saint Benoît* de Rome sont séparés depuis 1822: la réunion temporaire des deux toiles permettra de juger de leurs mérites respectifs et de mieux interpréter les intentions de l'artiste.

Fig. 1
Subleyras (copie), *Saint Ambroise donnant l'absolution à Théodose*, Avignon, musée Calvet.

Fig. 2
Saint Ambroise donnant l'absolution à Théodose, Munich, Pinacothèque.

Provenance

Voir la notice du pendant (n° 91). Le tableau resta à Pérouse et est exposé à la Pinacothèque depuis 1862.

Exposition

Rome, 1959, n° 593.

Bibliographie

Dezallier d'Argenville, 1762, p. 454; Orsini, 1784, pp. 168-169; *Memorie*, 1786, p. XXXI; Orsini, 1806, p. 63; Siepi, 1822, I, pp. 240-243; Rossi, 1875, p. 216; Dussieux, 1876, p. 491; cat. musée (Lupatelli), 1909, pp. 147 et 185; R. p. 198; A. 37 et pp. 66-67; cat. musée (Cecchini), 1932, p. 219, n° 543; Rudolph, 1983, pl. 659.

Œuvres en rapport

Tableaux:
— Nous ne connaissons pas de copie exacte du tableau de Pérouse.
— Le tableau du musée Calvet (fig. 1; A. 40; T. H. 52; L. 27) copie l'esquisse du Louvre.
— L'étude de Munich, de très belle qualité (fig. 2; A. 39; T. H. 40,9;

Fig. 4
Subleyras (atelier),
Saint Ambroise donnant l'absolution à Théodose,
Londres,
coll. privée.

Fig. 3
Subleyras (atelier),
Saint Ambroise donnant l'absolution à Théodose,
Londres, commerce d'art.

L. 26; cat. musée, 1972, pp. 58-59, n° 1208, fig. 23), a été très souvent répétée (fig. 3: T. H. 41,5; L. 27,5; Londres, commerce d'art en 1972, provient, selon cat. exp. Houston, 1973-1975 n° 76, de la coll. « Serra, duca di Cardinale » (fig. 4: T. H. 40,7; L. 27,6); Londres, commerce d'art en 1967; fig. 5: Londres puis New York, commerce d'art; sur cette version, certains protagonistes de la scène sont pieds nus et n'ont pas de sandales).

Enfin la version de l'Académie des Beaux-Arts de Pérouse, déposée à la Galleria Nazionale dell'Umbria (fig. 6; T. H. 41; L. 26; citée par Orsini en 1784, dans l'appartement du Père Abbé et considérée comme un « bozzetto » terminé), offre des variantes aussi bien avec le tableau achevé qu'avec les toiles du Louvre et de Munich.

Signalons encore « L'empereur Théodose recevant la bénédiction de saint Ambroise » de la vente Huot-Fragonard, 19-20 mai 1876, n° 135.

Nous connaissons par ailleurs une étude pour l'*Empereur Théodose* (n° 98) et une pour *Saint Ambroise* aujourd'hui au musée de Stanford (Cal.) (fig. 7; T. H. 58,5; L. 42; provient de la coll. de John Maxon, ancien directeur du musée de Chicago; se confond sans doute avec « l'étude d'un évêque vu assis en habits pontificaux donnant la bénédiction » de la vente Raymond du 4 octobre 1811, n° 24, qui se confond peut-être aussi avec celui de la vente Delamarche à Dijon en 1860 (cf. n° 69, *œuvres en rapport*) (pour les autres esquisses passées à cette vente, voir notices 103 et 108).

Un petit tableau, mesurant 41 cm sur 32, provenant de la coll. Serra à Naples, a été exposé à Houston en 1973-1975, n° 76, ill. Selon l'auteur du cat., il représenterait *Saint Ambroise rencontrant Théodose portant la croix afin d'expier ses*

Fig. 5
Subleyras (atelier ?),
Saint Ambroise donnant l'absolution à Théodose,
Londres, commerce d'art.

Fig. 6
Saint Ambroise donnant l'absolution à Théodose,
Pérouse, Pinacothèque.

péchés. Mais le sujet de l'esquisse n'est-il pas plutôt *Héraclius portant la croix* (fig. 8) et celle-ci n'est-elle pas à mettre en relation avec l'œuvre de ce sujet commandée par M. de Poulhariez pour l'église Saint-Vincent de Carcassonne?

Dessins
Outre le dessin du Louvre (n° 99), nous connaissons deux copies du tableau du Louvre: l'une, à Dusseldorf, au Kunstmuseum (fig. 9; 1348/16), est mise au carreau, en vue, semble-t-il, d'une gravure, l'autre, donnée à l'Académie des Beaux-Arts de Pérouse par le prof. Ottorino Guerrieri, a été attribuée à l'élève de Subleyras, Carlo Spiridone Mariotti (Pérouse, 1726-1790; sanguine, H. 455 mm; L. 323 mm; cat. exp. Rome-Pérouse-Spolète, 1977, n° 59, ill., notice par Maria Vera Cresti).

Gravures
L'esquisse du Louvre a été gravée par Dequevauviller d'après un dessin de Dunant dans la *Galerie du Musée de France* de Filhol (texte par Joseph Lavallée et A. Jal, 1828, t. XI, pl. II, p. 3) et au trait, par C. Normand, dans Landon, 2e éd., 1832, t. III, pl. 52 et pp. 93-94.

Fig. 7
Saint Ambroise,
Stanford, Stanford University Museum of Art.

Fig. 8
Héraclius portant la croix, Londres, coll. privée.

Fig. 9
Subleyras (d'après),
Saint Ambroise donnant l'absolution à Théodose,
Dusseldorf, Kunstmuseum.

Fig. 10
Subleyras (d'après),
Saint Ambroise donnant l'absolution à Théodose,
Pérouse, Académie des Beaux-Arts.

Saint Ambroise donnant l'absolution à l'empereur Théodose

Toile H. 50,5; L. 32.
Paris, musée du Louvre (Inv. 8005).

Le tableau du Louvre, qui pour Filhol (1828) « rappelle un peu Lesueur », n'est pas de la plus haute qualité: l'auteur de la notice du catalogue de l'exposition de Rennes et autres lieux (1964-1965) allait jusqu'à y voir une réduction, peut-être même une copie, du tableau de Pérouse. Nous admettons bien volontiers que l'œuvre, d'une exécution très finie, n'est pas sans maladresse, comme d'ailleurs les toiles de Munich (fig. 2 de la notice précédente; celle-ci bien plus souvent copiée que celles du Louvre; voir plus haut rubrique *Œuvres en rapport*) ou de Pérouse (fig. 6, dont l'origine semblerait indiquer que l'artiste l'avait soumise aux moines olivétains afin d'approbation avant de peindre son grand tableau, mais il pourrait aussi bien s'agir d'une copie par l'élève pérugin de Subleyras, Carlo Spiridone Mariotti, 1726-1790). Or ces tableaux offrent entre eux comme avec l'œuvre de Pérouse des différences notables. Sur celle-ci, Théodose est agenouillé sur un coussin, à Paris sur un tapis, à Munich sur une marche; sa couronne est à ses pieds à Pérouse, elle est absente à Paris, à Munich elle est posée sur son sceptre; quant aux trois soldats qui accompagnent l'empereur, leurs attitudes et leurs expressions varient d'un tableau à l'autre (la version de petite dimension de Pérouse, quant à elle, est proche dans sa composition du tableau achevé, mais l'arrière-plan architectural a été sensiblement modifié).

Quelles conclusions peut-on tirer de ces changements? Si, comme pour le *Saint Benoît*, il est clair que certaines des petites versions ont servi de modèles à des élèves qui les ont répétées avec plus ou moins de talent, il est difficile de toujours discerner entre l'*étude préparatoire*, l'*esquisse*, le *modello*, la *réduction*, la *répétition*, et le *ricordo*. D'autant plus que nous sommes mal renseignés sur les pratiques du peintre et sur l'importance de son atelier. Les élèves de Subleyras, lorsqu'ils répétaient une grande composition du maître, apportaient-ils des modifications afin de faire passer pour un *bozzetto* ce qui n'était qu'une modeste répétition d'atelier? Nous l'ignorons.

Nous espérons en tout cas que la présentation à notre exposition de plusieurs versions de certains tableaux permettra de mieux comprendre la démarche de l'artiste et les raisons de la fortune de ses œuvres les plus célèbres.

Comme d'habitude, on admirera certaines trouvailles chromatiques: chasuble vieil-or du saint, tapis beige-rose, notes rouge et bleu vif du costume de Théodose...

Provenance

Voir notice 91 (saisi chez d'Angiviller avec, comme titre, « un empereur recevant la bénédiction d'un évêque »).

Expositions

Paris, 1960, n° 684; Rennes et autres lieux, 1964-65, n° 37.

Bibliographie

Cat. musée central des Arts, An VII (1799), n° 95; cat. musée (Villot), 1855, n° 509; Clément de Ris, 1861, II, pp. 151-152; Blanc, 1865, pp. 7-8; Lavice, 1870, p. 208; Tuetey, 1902, p. 334, n° 3; Furcy-Reynaud, 1912, p. 249, n° 3; cat. musée (Brière), 1924, n° 858; R. p. 198; A. 38; cat. musée (Rosenberg, Reynaud, Compin), 1974, n° 787, ill.

Œuvres en rapport

Voir notice 96.

L'empereur Théodose à genoux

Toile H. 40,5 ; L. 31,5.
Nantes, musée des Beaux-Arts.

L'étude du musée de Nantes nous montre l'empereur Théodose, agenouillé sur une marche comme sur l'esquisse de Munich, (et non sur un coussin (Pérouse, nº 96) ou sur un tapis (Louvre, nº 97)) : elle peut se comparer à celle, sensiblement plus grande, du musée de Stanford (voir rubrique *Œuvres en rapport*, nº 96, fig. 7), sur laquelle l'artiste, selon son habitude, a donné à son modèle les traits d'un jeune homme et non, comme sur le tableau de Pérouse, ceux d'un vieil évêque barbu.

Provenance

Coll. Cacault ; acheté par la ville en 1810.

Bibliographie

Cat. musée, 1833, nº 318 ; R. p. 198 ; A. 41 ; cat. 1953 (L. Benoist), p. 193, nº 715.

Œuvres en rapport

Voir la notice 96.

Saint Ambroise absolvant Théodose

Pierre noire et rehauts de blanc sur papier bleu pâle.
Un trait à la pierre noire cadre la composition.
En bas, inscription à la plume:
«palmi 9 1/2 ovvero (?) 9 3/4».
H. 213 mm; L. 150 mm.
Paris, musée du Louvre, Cabinet des dessins (Inv. 32926).

Magistrale étude pour le tableau de Pérouse: l'artiste apportera encore quelques modifications à sa composition (saint Ambroise sera moins penché en avant, la grande porte plus décentrée sur la droite, l'empereur plus isolé, etc.), qui prouvent que le dessin du Louvre est à coup sûr une étude préparatoire pour le tableau et non une répétition d'atelier.

Provenance

Coll. du comte d'Orsay (1748-1809; sa marque, en haut à gauche, Lugt 2239; celle du Louvre, Lugt 1886, en bas à droite); saisi à la Révolution en 1793.

Bibliographie

A. 29 (Inv. 32938) et 55 (Inv. 32926); cat. exp. Paris, 1983, p. 175 (Ors. 626).

Œuvres en rapport

Pour la composition et pour deux copies dessinées, voir la notice 96.

Portrait d'homme, *vraisemblablement* Jacques-Antoine de Lironcourt

Toile H. 74; L. 61.
Paris, musée du Louvre (R.F. 1981-38).

On ne sait pas grand chose de sûr sur la provenance ancienne de cette toile. Elle aurait appartenu, selon Henriot (1926), à un certain M. Vinchon. Elle serait passée, selon Ananoff (1976), dans trois ventes; or, les descriptions des catalogues s'opposent rigoureusement à cette identification, du moins pour les deux dernières ventes: celle des 26 et 27 septembre 1833, n° 70, parle d'un « Portrait à mi-corps d'un homme de lettres » (sans dimensions); celle de Christie's, Londres, du 2 juillet 1909, n° 73, propose une identification du modèle: « Portrait of Abel Poisson, Marquis de Marigny, brother of Madame de Pompadour in red coat holding his hat under his arm. 29 in. by 24 1/4 in. »; enfin la vente de Christie's du 2 (et non du 22) mars 1918, n° 92 reprend la même description.

En tout cas, le tableau a fait partie très tôt (dès 1912?) de la célèbre coll. David David-Weill. Vendu avant-guerre, puis racheté, il a été offert après-guerre par David David-Weill et son fils Pierre au non moins célèbre banquier André Meyer.

L'identification du modèle n'est pas aisée: les auteurs anciens jusqu'à Ananoff veulent voir en celui-ci le marquis de Marigny (1727-1781), le frère de la Pompadour. Ananoff pour sa part croit reconnaître Boucher lui-même dont les traits nous sont pourtant familiers grâce aux portraits de Lundberg, de Cochin et de Roslin entre autres.

Grâce à la bonne réplique d'atelier du Museo civico d'Arte Antica de Turin, il a paru possible en un premier temps de proposer une solution qui a pu paraître convaincante. L'auteur du catalogue de Turin, Luigi Malle (1963, p. 111, repr. pl. 290), Andreina Griseri (1965, 1981, 1982) comme plus récemment Giovanni Romano (comm. écrite) et Sandra Pinto (1986), dans une notice très fouillée, n'hésitent pas à reconnaître dans le modèle du tableau le célèbre critique et lexicographe turinois Giuseppe Baretti (1719-1789). Celui-ci quitta l'Italie pour l'Angleterre en 1751 où il fit une importante carrière et où James Barry (fig. 2) et Reynolds (fig. 3) peignirent son portrait (respectivement exposé à la Royal Academy en 1773 et en 1774). On le voit se servant d'une loupe pour lire ou encore tenant son livre tout près de ses yeux. Son gros nez, ses épaules rentrées, son attitude penchée le rendent facilement reconnaissable et rappellent, d'une façon *à première vue* saisissante, le tableau du Louvre. On reconnaîtra encore le modèle de la toile du Louvre sur un beau dessin anonyme provenant de la vente Bourgarel (15 juin 1922, n° 60, repr.) et de la collection Forsyth Wickes, aujourd'hui au musée de Boston (fig. 4), donné lui aussi à Boucher.

Mais ce modèle est-il bien Baretti?

Un regard plus attentif sur l'entourage de Subleyras conduit sans détour à une certitude. Il ne s'agit pas de Giuseppe Baretti, mais de Jacques-Antoine de Lironcourt, un ami très cher du peintre dont par chance les traits sont connus. Ce noble champenois au service du cardinal de Polignac durant son ambassade à Rome, homme de grande culture, appartenait au « piccolo mondo » de Pier Leone Ghezzi qui en fit au moins deux caricatures (fig. 5; vente Londres, Sotheby's, 10 décembre 1979, n° 146, ill.; Lironcourt est identifié par une annotation au verso du dessin et ill. par Bouchot, 1901, p. 206) et fréquentait l'Académie de France quand Subleyras était pensionnaire. Dans la série des portraits conservée à la Bibliothèque municipale de Be-

Fig. 1
Subleyras (et son atelier?),
Portrait de Jacques-Antoine de Lironcourt,
Turin, Museo civico.

Fig. 2
J. Barry,
Portrait de Giuseppe Baretti,
Londres, coll. privée.

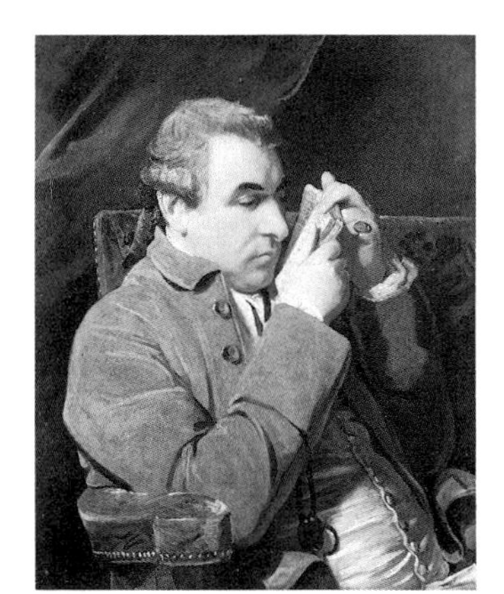

Fig. 3
Sir Joshua Reynolds,
Portrait de Giuseppe Baretti,
Londres, coll. privée.

Fig. 4
Anonyme,
Portrait de Jacques-Antoine de Lironcourt,
Boston, Museum of Fine Arts.

sançon, son profil est dessiné sur la même feuille que le chirurgien Lancrenot (fig. 6). Il a alors une vingtaine d'années. Mais ses liens avec Rome deviennent plus étroits par son mariage avec une Génoise dont la sœur avait épousé le directeur de la Poste de France. Il y séjourne quelques mois en 1747 sur la route du Caire dont il avait obtenu le consulat. Il vit Subleyras qui achevait la *Messe de saint Basile,* ce que l'on sait par la lettre adressée au nouvel ambassadeur, le duc de Nivernais, dans laquelle il recommande chaudement son ami, en particulier pour le portrait: « Subleyras peint aussi admirablement le portrait et j'espère que Votre Excellence, Mme la duchesse et Mesdemoiselles de Nevers seront rendues comme elles méritent de l'être par ce pinceau intelligent, accoutumé aux grâces naturelles et qui ne commaît point ces grâces d'imitation, de convention, de mode que nos peintres françois sont forcés d'étudier pour rendre leurs modèles ». C'est à ce moment-là que Lironcourt est admis à l'Académie des Arcades et le portrait de Subleyras pourrait bien fêter cet honneur autant que la fidélité de leur amitié, dans le même esprit que celui de Camillo Tacchetti. Les livres sont emblématiques de son goût pour les lettres, mais ne portent pas de titres, comme c'eût été le cas pour un écrivain en manière d'identification, Baretti par exemple. L'homme a vieilli, frileusement replié sur lui-même, ses traits se sont accusés, mais on les reconnaît: le nez proéminent, une moue moqueuse, la tête dans les épaules, ce qu'accentue Subleyras soulignant une sorte de tassement de l'âge. Mais le jeune homme avait déjà le regard lointain, réservé et légèrement ironique.

Que Subleyras soit bien l'auteur du tableau est aujourd'hui certain. La toile avait toujours été donnée à Boucher (à l'exception de Slatkin, 1979). Dans le catalogue du musée de Turin de 1963, Luigi Malle attribuait la réplique à un artiste « inconnu, vers 1760 ». Il reçut, indépendamment, deux lettres, l'une d'Anthony Clark qui avançait sans hésitation le nom de Subleyras, l'autre de nous-même, qui lui signalions l'existence de la toile alors dans la collection André Meyer, identique, mais de bien plus belle qualité.

A son tour, Andreina Griseri (*The Burlington Magazine*, 1965, p. 583 et repr. fig. 41, p. 578), dans son compte rendu du catalogue de Turin, publiait la toile italienne sous le nom de Subleyras (elle vient de la reproduire à nouveau dans la *Storia dell'Arte* Einaudi, 1981, t. II, 2, 1 [6], pl. 461 et dans un article paru dans les actes du colloque *Venezia, Italia, Ungheria Fra Arcadia e Illuminismo*, Budapest, 1982, p. 187, fig. 12).

Et en effet, l'extraordinaire gamme des couleurs — ces noirs sourds, profonds, ces blancs crayeux, ces roses tendres, ces gris poudreux — est caractéristique de l'art si original de Subleyras. Comme lui reviennent en propre la sobriété de la composition, l'intériorité avec laquelle le modèle est représenté, à une date où tant de portraitistes — nous sommes à un moment voisin de la mort de Largillierre (1746) et de Rigaud (1743) — aiment avant tout peindre le faste et l'extérieur.

Fig. 5
P.L. Ghezzi,
Caricatures de trois Français dont, sur la droite, Lironcourt,
localisation actuelle inconnue.

Fig. 6
Anonyme, *Portrait de Jacques-Antoine de Lironcourt,*
Besançon,
Bibliothèque municipale (détail).

Provenance

Ancienne coll. Vinchon (selon Henriot, 1926 et Ananoff, 1976). Coll. David David-Weill (vers 1912?, en tout cas en 1925); [galerie Wildenstein] à New York; racheté par David David-Weill (1871-1952) et offert après-guerre par celui-ci et par son fils Pierre (1900-1975) à André Meyer; coll. M. et Mme André Meyer à New York; don au Louvre de la Fondation Bella et André Meyer en 1981, par l'intermédiaire de la Lutèce Foundation.

Expositions

Londres, 1932, n° 187 (« Boucher »; cat. commémoratif, 1932, n° 145, repr. pl. 59, *idem*); San Francisco, 1940, n° 205, repr. (« Boucher »); New York, 1943, n° 47, repr. fig. 47 (« Boucher »); New York, 1944, (selon Ananoff, 1976, cat. non retrouvé); New York, 1961, n° 21, repr. (« Boucher »); Washington, 1962, p. 12, repr. (« Boucher »); Paris, 1983, pp. 53-55, ill. en couleur p. 11.

Bibliographie

Henriot, 1925, p. 3 (« Boucher »); Henriot, 1926, I, p. 13, ill. (« Boucher »); Ananoff, 1976, I, pp. 291-292, ill. (« Boucher »); Slatkin, 1979, p. 120 et 123, notes 27 à 29; Ananoff (et Wildenstein), 1980, n° 173, ill. (reproduit également p. 84, « Boucher »); *La Revue du Louvre*, 1981, n° 5-6, p. 396, fig. 2; Foucart, 1985, p. 46, ill.; Rosenberg, dans cat. exp. *Boucher*, 1986, pp. 59-60, fig. 33; Pinto, 1986, pp. 572-574, n° 432.

Œuvres en rapport

Une bonne réplique d'atelier, don du chevalier Giovanni Marchetti en 1867, appartient au Museo civico de Turin (fig. 1; T. H. 74; L. 60). Sur cette répétition, récemment restaurée, voir Luigi Piccioni (1933) qui ne reconnaît pas, dans le modèle du tableau de Turin, Baretti et en dernier la notice de Sandra Pinto (cat. exp. Carouge, 1986, n° 432, ill.).

01
Pl. XV

Saint Camille de Lellis sauvant des malades lors des inondations du Tibre en 1598

Toile H. 205; L. 280.
Signé et daté en bas à droite, sur le brancard de la litière d'un malade: «P. Subleyras Pinx. 1746».
Rome, Museo di Roma

Dans la nuit du 23 au 24 décembre 1598, les eaux du Tibre envahirent l'hôpital Santo Spirito à Rome. Camille de Lellis (Bucchianico di Chieti dans les Abruzzes, 1550; Rome, 1614) quitte précipitamment son couvent de la Madeleine pour se porter au secours des malades. En vain le personnel de l'hôpital, convaincu que les eaux du fleuve ne dépasseront pas une certaine hauteur, tente de s'opposer à Camille qui souhaite évacuer les malades. Durant toute la nuit, aidé des religieux de son ordre, il transporte les paralysés à l'étage noble de l'hôpital. A peine a-t-il achevé leur évacuation que les eaux du Tibre pénètrent dans les lieux où reposaient les malades.

Une plaque précise aujourd'hui encore la hauteur atteinte par les eaux.

Saint Camille de Lellis, patron des hôpitaux et des malades, est le fondateur (1591) de l'ordre des Camilliens (ou clercs réguliers ministres des infirmes) dont les membres se distinguent par la croix rouge de leur habit. Il fut canonisé le 29 juin 1746 par Benoît XIV, le même jour que sainte Catherine de' Ricci (n° 108) et trois autres saints. A l'occasion de la canonisation, les Camilliens du couvent de la Madeleine de Rome commandèrent deux tableaux à Subleyras, une bannière de procession (voir n° 110) et le tableau aujourd'hui au Museo di Roma, qu'ils destinaient à Benoît XIV. Après qu'il eut, en quelques mois, achevé son tableau, Subleyras le livra aux Camilliens du couvent de la Madeleine qui le firent porter au Quirinal. Le pape le plaça dans « son appartement » (Dezallier d'Argenville, 1762), avant de l'offrir à son premier majordome le cardinal Giuseppe Colonna. Le 19 mars 1774, Bergeret, accompagné vraisemblablement par Fragonard, put admirer le tableau au « palais Colonne ». « La couleur de ce peintre est douce et moëlleuse et paraît tenir beaucoup de *le Moine*. Cet auteur (Subleyras) est fort estimé à Rome ». Six ans plus tard, Canova trouvait au tableau « molto merito » mais critiquait le coloris « cattivo ».

Exposée à plusieurs reprises à Londres, aux Etats-Unis, au Canada depuis son achat par le Museo di Roma en 1960, la toile est aujourd'hui, à juste titre, considérée comme un des chefs-d'œuvre de Subleyras.

L'artiste est le plus grand représentant de la tradition classique à Rome dans la première moitié du XVIIIe siècle. Et l'œuvre, qui refuse autant les effusions lyriques que les facilités du pinceau, s'inscrit parfaitement dans ce courant. Mais Subleyras se sent également peintre réaliste; la description de la grande salle de l'hôpital avec ses lits clos, l'admirable corbeille au premier plan avec sa draperie blanche et bleue canard, sa bouilloire, son gros citron et son bol de faïence — une des plus belles natures mortes de tout le XVIIIe siècle — les pieds nus du saint (qui a remonté sa soutane jusqu'aux genoux), dont l'un plonge dans l'eau montante

Détail

Détail

(Subleyras ignore délibérément que le saint avait lui-même été gravement blessé au pied), les malades aux visages misérables mais pleins de confiance, tout cela évoque, comme l'écrit justement Philip Conisbee (1981), « almost an elevated genre painting ».

Réaliste, Subleyras sait l'être, mais il ne peint jamais ce qu'il voit. Rien ne permet d'affirmer que l'hôpital Santo Spirito ressemblait à la description qu'en donne Subleyras. Et l'artiste n'a peut-être pas souhaité faire un véritable portrait du saint. Remarquons en passant que la plupart des protagonistes de la scène, comme si souvent chez Subleyras, se ressemblent avec leurs visages quasiment identiques à l'ovale marqué, leurs cheveux coupés court et comme plaqués sur le crâne. Subleyras simplifie la réalité, il l'idéalise, il la poétise grâce au raffinement et à la délicatesse de ses recherches chromatiques : croix rouge qui apparaît en haut à gauche, tablier blanc et soutane noire du saint, rouge vif du bonnet du malade et du gilet du porteur de vaisselle, harmonie de gris plus ou moins chauds et de mastic, etc.

La beauté de l'œuvre réside autant dans la retenue des gestes, jamais hors de mesure, que dans l'intériorisation des expressions et des émotions. Elle réside également dans ce savoir faire dont Subleyras donne la preuve dans les articulations des groupes comme dans l'utilisation de cette touche sèche et maigre qui lui est propre.

Œuvre grave et sereine, le *Saint Camille de Lellis* sait à la fois éviter les écueils de la sensiblerie et de la leçon morale, la grandiloquence dramatique comme l'*exemplum virtutis* davidien. Sa noblesse et sa dignité la classent parmi les œuvres exceptionnelles de son siècle.

Provenance

Commandé par les Camilliens à l'occasion de la canonisation de leur fondateur, le 29 juin 1746, et offert au pape Benoît XIV (le tableau fut payé 500 écus romains, le 6 juillet 1746 ensemble avec une bannière peinte (voir n° 110) : le 4 septembre, tous les comptes de la canonisation sont soldés, dont le port du tableau au Quirinal : les documents d'archives ont été résumés par A., dans sa thèse et publiés par P. Lehnen en 1964) ; le tableau est placé au Quirinal, puis offert (ou légué) par Benoît XIV à son premier majordome, le cardinal Giuseppe Colonna ; coll. Colonna en tous cas dès 1774 (Bergeret), puis, à la suite du mariage de Francesco Barberini avec Vittoria Colonna en 1812, coll. Barberini ; acquis de Mme Luisa Muñoz par le Museo di Roma en 1960.

Expositions

Rome, 1961, n° 568 ; Rome, 1966-67, n° 67 ; Londres, 1968, n° 650 ; Toledo-Chicago-Ottawa, 1975-76, n° 97, pl. LXXII.

Bibliographie

Dezallier d'Argenville, 1762, pp. 450-451 (« L'extase de S. Camille ») ; Bergeret, 1773-74, voir Tornézy, 1895 ; Canova, 1779-80, voir Bassi, 1959 ; cat. casa Colonna, 1783, p. 106, n° 803 ; *Memorie*, 1786, p. XXXI ; Manazzale, 1802-1803, I, p. 158 ; Dussieux, 1876, p. 491 ; Tornézy, 1895, pp. 256-257 ; Alcanter de Brahm, 1935, p. 107 ; Boyer, 1936, p. 213 ; A. 55 et pp. 53-54 et 67-68 ; Bassi, 1959, p. 106 ; Pericoli, 1961, pp. 37-43, ill. ; Cannata, 1963, p. 717 et pl. p. 714 ; Pericoli Ridolfini, 1973, p. 59, ill. ; Conisbee, 1981, p. 64, fig. 47 ; Clark et Bowron, 1985, p. 237 ; Conisbee, 1985, pp. 64-65, pl. 55.

Œuvres en rapport

Tableaux et dessins :
— Pour les deux études et le dessin préparatoire, ainsi que pour les mentions de vente du XIXᵉ siècle, voir n°s 102, 103 et 104.
— Pour le tableau de même taille, réuni pendant près de deux siècles avec le *Saint Camille de Lellis*, le *Mariage de sainte Catherine de' Ricci*, voir n° 108.
— Pour l'*Apothéose de saint Camille* et le *Miracle du crucifix*, c'est-à-dire la bannière peinte en 1746 puis transformée en tableau d'autel pour l'église du Crucifix de Rieti, voir notice 110.

Détail

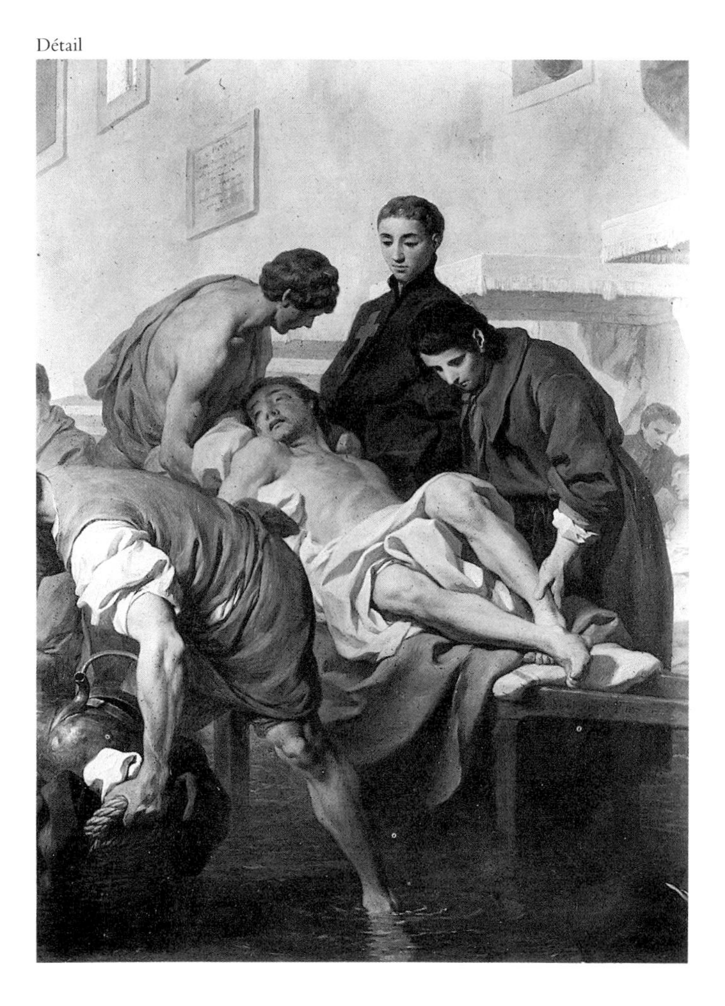

102

Saint Camille de Lellis sauvant un malade

Toile H. 66; L. 49.
Moscou, musée Pouchkine (Inv. 1102).

Étude pour le groupe central du *Saint Camille de Lellis* du Museo di Roma (n° 101). La position des jambes du malade est identique sur le tableau achevé et sur l'étude de Moscou alors que sur le dessin et sur l'esquisse d'ensemble, il croise les jambes (le saint, sur les deux premières œuvres, tourne la tête vers nous).

L'étude du musée Pouchkine frappe par sa simplicité, sa vigueur, la noblesse des attitudes et des gestes: le malade s'appuie avec confiance sur l'épaule du saint et pose son avant-bras sur sa tête. Camille porte le malade, pitoyable et confiant, avec une tendresse contenue.

On peut s'interroger sur l'origine stylistique d'un tel groupe. Subleyras l'aurait-il copié d'après le modèle ou ne se serait-il pas plutôt inspiré d'un précédent?

La similitude avec le groupe principal du célèbre tableau du Baroche *Enée et Anchise*, aujourd'hui à la galerie Borghese à Rome (fig. 1; Emiliani, 1985, II, pl. p. 230) est trop grande pour que l'on puisse la mettre sur le compte de la simple coïncidence.

Subleyras devait à son tour influencer le sculpteur Guiard (1723-1788). Son *Enée et Anchise* (1766), aujourd'hui au musée Granet à Aix-en-Provence (Roserot, 1901, pl. XXIX), réalisé à Rome, montre une connaissance directe du tableau de Subleyras.

Grâce à cette étude à la belle harmonie grise un peu poudrée, nous comprenons mieux la méthode de travail de Subleyras. L'esquisse montre bien plus de participants: sur son tableau définitif, l'artiste en réduit le nombre, déplace certains morceaux comme, par exemple, celui de l'homme qui tient la corbeille de vaisselle et surtout, détache les figures et les groupes les plus importants: ce qui, sur l'esquisse, était une frise, devient dans l'œuvre achevée, une scène en plusieurs épisodes.

Fig. 1
Baroche, *Enée et Anchise,* Rome, galerie Borghèse.

Provenance

Provient du fond national des musées (ancien musée Roumiantsev); à Moscou depuis 1924.

Bibliographie

Réau, 1928, p. 250, n° 641 («Le bon Samaritain»); cat. musée, 1948, p. 82 («maître inconnu du XIXe siècle»); Kouznetsova et Gueorguievskaya, 1980, p. 400, n° 514, ill.; cat. musée, 1982, p. 183, ill.

Œuvres en rapport

Voir n° précédent.

Saint Camille de Lellis sauvant des malades lors d'une inondation

Toile H. 24,5; L. 31.
Paris, collection privée.

Subleyras attire notre regard vers le groupe principal, vêtu de blanc et de noir, baigné par une lumière qui vient de la gauche, mais n'a pas encore parfaitement maîtrisé sa composition.

Provenance

Se confond très vraisemblablement avec le tableau de la coll. Lebrun exposée dans sa « maison... rue du Gros-Chenet, n° 4 » en 1809, p. 18, n° 221 (« Un Hôpital de Malades » ; le n° 222 : « Un Christ apparaissant à sainte Thérèse » est sans doute l'esquisse pour le *Mariage mystique de sainte Catherine de' Ricci*, n° 108) ; vendu les 20-24 mars 1810, n° 187 (acquis, avec son pendant, pour 200 livres, par « Lenglier ») ; le tableau et son pendant passent à la vente « après décès de M. Raymond (1742-1811), architecte des maisons de S. M. l'Empereur et Roi », le 4 octobre 1811, n° 2 (« ces deux petits tableaux exécutés en grand sont au palais Doria (*sic*, pour Colonna), à Rome »), et à celle de feu M. Jean-Louis Fazy, 9 mars 1881, n° 43 : « La Piscine. Des religieux y plongent des malades : au centre, l'un d'eux porte un vieillard ; à gauche, un temple à colonnes ». T. H. 22 ; L. 30. Selon le cat., les deux tableaux proviendraient de la « galerie de Redern ».
Notre tableau pourrait encore ne faire qu'un avec la « Scène de déluge. Petit tableau bien composé et énergiquement peint » de Soubliras (*sic*) d'une vente des 21-22 février 1840, n° 69, avec l' « Episode de la peste de xxx » de la vente après décès d'Alexandre Marie Colin du 2 février 1876, n° 466 et du « Religieux soignant des Malades. Très bon tableau d'une remarquable franchise d'exécution » d'une vente Audouin des 16-18 novembre 1891, n° 80. Acquis par l'actuel propriétaire, il y a plus de dix ans.

Bibliographie Inédit.

Œuvres en rapport Voir n°s 101, 102 et 104.
Pour le « pendant », très voisin en dimensions (H. 23 ; L. 30), l'esquisse pour le *Mariage mystique de sainte Catherine de' Ricci*, voir n° 108.

104

Saint Camille de Lellis sauvant des malades lors d'une inondation

Pierre noire avec traces de rehauts de blanc sur papier verdâtre; en bas, à gauche, à la plume: « marc Benefiali ». Une ligne à la pierre noire encadre la composition.

Pour l'étude du verso, voir n° 105, fig. 1.

H. 215 mm; L. 278 mm.
Paris, collection privée.

Reconnue et identifiée en 1976 par ses actuels propriétaires, cette splendide feuille doit avoir été dessinée peu après l'esquisse peinte (n° 103): en effet, le groupe central et la partie droite de la composition sont très voisins. Mais la partie gauche de l'étude peinte a été sensiblement modifiée ou plus justement simplifiée: sur le dessin, le malade allongé qui tend les bras vers le saint occupe déjà la place importante qu'il aura sur l'œuvre achevée.

Selon son habitude de dessinateur, Subleyras simplifie la scène et cherche à réduire la mise en page à l'essentiel. Il vise à la clarté de la composition et résume les corps et les visages par quelques traits vigoureux et précis.

Le dessin peut être daté en toute certitude de 1746; cette date a son importance pour qui veut mieux comprendre l'évolution du style de dessinateur de Subleyras.

Provenance

Marque inconnue en bas à gauche (voir cependant Lugt 2595); vente Londres, Sotheby's, 7 décembre 1976, n° 10 (« Marco Benefial »); en bas à droite, marque sèche des actuels propriétaires, non répertoriée dans Lugt.

Bibliographie

Inédit.

Œuvres en rapport

Voir nos 101 à 103; voir aussi n° 105.

Religieux assis dans un fauteuil, une plume à la main

Pierre noire, rehauts de blanc sur papier crème autrefois bleu; en bas, à droite, de la main d'Atger: « = Subleyras, Né à Uzès, fecit Romae ».
H. 286 mm; L. 220 mm.
Montpellier, musée de la Faculté de Médecine (collection Atger).

105

Provenance

Coll. Xavier Atger (1758-1833); don à la Faculté de Médecine de Montpellier en 1823 (marque du musée Atger, Lugt 38, en bas au centre).

Bibliographie

Cat. Atger 1830, n° 61 (avec 61 bis « Deux belles études pour un portrait de religieux »); A. d. 88 (et A. d. 89?).

Quelle date proposer pour ce splendide dessin? Nous étions prêts à renoncer et à avouer notre embarras quand nous fûmes aidés par le hasard d'une découverte. Nous avons reproduit plus haut (n° 104) la belle esquisse préparatoire pour le *Saint Camille sauvant les malades* d'une coll. privée parisienne. Or ce dessin a un verso qui montre deux études de mains (fig. 1); ce sont les mains, mais vues de plus près et étudiées plus en détail, du moine écrivant du dessin du musée Atger. Le dessin de Montpellier ainsi que les deux suivants doit donc être de peu antérieur à 1746, date du *Saint Camille*.

Il semble bien que le dessin de Montpellier soit une étude d'après nature: la table, le fauteuil, le camail, tout indique que Subleyras a dessiné sur le vif ce jeune moine au visage inspiré mais aux traits peu caractérisés. Il paraît peu probable que Subleyras souhaitait utiliser son étude pour quelque composition religieuse tant ce dessin, à l'inverse de bien de ceux que nous connaissons, se suffit à lui-même; peut-être avons nous ici la mise en place d'un portrait?

Fig. 1 *Etude de mains* (verso du n° 104), Paris, coll. privée.

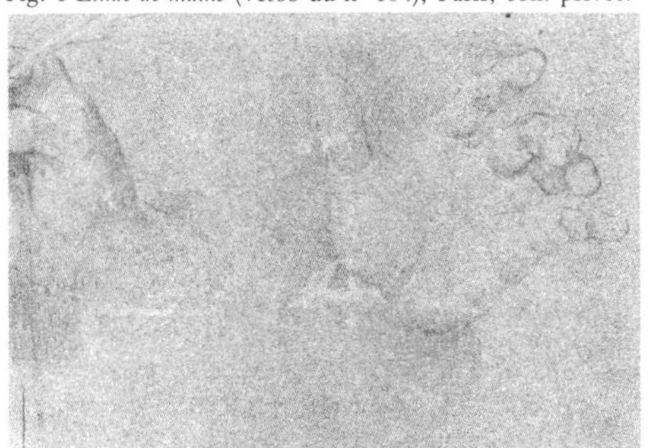

Religieux la tête tournée vers la droite, tenant une plume

Pierre noire, rehauts de blanc sur papier crème autrefois bleu; en bas à gauche, à la plume, de la main d'Atger: «Subleiras fecit».
H. 285 mm; L. 220 mm.
Montpellier, musée de la Faculté de Médecine (collection Atger).

106

Voir la notice précédente. Il s'agit d'une étude d'après le même modèle. La position de la tête et des mains a quelque peu été modifiée.

Provenance

Voir le numéro précédent.

Bibliographie

Cat. Atger, 1830, n° 61 bis (voir le numéro précédent); A. d. 87 (et A. d. 89?).

Chartreux assis écartant les mains

Sanguine, rehauts de blanc,
sur papier verdâtre autrefois bleu; collé en plein;
en bas à gauche, de la main d'Atger: «Subleyras fecit Romae»,
d'une autre écriture: «chartreux».
H. 345 mm; L. 232 mm.
Montpellier, musée de la Faculté de Médecine
(collection Atger).

Les dessins de Subleyras, exécutés à la sanguine, sont rares, nous l'avons dit plus haut (n° 27). Celui-ci est particulièrement séduisant, tant à cause de la simplicité de la mise en page que pour le mélange de retenue et de noblesse que Subleyras sait donner à son modèle.

On ignore où et quand Atger put se procurer l'ensemble des dessins de Subleyras qu'il offrit entre 1823 et 1829 à sa ville natale. On sait que ce grand amateur encore bien mystérieux, s'il aimait les beaux dessins de toutes les écoles, souhaitait privilégier les artistes originaires du midi de la France. En ce qui concerne Subleyras, il ne pouvait faire un meilleur choix.

Provenance

Coll. Xavier Atger (1758-1833); don à la Faculté de Médecine de Montpellier en 1829 (marque du musée Atger, Lugt 38, en bas au centre).

Bibliographie

Cat. Atger, 1830, n° 262.

Le Mariage mystique de sainte Catherine de' Ricci

Toile H. 23,1; L. 30.
Northampton, Smith College Museum of Art (1957-33).

Sainte Catherine de' Ricci (1521-1590), une dominicaine de Prato, originaire de Florence, fut canonisée avec quatre autres saints dont saint Camille de Lellis (n° 101) le 29 juin 1746: à cette occasion, les dominicains commandèrent à Subleyras un grand tableau qu'ils offrirent à Benoît XIV. L'œuvre, exposée à plusieurs reprises ces dernières années, n'a malheureusement pu nous être prêtée (fig. 1).

L'esquisse américaine présente avec l'œuvre achevée, comme avec la gravure de Sorello, quelques variantes: citons principalement le putto qui, au premier plan, porte un plateau de fleurs, absent de l'esquisse comme de la gravure, sans doute une (heureuse) adjonction de dernière heure.

Le choix de la scène de la vie de la sainte revient sûrement aux Pères dominicains commanditaires du tableau, sans doute au général de l'ordre Tomas Ripoll et au R.P. Recchini, « assistante dei Reverendi Padri Domenicani d'Italia ». Mais plutôt que la comparer à sainte Catherine de Sienne — comme celle-ci, sainte Catherine de' Ricci eut des visions extatiques — ils désirèrent établir un parallèle avec le mariage mystique de sainte Catherine d'Alexandrie.

La sainte dominicaine, couronnée d'épines, est présentée par la Vierge au Christ qui lui offre l'anneau nuptial.

On admirera la simple noblesse de la composition, ce « sentiment classique », cette « gravité » qui, dès 1959, frappaient Sutton, et cette volonté de figer la scène et de la peindre sur un même plan, bien plus sensible encore dans l'œuvre achevée que sur l'esquisse.

Provenance

Voir notice n° 101 : le tableau, exposé en 1809 (n° 222), passe en vente en 1810 (n° 187), en 1811 (n° 22) et 1881 (n° 42). Acquis en 1957 dans le commerce à Paris, chez [Stephen Higgins] qui aurait acheté le tableau d'un comte de Malézieu (comm. écrite de Michael Goodison en 1981).

Expositions

Hartford, 1965, n° 56; Storrs, 1973, n° 59, fig. 16.

Bibliographie

The Art Quarterly, hiver 1957, p. 473, ill.

Œuvres en rapport

Esquisse pour le *Mariage mystique de sainte Catherine de' Ricci*, signé et daté de 1746, commandé à Subleyras par l'ordre des Dominicains en 1745 et offert l'année suivante à Benoît XIV (fig. 1). Le tableau fut payé en cinq fois 201 écus 25 baïoques entre le 4 mai 1745 et le 12 mai de l'année suivante (*Archivum Generale Ordinis Praedicatorum*, section X, vol. 691). Il passe par les mêmes collections que le *Saint Camille de Lellis* aujourd'hui au Museo di Roma (n° 101), est admiré par les mêmes visiteurs des palais Colonna et Barberini, avant d'entrer en 1935 dans la coll. du marquis Sacchetti; (T. H. 175; L. 250; A. 57; cat. exp. Londres, 1968, n° 652, fig. 204; Rudolph, 1983, pl. 660). Il nous a été, hélas, impossible d'emprunter le tableau pour l'exposition.

Pour une étude du dominicain, sur la droite de la composition, voir n° 109.

L'œuvre a été gravée, dans le sens de la composition, avec quelques variantes, par le graveur espagnol Miguel de Sorello (fig. 2; vers 1700-vers 1765, gravure payée le 20 juillet 1746, 80 écus); la gravure de Sorello copie un dessin de Joseph Castillon (payé 15 écus le 6 janvier 1746, *Archivum Generale*..., voir plus haut).

Fig. 1
Le Mariage mystique de sainte Catherine de' Ricci, Rome, coll. privée.

Fig. 2
M. de Sorello,
Le Mariage mystique de sainte Catherine de' Ricci, Rome, chalcographie nationale.

109

Saint Thomas d'Aquin

Toile H. 40,8; L. 31,2.
Munich, Pinacothèque (4745).

Étude pour la figure de saint Thomas d'Aquin sur la droite du *Mariage mystique de sainte Catherine de' Ricci* de la collection Sacchetti (voir n° précédent). Les variantes entre la figure du saint sur le tableautin de Munich, l'esquisse de Northampton, la gravure et le tableau achevé sont notables: outre certains détails — absence du soleil sur le capuce, la main droite du saint qui tient la Somme identique sur la gravure et l'esquisse de Munich — ce sont surtout les traits du modèle qui ont été modifiés. Subleyras a sans doute voulu donner à saint Thomas d'Aquin le visage — rajeuni (fig. 1) — de Tomas Ripoll, « Generale dell'Ordine de' Predicatori » (1652-1747). Celui-ci, un dominicain espagnol fort illustre, commandita à Joseph Castillon le dessin et à Sorello la gravure d'après le tableau de Subleyras (*Archivum Generale Ordinis Praedicatorum*, section X, vol. 691).

Cette petite étude, solidement mise en place, vaut par le contraste entre la robe blanche et la cape noire de l'habit du dominicain qui ne pouvait que séduire Subleyras.

Provenance

Appartenait aux coll. princières des Deux-Ponts. Envoyé sur les ordres du prince devenu Electeur de Bavière par le peintre Christian Mannlich à Munich en 1811; pour longtemps en dépôt à Schleissheim.

Bibliographie

Cat. musée Schleissheim, 1905, p. 157, n° 755 (1196); cat. musée Schleissheim, 1914, p. 234, n° 3755; A. 148.

Œuvres en rapport

Voir la notice précédente.

Fig. 1
Saint Thomas d'Aquin, détail du *Mariage mystique*, Rome, coll. privée.

110

L'apothéose de saint Camille de Lellis

Toile H. 42; L. 34.
Amiens, musée de Picardie.

Fig. 1
Antonio Gramignani,
L'Apothéose de saint Camille de Lellis, Rome,
Bibliothèque vaticane.

L'œuvre, fragmentaire, dont l'état de conservation est loin d'être parfait est importante car elle est le reflet d'une composition de Subleyras, vraisemblablement détruite.

On se souvient que les pères Camilliens commandèrent à Subleyras, à l'occasion de la canonisation de leur saint patron le 29 juin 1746, deux tableaux: le *Saint Camille de Lellis sauvant des malades lors de l'inondation du Tibre en 1598* (n° 101) et une bannière de procession montrant l'*Apothéose du saint* d'un côté, et le *Christ se détachant du crucifix pour tendre les bras à saint Camille*, de l'autre. Les deux œuvres furent payées 500 écus romains le 6 juillet 1746. Mais dès le 29 juin, la bannière devait être achevée, car elle fut portée au cours de la procession qui eut lieu à Saint-Pierre à l'occasion des cérémonies de canonisation du saint (voir A. et, en dernier, Garms, 1976, p. 163).

On a répété, depuis le XVIIIe siècle, que cette bannière, modifiée et transformée (« ridotto in un quadro da altare » écrit l'auteur des *Memorie* en 1786) en tableau d'autel, ornait le maître-autel de l'église du Crucifix (dite aussi de S. Rufo; T. H. 300; L. 220) de Rieti (fig. 2; sur ce tableau voir notre rubrique *Œuvres en rapport*).

Mais on n'a peut-être pas suffisamment prêté attention au fait que cette bannière était à l'origine peinte des deux côtés (voir à ce sujet la description d'Azevedo, 1749. Peut-être les deux toiles avaient-elles été assemblées dos à dos?) Et que deux gravures, fort médiocres mais importantes, d'Antonio Gramignani parues en 1749 dans les *Acta Canonizationis Sanctorum*... de Marcello de Azevedo (Rome, 1749) nous gardaient le souvenir des *deux* compositions (fig. 1 et 8). L'esquisse d'Amiens et le dessin du Louvre (n° 111) ont toutes les chances d'être les seules études à ce jour retrouvées pour le recto de la bannière.

Certes, il y a des variantes notables entre l'esquisse d'Amiens et la gravure de Gramignani, notamment en ce qui concerne l'attitude de saint Camille: mais outre que Gramignani n'est peut-être pas un graveur d'une grande fidélité, il faut se souvenir que Subleyras a souvent modifié, en cours de réalisation, ses esquisses.

Le tableau d'Amiens, rogné sur les côtés, est surtout remarquable pour ses couleurs. Subleyras allie, avec son

Fig. 2
Le Christ se détachant du crucifix pour tendre les bras à saint Camille,
Rieti, église du Crucifix.

habituelle délicatesse, les blancs, les ocres, les roses, les bleus et les ors.

Grâce aux documents que nous présentons ici, il est aujourd'hui possible de le dater de 1746.

Provenance

Peut-être collection du peintre Joseph-Marie Vien, sa vente après décès, 17 mai 1809, n° 16 (« Précieuse Esquisse d'un ton de couleur fin et suave, offrant le sujet de l'Apothéose d'un Saint élevé au ciel par des Anges »); peut-être coll. du chevalier Feréol Bonnemaison, « directeur de la galerie de S.A.R. Mme la Dauphine, conservateur de celles de Madame, duchesse de Berry et de Mgr le duc de Bordeaux, et directeur de la restauration des tableaux du musée royal »; sa vente après décès, 17-21 avril 1827, n° 99 (« L'Apothéose d'un Saint... Quatre Anges soutiennent le Saint; d'autres lui servent de cortège pendant sa glorieuse ascension. Toutes les figures sont bien disposées; celle de *Saint Camille* (c'est nous qui soulignons) est belle, son extase, le calme de son visage peignent le sentiment d'une âme pure » etc. T. 1 pied 4 pouces sur 1 pied 1 pouce = H. 43; L. 35); ne se confond vraisemblablement pas avec l'esquisse de la vente J.A. Raymond du 4 octobre 1811 (sur deux autres esquisses de cette coll., voir notices 103 et 108), n° 23: « L'Apothéose d'un Saint. Composition de onze figures; esquisse avancée, d'une belle couleur », sans doute une version plus complète du tableau d'Amiens.
Donné au musée d'Amiens par les frères Ernest et Olympe Lavalard en 1890.

Bibliographie

Cat. musée (coll. Lavalard), 1899, n° 196; cat. musée, 1911, p. 139, n° 192; cat. musée (A. Boinet), 1928, p. 13; A. 74; Laclotte et Vergnet-Ruiz, 1962, p. 252; Lehnen, 1964, p. 991; Gaehtgens, 1974, pp. 68-69, note 38 et fig. 12.

Œuvres en rapport

Voir le texte de la notice.
L'esquisse d'Amiens, le dessin du Louvre (n° suivant) et la gravure de Gramignani (fig. 1) sont les seuls vestiges du recto de la bannière de procession de Subleyras montrant l'*Apothéose de saint Camille de Lellis*.
Au verso se voyait le *Christ se détachant du crucifix pour tendre les bras à saint Camille*. Ce tableau, très sévèrement restauré (fig. 2; T. H. 300; L. 220; A. 56, cat. exp. Rome, 1970, n° 60, pl. 47), est aujourd'hui conservé à l'église du Crucifix à Rieti. Une esquisse (fig. 3; T. H. 78; L. 62)

Fig. 3
Le Christ se détachant du crucifix pour tendre les bras à saint Camille,
Rome, coll. privée.

Fig. 4
C.S. Mariotti (attribué à),
Le Christ se détachant du crucifix pour tendre les bras à saint Camille,
Pérouse, Académie des Beaux-Arts.

Fig. 5
Cl. O. Gallimard,
Le Christ se détachant du crucifix pour tendre les bras à saint Camille,
Vienne, Albertina.

appartient à la coll. de l'architecte Andrea Busiri Vici à Rome (cat. exp. Londres, 1968, n° 651, fig. 244). Un dessin, attribué à Mariotti (fig. 4), fait partie de la coll. de l'Académie des Beaux-Arts de Pérouse (n° 56). Claude Gallimard (1718-1774) grava le tableau (fig. 5), ou du moins plutôt son esquisse, en 1746 (ce travail lui aurait été payé deux cents écus, selon un document publié par O. Arnaud dans sa thèse, p. 352) et exposa son œuvre au Salon de 1753 (p. 33: « une estampe de S. Camille d'après un Tableau de Soubleyras » (*sic*; c'est l'unique mention du nom de Subleyras dans les livrets des Salons du XVIIIe siècle). Toujours en 1746, Carlo Grandi grava à son tour le tableau (fig. 6), mais cette fois-ci d'après la version achevée aujourd'hui à Rieti (le dessin du Museo civico de cette ville copie cette gravure; fig. 7). Pour la médiocre gravure de Gramignani (fig. 8), se reporter au texte de la notice.
Gallimard a gravé un second *Saint Camille de Lellis* (fig. 9) en 1745, mais rien n'assure que cette estampe s'inspire d'un tableau de Subleyras.

Fig. 8
Antonio Gramignani,
Le Christ se détachant du crucifix pour tendre les bras à saint Camille,
Rome, Bibliothèque vaticane.

Fig. 9
Cl. O. Gallimard,
Saint Camille de Lellis,
Paris, Bibliothèque nationale.

Fig. 6
Carlo Grandi,
Le Christ se détachant du crucifix pour tendre les bras à saint Camille,
Rome, G.N.S.

Fig. 7
D'après Subleyras,
Le Christ se détachant du crucifix pour tendre les bras à saint Camille,
Rieti, Museo civico.

L'apothéose de saint Camille de Lellis

Pierre noire, rehauts de blanc sur papier bleu.
H. 301 mm; L. 235 mm.
Paris, musée du Louvre, Cabinet des dessins (Inv. 32965).

Belle étude pour le groupe principal de l'*Apothéose de saint Camille* dont l'esquisse du musée d'Amiens nous garde le souvenir.

Provenance

Coll. du comte d'Orsay (1748-1809; sa marque, Lugt 2239, en haut à gauche); entré au Louvre (marque, Lugt 1886, en bas à droite) en 1793.

Bibliographie

Cat. exp. Paris, 1983, p. 175 (Ors. 635).

Œuvres en rapport

Voir la notice précédente.

Saint Jean d'Avila (vers 1499-1569)

Toile H. 136; L. 98.
Inscription en bas au centre,
en lettres capitales: «VENER. MAG.
IOANNES DE AVILA/VANDA LICIAE APOST.
OBIIT MON = / FILIAE DIE X
MAII AN. MDLXIX».
Birmingham, City Museum and Art Gallery
(P. 43'59).

Saint Jean d'Avila (vers 1499-1569), l'«Apôtre de l'Andalousie», confesseur de sainte Thérèse, laissa de nombreux écrits de piété. Les tentatives pour le canoniser furent nombreuses (il ne le sera qu'en 1971). En 1746, le cardinal Annibale Albani, un des neveux de Clément XI, le rapporteur («ponente») de la cause, traduisait lui-même la *Vita del Padre Maestro Giovanni d'Avila* de Luis de Granada et faisait imprimer plusieurs volumes des *Positiones.* C'est à cette occasion que Subleyras reçut la commande de ce portrait rétrospectif.

La planche de Pietro Campana vient confirmer cette date: le graveur copie en effet un dessin de Joseph Castillon qui, on s'en souvient, à partir de 1744 habita chez les Subleyras. Pour peindre son tableau et pour tenter de donner du futur bienheureux une image qui puisse passer pour ressemblante, Subleyras souhaita sans doute se procurer son portrait. Il le demanda très vraisemblablement au postulateur de la cause, l'abbé espagnol Diego de Revillas (un hiéronymite qui assura que Maria Felice Tibaldi était de «stato libero» lors de son mariage avec Subleyras). Il put lui faire connaître une gravure de 1635 qui orne une vie du bienheureux due à Luis Muñoz (Camon Aznar, 1950, p. 1105, fig. 863) ou encore son portrait peint par Greco (fig. 3; nous reproduisons ici la version du musée de Tolède, Camon Aznar, 1950, fig. 862 et Guinard et Frati, 1971, n° 40, ill.).

S'il retient certains traits bien caractéristiques du visage du bienheureux, comme par exemple sa bouche charnue et ses épais sourcils noirs, Subleyras devait surtout créer un prototype pour la diffusion de son image. Il cherche bien plus à décrire l'état de son modèle, à glorifier son œuvre de prédicateur et à donner l'image — image archaïque, avant tout saisissante par sa mise en page — de sa foi.

Jean d'Avila apparaît telle une sculpture devant un mur de grosses pierres brunes. Sa barrette noire, un linge bleu posé sur une balustrade finement ciselée, se détachent de la grande masse blanche du surplis. Il tient vigoureusement un crucifix de la main droite. La sévérité de l'image est tempérée par les raffinements chromatiques auxquels l'artiste nous a habitués et par l'élégante main gauche qui occupe le centre de la composition. Mais ce sont surtout les yeux du modèle qui retiennent, des yeux aux grosses prunelles noires.

Le regard est à la fois inspiré et interrogateur, comme présent et déjà dans un autre monde.

Provenance

Commandé très vraisemblablement en 1746 pour le cardinal Annibale Albani, un des trois neveux du pape Clément XI. Passe des Albani aux Chigi. Ludovic Chigi à Soriano en 1930 et encore en 1959. Acquis en 1960 de [Colnaghi] pour « poco più di due milioni e mezzo di lire italiane » (*Sele Arte*, 1960).

Expositions

Montréal-Québec-Ottawa-Toronto, 1961-62, n° 73, pl. p. 143; Londres, 1968, n° 653; Toledo-Chicago-Ottawa, 1975-76, n° 96, pl. 66, pl. couleur IX.

Bibliographie

A. 146 et p. 63; Boyer, 1936, p. 213; *The Burlington Magazine*, juillet-août 1959, ill. p. XX (publicité); cat. musée, 1960, p. 142, pl. 20; *Sele Arte*, 1960, n° 45, p. 16; Garlick, 1964, p. 457, pl. p. 454; Money, 1973, p. 177, fig. 4; Wright, 1976, p. 196; cat. musée, 1983, p. 94, ill. n° 140; Wakefield, 1984, p. 98.

Œuvres en rapport

Tableaux :
Pour l'esquisse, voir la notice suivante.
Une réplique d'atelier (ou une copie ancienne) appartenait autrefois au « comte St. Bon » à Rome; elle entre ensuite dans la coll. Joseph Cremer à Dortmund (fig. 1; T. H. 132; L. 98; cat. 1914, I, n° 380, pl. 50; II, p. 88), vendue à Berlin, chez Wertheim, le 29 mai 1929, n° 143, ill. Elle avait tour à tour été attribuée à Zurbaran, puis à Carducho (von Loga, 1923, p. 246, fig. 130, p. 245) avant d'être justement rendue à Subleyras par Hermann Voss (note manuscrite en marge de son exemplaire du cat. de la coll. Cremer).

Gravure :
Le tableau a été gravé par P. Campana de Soriano (fig. 2) d'après un dessin de Joseph Castillon copiant le tableau de Subleyras. La gravure est dans le même sens que le tableau.

Fig. 1
Subleyras ?,
Portrait de saint Jean d'Avila,
localisation inconnue.

Fig. 2
P. Campana,
Portrait de saint Jean d'Avila, Rome, G.N.S.

Fig. 3
Greco,
Portrait de saint Jean d'Avila, musée de Tolède.

113
Pl. XI

Saint Jean d'Avila (vers 1499-1569)

Toile H. 64; L. 48,5.
Paris, musée du Louvre (donation Kaufmann et Schlageter sous réserve d'usufruit) (R.F. 1983-84).

L'exécution par petites touches serrées est à la fois savoureuse et savante. Chaque pli est détaillé avec un plaisir qui voisine l'obsession. Les notes de rose et de noir, de gris et de crème animent l'austérité du coloris. Les modifications entre l'esquisse Kaufmann et Schlageter et le tableau de Birmingham sont notables: sur la première œuvre, le bienheureux tient plus haut le bois du crucifix, sa main gauche est déplacée vers la droite de la composition; surtout, le modèle paraît bien plus jeune, son regard moins intérieur. Sur la toile achevée, Subleyras a porté l'accent sur la monumentalité de la composition et sur l'aspect mystique du bienheureux.

Provenance
Le cat. de la coll. Joseph Cremer (1914; voir notice précédente) mentionne sans plus de précision une « esquisse dans le commerce plusieurs années auparavant ». [Colnaghi], à Londres, en 1979; acquis cette année-là par Othon Kaufmann et François Schlageter; donation sous réserve d'usufruit au musée du Louvre en 1983.

Expositions
Paris, Louvre (donation Kaufmann et Schlageter), 1984, n° 15, ill. (pl. en couleurs p. 26).

Bibliographie
Dauriac, 1984, p. 380; Rosenberg, 1984, p. 220, fig. 2; Sauré, 1984, p. 2230, ill. en couleurs; Verdi, 1984, p. 724.

Œuvres en rapport Voir la notice précédente.

114

Portrait d'Horatio Walpole (1723-1809)

Toile H. 96; L. 73.
Signé sur le papier bleu gris qui déborde de la table: «P. Subleyras pin.t» (un vieux cartel, au verso du tableau, nous donne le nom du modèle et indique que le tableau a été peint à Naples où Subleyras s'était rendu pour raisons de santé; comm. écrite de J. Lomax, 4 mars 1978).
Leeds, City Art Galleries (Inv. n° 15/57).

Horatio Walpole (1723-1809), second baron de Walpole de Wolterton en 1757, comte d'Orford en 1806, était le fils d'un autre Horatio Walpole, le frère cadet du premier ministre sir Robert Walpole. Celui-ci avait eu pour fils le bien plus célèbre Horace Walpole, le littérateur et donc cousin de notre Horatio Walpole. Horatio, surnommé au XVIIIe siècle *Pig Wiggin* par allusion à un personnage de la *Nymphidia* de Drayton, était le parrain de Nelson et allait épouser en 1748, à son retour d'Italie, Lady Rachel Cavendish.

James Lomax (1978), dans un article savamment documenté, a voulu prouver que le portrait d'Horatio Walpole ne pouvait avoir été peint qu'à Rome entre avril 1746 et juin 1747, à la fin du «Grand Tour» du modèle. S'il doutait de l'inscription ancienne qui se lit sur le chassis et qui précise que le tableau a été peint à Naples, c'est que les dates exactes du séjour de Subleyras dans cette ville — novembre? 1746-juin 1747 — lui étaient inconnues. Très vraisemblablement, sans que nous ayons pu en trouver la preuve, Horatio Walpole est allé durant cette période à Naples et c'est durant ce séjour que Subleyras l'a peint.

L'artiste est très attentif au visage du modèle qui se détache devant un cadre vide — un miroir sans tain? — qu'il décrit sans excessive indulgence. Horatio Walpole, aux gros yeux pénétrants, — il n'avait pas vingt-quatre ans! — est richement vêtu et Subleyras peint avec son habituel bonheur (et pour notre plaisir) les blancs de la dentelle, les ors de l'accoudoir du fauteuil et des broderies et les mauves du manteau. Comme le remarque J. Lomax, le geste de la main gauche tient chez Subleyras de la formule, du poncif. L'artiste a avant tout voulu mettre l'accent sur le voyageur, le curieux, le connaisseur; des dessins sont posés sur la table: devant le modèle sont placés un encrier et sa plume, une lettre est glissée dans un gros livre comme un signet et de son index, Horatio Walpole retient les pages d'un autre livre. A sa manière, Subleyras a voulu perpétuer l'image d'un Anglais du «Grand Tour».

Provenance

Coll. Montague L. Meyer, Avon Castle; vente Londres, Sotheby's, 3 avril 1946, n° 126; [A. Tooth], à Londres, en 1954; acquis par Leeds en 1957.

Expositions

Londres, Tooth, 1954, n° 19; Londres, 1954, n° 380; Londres, 1962, n° 144; Edimbourg, 1963, n° 22.

Bibliographie

Isarlo, *Combat Art*, 5 février, 1962, n° 86, p. 1, ill.; Wright, 1976, p. 196; Lomax, 1978, pp. 9-19, ill. en couverture.

115

Portrait équestre du duc Eustache de la Vieuville

Pierre noire, rehauts de blanc sur papier bleu pâle ; en bas à droite, à la plume : « 7 ».
H. 340 mm ; L. 404 mm.
Dusseldorf, Kunstmuseum (FP 4625).

Nous pensons pouvoir reconnaître dans ce dessin une étude pour le *Portrait du duc de la Vieuville au siège de Plaisance.*

On sait qu'en novembre (?) 1746, Subleyras se rendit avec sa femme pour des raisons de santé (« per ristabilirsi in salute », Pasqualoni) à Naples, l'air de la ville et sa tranquillité (!) « città tranquilla », *Memorie*) ayant alors des vertus curatives bien connues et fort appréciées. Il n'y put guère travailler, sinon à quelques portraits (voir n° 114), notamment à celui du duc de la Vieuville « en habit militaire et à cheval, avec au lointain une vue du siège de Plaisance » (*Memorie*). Le grand tableau n'est aujourd'hui plus connu, pas plus que sa réplique que, selon l'auteur des *Memorie*, Subleyras peignit à Rome, à son retour après avoir mis la dernière main à la *Messe de saint Basile.*

Le maréchal-duc Eustache de la Vieuville, diplomate et soldat de carrière au service de la cour de Naples, représenta ce pays à Turin en 1741-42 avant d'assiéger et de prendre Plaisance, le 12 septembre 1745. On le sait à Naples entre octobre 1746 et mars 1747 : c'est donc entre ces deux dates que Subleyras, lui-même de retour à Rome vraisemblablement en juin 1747, fit son portrait.

Le dessin de Subleyras a le grand intérêt d'être le reflet d'une composition importante, une des dernières créations originales de l'artiste et sans doute son portrait le plus ambitieux. Jamais, en effet, auparavant l'artiste ne s'était risqué à peindre un portrait équestre de grand format. En outre, le dessin de Dusseldorf précise le style de Subleyras à deux ans de sa mort.

On rappellera enfin qu'il provient de la collection du peintre allemand Lambert Krahe, élève de Subleyras à Rome (voir p. 121 et aussi n° 15), qui légua à sa ville natale un ensemble unique (et fort mal étudié) de dessins de son maître.

Provenance

Coll. du peintre Lambert Krahe (1712-1790; sur sa coll., voir notice 15 et cat. exp. Dusseldorf, 1969-70).

Bibliographie

Inédit.

Œuvres en rapport

Voir la notice.

116

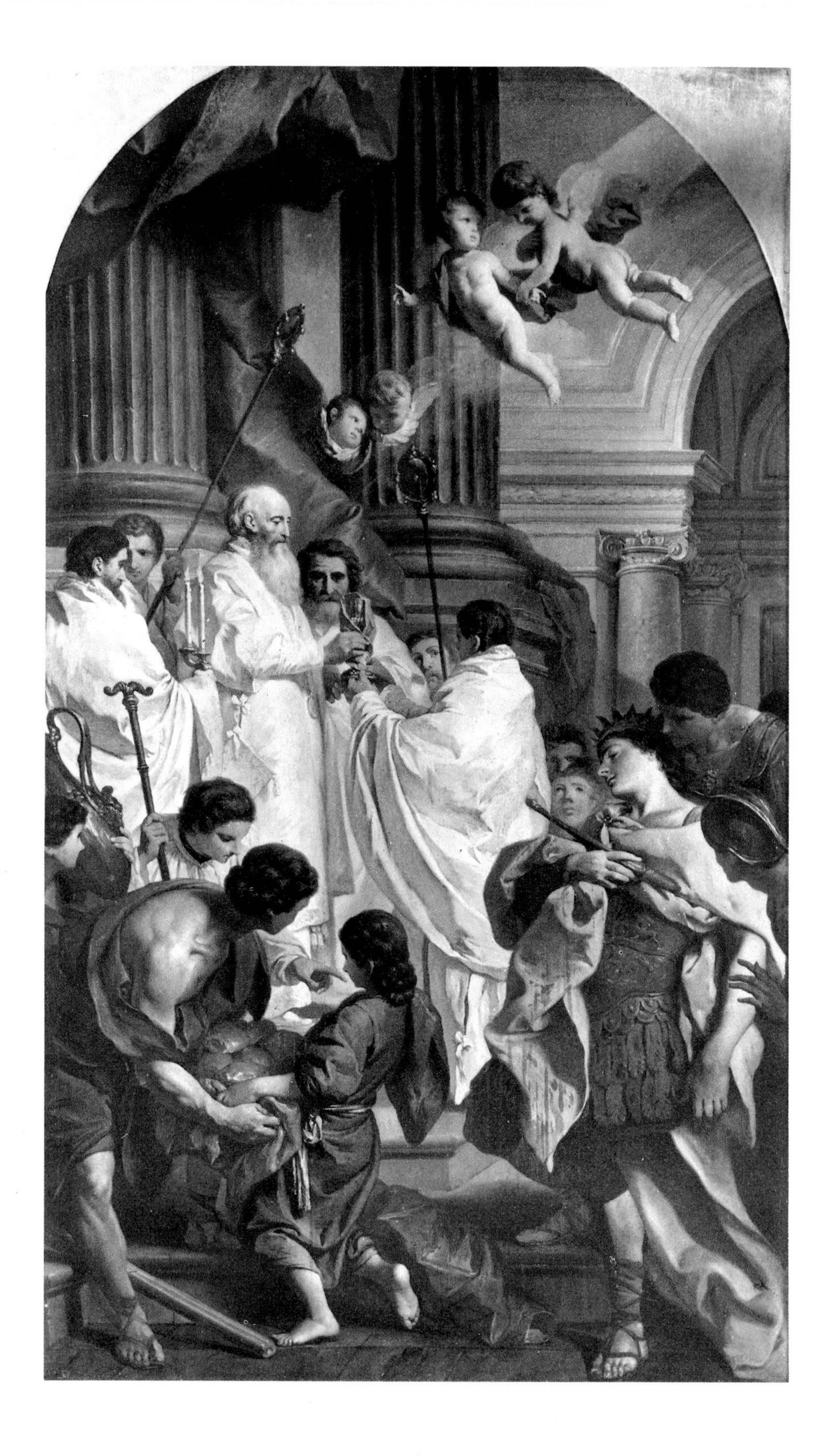

La Messe de saint Basile

Toile cintrée dans le haut.
H. 133,5; L. 80.
Leningrad, musée de l'Ermitage (Inv. 1169).

On se souvient (voir notice du *Martyre de saint Pierre*, n° 78) que, dès 1740, le Pape Benoît XIV et son secrétaire d'État le cardinal Valenti Gonzaga avaient songé à confier à Subleyras la réalisation d'un grand tableau pour Saint-Pierre de Rome. Avant 1743, Subleyras exécute deux esquisses, un *Martyre de saint Pierre* et une *Messe de saint Basile*. Il aurait préféré peindre le premier thème, mais dut se résigner à réaliser le second pour remplacer le tableau de ce sujet que Girolamo Muziano (1532-1592) avait peint, perdu par l'humidité de Saint-Pierre («essendo perito», selon le *Guide* de Titi, 1763).

En 1743, Subleyras adresse une supplique au Pape pour lui demander de lui confier la réalisation de l'œuvre. Il précise que «l'esquisse du tableau est terminée». Le 29 août, il reçoit une réponse favorable, et le 13 décembre, toujours de la même année, signe le contrat d'exécution (transcrit, comme l'essentiel des documents que nous mentionnons ici par Odette Arnaud dans sa thèse). Il a trois ans pour exécuter son tableau pour lequel il recevra 1 200 écus romains (voir les *Memorie*, pp. XXX-XXXII, XXXIV, XXXV), dont 200 sont payés dès décembre 1743. En fait, Subleyras, déjà malade et accaparé par de nombreuses commandes (n°s 91, 96, 101, 108, 110), n'achèvera son immense tableau (fig. 2) qu'en 1747 (c'est la date qui accompagne la signature de l'artiste) à son retour de Naples (le solde de son ouvrage ne lui est payé qu'en décembre 1747). Le 16 janvier 1748 (*Memorie*), l'œuvre est exposée pour «trois semaines» (Dezallier d'Argenville, 1762, p. 451) dans Saint-Pierre, sur l'autel auquel il est destiné et acclamé par les Romains.

Très vite, encore en 1748 (voir Daignan d'Orbessan, 1768, I, p. 435, mais écrit en 1750), la décision est prise de faire traduire le tableau en mosaïque, comme c'était déjà le cas de bien des tableaux de Saint-Pierre. Tous les auteurs du XVIIIe siècle, de Dezallier d'Argenville à l'abbé de Fontenay, de Cochin (1752; ms. inédit, Ecole des Beaux-Arts, Paris, 175[1], communiqué par Christian Michel) à Dandré-Bardon, insistent sur l'honneur insigne qui est fait à Subleyras, le premier artiste français dont une œuvre ait été traduite de son vivant en mosaïque.

Cette reproduction est confiée à l'équipe que dirige P.L. Ghezzi (1674-1755) ne s'achevera qu'en 1751, deux années après la mort de Subleyras. La mosaïque (fig. 3) polie et lustrée sera mise en place en 1754, non loin de celle qui copie le *Martyre de saint Erasme* de Poussin, fait aujourd'hui face, par un heureux hasard qui réunit le commanditaire de l'œuvre et son peintre favori, au tombeau de Benoît XIV par Pietro Bracci et Gaspare Sibilla.

Quant au tableau de Subleyras, on peut l'admirer depuis 1752, à Sainte-Marie-des-Anges aux côtés d'œuvres de ses rivaux romains, Placido Costanzi (1690-1759), Pietro Bianchi (1694-1740), Francesco Trevisani (1656-1746) et surtout Pompeo Batoni (1708-1787).

Il est permis d'avancer que la comparaison entre la *Chute de Simon le Magicien* de ce dernier, peint entre 1746 et 1755 (Clark et Bowron, 1985, n° 184, fig. 173; on signalera ici l'existence d'un dessin de Subleyras représentant lui aussi la *Chute de Simon le Magicien*, conservé au Louvre, Inv. 32932; fig. 21) et la *Messe de saint Basile* de Subleyras (les deux œuvres sont accrochées côte-à-côte à Sainte-Marie-des-Anges) ne tourne pas au désavantage de celui-ci. Le statisme rigoureux de Subleyras, la noblesse de sa toile l'emportent sur le dynamisme quelque peu extérieur de la composition du maître de Lucques.

Le sujet n'a presque jamais été traité: saint Basile le Grand, un des quatre pères de l'Eglise grecque résistait à l'empereur Valens qui professait l'hérésie d'Arius. Le jour de l'Epiphanie, l'empereur décida de se rendre à la messe que célébrait le futur saint. Ce spectacle sacré lui fit une telle impression qu'il s'évanouit «presque». C'est le moment choisi par Subleyras: pendant l'offertoire de la messe, un diacre tend au saint le calice; sur la gauche des serviteurs apportent les offrandes de Valens alors que sur la droite l'empereur, ébloui par la messe et troublé par l'indifférence de l'évêque à ses offrandes, vacille et glisse entre les bras de ses gardes.

L'on s'est longtemps interrogé sur l'origine iconographique d'un sujet rarement abordé par les peintres. Si la *Communion de saint Jérôme* du Dominiquin est souvent citée, Jorg Garms a montré (1973, pp. 42-43) que Subleyras s'est inspiré de la composition de Muziano (connue par une gravure de Jacques Callot (1592?-1635) Lieure II/I, 44), mais aussi qu'il a fidèlement suivi le récit de Grégoire de Nazianze (*Discours funèbre en l'honneur du Grand Basile*, ch. 52). Il a aussi pu connaître un dessin de Luigi Vanvitelli (fig. 22; Naples, Museo di San Martino, n° 654) qui, dès 1732, avait projeté pour Saint-Pierre un tableau de ce sujet.

Le succès de l'œuvre n'empêcha pas certaines critiques: la plus importante se lit sous la plume de Ferdinand Delamonce (1753, publié en 1981 par M.F. Pérez). L'auteur reproche à Subleyras le trop grand «nombre de figures vêtues de blanc» (!). Mariette, (après 1749, éd. 1858-59, p. 278) comme Lalande (1769 p. 384) critiquent «la figure du roi qui est sur le devant» (que Mariette appelle, par une confusion révélatrice, Théodose) qu'ils trouvent «singulièrement pensée et indécise», mais considèrent le tableau comme «un morceau accompli»; «c'est la seule chose qui déprise le tableau». Pasqualoni est sans réserve et sa description de l'œuvre témoigne de son admiration inconditionnelle alors que celui des *Memorie* préfère l'esquisse, le groupe de l'empereur Valens notamment «peint dans la manière de Rubens», au tableau achevé dans lequel il admire «la vasta massa di bianco» du second plan.

Fig. 1
Gabriel de Saint-Aubin,
La Messe de saint Basile,
Paris, Petit Palais.

Fig. 2
La Messe de saint Basile,
Rome, église Sainte-Marie-des-Anges.

La critique moderne ne s'est pas plus attardée sur le grand tableau que sur les esquisses. Pour Gautier (1882, p. 179), le *Saint Basile* «se rattache à la grande tradition italienne avec une pointe d'originalité française». Plus récemment, L. Gillet (1934, p. 285), rapprochant une nouvelle fois Subleyras et Chardin, pouvait écrire que «le grand maître religieux, ce ne serait pas l'auteur ... de la *Messe de saint Basile*, mais celui du *Bénédicité* ...», alors que, d'une manière plus équitable, Salerno (1959, p. 210) compare l'«idealità» de Subleyras à celle du Guide. Stuffmann (1971) admire la monumentalité de l'œuvre, son lyrisme, l'intégration des figures dans l'architecture et la multiplicité des tons blancs et Wakefield (1984) apprécie la gravité de la composition et la sobriété des attitudes pleines de force.

Si le tableau n'emporte pas entièrement l'adhésion — reconnaissons-le — c'est bien entendu parce que le sujet, épisode peu connu de l'histoire chrétienne, est de ceux qu'il est particulièrement difficile de transcrire sur la toile.

L'artiste tente bien d'en rendre la lecture la plus claire possible: il n'y réussit qu'à moitié: le geste du diacre qui refuse les offrandes, l'attitude empruntée et si peu naturelle de l'empereur ne prennent leur pleine signification qu'à la lecture du texte écrit. On ajoutera, outre qu'il était surchargé de commandes, que lorsqu'il exécute son tableau, Subleyras était déjà gravement atteint par la maladie.

On n'en manquera pas moins d'admirer la puissance de la composition et sa noblesse. Subleyras fuit et fige le mouvement; il fuit — volontairement bien entendu — la courbe, la profondeur, l'émotion à fleur de peau. Plus qu'à Sainte-Marie-des-Anges où cependant le tableau l'emporte sur ceux de ses rivaux, c'est à Saint-Pierre que l'œuvre transposée en mosaïque prend tout son sens: au voisinage du *Saint Erasme* de Poussin peint avec la même économie de moyens et dans la même gamme de bleus, de rouges et de blancs, la grande composition de Subleyras témoigne, à sa manière «anti baroque», de la volonté lucide d'un artiste pour lequel le style, un style parfaitement maîtrisé, l'emporte toujours sur le narratif, le pittoresque et l'exécution facile.

Provenance

Coll. la Curne de Saint-Palaye en 1753; coll. Louis-Antoine Crozat, baron de Thiers (1699-1770); décrit par La Curne de Saint-Palaye dans son cat., 1755, pp. 56-57; dessiné par Gabriel de Saint-Aubin en marge de son exemplaire conservé aujourd'hui au Petit Palais à Paris (fig. 1; dessin reproduit par Dacier, 1909; l'annotation à la plume sur le cat. : « Ce tableau a passé à M. de Baussette, puis, en 1777, à Baujeon, banquier de la cour pour 6 800 l. » est erronée); acquis en bloc avec la coll. Crozat par Catherine la Grande en 1772; à l'Ermitage depuis cette date.

Bibliographie

(du seul tableau de l'Ermitage; la composition est citée par tous les biographes de Subleyras).
Observations sur les ouvrages de MM. de l'Académie..., Paris, 1753, pp. 141-143; cat. musée, 177(4?), n° 1020; *Memorie*, 1786, p. XXXV (?); Lejeune, 1865, t. III, p. 319; cat. musée (Waagen), 1870, p. 301; Dussieux, 1876, p. 580; cat. musée (Somov), 1908 (et 1916), III, p. 84, n° 1477; Dacier, 1909, pp. 62-63 et p. 56 du *fac-simile*; R. p. 198; A. 46; Réau, 1928, pp. 216-217, n° 334; cat. Ermitage, 1958, I, p. 341, ill.; Stuffmann, 1968, p. 134, n° 173; cat. musée (Nemilova), 1982, n° 317, ill.; Hutter, 1985.

Œuvres en rapport

Il existe de nombreuses études, esquisses, versions d'atelier ou copies de la *Messe de saint Basile*. On peut classer celles que nous connaissons directement ou par la photographie en *trois* groupes bien distincts : celles qui dérivent du tableau achevé de Sainte-Marie-des-Anges (fig. 2) ou de la mosaï-

Fig. 3
La Messe de saint Basile (mosaïque),
Rome, Saint-Pierre.

Fig. 4
Subleyras (atelier),
La Messe de saint Basile,
New York, commerce d'art.

Fig. 5
Subleyras (d'après),
La Messe de saint Basile,
localisation inconnue.

Fig. 6
La Messe de saint Basile,
Vienne, Akademie.

Fig. 8
Subleyras (d'après),
La Messe de saint Basile,
Aix-en-Provence,
musée Granet.

Fig. 7
Subleyras (d'après),
La Messe de saint Basile,
Paray-le-Monial, musée du Hiéron.

Fig. 9
Subleyras (d'après),
La Messe de saint Basile,
Milan, Ambrosienne.

que de Saint-Pierre (*groupe A*), celles, les plus nombreuses, qui s'inspirent ou copient directement les tableaux de l'Ermitage (n° 116) ou d'une collection privée française (n° 117) (*groupe B*), et enfin (*groupe C*) celles qu'il faut rapprocher de l'étude du Louvre (n° 118).
On rappellera que Subleyras avait conservé une esquisse de son tableau, que cette esquisse qu'il a tenu à faire figurer sur l'*Atelier* de Vienne (pl. en couleurs en frontispice du cat.; Poch-Kalous, 1969, fig. 7) fait partie du groupe B et que, selon l'auteur des *Memorie* parus en 1786, cette esquisse, qui appartenait aux enfants de l'artiste, « più non si trova ». Se confond-elle avec celle de l'Ermitage, avec celle d'une coll. privée française ou encore avec celle, signée et datée de 1746, passée en vente en 1891 à Paris?

Tableaux (dont nous possédons les reproductions photographiques):

A) — Rome, église Sainte-Marie-des-Anges, (fig. 2; H. 740; L. 430; signé et daté 1747) cité par tous les guides de Rome et par tous les auteurs qui ont écrit sur Subleyras. Peint pour Saint-Pierre de Rome, commandé par contrat du 13 décembre 1743 et présenté à Saint-Pierre le 16 janvier 1748, remplacé par une copie en mosaïque (fig. 3) et mis en place à Sainte-Marie-des-Anges en 1752; — commerce à New York en 1984 (fig. 4; T. H. 136; L. 102,5);
— vente à Venise, Semenzato, 1er juin 1985, n° 74, ill. (T.H. 101; L. 76);
— vente Rome, Christie's, 15 octobre 1970, n° 120, ill., puis Milan, FinArte, 28-29 avril 1977, n° 18, ill. (fig. 5; T. H. 41 ou 43; L. 23 ou 26);

B) — Leningrad, musée de l'Ermitage (*n° 116*), mentionné depuis 1753;
— France, coll. privée (*n° 117*);
— Vienne, Akademie der bildenden Künste (fig. 6; T. H. 138; L. 80) provient de la coll. du comte Anton Lamberg-Sprinzenstein, légué en 1822; fera prochainement l'objet d'un article du prof. H. Hutter; proviendrait, selon Frimmel, 1901, p. 187, de la coll. du prince Paul Esterhazy;
— Paray-le-Monial, musée du Hiéron (fig. 7; T. H. 100; L. 65);
— Aix-en-Provence, musée Granet (fig. 8; T. H. 131; L. 78);
— Milan, Ambrosienne (fig. 9; T. H. 145; L. 85);
— commerce à Londres en 1976 (fig. 10; T. H. 128; L. 75; proviendrait, selon le cat. de la vente Sotheby's du 16 juillet 1980, n° 58, ill., de la coll. du cardinal Valenti Gonzaga);
— vente Londres, Christie's, 7 juillet 1978, n° 152, ill., et 18 mai 1979, n° 20, ill. (fig. 11; T. H. 134, 6; L. 75);
— Paris, coll. privée, (fig. 12; provient d'une vente du 3 décembre 1963, salle 10, n° 42);
— Paris, coll. privée; provient d'une vente à Rome, l'Antonina, 25 juin 1974, n° 1782; (fig. 13; B. H. 27; L. 20, avec de considérables variantes par rapport aux autres œuvres de ce groupe);
— vente Londres, Christie's, 22 septembre 1975, n° 574, ill. (fig. 14; T. H. 178; L. 74; copie par James Clark; voir F. Russell, 1976, p. 700 et fig. 41 et les informations fournies par Brinsley Ford au rédacteur du cat. de Christie's: J. Clark avait copié en 1772 pour sir James Grant le tableau de Subleyras alors dans la coll. Baronelli à Naples);

C) — Paris, musée du Louvre (*n° 118*); mentionné depuis 1755.

Fig. 10
Subleyras (atelier),
La Messe de saint Basile,
Londres, commerce d'art.

Fig. 11
Subleyras (d'après),
La Messe de saint Basile,
localisation inconnue.

Fig. 12
Subleyras (d'après),
La Messe de saint Basile, Paris, coll. privée.

Fig. 13
Subleyras (atelier),
La Messe de saint Basile, Paris, coll. privée.

Fig. 14
James Clark,
La Messe de saint Basile,
localisation inconnue.

— Londres, commerce d'art en 1972; proviendrait de la coll. Serra à Naples (fig. 15; T. H. 41,5; L. 33).
Mentions de ventes :
— vente W.Y. Ottley, Londres, Christie's, 25 mai 1811, n° 7 (invendu à six livres);
— vente baron de S[ivry], Paris, 11-14 février 1840, n° 239 («il a été acheté directement au prince de Stigliano»);
— vente F.***, de Bordeaux, Paris, 27 décembre 1855, n° 7;

Fig. 15
Subleyras (pastiche),
La Messe de saint Basile, Londres, commerce d'art.

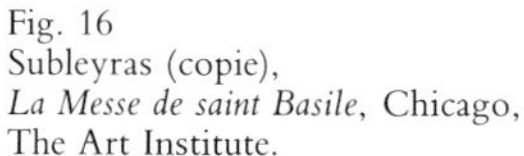

Fig. 16
Subleyras (copie),
La Messe de saint Basile, Chicago, The Art Institute.

Fig. 17
E.I. Tchouksine,
La Messe de saint Basile,
Leningrad,
musée de l'Académie des Beaux-Arts.

— vente feu M. Dufayet, Paris, 16-17 décembre 1874, n° 41;
— vente Paris, 27 février 1884, n° 60;
— vente «collection d'un Amateur», Paris, 8 mai 1891, n° 77 (T. H. 137; L. 79; «cette réduction... porte la signature du peintre et la date de 1746»).

Etudes de détails pour la Messe de saint Basile :
Pour les tableaux d'Orléans, de Leningrad, d'Agen, de l'Académie de Vienne et de deux coll. privées, voir n°s 119, 120, 121 et 122.
Enfin, A. (47) mentionne une esquisse à la pinacothèque de Munich qui semble n'avoir jamais existé. Nous ignorons à quelle œuvre précise Matthiae (1982, p. 79; «bozzetto di una collezione romana») fait allusion.

Dessins :
— Pour les dessins de Besançon et du Louvre, voir n°s 123 et 124.
— Une copie minutieuse (en vue de la gravure?) d'après le tableau de Sainte-Marie-des-Anges appartient à l'Art Institute de Chicago (groupe A) (fig. 16; The Leonora Hull Gurley Memorial Collection, 22.1064; marque Lugt 1230[b] en bas à gauche; pierre noire; H. 470 mm; L. 284 mm).
— Une copie très poussée d'après l'esquisse du Louvre (groupe C) est conservée au musée de l'Académie des Beaux-Arts de Léningrad (fig. 17; signalée par son conservateur, Mme Safanialiev). Elle revient vraisemblablement à E.I. Tchouksine (voir rubrique *Œuvres en rapport, gravures*), qui grava ce tableau en 1800.
Une «première pensée du tableau exécuté en mosaïque dans l'église Saint-Pierre de Rome» passe à la vente après décès Silvestre, 28 février-25 mars 1811, partie du n° 541, un «Saint Basile, Beau dessin sur papier gris» à la vente de «feu M.M.P. et J. de Hauregard», 4-7 avril 1864, n° 225 et enfin la vente Filippo Pirri à Rome du 21-26 janvier 1889 mentionne deux dessins de ce sujet, n° 60, pierre noire avec rehauts de craie, H. 29; L. 20, «prima idea molto variata» et n° 61, H. 30; L. 20, «del medesimo soggetto ma di più accurata esecuzione». Le dessin Silvestre et Hauregard a des chances de ne faire qu'un avec celui de Besançon.
Un dessin à la plume et au lavis sur préparation à la pierre noire (fig. 18; H. 505 mm; L. 300 mm) vient d'être découvert à New York (coll. Margot Gordon). A cause des variantes considérables, notamment dans la partie droite de la composition, entre ce dessin et les différentes versions du tableau, nous ne pouvons en accepter l'attribution.

Gravures :
La gravure de Domenico Cunego (fig. 19), mentionnée par les *Memorie*, 1786, p. XXXVI, date de 1777. Elle a été faite d'après la mosaïque de Saint-Pierre (groupe A).
Une gravure de E.I. Tchouksine (1780-1817) d'après l'étude du Louvre (groupe C) nous a été signalée par I. Nemilova (fig. 20). Intitulée «Saint Ambroise arrêtant l'empereur Théodose» (!), elle valut à Tchouksine une «médaille d'argent du deuxième grade» en 1800. Elle est reproduite par Rovinski, 1895, II, pp. 1167-1168 (Y. Zolotov comm. écrite). Le dessin préparatoire de l'artiste pour cette gravure est très vraisemblablement celui qui appartient aujourd'hui au musée de l'Académie des Beaux-Arts de Leningrad (voir rubrique *Œuvres en rapport*).

Fig. 18
Anonyme,
La Messe de saint Basile,
New York, commerce d'art.

Fig. 19
D. Cunego,
La Messe de saint Basile, Rome, G.N.S.

Fig. 20
E.I. Tchouksine,
La Messe de saint Basile,
Leningrad, musée de
l'Académie des Beaux-Arts.

Fig. 21
La chute de Simon
le Magicien,
Paris, musée du Louvre,
Cabinet des dessins.

Fig. 22
L. Vanvitelli,
La Messe de saint Basile,
Naples, musée
de San Martino.

117

La Messe de saint Basile

Toile cintrée dans le haut.
H. 141,3; L. 82,4.
France, collection privée.

L'esquisse est en tous points identique à celle de l'Ermitage (n° 116). Si l'on accepte l'idée que celle-ci, propriété de Crozat de Thiers, dès 1755, ne peut se confondre avec celle que les enfants Subleyras avaient gardée et vendue (peu?) avant 1786, on serait tenté d'admettre que cette œuvre illustre se confond avec l'œuvre inédite que nous exposons ici.

On se souviendra cependant (voir rubrique *Œuvres en rapport*) qu'une « réduction » de la *Messe de saint Basile*, signée et datée de 1746, est passée en vente en 1891. Cette œuvre n'est aujourd'hui plus connue. Ne pourrait-elle pas, elle aussi, prétendre au statut d'esquisse de la collection Subleyras?

En tout cas l'esquisse de Leningrad et sa version française ont été répétées à de très nombreuses reprises. Si certaines sont clairement des travaux d'atelier (Académie de Vienne, Aix-en-Provence, Ambrosienne à Milan...), d'autres, des copies (Paray-le-Monial) dont on connaît parfois l'auteur (le peintre anglais James Clark par exemple copie en 1772 une esquisse alors dans une collection privée napolitaine), il est souvent difficile de préciser le statut exact de ces répétitions, de déterminer l'importance de la participation du maître et celle de ses élèves. Est-il pensable par exemple que l'esquisse qui provenait (ou passait pour provenir) de la collection du cardinal Valenti Gonzaga, dont on sait le rôle dans la commande du tableau de Saint-Pierre (Fontenay, 1776, II, p. 591, nous apprend que le cardinal rendit plusieurs visites à l'atelier du peintre), ne soit pas entièrement de la main de Subleyras? Mais comment expliquer qu'elle ne soit pas mentionnée dans l'inventaire de la collection du cardinal (Pietrangeli 1961)?

Nous pensons en tout cas que la confrontation de l'esquisse russe et de la version française de la *Messe de saint Basile* pourrait aider à résoudre ce qui reste un des problèmes majeurs de l'œuvre de Subleyras: est-il possible de distinguer entre une esquisse préparatoire originale et une « répétition » autographe? Nous espérons que la comparaison entre les deux œuvres le permettra.

Provenance

Pour la provenance du tableau, voir notice 116. Appartient à la même collection depuis 1930 environ.

Bibliographie

Inédit.

Œuvres en rapport

Voir notice 116.

118
Pl. XVI

La Messe de saint Basile

Toile cintrée dans le haut.
H. 134; L. 78.
Paris, musée du Louvre (Inv. 8004).

Le tableau du Louvre offre des variantes aussi bien avec le tableau de Saint-Pierre qu'avec les esquisses russe et française (n°s 116 à 118). Outre l'architecture, ce sont surtout les groupes du premier plan qui ont été modifiés: à gauche un diacre refuse de bénir les pains (voir n° 122), sur la droite l'empereur Valens, sans couronne, est soutenu par plusieurs serviteurs, etc. L'étude du Louvre, à notre avis antérieure aux deux citées précédemment, a été assez rarement copiée (voir rubrique *Œuvres en rapport*; un tableau, un dessin, une gravure): elle ne peut en aucun cas se confondre avec celle que Subleyras avait gardée par devers soi telle qu'elle se voit sur la description peinte de son *Atelier* (planche en couleurs en frontispice du catalogue).

Si la suppression de certains personnages, comme par exemple celle du porteur de flabellum au beau visage inspiré, au centre de la composition, est regrettable, il faut convenir que la toile du Louvre n'a pas la lisibilité, la clarté de l'œuvre achevée: l'idée du contraste entre un premier plan plongé dans la pénombre et la scène principale, la messe elle-même, vivement éclairée par la lumière céleste, n'est pas suffisamment marquée et n'est pas encore parfaitement maîtrisée. En outre, l'œil est distrait par de trop nombreux détails.

Mais déjà Subleyras réussit le tour de force de nous faire comprendre la scène et d'en décrire l'atmosphère de calme dignité et d'émotion contenue avec cette simplicité et cette réserve naturelle, en réaction aux tendances expressives ou déclamatoires de tant de peintres romains contemporains.

On remarquera que Subleyras a incorporé au centre de sa composition, dans la partie supérieure, les armes de Benoît XIV, ce qui se justifie parfaitement lorsqu'on se souvient du rôle joué par le pape dans la commande de l'œuvre. Peut-être Subleyras avait-il offert cet exemplaire de sa composition au souverain pontife.

On sera enfin sensible à certaines trouvailles de couleurs, auxquelles l'artiste renoncera dans ses autres esquisses et sur sa composition définitive (comme par exemple les parements rose-lilas qui ornent les habits sacerdotaux des officiants entièrement vêtus de blanc dans les autres versions de l'œuvre).

Provenance

Le fait que le tableau porte en haut au centre les armes de Benoît XIV pourrait indiquer qu'il avait été donné au pape par Subleyras.
Coll. Randon de Boisset, « Receveur Général des Finances », sa vente, 27 février 1777, n° 181; acquis, par l'intermédiaire de l'expert Rémy, pour le roi, pour 6 799 livres, 19 sols (à la suite de Nagler (1847, XVII, p. 537), on répète que l'esquisse Randon de Boisset appartenait en 1753 à M. de la Curne (ou Decurne, selon A.). En fait l'esquisse la Curne est celle aujourd'hui à l'Ermitage (voir notre n° précédent)); au Pavillon Neuf du Louvre au début de 1785 (voir Engerand et aussi Archives des Musées 1DD1, p. 53, n° 171); exposé au Louvre à sa création en 1792-93, à Versailles en 1802 (« *La Messe Blanche* »); de retour au Louvre en 1811.

Expositions

Paris, 1960, n° 690; Rennes et autres lieux, 1964-65, n° 36; Pékin-Shangaï, 1982, n° 40, ill.

Bibliographie (du tableau du Louvre):
Joullain, 1786, p. 184; cat. musée (Versailles), 1802, n° 244; Nagler, 1847, XVII, p. 537; cat. musée (Villot), 1855, n° 508; Blanc, 1857, I, pp. 361-362; Blanc, 1865, pp. 6 et 8; Lavice, 1870, p. 208; G[uiffrey], 1879, p. 427; Gautier, 1882, p. 179; Engerand, 1900, pp. 541, 582-583; Tuetey et Guiffrey, 1909, p. 394, n° 265; Locquin, 1912, p. 68; cat. musée (Brière), 1924, n° 857; R. p. 198; G. p. 24; Réau, 1925, p. 32 et pl. XXIV, 1; A. 44, pl. 13; Réau, 1956, III, I, p. 186; Gadille, 1972, ill. entre pp. 30 et 31; cat. musée (Rosenberg, Reynaud, Compin), 1974, n° 789, ill.; Rosenberg, dans cat. exp. Paris, 1974, p. 110; Hutter, 1981, non paginé, fig. 25; Wakefield, 1984, p. 97 et fig. 113.

Œuvres en rapport

Voir notices 116 et 117.

119

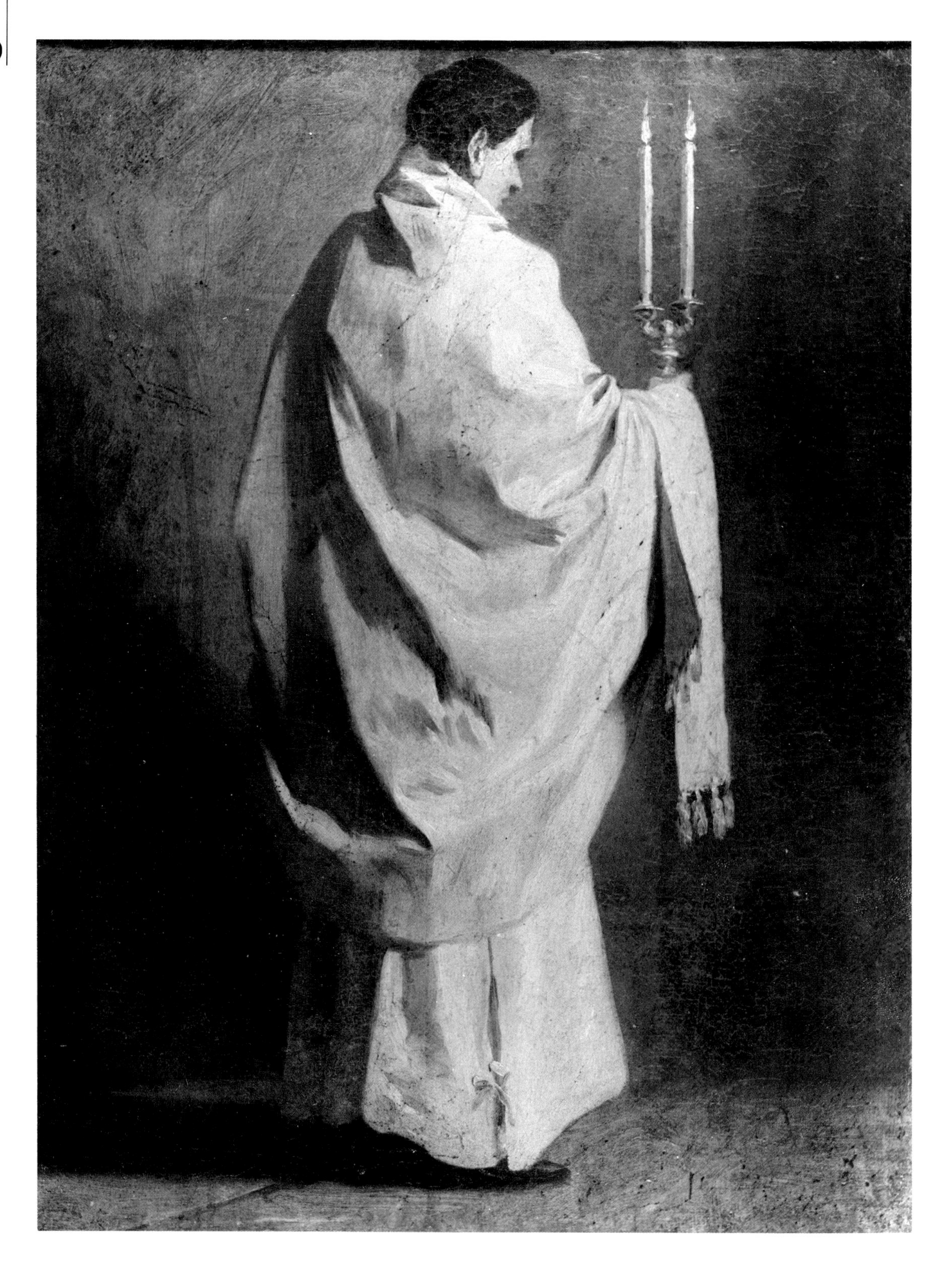

Diacre portant un chandelier

Toile H. 47,5; L. 37,5.
Orléans, musée des Beaux-Arts.

Les deux études d'Orléans (voir n° suivant) sont célèbres depuis le XIXe siècle. Déjà admirées par Clément de Ris, elles ont la préférence de ceux que les tableaux à sujet religieux que Subleyras traite avec prédilection indisposent. Sur le tableau de Saint-Pierre, le diacre qui tient un chandelier est à la droite de saint Basile. Il paraît, selon la pratique de l'artiste, plus âgé que sur l'esquisse d'Orléans.

Si Wakefield (1984) est avant tout sensible à la « quiet intensity of religious fervour » des deux œuvres, il nous semble que l'artiste a voulu surtout faire la démonstration de ses talents: il avait, comme tous les pensionnaires à l'Académie, dessiné de nombreuses études de draperies: sur le tableau d'Orléans, la leçon transcrite en peinture n'est pas perdue. Il insiste sur chaque pli des vêtements sacerdotaux, leur donne, à l'imitation de la sculpture, leur solidité et leur poids juste. La délicatesse de l'exécution, la qualité des blancs, le raffinement de l'accord argent-blanc expliquent que les deux œuvres aient porté le nom de Zurbaran au moment de leur entrée au musée d'Orléans.

Les deux études d'Orléans nous instruisent encore sur la méthode de travail de Subleyras. Très vraisemblablement exécutées d'après le modèle, l'artiste, à partir d'une observation minutieuse de la réalité, élimine le détail au profit d'une stylisation d'une grande rigueur.

Provenance

Coll. du peintre Charles-Joseph Natoire (1700-1777), sa vente après décès, Paris, 14 décembre 1778, n° 24: « Deux Etudes de Diacres pour le Tableau qui est placé dans l'Eglise de Saint Pierre à Rome »; dessiné par G. de Saint Aubin (1724-1780), en marge de son exemplaire du cat. de la vente (Dacier, 1913); acquis par « Julien » pour « 30 livres » (300 livres, selon l'exemplaire du cat. de la Bibliothèque d'Art et d'Archéologie de Paris); coll. du sculpteur Julien (1737-1804), sa vente après décès le 28 ventôse An XIII (19 mars 1805), n° 40: « Deux Etudes d'Acolytes... »; coll. J.-B. Le Brun, sa vente après décès, 23 mai 1814, n° 147: « Ces deux personnages, artistement drapés, paraissent marcher à l'autel et pénétrés de dévotion »; don du peintre Sébastien Louis Guillaume Norblin (1796-1884) au musée d'Orléans entre 1843 et 1851.

Expositions

Bordeaux, 1959, n° 160, pl. 18; Tokyo, 1969, n° 34, ill.

Bibliographie

Cat. musée, 1851, n° 248; Clément de Ris, 1859, p. 291; cat. vente « M. Auvray, d'Olivet », Paris, 7 mai 1868, n° 37 (« La Circoncision (Esquisse). Ce tableau provient du cloître de Saint-Benoît d'Orléans et est de la même suite que les deux esquisses qui sont au Musée d'Orléans... ». T. H. 94; L. 120); Clément de Ris, 1872, p. 360; cat. musée, 1876, p. 143, n° 390; Dacier, 1913, VIII, p. 60 et p. 10 du *fac simile*; G. p. 30; A. 50; cat. musée (O'Neill), 1981, n° 173, ill.; Wakefield, 1984, p. 97, fig. 114.

Œuvres en rapport

Voir notice 116 (et aussi, pour le pendant, les notices 120 et 121).

Diacre tenant un calice

Huile sur papier (et non toile). H. 46,5; L. 36.
Orléans, musée des Beaux-Arts.

Étude pour le diacre qui présente un calice à saint Basile : sur le tableau définitif, le modèle est tonsuré.

Provenance

Voir la notice précédente.

Expositions

Bordeaux, 1959, n° 160, pl. 19; Bruxelles, 1975, n° 35, ill. p. 81.

Bibliographie

(Voir notice précédente).
Cat. musée, 1851, n° 248; Clément de Ris, 1859, p. 291; Clément de Ris, 1872, p. 360; cat. musée, 1876, p. 143, n° 389; G. p. 30 et pl. p. 19; A. 49; cat. musée (O'Neill), 1981, n° 174, ill.; Wakefield, 1984, p. 97, fig. 115.

Œuvres en rapport

Voir la notice 116.
Voir également les notices précédente et suivante.

121

Diacre tenant un calice

Toile H. 43,5; L. 26,5.
Leningrad, musée de l'Ermitage (Inv. 3515).

L'esquisse de Leningrad est identique, à quelques détails près, à celle d'Orléans (nº 120), qui est, cependant, plus large de dimensions : mais la touche est plus nerveuse, les ombres plus contrastées, sans doute parce qu'elle est peinte sur une grosse toile dont on distingue le grain, et non sur papier.

Provenance

Coll. de feu M. Armand-Frédéric Ernest Nogaret, sa vente 6 avril 1807, nº 36: «Un diacre portant un calice», T. H. 40; L. 28 (?); coll. M. M*** de N* (de Nolkens et autres...), 6-9 mars 1816, nº 56: «Un chartreux portant un calice» (?); coll. E.K. Liphardt, offerte à l'Ermitage en 1910.

Expositions

Moscou-Leningrad, 1955-56, s.n.; Bordeaux, 1965, nº 35; Paris, 1965-66, nº 34, ill.

Bibliographie

Cat. musée (Somov), 1908 (et 1916), III, nº 1477a; cat. musée, 1958, I, p. 341, nº 3515, ill.; *Pantheon*, 1965, VI, p. 416, ill.; cat. musée (Nemilova), 1982, nº 318, ill.

Œuvres en rapport

Voir la notice générale (116) et aussi les deux notices précédentes.

L'offrande des pains

Toile H. 72; L. 58.
Agen, musée des Beaux-Arts.

La belle étude d'Agen témoigne une nouvelle fois de ce sens du rythme et de l'équilibre que Subleyras sait si bien donner à ses groupes. Par un habile jeu de contrepoints, l'artiste fait d'une banale composition pyramidale un chef-d'œuvre de simplicité classique, bien plus dans la tradition d'un Le Sueur ou d'un Guido Reni que dans le goût de ses rivaux romains Masucci ou même Benefial.

Nous l'avons dit plus haut, avant de peindre la *Messe de saint Basile*, Subleyras réalisa plusieurs esquisses préparatoires. Tout porte à croire qu'il peignit en premier celle du Louvre. Sur la gauche de celle-ci se voit un groupe de trois figures: un jeune diacre refusant de bénir les pains que portent un garçonnet agenouillé et un robuste serviteur dont, au premier plan, l'épaule musclée, semble trouer la toile. Si dans l'œuvre définitive, Subleyras conserve les porteurs de pains, il devait modifier la position du diacre qui cachait par trop le saint dont il réduisait excessivement le rôle.

Mais avant de prendre cette décision, Subleyras réalisa une étude de détail du groupe: la version d'Agen, qui a souffert, nous semble sans conteste revenir à l'artiste, alors que les deux autres exemplaires copiés sur le tableau d'Agen — sur l'esquisse du Louvre, la paume de la main du diacre est tournée vers le sol alors que sur celle d'Agen ainsi que sur les répliques elle est tournée vers le ciel — nous paraissent revenir à son atelier: sur celle de Vienne, les pains sont informes, les plis sans grande vigueur, les profils imprécis, alors que l'expression doucereuse du visage du diacre, la matière comme émaillée, porcelainée, du torse du serviteur de la troisième version n'ont rien à voir avec ce que nous savons du métier du peintre.

Fig. 1
Subleyras (atelier),
L'offrande des pains,
localisation inconnue.

Fig. 2
Subleyras (atelier),
L'offrande des pains,
Vienne, Akademie.

Provenance

Anc. coll. des ducs d'Aiguillon confisquée le 18 septembre 1792; la coll. fut d'abord déposée à la préfecture du Lot-et-Garonne, avant d'être donnée à la Société archéologique par le préfet du département, M. de Villeneuve Bargemont.

Expositions

Agen, 1863, n° 6; Toulouse, 1954-55, p. 46, n° 94.

Bibliographie

(Souvent cité dans les notices sur le tableau ou les principales esquisses.) Cat. musée, 1880, n° 22; Momméja, 1899, pp. 522-524; A. 48.

Œuvres en rapport

Nous connaissons deux autres versions du tableau d'Agen: une première, passée en vente chez Sotheby's, le 13 novembre 1968, n° 177A, puis le 11 décembre 1974, n° 38, a été exposée à Munich, à la galerie Grünwald en 1977-78 (n° 25, ill.; T. H. 79; L. 68,5; fig. 1); une seconde, à Londres chez Weitzner en 1967, est passée en vente à Vienne au Dorotheum les 22-25 mai 1973 (n° 138 du cat., pl. 55). Elle a été offerte à l'Akademie der bildenden Künste à Vienne par la Galerie St. Lucas en 1979 (Hutter, 1981, pl. 26 en couleurs; T. H. 81,5; L. 64,5); l'une et l'autre de ces versions nous paraissent être des répétitions d'atelier de l'original d'Agen.

La messe de saint Basile

Pierre noire et rehauts de blanc sur papier gris.
H. 366 mm; L. 253 mm.
Besançon, musée des Beaux-Arts et d'Archéologie (D. 1731).

Première pensée pour la *Messe de saint Basile*, très éloignée de la composition définitive: alors que le saint célèbre la messe, l'empereur, au premier plan, glisse évanoui, retenu par deux serviteurs. Sur la droite, un jeune moine se retourne vers lui.

Le dessin est caractéristique des recherches et de la technique de Subleyras: l'artiste aime à revenir sur son trait, à le souligner par des accents vigoureux et cassés. Il néglige les courbes, insiste sur les volumes et cherche avant tout à dégager les grandes lignes de sa composition.

Provenance

Anc. coll. du peintre Jean Gigoux léguée au musée de Besançon en 1894-96 (sa marque, Lugt 1164, en bas à gauche). Vraisemblablement le dessin des ventes Silvestre (1811) et Hauregard (1864), mentionné plus haut dans la rubrique *Œuvres en rapport, dessins* de la notice 116.

Bibliographie

Cat. exp. Paris, 1983, sous le n° 98.

Œuvres en rapport

Pour la composition, voir notice 116.
Pour le dessin du Louvre, voir la notice suivante.
Pour les autres dessins de même sujet, voir notice 116, rubrique *dessins*.

124
ROME

La Messe de saint Basile

Pierre noire,
rehauts de blanc sur papier bleu.
H. 261 mm; L. 163 mm, cintré dans le haut; des traits à la pierre noire et à la craie blanche encadrent la composition.
Paris, musée du Louvre,
Cabinet des dessins (Inv. 32938).

Recherche pour la *Messe de saint Basile*, mais avec de bien plus nombreux participants que sur le tableau définitif: les principaux groupes — le saint célébrant la messe, sur la droite l'empereur qui détourne la tête et sur la gauche les serviteurs qui apportent les présents — sont en place. Mais le saint occupe encore le centre de la composition. Visiblement, Subleyras, sur ce dessin qui doit dater de 1742-43, étudie une composition qui résume la scène et en expose avec clarté la signification.

Provenance

Coll. du comte d'Orsay (1748-1809, sa marque, Lugt 2239, en haut à gauche); entré au Louvre en 1793 (marque, Lugt 1886, en bas à droite).

Exposition

Paris, 1983, n° 98, ill. et p. 175 (Ors. 632).

Bibliographie

A. 30.

Œuvres en rapport

Pour la composition et pour les autres dessins pour ou d'après la *Messe de saint Basile*, voir notice 116.
Pour le dessin de Besançon, voir notice 123.

Subleyras eut la joie, avant de mourir,
de voir triompher sa *Messe de saint Basile* et
son talent reconnu de tous. Il peignit encore,
avant de succomber à la maladie, un tableau,
son chef-d'œuvre, représentant son *Atelier*.
Sur les murs, sur des chevalets, à même le sol,
se voient ses principales créations (se reporter à la
reproduction en couleurs en frontispice du
catalogue).
Testament artistique de Subleyras,
l'*Atelier* résume et conclut la carrière d'un
peintre raffiné et exigeant qui eut une haute idée
de son métier. Nous pensons qu'en dépit de
l'absence de l'*Atelier*, l'exposition et son catalogue
permettent de prendre en compte une carrière
exemplaire, son évolution, son ambition et
ses réussites.

Expositions

ABBEVILLE, 1897.
Exposition d'œuvres d'art et de curiosité du 11 au 25 juillet 1897, aperçu rétrospectif par Emile Delignières.

AGEN, 1863.
Exposition de peinture au concours régional de la ville d'Agen.

ALBUQUERQUE, 1980.
New Mexico Art Museum.
French eighteenth-Century oil sketches from an English collection.

AMSTERDAM, 1929, Rijksmuseum.
Catalogus van de tentoonstelling van oude kunst.

ANGERS, 1839.
Société d'agriculture, sciences et arts.
Notice de l'exposition de peinture et sculpture anciennes.

ATLANTA, 1983.
The Rococo age, French masterpieces of the eighteenth century, catalogue par E.M. Zafran.

BEAUVAIS-ANGERS-VALENCE, 1974-1975.
Jean Barbault 1718-1762, catalogue par Nathalie Volle et Pierre Rosenberg.

BERLIN, 1910.
Académie Royale des arts.
Exposition d'œuvres de l'art français au XVIIIe siècle.

BERNE, 1948.
Dessins français du XVIIIe siècle.

BÉZIERS, 1859,
Nouvelles salles de la mairie.
Exposition de peinture, d'objets d'art et d'antiquités.

BLOIS, 1875, Château de Blois.
Exposition rétrospective et moderne. Catalogue des objets d'art exposés.

BORDEAUX, 1958.
Paris et les ateliers provinciaux au XVIIIe siècle.

BORDEAUX, 1959.
La découverte de la lumière des primitifs aux impressionnistes, catalogue par Gilberte Martin-Méry.

BORDEAUX, 1965.
Chefs-d'œuvre de la peinture française dans les musées de l'Ermitage et de Moscou.

BORDEAUX, 1969.
L'Art et la musique.

BORDEAUX, 1980.
Les arts du théâtre de Watteau à Fragonard.

BOSTON, 1902, Copley Society.
Portraits and Pictures of Fair Women.

BRETEUIL, 1986, Château.
Un grand collectionneur sous Louis XV: Le cabinet de Jacques-Laure de Breteuil, Bailli de l'Ordre de Malte, 1723-1785.

BRUXELLES, 1975.
De Watteau à David, peintures et dessins des musées de province français.

BRUXELLES, 1983.
Dessins du XVe au XVIIIe siècle dans les collections privées de Belgique.

BRUXELLES, 1985, Galerie d'Arenberg.
Peintures, sculptures de maîtres anciens, sélection 1985.

BUCAREST, 1971.
Picturi celebri din muzeele parisulmi secolele XVIII-XX.

CAEN, 1980.
Dix ans d'enrichissement du Musée des beaux-arts et de la collection Mancel, peintures, estampes, objets d'art.

CARCASSONNE, 1859.
Exposition de peinture, d'objets d'art et d'antiquités.

CARCASSONE, 1938.
Exposition des chefs-d'œuvre du Musée de Carcassonne.

CAROUGE, 1986.
Bâtir une ville au siècle des lumières. Carouge: modèles et réalités.

CASTRES, 1971.
Les instruments à cordes chez les peintres et les luthiers.

CELANO, 1984-1985.
Una quadreria d'antiquariato, dipinti dal XVIe al XXe secolo, catalogue par Maurizio Marini.

CHOLET, 1973.
Pierre-Charles Trémolières, Cholet 1703 - Paris 1739, catalogue par J.F. Méjanès, Pierre Rosenberg et Jacques Vilain.

CHOLET, 1980-1981.
La peinture mythologique au XVIIIe siècle en France, catalogue par Bernard Fauchille.

COMPIÈGNE - AIX-EN-PROVENCE, 1977.
Don Quichotte vu par un peintre du XVIIIe siècle: Natoire.

COPENHAGUE, 1935,
Palais de Charlottenbourg.
L'art français au XVIIIe siècle.

DIJON, 1982.
La peinture dans la peinture.

DUNKERQUE-VALENCIENNES-LILLE, 1980.
La peinture française aux XVIIe et XVIIIe siècles.

DUSSELDORF, 1969-1970, Kunstmuseum.
Meisterzeichnungen der Sammlung Lambert Krahe.

EDIMBOURG, 1963,
National Gallery of Scotland.
Allan Ramsay, his masters and rivals.

FERRARE, 1981.
Un palazzo, un museo, la Pinacoteca nazionale di Palazzo dei diamanti, catalogue par Jadranka Bentini.

FLARAN, 1984.
La peinture de langue d'oc. Aspects de la peinture dans les sociétés de langue d'oc de 1700 à 1735, catalogue par Jean Penent.

FLORENCE, 1911.
Mostra del ritratto italiano dalla fine del secolo XVI all'anno 1861.

FLORENCE, 1968.
Musée des Offices, Cabinet des dessins.
Mostra di disegni francesi da Callot a Ingres, catalogue par Pierre Rosenberg.

FONTAINEBLEAU, 1920.
Société des amis de Fontainebleau.
Liste des objets exposés dans la salle du jeu de paume.

FRANCFORT-SUR-LE-MAIN, 1986.
Französische Zeichnungen im städetschen Kunsinstitut 1500 bis 1800.

HAMBOURG-COLOGNE-STUTTGART, 1958.
Französische Zeichnungen von den Anfängen bis zum Ende des 19. Jahrhunderts.

HARTFORD, 1965, Trinity College.
Austin Arts Center Opening Exhibition.

HARVARD UNIVERSITY, 1980.
Drawings for books illustration. The Hofer Collection, catalogue par David P. Becker.

HOUSTON, 1973-75,
Museum of fine arts.
French oil sketches from an English collection..., catalogue par J.P. Marandel.

KINGSTON UPON HULL, 1970.
William Constable as patron 1721-1791.

LEEDS, 1868.
National exhibition of works of arts at Leeds.

LONDRES, 1932, Royal Academy of Arts.
Commemorative catalogue of the exhibition of French art 1200-1900.

LONDRES, 1932, Royal Academy of Arts.
Exhibition of French art 1200-1900.

LONDRES, 1954,
Gallery Arthur Tooth and sons.
The Grand Tour, Italy 1700-1800.

LONDRES, 1954, Royal Academy of Arts.
European masters of the eighteenth century.

LONDRES, 1962,
Courtauld Institute Galleries.
A Selection of French Drawings from the Witt Collection.

LONDRES, 1962, Royal Academy of Arts.
Primitives to Picasso, an exhibition from municipal and university collections in Great Britain.

LONDRES, 1968, Royal Academy of Arts.
France in the eighteenth century.

LONDRES, 1969, Heim Gallery.
French portraits in painting and sculpture.

LYON-PARIS, 1980.
Soufflot et son temps.

MANNHEIM, 1976, Städtlisches Reiss-Museum.
Peter Anton Verschaffelt Zeichnungen im Reiss-Museum.

MARSEILLE, 1861. *Concours régional.*
Exposition régionale des Beaux-Arts.

MDINA (MALTE), 1982,
The Cathedral museum.
Antoine de Favray 1706-1798, an exhibition of paintings and drawings.

MILAN, 1910, Società per le belle arti.
Mostra di ritratti del Settecento.

MINNEAPOLIS, 1967.
Roman eighteenth century drawings from a private collection.

MONTPELLIER, 1979.
Le portrait à travers les collections du Musée Fabre, XVIIe, XVIIIe, XIXe siècles.

MONTRÉAL-QUÉBEC-OTTAWA-TORONTO, 1961-62.
Héritage de France. French painting 1610-1760.

MOSCOU-LENINGRAD, 1978.
Om Bammo do Dabuda (De Watteau à David, peinture du XVIIIe siècle des musées français).

MUNSTER, 1973.
Landesmuseum für Kunst und Kulturgeschichte.
Frankreich vor der Revolution (Le dessin français du XVIe au XVIIIe siècle vu à travers les collections du Musée des beaux-arts d'Orléans).

NAPLES, 1973-1974.
Disegni di Luigi Vanvitelli nelle collezioni pubbliche di Napoli e di Caserta, catalogue par Jörg Garms.

NAPLES, 1979-1980.
Civiltà del '700 a Napoli.

NEW YORK, 1943, Galerie Wildenstein.
Fashion in Hairdress, 1450-1943.

NEW YORK, 1961, Galerie Wildenstein.
Loan Exhibition of paintings and drawing masterpieces. A memorial Exhibition for Adèle R. Levy.

NEW YORK, 1967, Galerie Knoedler.
Masters of the Loaded Brush.

NEW YORK, 1978, Metropolitan Museum.
Artists in Rome in the 18th century, drawings and prints.

NICE-CLERMONT-FERRAND-NANCY, 1977.
Carle Vanloo, premier peintre du roi, Nice 1705-Paris 1765, catalogue par Marie-Catherine Sahut et Pierre Rosenberg.

NÎMES, 1863.
Exposition de l'art rétrospectif.

PARIS, 1860.
Catalogue de tableaux et dessins de l'école française principalement du XVIIIe siècle tirés des collections d'amateurs..., rédigé par M. Ph. Burty.

PARIS, 1878, Exposition Universelle.
Notice historique et analytique des peintures, sculptures... exposées dans les galeries des portraits nationaux au Palais du Trocadéro, par Henry Jouin.

PARIS, 1883, Galerie Georges-Petit.
L'art du XVIIIe siècle.

PARIS, 1933.
Exposition Goncourt organisée par la Gazette des beaux-arts (75e anniversaire de la fondation).

PARIS, 1934, Musée des Arts Décoratifs.
Les artistes français en Italie de Poussin à Renoir.

PARIS, 1935, Bibliothèque Nationale.
Troisième centenaire de l'Académie française.

PARIS, 1936, Musée des Arts Décoratifs.
La vigne et le vin dans l'art.

PARIS, 1946, Musée des Arts Décoratifs.
Les Goncourt et leur temps.

PARIS, 1950, Petit Palais.
La Vierge dans l'art français.

PARIS, 1958, Orangerie des Tuileries.
L'art français et l'Europe aux XVIIe et XVIIIe siècles.

PARIS, 1959, Galerie Heim.
Hommage à Chardin.

PARIS, 1960, Musée du Louvre.
700 tableaux de toutes les écoles antérieurs à 1800 tirés des réserves du Département des Peintures.

PARIS, 1961, Hôtel de Rohan.
Les Français à Rome.

PARIS, 1967,
Musée du Louvre, Cabinet des dessins.
Dessins français du XVIIIe siècle. Amis et contemporains de P.-J. Mariette.

PARIS, 1968, Galerie Cailleux.
Watteau et sa génération.

PARIS, 1974, Hôtel de la Monnaie.
Louis XV, un moment de perfection de l'art français.

PARIS, 1974-75, Musée du Louvre.
Renaissance du Musée de Brest. Acquisitions récentes.

PARIS, 1974-1975,
Musée du Louvre, Cabinet des dessins.
Dessins du Musée Atger conservés à la Bibliothèque de la Faculté de médecine de Montpellier.

PARIS, 1978,
Musée du Louvre, Cabinet des dessins.
Nouvelles attributions (Le petit journal des grandes expositions, n.s. n° 64).

PARIS, 1979,
Musée du Louvre, Département des peintures.
Le Louvre d'Hubert Robert, catalogue rédigé par Marie-Catherine Sahut.

PARIS, 1983,
Musée du Louvre, Cabinet des dessins.
Les collections du comte d'Orsay, dessins du Musée du Louvre, catalogue par Jean-François Méjanès.

PARIS, 1983,
Musée du Louvre, Département des peintures.
Nouvelles acquisitions 1980-1982.

PARIS, 1984, Musée du Louvre.
La donation Kaufmann et Schlageter au département des peintures, catalogue par Pierre Rosenberg.

PARIS, 1985-1986, Archives nationales.
Les Huguenots.

PARIS, 1986, Grand Palais.
François Boucher 1703-1770.

PARIS, 1986,
Musée National de la Légion d'Honneur.
Science et Technique au secours de l'Art.

PÉKIN-SHANGAÏ, 1982.
250 ans de peinture française. De Poussin à Courbet (1620-1870), catalogue par Cl. Constans, J.-P. Cuzin, S. Laveissière.

PÉRIGUEUX, 1864.
Exposition des beaux-arts de Périgueux.

PHILADELPHIE, 1980,
Philadelphia Museum of Art.
A Scholar Collects Selections from the Anthony Morris Clark Bequest.

POITIERS, 1887.
Catalogue de l'exposition artistique et archéologique ouverte le 14 mai 1887, fermée le 14 juillet.

PONTOISE, 1971-1972, Musée Tavet.
Aquarelles et dessins du musée de Pontoise.

RENNES-DIJON-CHAMBÉRY, 1964-1965.
Peintures françaises du XVIIIe siècle du Musée du Louvre.

RENNES, 1986, Musée des Beaux-Arts.
De Bassano à Greuze, Peintures italiennes des XVIIe et XVIIIe siècles du Musée des beaux-arts de Nîmes.

ROME, 1959.
Il Settecento a Roma.

ROME-MILAN, 1959-1960.
Il disegno francese da Fouquet a Toulouse-Lautrec.

ROME-TURIN, 1961.
L'Italia vista dai pittori francesi del XVIII e XIX secolo.

ROME, 1961, Palazzo Braschi.
I Francesi a Roma dal Rinascimento agli inizi del romanticismo.

ROME, 1962, Palazzo Venezia.
Il ritratto francese da Clouet a Degas.

ROME, 1966-67, Palazzo Braschi.
L'Accademia di Francia a Roma.

ROME, 1969, Palazzo Venezia.
Mostra dei restauri, 1969, XIII settimana dei Musei.

ROME, 1970,
Galleria nazionale d'arte antica.
Acquisti, doni, lasciti, restauri e recuperi 1962-1970.

ROME-PÉROUSE-SPOLÈTE, 1977.
Cento disegni dell'Accademia di belle arti di Perugia.

ROME, 1978,
Galleria nazionale d'arte moderna.
Vincenzo Camuccini, 1771-1844, bozzetti e disegni dallo studio dell'artista.

SAN DIEGO-
SAN FRANCISCO-SACRAMENTO-
SANTA BARBARA, 1967-1968.
French paintings from French museums XVII-XVIII centuries.

SAN FRANCISCO, 1940, Palace of fine arts.
Golden gate international exposition.

STORRS, 1973,
The William Benton museum of arts,
the University of Connecticut.
The Academy of Europe. Rome in the 18th century.

SWANSEA, 1962,
Glynn Vivian Art Gallery.
French Master Drawings.

TOKYO, 1969,
Musée national d'Art occidental.
Art français au XVIIIe siècle.

TOKYO-YAMAGUCHI-
NAGOYA-KAMAKURA, 1983.
Peintures françaises du XVIIe au XIXe siècle.

TOLEDO-CHICAGO-OTTAWA,
1975-1976.
The age of Louis XV, French painting 1710-1774, catalogue par Pierre Rosenberg.

TOULOUSE, 1887.
Exposition rétrospective des œuvres de peinture et de dessin des artistes toulousains, catalogue sommaire.

TOULOUSE, 1942, Musée des Augustins.
Peintres toulousains du XVIIe et du XVIIIe siècles.

TOULOUSE, 1946-1947,
Musée des Augustins.
L'âge d'or de la peinture toulousaine.

TOULOUSE, 1951, Musée Paul-Dupuy.
L'estampe toulousaine. Les graveurs en taille-douce de 1600 à 1800.

TOULOUSE, 1953, Musée Paul-Dupuy.
Le dessin toulousain de 1610 à 1730.

TOULOUSE, 1954-1955, Musée des Augustins.
L'Italie des peintres.

TOULOUSE, 1956, Musée Paul-Dupuy.
Les miniaturistes du Capitole de 1610 à 1790.

TOULOUSE, 1958, Musée des Augustins.
L'œuvre toulousaine et régionale du sculpteur François Lucas, 1736-1813.

TOULOUSE, 1959, Musée Paul-Dupuy.
L'estampe toulousaine aux XVIIe et XVIIIe siècles. La donation Regraffé de Miribel et les acquisitions nouvelles exposées à l'occasion du dixième anniversaire du musée.

TOULOUSE, 1969, Musée des Augustins.
Vingt ans d'acquisitions 1948-1968.

TROYES-NANCY-ROUEN, 1973.
La scène de genre et le portrait dans la peinture française du XVIIIe siècle.

TURIN, 1911, Exposition Internationale.
Rétrospective de la Section Française.

VENISE, 1959, Museo Correr.
Dipinti restaurati del '600 e '700.

VERSAILLES, 1937, Château.
Deux siècles de l'Histoire de France (1589-1789). Centenaire du musée de Versailles (1837-1937).

WASHINGTON, 1962, National Gallery.
Exhibition of the Collection of Mr. and Mrs. André Meyer.

Bibliographie

L'Accademia Nazionale di San Luca, Rome, 1974.

ALAUZEN André M.
La peinture en Provence du XIVe siècle à nos jours, Marseille, 1962.

ALBIOUSSE, Lionel d'.
«Histoire de la cathédrale d'Uzès», in: *Bulletin du Comité de l'art chrétien, diocèse de Nîmes,* t. VII, 1899, n° 42, p. 10.

ALBIOUSSE Lionel d'.
Histoire de la ville d'Uzès, Uzès, 1903.

ALCANTER DE BRAHM.
L'école toulousaine de peinture du XVIe au XIXe siècle, Pamiers, Paris, 1935, t. II.

Alcuni dipinti, disegni ed oggetti antichi posseduti dal conte Luigi Cibrario, Senatore del Regno d'Italia, Turin, 1868.

AMICI Michele.
Memorie storiche intorno a San Camillo de Lellis fondatore dei CC. RR. Ministri degl'infermi nonché alla chiesa e casa di S. Maria Maddalena dello stesso ordine in Roma, Rome, 1913.

ANANOFF Alexandre.
L'œuvre dessiné de Jean-Honoré Fragonard (1732-1806). Catalogue raisonné, Paris, 1963, t. II.

ANANOFF Alexandre.
«Les cent "petits maîtres" qu'il faut connaître» in *Connaissance des Arts,* n° 149, juillet 1964, pp. 50-59.

ANANOFF Alexandre,
WILDENSTEIN Daniel.
François Boucher, Lausanne, Paris, 1976, t. I.

ANANOFF Alexandre,
WILDENSTEIN Daniel.
L'opera completa di Boucher, Milan, 1980.

ANGELI Diego.
Le chiese di Roma, Rome, s.d. (1905?).

ANGELONI Enrico B.
Chiesa delle SS. Stimmate, Rome, 1982.

Annonces, affiches et avis divers,
10 février 1774
16 juin 1774
4 janvier 1783
20 mars 1787
22 Brumaire an III (12 novembre 1794).

ARISI Ferdinando.
Gian Paolo Panini, Plaisance, 1961.

ARIZZOLI-CLEMENTEL Pierre.
«L'ambassade de France près le Saint-Siège, Villa Bonaparte», in: *Revue de l'Art,* n° 28, 1975, p. 9, fig. 1, p. 19 note 12.

ARNAUD Odette.
«Subleyras, 1699 à 1749», in: *Les peintres français du XVIIIe siècle...* ouvrage publié sous la direction de M. Louis Dimier, Paris, 1930, t. II, pp. 49-92 (cité ici comme A.).
Ce long article (accompagné d'un catalogue raisonné) d'Odette Arnaud est un résumé de sa thèse soutenue en 1927; nous avons consulté les exemplaires de Seymour de Ricci à la Bibliothèque nationale et de Robert Rey.

ARNAULDET Thomas.
«Estampes satiriques relatives à l'art et aux artistes français pendant les XVIIe et XVIIIe siècles, II. Dix-huitième siècle», in: *Gazette des beaux-arts,* t. IV, 1859, pp. 105-106.

ARTOZOUL Alphonse.
Biographies uzétiennes, Uzès, 1896.

The Art Quarterly, t. XX, n° 4, hiver 1957, pp. 473, 477 («Accessions of American and Canadian museums, juillet-septembre 1957»).

AUBERT Francis.
«Joseph-Marie Vien», in: *Gazette des beaux-arts,* t. XXII, 1867, p. 29.

AUVRAY Louis. Voir
BELLIER DE LA CHAVIGNERIE Emile.

AZEVEDO Marcello de.
Acta canonizationis sanctorum Fidelis a Sigmaringa, Camilli de Lellis, Petri Regalati, Josephi a Leonissa et Catharinae de Riccis... et Vaticanam Basilicam ornatis descriptione, Rome, 1749.

BACOU Roseline.
Il Settecento francese (I disegni dei maestri), Milan, 1971.

BADEROU Henri.
«Un échange d'œuvres d'art entre les musées de Paris et de province sous la Révolution», in: *BSHAF,* 1935, pp. 175, 178.

BANDERA Sandrina.
«Le relazioni artistiche tra Firenze e la Francia nel Settecento. Documenti e considerazioni ai margini di una mostra», in: *Antichità viva,* 1978, fasc. 3, p. 44, n° 2182.

BARBIER Edmond-Jean-François.
Chronique de la Régence et du règne de Louis XV (1718-1763) ou Journal de Barbier, Paris, 1885, t. VI.

BARBIER DE MONTAULT Xavier.
Les musées et galeries de Rome. Catalogue général de tous les objets qui y sont exposés, Rome, 1870.

BARJAVEL Casimir François Henri.
Dictionnaire historique, biographique et bibliographique du département du Vaucluse, Carpentras, 1841.

BARLUZZI G.
«Elogio storico di Luigi Subleyras», in: *Album,* t. IV, 1837, n° 29, pp. 225-227.

BARTHELEMY J.
Voir GUIFFREY Jules.

BARTOLI Francesco.
Notizia delle pitture, sculture ed architetture che ornano le chiese... di tutte le... città d'Italia..., Venise, 1776, t. I.

BASAN Pierre-François.
Dictionnaire des graveurs anciens et modernes, Paris, 1767, t. II.

BASSI Elena.
Voir CANOVA Antonio.

BATICLE Jeannine.
«Les amis "Norteños" de Goya en Andalousie, Cean Bermudez, Sebastian Martinez», in: *Actes du Congrès international d'histoire de l'art,* Grenade, 1973, pp. 15-30.

BAUDI DE VESME Alessandro.
Voir SCHEDE VESME.

BAUDSON Françoise.
«Le musée de Bourg-en-Bresse», in: *Galerie Jardin des Arts,* mai 1977, p. 71.

BEAN Jacob,
TURČIĆ Laurence.
15th-18th century French drawings in the Metropolitan Museum of Art, New York, 1986.

BECKER David P.
Voir Exposition Harvard University, 1980.

BECKER Félix.
«Die Galerie Speck von Sternberg», in: *Zeitschrift für bildende Kunst,* 1905, pp. 263-271.

BECKER Félix. Voir THIEME Ulrich.

BELLEUDY Jules.
J.-S. Duplessis, peintre du roi, 1725-1802, Chartres, 1913.

BELLIER DE LA CHAVIGNERIE Emile, AUVRAY Louis.
Dictionnaire général des artistes de l'école française, Paris, 1885, t. II.

BENEZET Bernard.
« Histoire de l'art toulousain », in : *Toulouse... Association française pour l'avancement des sciences, 16e session,* Toulouse, 1887, pp. 572-574.

BENEZIT Emmanuel.
Dictionnaire critique et documentaire des peintres, sculpteurs, dessinateurs et graveurs, nouv. éd., Paris, 1976, t. X.

BENISOVICH Michel.
« Sales of French Collections of paintings in the United States during the first half of the nineteenth century », in : *Art Quarterly,* 1956, pp. 288-301.

BENOÎT XIV.
Lettere di Benedetto XIV scritte al canonico Pier Francesco Peggi a Bologna... publ. per cura di Franz Xaver Kraus, Freiburg i. B., Tübingen, 1884.

BENOÎT XIV.
Benedicti XIV acta sive nondum sive sparsim edita nunc primum collecta cura Raphaelis de Martinis, Naples, 1894, t. II.

BENOÎT XIV.
Correspondance de Benoît XIV précédée d'une introduction et accompagnée de notes et tables par Emile de Heeckeren, Paris, 1912, t. I.

BENTINI Jadranka.
Voir Exposition Ferrare, 1981.

BÉRALDI Henri.
Voir PORTALIS Roger.

BÉRAUD Pierre.
Uzès, son diocèse, son histoire, Uzès, 1947.

BERGERET DE GRANCOURT Pierre-Jacques-Onésyme.
« Journal inédit d'un voyage en Italie, 1773-1774 », précédé d'une étude par M. A. Tornézy, in : *Bulletin et mémoires de la Société des antiquaires de l'ouest,* t. XVII, 1894, pp. 256-257.

BÉZARD Yvonne.
Voir BROSSES Charles de.

BIANCO Alfredo.
Asti ai tempi della Rivoluzione e dell' Impero, Asti, 1964.

BIANCONI Girolamo.
Nuova guida di Milano, Milan, 1787.

Bibliothèque nationale. Cabinet des estampes. Inventaire du fonds français. Graveurs du XVIIIe *siècle* (sous la dir. de M. Roux), Paris.

BIGNAMI-ODIER Jeanne.
La Bibliothèque vaticane, Rome, 1973.

Biographie toulousaine ou dictionnaire historique des personnages qui ... se sont rendus célèbres dans la ville de Toulouse, Paris, 1823, t. II.

Biographie universelle.
Voir FELLER F.-X.

BLANC Charles.
Le trésor de la curiosité..., Paris, 1857, t. I et II.

BLANC Charles.
Histoire des peintres de toutes les écoles. Ecole française, Paris, 1862-1863, t. II.

BLUMER Marie-Louise.
« Catalogue des peintures transportées d'Italie en France de 1796 à 1814 », in : *BSHAF,* 1936, p. 334, no 465.

BOINET Amédée.
Le Musée d'Amiens, Musée de Picardie, peintures, Paris, 1928.

BORIAS Georges.
« Uzès commémore le 2e anniversaire de la mort de Subleyras », in : *Arts,* 5 août 1949.

BOTTINEAU Yves.
L'art de cour dans l'Espagne de Philippe V, 1700-1746, Bordeaux, 1962.

BOUCHOT Henri.
« L'Ambassade de France à Rome en 1747, portraits charges par Pier Leone Ghezzi », in : *L'Art,* LX, 1901, pp. 197-217.

BOURCARD Gustave.
Les estampes du XVIIIe *siècle, école française,* Paris, 1885.

BOUSQUET Jacques.
« Les débuts de l'Académie de France à Rome », in : *BSHAF,* 1953, p. 126.

BOWRON Edgar Peters.
Voir CLARK Anthony Morris.

BOYER Ferdinand.
« Les artistes français et les amateurs romains au XVIIIe siècle », in : *2e session des journées d'études franco-italiennes... Cooperazione intellettuale,* IV-V, 1936, pp. 65-66.

BOYER Ferdinand.
« Les artistes français et les amateurs italiens au XVIIIe siècle », in : *BSHAF,* 1936, pp. 210-230.

BOYER Ferdinand.
« Les artistes français lauréats ou membres de l'académie romaine de Saint-Luc dans la première moitié du XVIIIe siècle », in : *BSHAF,* 1955, pp. 141-142.

BOYER Ferdinand.
« Le Musée du Louvre après les restitutions d'œuvres d'art de l'étranger et les musées des départements (1816) », in : *BSHAF,* 1969, pp. 79-81.

BOYER Jean-Claude.
« Note sur quelques tableaux de la cathédrale de Lavaur », in : *La revue du Tarn,* été 1985, 3e série, no 118, pp. 269-288.

BOYER D'ARGENS Jean-Baptiste de.
Examen critique des différentes écoles de peinture, Berlin, 1768.

BRICE Germain.
Description de la ville de Paris, t. I., Paris, 1752.

BRIÈRE Gaston, COMMUNAUX Eugène.
« Emplacements actuels des tableaux du Musée du Louvre... retirés des galeries. Ecole française », in : *BSHAF,* 1924, p. 337 (il existe également avec une pagination indépendante).

BRIÈRE Gaston, COMMUNAUX Eugène.
Musée du Louvre, *Emplacements actuels des peintures de l'Ecole française...* Paris, 1925.

BROOKNER Anita.
Jacques-Louis David, New York, 1980.

BROSSES Charles de.
Lettres familières sur l'Italie, publ. par Yvonne Bézard, Paris, 1931, 2 vol.

BRUNEL Georges.
Voir *Correspondance des directeurs.*

BRUNOT Ferdinand.
« Naissance et développement de la langue de la critique d'art en France. La peinture. » in *La Revue de l'art ancien et moderne,* 1931, p. 155.

BRYAN Michael.
A biographical and critical dictionary of painters and engravers... nouvelle éd. par George Stanley, Londres, 1849 (même texte que dans l'édition de 1816).

BRYAN's *Dictionary of painters and engravers,* new (4) ed. revised and enlarged under the supervision of George C. Williamson, t. V, Londres, 1904.

BUISSON Jules.
« Exposition de 1859. Exposition de peinture ancienne, d'objets d'art et d'Antiquité », in : *Mémoires de la Société des arts et sciences de Carcassonne,* t. III, 1870, p. 53.

Le Bulletin de l'art ancien et moderne, supplément hebdomadaire à la Revue de l'art ancien et moderne, 1910, pp. 160-163.

BÜRGER W.
Voir THORÉ Théophile, pseud. W. Bürger.

BURTY Philippe.
Voir Exposition Paris, 1860.

BUSIRI VICI Andrea.
« Una testimonianza romana all'incoronazione di Luigi XV », in : *Studi romani,* 1958, pp. 562-571.

BUSIRI VICI Andrea.
Andrea Locatelli, Rome, 1974.

BUSIRI VICI Andrea.
Jan Frans Van Bloemen, Orizzonte, e l'origine del paesaggio romano settecentesco, Rome, 1974.

Cabinet de M. Paignon Dijonval. Etat détaillé et raisonné des dessins et estampes dont il est composé... par M. Bénard, peintre et graveur, Paris, 1810.

CAHEN Léon.
«La vente du «Musée», de Mgr de Thémines», in: *BSHAF,* 1912, p. 174.

CALBI Emilia.
«Qualche aggiunte per Marco Benefial», in: *Paragone,* n°s 359-361, janvier-mars 1980, pp. 91-100.

CAMON AZNAR J.
Greco, Madrid, 1950.

CANEZZA Alessandro.
«Il Pio istituto di S. Spirito in Sassia», in: *Atti dell'Accademia dell'Arcadia,* 1918, t. I, pp. 159-160.

CANNATA Pietro.
«Camillo de Lellis, iconografia», in : *Bibliotheca sanctorum,* t. III, Rome, 1963, col. 714-722.

CANOVA Antonio.
I quaderni di viaggio, 1779-1780. Edizione e commento a cura di Elena Bassi, Venise-Rome, 1959.

CANTAREL-BESSON Yveline.
La naissance du Musée du Louvre, Paris, 1981, t. I et II.

CARRIERA Rosalba.
Lettere, diari, frammenti, a cura di Bernardina Sani, Florence, 1985, 2 vol.

Catalogo dei maestri... della Congregazione ed Accademia di Santa Cecilia, Rome, 1845.

Catalogo dei quadri e pitture esistenti nel palazzo dell'eccellentissima Casa Colonna in Roma..., Rome, 1783.

Catalogo de' quadri, sculture in marmo, musaici, pietre colorate, bronzi ed altri oggetti di belle arti esistenti nella galleria del Sagro Monte di Pietà di Roma, Rome, décembre 1857.

Catalogo per la vendita dei quadri, sculture in marmo, musaici, pietre colorate, bronzi ed altri oggetti di belle arti esistenti nella galleria già del Monte di Pietà di Roma, Rome, 1875.

Catalogue du musée de peinture, sculpture et archéologie au Palais Accoramboni, premier étage, place Rusticucci n° 18 près du Vatican; première partie, tableaux, Rome, 1897.

CAYLUS Anne-Claude-Philippe de Tubières-Grimoard de Pestels de Levis comte de. «Pierre-Charles Trémollière», in: *Mémoires inédits sur la vie et les ouvrages des membres de l'Académie royale de peinture et de sculpture,* Paris, 1854, t. II.

CAYLUS Anne-Claude-Philippe de Tubières-Grimoard de Pestels de Levis comte de.
Vies d'artistes du XVIIIe siècle, Discours sur la peinture et la sculpture, Salons de 1751 et de 1753... publ. par André Fontaine, Paris, 1910.

CESCHI Carlo.
Le chiese di Roma dagli inizi del Neoclassico al 1961, Bologne, 1963.

CHALANDE Jules.
Histoire des rues de Toulouse, 3e partie, Toulouse, 1929.

CHAMPLIN John Denison.
Cyclopedia of painters and painting, New York, Londres, 1888, t. IV.

CHARVET Gratien.
La première maison d'Uzès. Etude historique et généalogique suivie d'un catalogue analytique des évêques d'Uzès, Alais, 1870.

CHÂTELET Albert,
THUILLIER Jacques.
La peinture française de Le Nain à Fragonard, Genève, 1964.

CHATTARD Giovanni Pietro.
Nuova descrizione del Vaticano, Rome, 1762, t. I.

CHAUMELIN Marius.
Les trésors d'art de la Provence exposés à Marseille en 1861, Paris, Marseille, 1862.

CHAUVET Gaston.
Uzès, en parcourant ses rues et sa campagne. Histoires d'autrefois et souvenirs d'hier, Uzès, 1963.

CHAUVET Gaston.
Uzès, son histoire, ses monuments, en parcourant ses venelles, ses places et sa campagne... 4e éd., Nîmes, 1985.

CHENNEVIÈRES Henry de.
«Mascarade de nos pensionnaires de Rome pendant le XVIIIe siècle», in: *L'Artiste,* 1882, pp. 128-131.

CHENNEVIÈRES-POINTEL Philippe de.
Recherches sur la vie et les ouvrages de quelques peintres provinciaux de l'ancienne France, Paris, 1862, t. IV.

CHENNEVIÈRES-POINTEL Philippe de.
Voir MARIETTE Pierre-Jean.

CHIUSOLE Adamo.
Itinerario delle pitture, sculture ed architetture più rare di molte città d'Italia... Vicence, 1782.

CICOGNARA Leopoldo.
Storia della scultura dal suo risorgimento in Italia fino al secolo di Canova... ed. seconda, Prato, 1824, t. VII.

CIGALA Albin de.
«Histoire religieuse du diocèse de Nice», in: *L'église française illustrée,* 2e année, n° 13, 4 juillet 1901, p. 168.

CIPRIANI Angela.
Voir MARCONI Paolo.

CLAPARÈDE Jean.
«Les peintres du Languedoc méditerranéen de 1610 à 1870», in: *Languedoc méditerranéen et Roussillon d'hier et d'aujourd'hui,* Nice, 1947.

CLAPARÈDE Jean.
Musée Atger. Faculté de médecine de Montpellier. Dessins d'artistes languedociens des XVIIe et XVIIIe siècles, Montpellier, 1957.

CLAPARÈDE Jean.
«Musée Fabre à Montpellier, nouvelles acquisitions» in: *La revue du Louvre et des musées de France,* 1964, n°s 4-5, pp. 265-268.

CLARAC Pierre.
La Fontaine par lui-même, Paris, 1961.

CLARK Anthony Morris.
«Batoni's Triumph of Venice», in: *The North Carolina Museum of art bulletin,* vol. III, n° 1, 1963, p. 6.

CLARK Anthony Morris.
«Introduction to Pietro Bianchi», in: *Paragone,* n° 169, janvier 1964, pp. 42-47.

CLARK Anthony Morris.
«Three Roman eighteenth-century portraits», in: *The Journal of the Walters Art Gallery,* t. XXVII-XXVIII, 1964-1965, pp. 49-56.

CLARK Anthony Morris.
Studies in Roman eighteenth-century painting, selected and edited by Edgar Peters Bowron, Washington, 1981.

CLARK Anthony Morris.
Pompeo Batoni, a complete catalogue of his works with an introductory text... ed. by Edgar Peters Bowron, Oxford, 1985.

CLAY Jean.
Le Romantisme, Paris, 1980.

CLÉMENT DE RIS Louis Tortebat, comte.
Les musées de province, Paris, 1859-1860, t. I et II.

CLÉMENT DE RIS Louis Tortebat, comte.
Les Musées de province, 2e éd., Paris, 1872.

CLÉMENTS Candace.
«Robert's Temptation of a saint: a reinterpretation», in: *Muse,* t. XV, 1981, pp. 49-50.

COCHIN Charles-Nicolas.
(Lettre): in: *A.A.F.,* 1851-1852, I, pp. 169-176.

COMMUNAUX Eugène.
Voir BRIÈRE Gaston.

Compendio della vita, virtù e miracoli della B. Caterina de' Ricci, Rome, 1732.

CONISBEE Philip.
Painting in eighteenth-century France, Oxford, 1981.

CONISBEE Philip.
Chardin, Londres, 1985.

COOPER Douglas.
Trésors d'art des grandes familles, Paris, 1965.

CORBO Anna-Maria.
«L'esportazione delle opere d'arte dello stato pontificio tra il 1814 e il 1823», in: *L'arte,* 1970, fasc. 10, p. 109.

Correspondance de M. d'Angiviller avec Pierre, publ. par M. Marc Furcy-Raynaud, in: *NAAF,* 3e série, t. XXI, 1906, pp. 95-96, 121-122, 129.

Correspondance des directeurs de l'Académie de France à Rome avec les Surintendants des bâtiments, publ. par M. Anatole de Montaiglon, Paris, 1887-1912, 18 vol.

Correspondance des directeurs de l'Académie de France à Rome, Nouvelle série, 2. Directorat de Suvée 1795-1807... publ. par Georges Brunel et Isabelle Julia, Rome, 1984.

CRELLY William R.
The painting of Simon Vouet, New Haven, Londres, 1962.

CUZIN Jean-Pierre.
Voir LACLOTTE Michel.

DACIER Emile.
Catalogues de ventes et livrets de salons illustrés par Gabriel de Saint-Aubin, VIII, Natoire et Sophie Arnould, 1778, Paris, 1913.

DACIER Emile.
Gabriel de Saint-Aubin, peintre, dessinateur et graveur, 1724-1780, Paris, 1929, t. I.

DAIGNAN D'ORBESSAN marquis Anne-Marie.
Mélanges historiques critiques de physique, de littérature et de poésie, Paris, 1768, t. I.

DALBONO Carlo Tito.
Roma, memorie, frammenti, Naples, 1839.

DAL POZZO Bartolomeo.
Vite dei pittori... Veronesi, Vérone, 1718.

DANDRÉ-BARDON Michel-François.
Traité de la peinture suivi d'un essai sur la sculpture, Paris, 1765, t. II.

DAURIAC Jacques-Paul.
«Exposition: La donation Kaufmann et Schlageter au Département des peintures», in: *Pantheon,* 1984, p. 380.

DAVIES Martin.
National Gallery Catalogues, French School, Londres, 1957.

DAVOUST E.
Le comte de Bizemont artiste-amateur orléanais, son œuvre et ses collections... Orléans, 1891.

DE ANGELIS Luigi.
Voir GORI GANDELLINI Giovanni.

DE BONI Filippo.
Biografia degli artisti, Venise, 1840.

DECAMPS Louis.
«Un collectionneur de l'An VI», in: *GBA,* 3e série, t. VII, 1873, p. 232.

DELAMONCE Ferdinand.
Voir PÉREZ Marie-Félicie.

DELIGNIÈRES Emile.
«Recherches sur les graveurs d'Abbeville», in: *Réunion des sociétés des beaux-arts des départements,* t. X, 1886, p. 538.

DELIGNIÈRES Emile.
Voir Exposition Abbeville, 1897.

DENON Vivant.
Voir DUVAL Amaury Pineu.

DESAZARS DE MONTGAILHARD Marie-Louis.
«Les antiquaires, les collectionneurs et les archéologues d'autrefois à Toulouse», in: *Bulletin de la Société archéologique du Midi de la France,* 1903, pp. 246-256.

DESAZARS DE MONTGAILHARD Marie-Louis.
«L'art à Toulouse, ses enseignements professionnels pendant l'ère moderne», in: *Mémoires de l'Académie des sciences, inscriptions et belles lettres de Toulouse,* 10e série, t. V, 1905, pp. 146 et 150.

DEZALLIER D'ARGENVILLE Antoine-Joseph.
Abrégé de la vie des plus fameux peintres, avec leurs portraits gravés... Paris, 1762, t. IV.

DEZALLIER D'ARGENVILLE Antoine-Nicolas.
Voyage pittoresque de Paris, ou indication de tout ce qu'il y a de plus beau dans cette grande ville en peinture, sculpture et architecture, 3e éd., Paris, 1757.

DEZALLIER D'ARGENVILLE Antoine-Nicolas.
Description sommaire des ouvrages de peinture, sculpture et gravure exposés dans les salles de l'Académie Royale, Paris, 1781.

D.G.P.
«Ritratto di Benedetto XIV del Subleyras a Bergamo», in : *Bergomum,* n.s. 32, 1958, p. 192.

Diario di Roma, 24 settembre 1814, n° 22, pp. 20-21.

Diario ordinario (Roma), n° 728, 22 décembre 1781, p. 8; n° 826, 30 novembre 1782, p. 10; n° 828, 7 décembre 1782, p. 16.

DI CASTRO Eugenio.
Ricordi dei vecchi Rioni romani, Rome, 1968.

Dictionnaire universel de la peinture sous la direction de Robert Maillard, Paris, 1975, t. VI.

DI DOMENICO CORTESE Gemma.
«Intorno al Panini ritrattista», in: *Commentari,* année XXI, fascicules I et II, janvier-juin 1970, pp. 118-121.

DIFEDERICO Frank R.
Francesco Trevisani, Washington, 1977.

DILKE Emilia.
French engravers and draughtsmen of the XVIIIth century, Londres, 1902.

DIMIER Louis.
«Tableaux qui passent», in: *GBA,* 1929 (1), pp. 381-382.

DIMIER Louis.
Voir ARNAUD Odette.

DORIA Arnauld.
Louis Tocqué, Paris, 1929.

DORIVAL Bernard.
La peinture française, Paris, 1942.

DOUBLET Georges.
«L'ancienne cathédrale de Grasse», in: *Annales de la Société des lettres, sciences et arts des Alpes-Maritimes,* t. XXII, 1911, pp. 122-123.

DULAURE Jacques-Antoine.
Nouvelle description des curiosités de Paris, 2e éd., Paris, 1787.

DULAURE Jacques-Antoine.
Nouvelle description des curiosités de Paris, 3e éd., Paris, 1791, t. II.

DU MÈGE Alexandre.
Histoire des institutions religieuses, politiques, judiciaires et littéraires de la ville de Toulouse, Toulouse, 1846, t. IV.

DUMOLIN Maurice.
Le château de Bussy-Rabutin, Paris, 1933.

DU PELOUX Charles.
Répertoire biographique et bibliographique des artistes du XVIIIe siècle français, Paris, 1930-1941, t. I et II.

DUPLESSIS Georges.
Supplément aux dix volumes du Peintre graveur français..., Paris, 1871, t. XI.

DUPLESSIS Georges.
Histoire de la gravure en Italie, en Espagne, en Allemagne, dans les Pays-Bas, en Angleterre et en France, Paris, 1880.

DUSSIEUX Louis-Etienne.
Les artistes français à l'étranger, 3e éd., Paris, 1876.

DUSSIEUX Louis-Etienne.
Voir LUYNES Charles-Philippe d'Albert, duc de.

DUTILLEUX Adolphe.
«Quelques notes concernant le Musée spécial de l'école française à Versailles», in: *Réunion des sociétés des beaux-arts des départements,* t. XIX, 1895, p. 239.

DUVAL Amaury Pineu.
Monuments des arts du dessin chez les peuples tant anciens que modernes recueillis par le Baron Vivant Denon... décrits et expliqués..., t. IV, Paris, 1829.

DUVIVIER A.
«Liste des élèves de l'ancienne école académique et de l'Ecole des beaux-arts qui ont remporté les Grands Prix... depuis 1663 jusqu'en 1857», in: *AAF,* t. IX (documents, 5), 1857-1858, p. 289.

Encyclopédie méthodique. Beaux-Arts, Paris, 1791, t. II.

EMILIANI Andrea.
Federico Barocci (Urbino 1535-1612), Bologne, 1985, 2 vol.

ENGERAND Fernand.
Inventaire des collections de la couronne. Inventaire des tableaux commandés et achetés par la Direction des bâtiments du roi, 1709-1792, Paris, 1900.

ERNST Serge.
Le fonds des musées de l'Etat-Galerie Youssopov, Leningrad, 1924.

ERRERA Isabella.
Répertoire des peintures datées, Paris, 1920, t. I.

ESTIGNARD Alexandre.
A. Pâris, sa vie, ses œuvres, ses collections, Paris, 1902.

FABRE Gaston.
« Les tableaux de l'église paroissiale de Grasse », in: *Annales de la Société des lettres, sciences et arts des Alpes-maritimes,* t. XVII, 1901, pp. 194-195.

FABRE Marcel.
« Pierre Subleyras, peintre uzétien, né à Saint-Gilles, mort à Rome », in: *Mémoires de l'Académie de Nîmes,* 1926-1927, pp. 67-81.

FABRE Marcel.
« Pierre Subleyras, peintre uzétien, né à Saint-Gilles, mort à Rome », in: *La cigale uzégeoise,* septembre 1927, pp. 184-196.

FALDI Italo.
Quadreria della cassa depositi e prestiti, catalogo, Rome, 1956.

FARÉ Michel.
La nature morte en France, son histoire et son évolution du XVII*e* *au* XX*e* *siècle,* Genève, 1962, 2 vol.

FARÉ Michel, FARÉ Fabrice.
La vie silencieuse en France. La nature morte au XVIII*e* *siècle,* Fribourg, Paris, 1976.

FARNARIER Joseph.
Contribution à la connaissance de la ville de Grasse, s.l., s.d.

FAUCHILLE Bernard.
Voir Exposition Cholet, 1980-1981.

FELLER F.X. de.
« Subleyras », in: *Biographie universelle...,* nouv. éd., Paris, 1844, t. XI, p. 578.

FEMMEL Gerhard.
Voir Goethes Grafiksammlung.

FILHOL Antoine-Michel.
Galerie du musée de France, Paris, 1828, t. XI.

FLORISOONE Michel.
« Musée du Louvre. Deux esquisses historiques de Lancret », in: *Musées de France,* 1950, p. 144.

FLORISOONE Michel.
« Sur quelques récents problèmes de la peinture des XVIIe et XVIIIe siècles », in: *Revue des arts,* 1955, p. 64.

FLORISOONE Michel.
« Romantisme et Néo-classicisme », in: *Encyclopédie de la Pléiade. Histoire de l'art, 3. Renaissance, Baroque, Romantisme,* Paris, 1965.

FOKKER T.H.
« De Galleria Spada te Rome », in: *Mededeelingen van het nederlandsch historisch Institut te Rome,* 2e s., t. II, 1932, p. 130.

FONTAINE André.
Les doctrines d'art en France, peintres, amateurs, critiques, de Poussin à Diderot, Paris, 1909.

FONTAINE André.
Les collections de l'Académie royale de peinture et de sculpture, Paris, 1910 (rééd. en 1930).

FONTAINE André.
Voir CAYLUS Anne-Claude-Philippe de Tubières-Grimoard de Pestel de Levis, comte de.

FONTENAY Louis-Abel de Bonafous, abbé de.
Dictionnaire des artistes ou notice historique et raisonnée des architectes, peintres, graveurs, sculpteurs..., Paris, 1776, t. II.

FORD Brinsley.
« William Constable an enlightened Yorkshire patron », in: *Apollo,* 1974, pp. 414-415.

FOUCART Jacques.
« Die schilderijen die het Louvre in drie jaar haeft verworven », in: *Tableau,* février 1985, p. 46.

FRIED Michael.
Absorption and Theatricality. Painting and Beholder in the Age of Diderot, Berkeley, 1980.

FRIMMEL Theodor von.
Geschichte der Wiener Gemäldesammlungen, Leipzig, Berlin, 1901, t. IV.

FURCY-RAYNAUD Marc.
« Les tableaux et objets d'art saisis chez les émigrés et condamnés et envoyés au Museum central », in *AAF,* nouv. période, t. VI, 1912, pp. 249, 257, 303, 326.

FURCY-RAYNAUD Marc.
Voir *Correspondance de M. d'Angiviller avec Pierre.*

FÜSSLI Hans Heinrich.
Allgemeines Künstlerlexikon, Zurich, 1814, t. II, 6e partie.

FÜSSLI Johann-Rudolf.
Allgemeines Künstlerlexikon, Zurich, 1779.

GABILLOT C.
Hubert Robert et son temps, Paris, 1895.

GABRIELLI Noemi.
Arte e cultura ad Asti attraverso i secoli, Turin, 1977.

GADILLE Roger.
« Pierre Subleyras, peintre oublié du XVIIIe siècle », in: *Le républicain d'Uzès et du Gard,* 9 janvier 1971.

GADILLE Roger.
Pierre Subleyras, peintre oublié du XVIII*e* *siècle,* Uzès, 1972.

GAEHTGENS Thomas W.
« J.-M. Vien et les peintures de la légende de sainte Marthe », in: *Revue de l'Art,* n° 23, 1974, pp. 68-69.

GAEHTGENS Thomas W.
« Regence, Rokoko, Klassizismus », in: *Studien zum achtzehnten Jahrhundert,* 1978, t. I, pp. 131, 144.

GALASSI PALUZZI Carlo.
La Basilica di S. Pietro, Bologne, 1975.

GALLO Michele.
Asti ed i suoi antichi conventi, Asti, 1881.

GARLICK, Kenneth.
« A trend in taste », in *Apollo,* LXXX, décembre 1964, pp. 451-457.

GARMS Jörg.
« Kunstproduktion aus Anlass von Heilig- und Seligsprechungen. Rom 1767 und 1769 », in: *Römische historische Mitteilungen,* t. XVIII, 1976, p. 163.

GARMS Jörg.
Voir Exposition Naples, 1973-1974.

GARMS Jörg.
« Der Bilderzyklus des 18. Jahrhunderts im Dom von Pisa », in: *Römische historische Mitteilungen,* t. XXVI, 1984, pp. 431-452.

GAULT DE SAINT-GERMAIN Pierre-Marie.
Les trois siècles de la peinture en France, ou galerie des peintres français depuis François Ier jusqu'au règne de Napoléon, Paris, 1808.

GAULT DE SAINT-GERMAIN Pierre-Marie.
Guide des amateurs de tableaux pour les écoles allemande, flamande et hollandaise, Paris, 1818, t. II.

GAUTIER Théophile.
Guide de l'amateur au Musée du Louvre, Paris, 1882.

GEORGES.
Rapport sur l'état actuel du Musée de Toulouse, Toulouse, 1873.

GHEZZI Pier Leone.
« Le « Memorie » del Cav. Leone Ghezzi scritte da sè medesimo da gennaio 1731 a luglio 1734 », a cura di Claudio M. Mancini, in: *Palatino,* 1968, p. 484.

GILLET Louis.
La peinture au Musée du Louvre, école française, Paris, 1929.

GILLET Louis.
Le trésor des musées de province. Le Midi. Avignon, Marseille, Carpentras, Montpellier, Arles, Nîmes, Aix-en-Provence, Paris, 1934.

GINOUX Charles.
« Jacques Rigaud dessinateur et graveur marseillais », in: *Réunion des sociétés des beaux-arts des départements,* t. XXII, 1898, p. 727.

GIORGETTI VICHI Anna Maria.
Gli Arcadi dal 1690 al 1800, Onomasticon, Rome, 1977.

Giornale delle belle arti.
Voir PASQUALONI Pietro.

GIOVANNUCCI VIGI Berenice.
« Benedetto XIV: appunti iconografici », in: *Benedetto XIV (Prospero Lambertini), catalogo della mostra* (Convegno internazionale di studi storici, Cento 1979), Bologne, 1983, pp. 365-377.

GIRODIE André.
Voir VIAL Henri.

GIRONI Robustiano.
Pinacoteca del Palazzo Reale delle scienze e delle arti di Milano, Milan, 1833, t. III, scuola romana.

Goethes Grafiksammlung. Die Franzosen. Katalog und Zeugnisse bearbeiter der Ausgabe Gerhard Femmel, Leipzig, 1980.

GOLDSCHMIDT Ernst.
Frankrigs malerkunst dens Farve dens Historie, Copenhague, 1924.

GOLDSCHMIDT Ernst.
Le peintre Pierre Subleyras, Paris, 1925 (cité ici comme G.).

GOLDSTEIN Carl.
« Toward a definition of academic art », in: *The Art Bulletin,* 1975, p. 106.

GOLZIO V.
Il Seicento e il Settecento, Turin, 1950 (éd. consultée, 1960).

GONCOURT Edmond de.
La maison d'un artiste, Paris, 1898.

GORI GANDELLINI Giovanni.
Notizie istoriche degli intagliatori... 2ª ed. col proseguimento dell'opera fino ai nostri giorni... dall'abbate Luigi De Angelis, Sienne, t. III (1808) et t. XIV (1815).

GRADARA Costanza.
Pietro Bracci, Milan, 1920.

La grande encyclopédie, inventaire raisonné des sciences, des lettres et des arts, Paris, s.d., t. XXX.

GRANOUX-LANSARD Monique.
Noël en Provence, Colmar, 1980.

GRAVES Algernon.
A century of loan exhibitions 1813-1912, Londres, 1913-1915, t. III.

GREGORI Mina.
« Tre opere del Traversi a Castel' Arquato », in: *Paragone,* nº 81, 1956, p. 47.

GRISERI Andreina.
« Il catalogo dei dipinti del Museo d'arte antica di Torino » with notes by L. Mallé, in: *The Burlington Magazine,* 1965, pp. 582-583.

GRISERI Andreina.
« Il problema delle arti fra Arcadia e Illuminismo: poetiche e mestieri », in: *Venezia, Italia, Ungheria fra Arcadia e Illuminismo,* Budapest, 1982.

GROTTOWA Kazimiera.
Zbiori sztuki Jana Feliksa i Walerii Tarnowskich w Dzikowie 1803-1849, Wroclaw, 1957.

GUALDI SABATINI Fausta.
« Vanvitelli a Perugia », in: *Luigi Vanvitelli e il '700 Europeo,* Naples, 1979.

GUÉDY Théodore.
Dictionnaire universel des peintres anciens, modernes et contemporains, 2ᵉ éd., Paris, 1882.

GUERGUIEVSKAÏA E.
Voir KOUZNETSOVA I.

GUIFFREY Jean.
Voir TUETEY Alexandre.

GUIFFREY Jules.
Acquisitions faites pour le roi aux ventes de la fin du XVIIIᵉ *siècle, 1777-1784,* Paris, 1879.

GUIFFREY Jules.
« Brevets de pensionnaires à l'Académie de Rome et à l'École des élèves protégés de Paris », in: *NAAF,* 1879, p. 361.

GUIFFREY Jules.
« Scellés et inventaires d'artistes, 2ᵉ partie, 1741-1770 », in *NAAF* t. XI (2ᵉ série, t. V), 1884, p. 244.

GUIFFREY Jules,
BARTHÉLEMY J.
Liste des pensionnaires de l'Académie de France à Rome... de 1663 à 1907, Paris, 1908.

GUINARD Paul, FRATI Tiziana.
Greco. Tout l'œuvre peint, Les Classiques de l'Art, Paris, 1971.

GUITARD E.-H.
Causerie-promenade au Musée des Augustins de Toulouse, Toulouse, 1934.

HARTONG-LO VERDE M.
« Berichte, Frankreich, Paris », in: *Pantheon,* t. XXIII, 1965, p. 416.

HAUTECŒUR Louis.
Rome et la renaissance de l'antiquité à la fin du XVIIIᵉ *siècle,* Paris, 1912.

HAYES John.
« Current and forthcoming exhibitions. Allan Ramsay at the Royal Academy », in: *The Burlington magazine,* 1964, pp. 190-193.

HAYWARD Fernand.
Souvenirs français à Rome, Paris, s.d. (c. 1930).

HÉDÉ-HAÜY A.
Les illustrations des Contes de La Fontaine... pour faire suite à l'ouvrage du Dʳ Armand Després « Les éditions illustrées des Fables de La Fontaine », Paris, 1893.

HEECKEREN Emile de.
Voir *BENOÎT XIV.*

HELD Julius S., POSNER Donald.
17ᵗʰ and 18ᵗʰ century art. Baroque painting, sculpture, architecture, New York, 1972.

HELLER Joseph.
Praktisches Handbuch für Kupfertichsammler..., Bamberg, 1825, t. II.

HELLER Joseph.
Praktisches Handbuch für Kupfertichsammler, 2ᵉ éd., Leipzig, 1850.

HENRIOT G.
« La collection David-Weill », in: *L'amour de l'art,* janvier 1925, pp. 1-23.

HENRIOT G.
Collection David-Weill, t. I. Peintures, Paris, 1926.

HERCENBERG Bernard.
Nicolas Vleughels, peintre et Directeur de l'Académie de France à Rome, 1668-1737, Paris, 1975.

HERMANIN Federico.
« Galleria Nazionale d'arte antica in Roma, lavori di assestamento », in: *Bollettino d'arte,* mars 1908, p. 87.

HILDEBRANDT Edmund.
Malerei und Plastik des achtzehnten Jahrhunderts in Frankreich, Postdam, 1924.

HOEFER Ferdinand.
Nouvelle biographie générale, Paris, 1865, t. XLIV.

HOFMANN Werner, VOLPE Carlo.
Enciclopedia Feltrinelli-Fischer. Arte, I, Milan, 1968.

HOURTICQ Louis.
Encyclopédie des beaux-arts, architecture, sculpture, peinture, arts décoratifs, Paris, 1925.

HOURTICQ Louis.
La peinture française du XVIIIᵉ *siècle,* Paris, 1939.

HUBER Michel.
Notices générales des graveurs divisés par nations et des peintres rangés par écoles, Dresde, Leipzig, 1787.

HUBER Michel,
ROST Carl Christian Heinrich.
Manuel des curieux et des amateurs de l'art contenant une notice abrégée des principaux graveurs et un catalogue raisonné de leurs meilleurs ouvrages, Zurich, 1804, t. VIII.

HUTTER Heribert R.
« Pierre Subleyras. Zwei neue Bilder in der Gemäldegalerie », in: *Bildhefte der Akademie der bildenden Künste in Wien, Heft 5, Ergänzungsblatt,* Vienne, 1981.

HUTTER Heribert R.
« Zur Genese von Pierre Subleyras' », « Messe des Hl. Basilius », in: *Römische historische Mitteilungen,* t. XXVII, 1985, pp. 505-510.

ILLY J.-P.
« Notice sur J.-S. Duplessis », in: *Bulletin historique et archéologique de Vaucluse,* t. VI, 1884, pp. 478-479.

INGERSOLL-SMOUSE Florence.
Joseph Vernet, peintre de marine 1714-1789, étude critique suivie d'un catalogue raisonné de son œuvre peint, Paris, 1926, 2 vol.

L'intermédiaire des chercheurs et des curieux, t. XXVIII, 1893, n° 630, 20 septembre, col. 287; n° 636, 20 novembre, col. 545.

Inventaire général des richesses d'art de la France, province, monuments civils, Paris, 1878-1908, t. I, II, V, VI et VIII.

ISARLO George
Combat Art, n° 77, 1958, p. 2, n° 50.

JADART H.
« Musée Carnavalet (notes et informations) », in: *Bulletin des musées de France,* 1910, p. 46.

JAMES Ralph N.
Painters and their works, a dictionary of great artists who are not now alive giving their names, lives and the prices paid for their works at auctions, Londres, 1897, t. III.

JAMESON Anna Brownill Murphy.
Companion to the most celebrated private galleries of art in London, Londres, 1844.

JOLIBOIS Emile.
« L'histoire des beaux-arts à Toulouse, Les Annales illustrées de l'Hôtel de ville », in: *Réunion des sociétés des beaux-arts des départements,* t. III, 1879, p. 57.

JOLLY J.-P.,
WILLAUME J.
La cathédrale de Grasse, Grasse, 1964.

JOUBERT François-Etienne, père.
Manuel de l'amateur d'estampes, Paris, 1821, t. III.

JOUIN Henry.
L'art et la province. Origine du Comité des sociétés des beaux-arts des départements, Paris, 1893-1901, t. II et III.

JOUIN Henry.
Voir Exposition Paris, 1878.

JOULLAIN Charles-François, fils aîné.
Répertoire de tableaux, dessins et estampes..., Metz, 1783.

JOULLAIN Charles-François, fils aîné.
Réflexions sur la peinture et la gravure, Metz, 1786.

Journal du Languedoc, 1786, pp. 105-111 (Notice sur la vie et les ouvrages de Pierre Subleyras).

JULIA Isabelle.
Voir *Correspondance des directeurs.*

JUYNBOLL Willem Rudolf.
Het komische genre in de Italiaansche Schilderkunst gedurende de zeventiende en de achttiende eeuw, Leyde, 1934.

KALNEIN Wend Graf.
Voir LEVEY Michael.

KANIEWSKI Xavier.
Voir PODCZASZYNSKI Boleslas.

KELLER Harald.
Die Kunst des 18. Jahrhunderts (Propyläen Kunstgeschichte, 10), Berlin, 1971, pp. 371-402. Margret Stuffmann, « Französische Malerei ».

Kindlers Malerei Lexikon, Zurich, 1968, t. V.

KOUZNETSOVA I.
GUERGUIEVSKAÏA E.,
La peinture française au musée Pouchkine, Leningrad, 1980.

KRAUS Franz Xaver.
Voir *BENOÎT XIV.*

KROHN Mario.
Frankrigs og Danmarks Kunstneriske Forbindelse i det 18. Aarhundrede, Copenhague, 1922, t. II.

KULTZEN Rolf.
« Ein Bildnis des Papstes Lambertini in München », in: *Schöndruck Widerdruck, Schriften-Fest für Michael Meier zum 20. Dezember 1985,* Munich, Berlin, 1985, pp. 54-56, pl. 16-17.

Kurze Lebensbeschreibung des Ritters Peter von Verschaffelt, Mannheim, 1797.

LACHAISE Claude.
Manuel pratique et raisonné de l'amateur de tableaux, Paris, 1866.

LACLOTTE Michel,
CUZIN Jean-Pierre.
Le Louvre, la peinture européenne, Paris, 1982.

LACLOTTE Michel.
Voir VERGNET-RUIZ Jean.

LA CURNE DE SAINTE-PALAYE
Jean-Baptiste de.
Observations sur les ouvrages de MM. de l'Académie de peinture et de sculpture, exposés au Salon du Louvre en l'année 1753, Paris, 1753.

LAGENEVAIS F. de.
« Peintres et sculpteurs modernes, I, M. Ingres », in: *Revue des deux mondes,* 1846 (3), p. 517.

LAGRANGE Léon.
« Joseph Vernet, sa vie, sa famille, son siècle d'après des documents inédits », in: *Revue universelle des arts,* t. V, 1857, p. 507.

LAGRANGE Léon.
« Musées de province, Collection Atger à Montpellier », in: *GBA,* t. V, 1860, pp. 130, 141.

LAGRANGE Léon.
« Exposition régionale des beaux-arts à Marseille » (2e article), in: *GBA,* t. XI, 1861, p. 554.

LAGRANGE Léon.
Les Vernet. Joseph Vernet et la peinture au XVIIIe siècle, Paris, 1864.

LAHONDES Jules de.
Toulouse chrétienne, l'église Saint-Etienne, cathédrale de Toulouse, Toulouse, 1890.

LAHONDES Jules de.
Les monuments de Toulouse, histoire, archéologie, beaux-arts, Toulouse, 1920.

LALANDE Jérôme de.
Voyage en Italie, Yverdon, 1769, t. III.

LALANNE Ludovic.
Dictionnaire historique de la France, Paris, 1872.

LAMOTHE A. de.
Inventaire sommaire des archives communales antérieures à 1790. Ville d'Uzès, Paris, 1868.

LAMPE Louis.
Signatures et monogrammes des peintres de toutes les écoles. Guide monogrammiste, Bruxelles, 1895-1898, t. I et II.

LANDON C.-P.
Annales du Musée, 2e éd., Ecole française, t. III, Paris, 1832.

LANZI Luigi.
La storia pittorica della Italia inferiore o sia delle scuole Fiorentina, Senese, Romana, Napolitana, Florence, 1792.

LANZI Luigi.
Storia pittorica dell' Italia, 2e éd., Bassano, 1795-1796, t. I (texte définitif repris par toutes les éditions postérieures).

LAPAUZE Henry.
Histoire de l'Académie de France à Rome, Paris, 1924, 2 vol.

LATIL Joseph-Philippe.
Histoire civile et religieuse de Grasse, Grasse, 1907.

LAUNAY Elisabeth.
« Les Goncourt collectionneurs: les dessins français du XVIIIe siècle du cabinet d'Auteuil », thèse de doctorat, Paris, 1983-1984.

LAVICE André-Absinthe.
Revue des musées d'Italie, Paris, 1862.

LAVICE André-Absinthe.
Revue des musées d'Allemagne, Paris, 1867.

LE BLANC Charles.
Manuel de l'amateur d'estampes, Paris, 1888, t. III.

LEBRUN Jean-Baptiste.
Almanach historique et raisonné des architectes, peintres, sculpteurs, graveurs et cizeleurs, année 1777, Paris, 1777.

LEBRUN Jean-Baptiste.
Catalogue d'objets rares et curieux provenant du cabinet de M. Lebrun (lundi 29 septembre 1806), Paris, 1806.

LECARPENTIER Charles-Jacques-François.
Galerie des peintres célèbres, avec des remarques sur le genre de chaque maître, Paris, 1821, t. II.

LECOY DE LA MARCHE A.
La peinture religieuse, Paris, 1892.

LEHNEN Peter.
«Expensae circa processum beatificationis et canonizationis sancti Camilli de Lellis», in: *Analecta ordinis CC. RR. Ministrantium infirmis,* t. X, 1964, p. 991.

LEJEUNE Théodore.
Guide théorique et pratique de l'amateur de tableaux, Paris, 1864-1865, 3 vol.

LE MOËL Michel,
ROSENBERG Pierre.
«La collection de tableaux du duc de Saint-Aignan et le catalogue de sa vente illustré par Gabriel de Saint-Aubin», in: *Revue de l'Art,* n° 6, 1969, pp. 51-67.

LEMONNIER Henry.
«Les origines du Musée Condé», in: *GBA,* février 1925, p. 71.

LENOIR Alexandre.
«Catalogue historique et chronologique des peintures et tableaux réunis au dépôt national des monuments français... adressé au Comité d'instruction publique le 11 vendémiaire an III», in: *Bulletin archéologique publié par le Comité historique des arts et des monuments,* t. III, 1845, p. 314. (Réédité dans la *Revue universelle des arts,* t. XXI, 1865, p. 145).

LEROY Alfred.
Histoire de la peinture française au XVIIIe *siècle,* Paris, 1935.

LESPINASSE Pierre.
L'art français et la Suède de 1637 à 1816. Essai de contribution à l'histoire de l'influence française, 1re série, 1re partie, Paris, 1913.

LESPINASSE Pierre,
MESURET Robert.
«Documents inédits sur les Rivalz», in: *Bulletin de la Société archéologique du Midi de la France,* 1942-1945, pp. 218-219.

LÉVESQUE Pierre-Charles.
Voir WATELET Claude-Henri.

LEVEY Michael.
«Il Museo Correr di Venezia, dipinti del XVII XVIII secolo a cura di Terisio Pignatti», in: *The Burlington Magazine,* septembre 1961, p. 399.

LEVEY Michael,
KALNEIN Wend Graf.
Art and architecture of the eighteenth century in France, Harmondsworth, 1972.

LIEURE Jacques.
Jacques Callot, Paris, 1924-27, 3 vol.

LIRONCOURT Antoine-Jacques de.
«Pierre Subleyras, lettre inédite sur ce peintre», in: *Magasin pittoresque,* t. XXI, 1853, pp. 340-342.

LO BIANCO Anna.
Pier Leone Ghezzi pittore, Palerme, 1985.

LOCHE Renée, PIANZOLA Maurice.
«Les tableaux remis par Napoléon à Genève», in: *Genava,* 1964, pp. 269-270 (il existe une édition avec une pagination indépendante).

LOCHIS Giovanni.
La pinacoteca e la villa Lochis alla Crocetta di Mozzo presso Bergamo, 2e éd., Bergame, 1858.

LOCQUIN Jean.
«Quelques artistes et amateurs français à l'académie romaine de Saint-Luc au XVIIIe siècle», in: *BSHAF,* 1909, pp. 98-100.

LOCQUIN Jean.
La peinture d'histoire en France de 1747 à 1785, Paris, 1912.

LOGA Valerian von.
Die Malerei in Spanien, Berlin, 1923.

LOMAX James.
«Prince Pig Wiggin in Italy», in: *Leeds arts calendar,* n° 83, 1978, pp. 9-19.

LOMBARDI Teodosio.
I Francescani a Ferrara, Bologne, 1974, t. II et V.

LONGHI Roberto.
«Carpioni di Giuseppe Maria Pilo», in: *Paragone,* n° 157, janvier 1963, pp. 78-79.

LOSSKY Boris, «Margarethe Poch-Kalous».
«Pierre Subleyras», in: *GBA,* juillet-août 1970, pp. 22-23.

LUGT Frits.
Les marques de Collections de dessins et d'estampes, Amsterdam, 1921.

LUGT Frits.
Les marques de Collections de dessins et d'estampes, supplément, La Haye, 1956.

LUNA Juan J.
«Algunos retratos franceses del XVIII en colecciones españolas», in: *Archivo español de arte,* n° 192, 1975, pp. 375, 379-382.

LUNA Juan J.
«Precisiones sobre un retrato de P. Subleyras», in: *Archivo español de arte,* n° 194, 1976, pp. 182-184.

LUYNES Charles-Philippe d'Albert, duc de.
Mémoires du duc de Luynes sur la cour de Louis XV, publ. par L. Dussieux et E. Soulié, Paris, 1860-1865, t. XVI.

MAC ALLISTER JOHNSON W.
«Affiches, annonces et avis divers. The estampe-publicité in 18th century France», in: *GBA,* octobre 1983, p. 124.

MAC ALLISTER JOHNSON W.
«Paintings, provenance and price: speculations on 18th century connoisseurship apparatus in France», in: *GBA,* mai-juin 1986, p. 195, fig. 6.

MACON Gustave.
Chantilly et le Musée Condé, Paris, 1910.

MAGNANIMI Giuseppina, «Inventari della collezione romana dei principi Corsini», in: *Bollettino d'arte,* 1980, n° 7, juillet-sept., pp. 91-126 et n° 8, oct.-déc., pp. 73-114.

MAGNI Basilio.
Storia dell'arte italiana dalle origini al secolo XX, 2e éd., Rome, 1905, t. III.

MAGNIN Jeanne.
La peinture et le dessin au Musée de Besançon, Dijon, 1919.

MAGNIN Jeanne.
Un cabinet d'amateur parisien en 1922, collection Maurice Magnin, Dijon, 1923.

MAGUGLIANI Lodovico.
«Del Subleyras», in: *Alla bottega, rivista bimestrale di cultura ed arte,* t. XII, 1974, n° 6, pp. 36-37.

MAHUL Alphonse.
Cartulaire et archives des communes de l'ancien diocèse et de l'arrondissement administratif de Carcassonne, Paris, 1872, t. VI (2).

MAILLARD Robert.
Voir *Dictionnaire universel de la peinture.*

MANAZZALE Andrea.
Rome et ses environs... dernière édition, Rome, 1803, t. I et II.

MANCINI Claudio M.
Voir GHEZZI Pier Leone.

MANKOWSKI Tadeus.
Galerja Stanisławа Augusta, Lwow, 1932.

MANNLICH Christian von.
Beschreibung der Churpfalzbaierischen Gemälde-Sammlungen zu München und zu Schleissheim, Munich, 1805, t. I et II.

MANTZ Paul.
«Galeries particulières: Galerie de M. le comte d'Espagnac», in: *L'Artiste,* 18 avril 1847, pp. 98-101.

MANTZ Paul.
«Les miniaturistes du XVIIIe siècle», in: *L'Artiste, nouvelle série,* t. III, 1858, p. 125.

MANTZ Paul.
«Collections d'amateurs, I, le cabinet de M. A. Dumont, à Cambrai», in: *GBA,* t. VIII, 1860, p. 312.

MANTZ Paul.
«Le musée rétrospectif à l'exposition du Havre», in: *GBA,* t. XXV, 1868, p. 473.

MARANDEL J. Patrice.
Voir Exposition Houston, 1973-1975.

MARCEL Adrien.
«La jeunesse de Joseph Vernet», in: *Mémoires de l'Académie de Vaucluse,* 2e série, t. XV, 1915, p. 43.

MARCEL Adrien. Voir VIAL Henri.

MARCEL Pierre.
La peinture française au début du XVIIIe *siècle, 1690-1721,* Paris, 1906.

MARCONI Paolo,
CIPRIANI Angela,
VALERIANI Enrico.
I disegni di architettura dell'Archivio storico dell'Accademia di San Luca, Rome, 1974, t. I.

MARIANI Valerio.
Le chiese di Roma dal XVII *al* XVIII *secolo,* Bologne, 1963.

MARIETTE Pierre-Jean.
Abecedario... et autres notes inédites de cet amateur sur les arts et les artistes, publ. par MM. Ph. de Chennevières et A. de Montaiglon, Paris, 1858-1859, t. V.

MARINI Maurizio.
Voir Exposition Celano, 1984-1985.

MARTIN Henri.
Département de la Haute-Garonne. Documents relatifs à la vente des biens nationaux... District de Toulouse, Toulouse, 1916.

MARTIN-MÉRY Gilberte.
Voir Exposition Bordeaux, 1959.

MASSON André.
Un mécène bordelais, Nicolas Beaujon, 1718-1786, Bordeaux, 1937.

MATTHIAE Guglielmo.
S. Maria degli Angeli, Rome, 1965 (nouvelle éd. 1982).

MÉJANÈS Jean-François.
Voir Exposition Paris, 1983.

Memorie per le Belle Arti, février 1786, pp. 25-36 («Vita di Pietro Subleyras»).

Mercure de France, juin 1736, septembre 1757.

MERSON Olivier.
«Musées de province, la Galerie Clarke de Feltre, Musée de Nantes», in: *GBA,* t. VIII, 1860, p. 196.

MERSON Olivier.
La peinture française au XVIIe *et au* XVIIIe, Paris, 1900.

MESURET Robert.
Évocation du vieux Toulouse, Paris, 1960.

MESURET Robert.
Les expositions de l'Académie Royale de Toulouse de 1751 à 1791, Toulouse, 1972.

MESURET Robert.
Voir LESPINASSE Pierre.

MICHAUD Louis-Gabriel.
Biographie universelle, nouv. éd., Paris, 1854-1865, t. XL.

MICHEL Olivier.
«Peintres français à Rome au XVIIIe siècle jusqu'au néo-classicisme», in: *Association Guillaume Budé, actes du* IXe *congrès, Rome 13-18 avril 1973,* Paris, 1975, pp. 945-948-949.

MICHEL Olivier.
«L'Accademia», in: *Le Palais Farnèse,* Rome, 1981.

MICHEL Olivier.
«Les archives du Vicariat de Rome», in: *Revue de l'Art,* n° 54, 1981, pp. 25-31, 34.

MICHEL Olivier.
«Les artistes français et l'académie des Arcades au XVIIIe siècle», in: *La condition sociale de l'artiste.* Colloque organisé par le groupe des chercheurs en histoire moderne et contemporaine du CNRS, Paris, 12 octobre 1985, Paris, 1987, à paraître.

MILIZIA Francesco.
Memorie degli architetti antichi e moderni, 4e éd., Bassano, 1785, t. II.

MILIZIA Francesco.
Dizionario delle belle arti del disegno estratto in gran parte dalla Enciclopedia metodica, Bassano, 1797, t. II (texte identique: 2e éd., Bassano, 1822, t. II).

MILLIN Aubin-Louis.
Voyage en Savoie, en Piémont, à Nice et à Gênes, Paris, 1816, t. I.

MILLIN Aubin-Louis.
Voyage dans le Milanais, à Plaisance, Parme, Modène, Mantoue, Crèmone et dans plusieurs autres villes de l'ancienne Lombardie, Paris, 1817, t. I.

MIREUR H.
Dictionnaire des ventes d'art, Paris, 1912, t. VII.

MIRIMONDE Albert Pomme de.
«Esquisses retrouvées, Oudry, Noël Hallé, Subleyras, Lépicié, Vignalis et Peyron», in: *BSHAF,* 1966, pp. 134-135.

MIRIMONDE Albert Pomme de.
*L'iconographie musicale sous les rois Bourbons. La musique dans les arts plastiques (*XVIIe*-*XVIIIe *siècles),* Paris, 1977, 2 vol.

MOMMÉJA Jules.
«La fondation du Musée d'Agen», in: *Réunion des sociétés des beaux-arts des départements,* t. XXIII, 1899, p. 524.

MONEY Ernle.
«Seventy years of the NACF», in: *Connoisseur,* novembre 1973, p. 177.

MONOD Lucien.
Le prix des estampes, Paris, 1928, t. VIII.

MONTAIGLON Anatole de.
Descriptions de l'Académie royale de peinture et de sculpture, Paris, 1893.

MONTAIGLON Anatole de.
Voir *Correspondance des directeurs.*

MONTAIGLON Anatole de.
Voir MARIETTE Pierre-Jean.

MONTAIGLON Anatole de.
Voir *Procès-verbaux de l'Académie royale de peinture et de sculpture.*

MONTLAUR Joseph-Eugène de Villardi marquis de.
«Pierre Subleyras, peintre (Lettre de P. Subleyras au comte de Quinson du 11 décembre 1739»), in: *AAF,* t. XI (documents, t. V), 1857-1858, pp. 93-96.

MOSCHINI Giannantonio.
La chiesa e il seminario di Santa Maria della Salute a Venezia, Venise, 1842.

MOSCHINI Vittorio.
Le raccolte del Seminario di Venezia, Rome, 1940.

MOUTON-GILLES Colette.
«Jean-Baptiste Vanloo», in: *L'Information d'histoire de l'art,* 1972, p. 188.

MÜLLER Hermann Alexander,
SINGER Hans Wolfgang.
Allgemeines Künstler-Lexikon, Francfort-sur-le-Main, 1895-1901, t. IV.

NAGLER Georg Kaspar.
Neues allgemeines Künstler-Lexikon, Munich, 1847, t. XVII.

NAGLER Georg Kaspar.
Die Monogrammisten, Munich, 1879, t. V.

NICOLAS Michel.
Histoire des artistes, peintres, sculpteurs, architectes et musiciens nés dans le département du Gard, Nîmes, 1859.

NICOLSON Benedict.
«Current and forthcoming exhibition, Heim Gallery, London», in: *The Burlington Magazine,* juillet 1969, p. 464.

NUGENT Margherita.
All'esposizione del ritratto, Florence, 1912.

Nuovissimi studi Corelliani, Florence, 1982.

OLSEN Harald.
«Et malet galleri af Pannini. Kardinal Silvio Valenti Gonzaga Samling», in: *Kunstmuseets Årsskrift,* t. XXXVIII, 1951, p. 102.

ORSINI Baldassare.
Guida al forastiere per l'augusta città di Perugia, Pérouse, 1784.

ORSINI Baldassare.
Descrizione delle pitture, sculture, architetture ed altre cose rare della insigne città di Ascoli, Pérouse, 1790.

ORSINI Baldassare.
Memorie de' pittori perugini del secolo XVIII, Pérouse, 1806.

PAHIN CHAMPLAIN
DE LA BLANCHERIE
Mammès-Claude-Catherine.
Essai d'un tableau historique des peintres de l'école française depuis Jean Cousin en 1500 jusqu'en 1783, Paris, 1783.

PALMEGIANI Francesco.
Rieti e la regione Sabina, Rome, 1932.

PAPILLON DE LA FERTÉ
Denis-Pierre-Jean.
Extrait des différents ouvrages publiés sur la vie des peintres, Paris, 1776, t. II.

PARROCEL Etienne.
Annales de la peinture, Paris, Marseille, 1862.

PARTHEY Gustav Friedrich Constantin.
Deutscher Bildersaal. Verzeichniss der in Deutschland vorhandenen Oelbilder verstorbener Maler aller Schulen, Berlin, 1864, t. II.

PASQUALONI Pietro.
«Vita del pittore Pietro Subleyras», in: *Giornale delle belle arti,* mai-juin 1786, pp. 156-157, 162-164, 170-172 (écrit en 1764 pour les *Notizie degli Arcadi illustri* qui ne furent pas continuées).

PASTOR Ludwig von.
Geschichte der Päpste, Fribourg, 1923, t. XVI (1) (traduction italienne, *Storia dei papi,* Rome, 1965, t. XVI (1).

PENENT Jean.
Voir Exposition Flaran, 1984.

PENENT Jean.
«Les anciennes peintures du Capitole», in: *L'Auta,* n.s., n° 517, juin 1986, pp. 163-180.

PÉREZ Marie-Félicie.
«Un discours inédit de Ferdinand Delamonce (1753), Lettres ou remarques touchant le nouveau livre intitulé Réflexions critiques sur les différentes écoles de peinture par M. le marquis d'Argens», in: *Mélanges offerts à Georges Couton,* Lyon, 1981, pp. 488, 505.

PERICOLI RIDOLFINI Cecilia.
«Un dipinto di Subleyras al Museo di Roma», in: *Bollettino dei Musei comunali di Roma,* t. VIII, 1961, pp. 37-43 (texte identique dans: *Domesticum,* 1962, pp. 150-155).

PERICOLI RIDOLFINI Cecilia.
«La Pinacoteca dell' Accademia dell' Arcadia», in: *Capitolium,* t. XXXV, 1960, p. 12.

PERICOLI RIDOLFINI Cecilia.
Guide rionali di Roma, Rione VI, Parione, Parte I, 2e éd., Rome, 1973.

PERINA Chiara.
«Considerazioni su Giuseppe Bottani», in: *Arte Lombarda,* t. VI, 1964, pp. 51, 54-56.

PERNETY Antoine-Joseph.
Dictionnaire portatif de peinture, sculpture et gravure, Paris, 1757.

PEROLINI Mario.
Vicende degli edifici monumentali e storici di Crema, Crema, 1975.

PERRIER Charles.
«Galeries publiques et particulières de Rome, collection Mangin (lettre) à M. Arsène Houssaye», in: *L'artiste,* n.s. IX, 1860, p. 197.

PERRIER Emile.
Les bibliophiles et les collectionneurs provençaux anciens et modernes, Marseille, 1897.

PEVSNER Nikolaus.
Academies of art past and present, Cambridge, 1940.

PEYRE Roger.
Répertoire chronologique de l'histoire universelle des beaux-arts, Paris, 1899.

PFISTER Federico.
«Disegni di Vincenzo Camuccini», in: *Bollettino d'Arte del Ministero della pubblica istruzione,* n° 1, juillet 1928, p. 21.

PIANZOLA Maurice.
Voir LOCHE Renée.

PICAULT Jeanne.
«Jean Barbault pensionnaire de l'Académie de France à Rome, 1750-1753», in: *BSHAF,* 1951, p. 29.

PICCIONI Luigi.
«Iconografia barettiana», in: *Emporium,* 77, 1933, janvier, pp. 22-23.

PIETRANGELI Carlo.
Guide rionali di Roma, Rione IX, Pigna, Parte II, 2e éd., Rome, 1980.

PIETRANGELI Carlo.
Villa Paolina, Rome, 1961.

PIGLER A.
Barockthemen, Budapest, 1956, 2 vol.

PIGNATTI Terisio.
«Mostra di dipinti restaurati del sei e settecento al Museo Correr», in: *Bollettino dei musei civici veneziani,* 1959, n° 3, pp. 31-32, n° 16.

PILKINGTON Matthew.
The gentleman's and connoisseur's dictionary of painters, Londres, 1770.

PIOT Eugène.
«Vente de la galerie Fesch à Rome», in: *Cabinet de l'amateur et de l'antiquaire,* t. IV, 1845-1846, p. 291, n° 437, p. 296, n° 1049.

PISSOT Léon.
«Nouveaux détails biographiques sur le peintre Trémolières», in: *Réunion des sociétés des beaux-arts des départements,* t. XVI, 1892, p. 110.

PLANCHENAULT René.
«La collection du marquis de Livois, l'art français», in: *GBA,* 1933 (2), p. 223.

POCH-KALOUS Margarethe.
Pierre Subleyras in der Gemäldegalerie der Akademie der bildenden Künste in Wien, Vienne, 1969.

PODCZASZYNSKI Boleslas,
KANIEWSKI Xavier.
«Catalogue des tableaux du palais de Lazienki à Varsovie», in: *Revue universelle des arts,* t. III, 1859, p. 63, n° 201.

PORCELLA Amadore.
Le pitture della Galleria Spada di Roma, Rome, 1932, p. 139.

PORTALIS Roger,
BÉRALDI Henri.
Les graveurs du XVIIIe siècle, Paris, 1882, t. III.

POSNER Donald. Voir HELD Julius S.

Procès-verbaux de l'Académie royale de peinture et de sculpture, 1648-1793, publ. par Anatole de Montaiglon, Paris, t. V (1883) et VII (1886).

Procès-verbaux de la Commission des monuments.
Voir TUETEY Louis.

QUENOT M.-J.
Contribution à l'histoire du chien de compagnie d'après les peintures du Louvre, Alfort, 1964.

RAMBAUD Mireille.
Documents du Minutier central concernant l'histoire de l'art, 1700-1750, Paris, 1971, t. II.

RAMET Henri.
Histoire de Toulouse, Toulouse, 1935.

RÉAU Louis.
«Une biographie italienne de Pierre Subleyras», in: *BSHAF,* 1924, pp. 189-201 (cité ici comme R.).

RÉAU Louis.
Histoire de la peinture française au XVIIIe siècle, Paris, 1925, t. I.

RÉAU Louis.
«Catalogue de l'art français dans les musées russes», in: *BSHAF,* 1928, pp. 216-217, 250.

RÉAU Louis.
«Catalogue des œuvres d'art français de la collection du roi de Pologne Stanislas-Auguste», in: *AAF,* nouvelle période, t. XVII, 1932, p. 234, n° 164.

RÉAU Louis.
Histoire de l'expansion de l'art français. Le monde latin, Italie, Espagne..., Paris, 1933.

RÉAU Louis.
L'Europe française au siècle des Lumières, Paris, 1938.

RÉAU Louis.
Iconographie de l'art chrétien, Paris, 1955-1959, 3 tomes en 6 vol.

Recueil des instructions données aux ambassadeurs et ministres de France..., Paris, 1913, t. XX.

REFF Theodore.
«Copyists in the Louvre, 1850-1870», in: *The Art Bulletin,* n° XLVI, décembre 1964, pp. 552-559.

RENOUVIER Jules.
«Musées de province. Le musée de Montpellier», in: *GBA,* t. V, 1860, p. 22.

Revue du Louvre, 1973 (1), p. 75 («Trois expositions circulantes de peintures du Louvre»).

Revue du Louvre, 1981 (5-6), p. 396 («Récentes acquisitions des musées nationaux, Musée du Louvre, département des peintures»).

Rime degli Arcadi, t. XII, Rome, 1759.

RIVOIRE Hector.
Statistique du département du Gard, Nîmes, 1842, t. I.

ROBERT-DUMESNIL
Alexandre-Pierre-François.
Le peintre-graveur français, Paris, 1836, t. II.

ROBERTS Keith.
«Current and forthcoming exhibitions (Heim gallery)», in: *The Burlington magazine,* décembre 1969, pp. 768-769, fig. 75.

ROBINO Stefano.
Rievocazioni e attualità di S. Maria Nuova in Asti, Asti, 1935.

ROCHEBLAVE Samuel.
Les Cochin, Paris, 1893.

ROCHEBLAVE Samuel.
Charles-Nicolas Cochin graveur et dessinateur, Paris-Bruxelles, 1927.

RODRIGUEZ G. de CEBALLOS Alfonso.
« Aportacíon a la iconografia de San Ignacio de Loyola », in: *Goya,* n° 102, 1970-1971, pp. 388-392.

ROLAND MICHEL Marianne.
« Notes on a painting by Hubert Robert formerly attributed to Watteau », in: *The Burlington Magazine,* novembre 1960, advertisement supplement, p. ii-iii.

ROLAND MICHEL Marianne.
« Pierre Subleyras », in: *Encyclopaedia universalis,* Paris, 1975, t. XX.

ROSCHACH Jean-Joseph-Gabriel-Ernest.
« La galerie de peinture de l'hôtel de ville de Toulouse », in: *Mémoires de l'Académie des sciences, inscriptions et belles lettres de Toulouse,* 9e série, t. I, 1889, pp. 16-38.

ROSCHACH Jean-Joseph-Gabriel-Ernest.
Histoire graphique de l'ancienne province de Languedoc, Toulouse, 1904.

ROSENBERG Pierre.
« An exhibition at the Barberini Gallery, Rome », in: *The Burlington Magazine,* septembre 1970, pp. 641-642.

ROSENBERG Pierre.
« Subleyras au musée de Berlin », in: *Berliner Museen, neue Folge,* t. XXIII, 1973, Heft 1, pp. 1-3.

ROSENBERG Pierre.
« A propos d'un dessin d'Antoine Rivalz », in: *La Revue du Louvre,* 1975, p. 185.

ROSENBERG Pierre.
« Le Concours de peinture de 1727 », in: *Revue de l'Art,* n° 37, 1977, pp. 29-42.

ROSENBERG Pierre.
« Louis-Joseph Le Lorrain 1715-1759 », in: *Revue de l'Art,* nos 40-41, 1978, pp. 173, 175, 202.

ROSENBERG Pierre.
« Pierre Subleyras », in: *Petit Larousse de la peinture,* Paris, 1979, t. II.

ROSENBERG Pierre.
« Longhi e il seicento francese », in: *L'arte di scrivere sull'arte. Roberto Longhi nella cultura del nostro tempo,* Rome, 1982.

ROSENBERG Pierre.
« Tre note napoletane », in: *Arti e civiltà del settecento a Napoli* a cura di Cesare De Seta, Bari, 1982, pp. 87-94.

ROSENBERG Pierre.
Voir Exposition Florence, 1968.

ROSENBERG Pierre.
Voir Exposition Beauvais, Angers, Valence, 1974-1975.

ROSENBERG Pierre.
Voir Exposition Toledo, Chicago, Ottawa, 1975-1976.

ROSENBERG Pierre.
Voir LE MOËL Michel.

ROSENBLUM Robert.
« Moses and the Brazen Serpent: a painting from David's Roman period », in: *The Burlington Magazine,* décembre 1963.

ROSEROT Alphonse.
« Edme Bouchardon dessinateur », in: *Réunion des sociétés des beaux-arts des départements,* t. XIX, 1895, p. 606.

ROSEROT Alphonse.
« Laurent Guiard, premier sulpteur du duc de Parme (1723-1788) », in: *Réunion des sociétés des beaux-arts des départements,* t. XXV, 1901.

ROSINI Giovanni.
Storia della pittura italiana esposta coi monumenti, Pise, 1847, t. VII (texte identique, 2e éd., Pise, 1852, t. VII).

ROSSI Adamo.
« Note al Morelli », in: *Giornale di erudizione artistica,* t. IV, 1875, p. 216.

ROST Carl Christian Heinrich.
Voir HUBER Michel.

ROTILI Mario.
Voir VANVITELLI Luigi junior.

RÖTTGEN Steffi.
« Hofkunst - Akademie - Kunstschule - Werkstatt », in: *Münchner Jahrbuch der bildenden Kunst,* t. XXXVI, 1985, pp. 131-181.

ROUX Marcel.
Voir *Bibliothèque nationale, Cabinet des estampes. Inventaire du fonds français - Graveurs du XVIIIe siècle.*

ROVINSKI Dimitri Aleksandrovič.
Podrobny, slovar russkich graverov XVI-XIX vv. (Dictionnaire détaillé des graveurs russes), Saint-Pétersbourg, 1895, t. II.

RUDOLPH Stella.
La pittura del '700 a Roma, Milan, 1983.

RUSSELL Francis.
« Pictures by two Scottish painters in Italy », in: *The Burlington Magazine,* octobre 1976, pp. 700-701.

SADE
Donatien-Alphonse-François,
marquis de.
Voyage d'Italie, précédé des premières œuvres... publ. par Gilbert Lely et Georges Daumas, Paris, 1967.

SAHUT Marie-Catherine.
Voir Exposition Paris, 1979.

SAINT-RAYMOND Edmond.
« Les peintres toulousains des XVIIe et XVIIIe siècles... », in: *Bulletin théologique, scientifique et littéraire de l'Institut catholique de Toulouse,* nouvelle série, t. IV-V, 1892-1893, pp. 129-147.

SAINT-SIMON.
Mémoires, éd. Gonzague Truc, t. I, Paris, 1947.

SALA BALUST Luis.
Santo Maestro Juan de Avila, Madrid, 1970.

SALERNO Luigi.
Voir Exposition Rome, 1959.

SALERNO Luigi.
Palazzo Rondinini, Rome, 1964.

SANDOZ Marc.
« Suggestion pour un musée des copies en mosaïque en 1739 », in: *GBA,* janvier 1978, p. 22.

SANI Bernardina.
Voir CARRIERA Rosalba.

SARTORIO Aristide.
Voir Musée Rome *Accademia di San Luca,* 1910.

SAUNIER Charles.
Le grand prix de peinture, sculpture, gravure en médaille depuis la fondation du prix de Rome, Paris, 1896.

SAUNIER Charles.
« Le prix de Rome. Les Grands Prix de peinture et de sculpture depuis 1664 », in: *Revue encyclopédique,* nos 151-152, 1896, pp. 512, 514.

SAUNIER Charles.
« Une collection de dessins de maîtres provinciaux. Le Musée Xavier Atger », in: *GBA,* mars 1922, pp. 166-167.

SAURÉ Wolfgang.
« Die Sammlung Kaufmann - Schlageter », in: *Weltkunst,* n° 17, septembre 1984, pp. 2230-2232.

SAWICKA Stanislawa,
SULERZYSKA Teresa.
Les pertes de dessins au cabinet des estampes de la Bibliothèque Universitaire de Varsovie 1939-1945, Varsovie, 1960.

SCANO Gaetana.
Voir VALESIO Francesco.

SCARPINI Modesto.
I monaci Benedittini di Monte Oliveto, S. Salvatore Monferrato, 1952.

SCHEDE VESME.
L'arte in Piemonte dal XVI al XVIII secolo, Turin, 1968, t. III.

SCHIAVO Armando.
Palazzo Mancini, Palerme, 1969.

Sele arte, 1960 (n° 45) mars-avril, p. 16 (« Mostre, musei, gallerie »).

SESTIERI Giancarlo.
«Profilo di Francesco Mancini», in: *Storia dell'arte,* n° 29, 1977, pp. 67-74.

SEUBERT A.
Allgemeines Künstler-Lexikon oder Leben und Werke der berühmtesten Bildenden Künstler. Zweite Auflage, t. III, Francfort-sur-le-Main, 1882, p. 386.

SIEPI Serafino.
Descrizione topologico-istorica della città di Perugia, Pérouse, 1822.

SILVAGNI David.
La corte e la società Romana nei secoli XVIII e XIX, Rome, 1882-1884, t. I et II.

SILVESTRE DE SACY Jacques.
Le comte d'Angiviller, dernier directeur général des bâtiments du roi, Paris, 1953.

SINGER Hans Wolfgang.
Allgemeiner Bildnis Katalog, Leipzig, 1934, t. XII.

SINGER Hans Wolfgang.
Neuer Bildnis Katalog, Leipzig, 1937, t. I.

SINGER Hans Wolfgang.
Voir MÜLLER Hermann Alexander.

SIRET Adolphe.
Dictionnaire historique des peintres de toutes les écoles, Paris, 1874 (texte identique dans 3e éd., Paris, 1883, t. II).

SLATKIN Regina Schoolman.
«The new Boucher catalogue», in: *The Burlington Magazine,* février 1979, p. 123.

SOUCHAL François.
Les Slodtz, sculpteurs et décorateurs du Roi 1685-1764, Paris, 1967.

SOUCHAL François.
French sculptors of the 17th and 18th centuries, Londres, 1977.

SOULIÉ Eudoxe.
Voir LUYNES Charles-Philippe d'Albert, duc de.

STANLEY George.
Voir BRYAN Michael.

STEIN Henri.
«Etat des objets d'art placés dans les monuments religieux et civils de Paris au début de la Révolution française», in: *NAAF,* 3e série, t. VI, 1890, p. 59.

STEIN Henri.
«La Société des beaux-arts de Montpellier 1779-1787», in: *AAF,* nouvelle période, t. VII, 1933, pp. 376, 395.

STERLING Charles.
Musée de l'Ermitage, la peinture française de Poussin à nos jours, Paris, 1957.

STERLING Charles.
Still life painting from antiquity to the twentieth century, 2e éd., New York, 1981.

STIERNON Daniele.
«Basilio il Grande», in: *Bibliotheca sanctorum,* Rome, 1962, t. II, col. 943-944.

STRANAHAN C.H.
A history of French painting from its earliest to its latest practice..., Londres, 1889.

STRAZZULLO Franco.
Voir VANVITELLI Luigi.

STRUTT Joseph.
A biographical dictionary containing an historical account of all the engravers, Londres, 1786, t. II.

STUFFMANN Margret.
«Les tableaux de la collection de Pierre Crozat», in: *GBA,* juillet-septembre 1968, p. 134, n° 173.

STUFFMANN Margret.
Voir KELLER Harald.

SUBLEYRAS Pierre.
Voir MONTLAUR Joseph-Eugène de Villardi, marquis de.

SULERZYSKA Teresa.
Voir SAWICKA Stanislawa.

SUTTON Denys.
Editorial. «Rome the magnet», in: *Apollo,* mai 1967, p. 319.

TERAUBE Gustave.
Histoire d'Uzès et de son arrondissement, Uzès, 1879.

TERNOIS Daniel.
«Les tableaux de la Primatiale Saint-Jean, Catalogue», in: *Revue du lyonnais,* 1978, n° 4, pp. 234-235.

THIEME Ulrich,
BECKER Felix.
Allgemeines Lexikon der bildenden Künstler, Leipzig, 1938, t. XXXII (signé H.V. = Hermann Voss).

THIÉRY Luc-Vincent.
Guide des amateurs et des étrangers voyageurs à Paris, Paris, 1787, t. I et II.

THORÉ Théophile.
«Lettres sur la province, exposition de peinture et de sculpture anciennes à Angers», in: *L'artiste,* 2e série, t. III, 1839, p. 219.

THORÉ Théophile, pseud. W. Bürger.
«Exposition de tableaux de l'école française ancienne tirés de collections d'amateurs», in: *GBA,* t. VII, 1860, p. 340, t. VIII, 1861, p. 235.

THUILLIER Jacques.
Voir CHÂTELET Albert.

TICOZZI Stefano.
Dizionario dei pittori, Milan, 1818, t. II (texte augmenté, Milan, 1832, t. III).

TORNÉZY Albert.
La peinture ancienne à l'exposition artistique de Poitiers en 1887, Poitiers 1888.

TORNÉZY Albert.
Voir BERGERET DE GRANCOURT Pierre-Jacques-Onésyme.

TRUC Gonzague.
Voir SAINT-SIMON.

TUETEY Alexandre,
GUIFFREY Jean.
«La Commission du Muséum et la création du Musée du Louvre, 1792-1793, documents recueillis et annotés», in: *AAF,* nouvelle période, t. III, 1909, p. 383, 394.

TUETEY Louis.
«Procès-verbaux de la Commission des monuments, 1790-1794», in: *NAAF,* t. XVII-XVIII, 1901-1902, t. I, pp. 334, 338, 352, t. II, p. 228.

TURČIĆ Lawrence.
«Drawings for Agostino Masucci's Education of the Virgin», in: *Master Drawings,* n° 3, vol. XX, automne 1982, pp. 275-278.

TURČIĆ Lawrence.
Voir BEAN Jacob.

URREA FERNANDEZ Jesus.
La pintura italiana del siglo XVIII en España, Valladolid, 1977.

VALDESOLO Paolino.
«San Camillo nella mostra di Palazzo Braschi», in: *Domesticum,* 1962, pp. 24-27.

VALERIANI Enrico.
Voir MARCONI Paolo.

VALESIO Francesco, *Diario di Roma,* ed. a cura di Gaetana Scano, Milan, 1977-1979, 6 vol.

VANTI Mario, S.
Camillo de Lellis (1550-1614)... Dai processi canonici e da documenti inediti, Turin, 1929.

VANUXEM Jacques.
«L'art baroque», in: *Encyclopédie de la Pléiade, Histoire de l'art, 3, Renaissance, baroque, romantisme,* Paris, 1965.

VANVITELLI Luigi.
Le lettere di Luigi Vanvitelli della Biblioteca Palatina di Caserta ed. a cura di Franco Strazzullo, Galatina, 1976, t. I.

VANVITELLI Luigi junior.
Vita di Luigi Vanvitelli, a cura di Mario Rotili, Naples, 1975.

VERDI Richard.
«Paris, musée du Louvre. The Kaufmann and Schlageter Bequest», in: *The Burlington Magazine,* n° 980, vol. CXXVI, novembre 1984, pp. 723-724.

VERGNET-RUIZ Jean.
La peinture française au XVIIIe siècle, 1, chefs-d'œuvre des musées de France, Paris, 1966.

VERGNET-RUIZ Jean,
LACLOTTE Michel.
Petits et grands musées de France, école française, Paris, 1962.

VIAL Henri,
MARCEL Adrien,
GIRODIE André.
Les artistes décorateurs du bois, Paris, 1922, t. II.

VIARDOT Louis.
Les musées d'Italie. Guide et mémento de l'artiste et du voyageur, Paris, 1852.

VIARDOT Louis.
Les musées de France, Paris, guide et mémento de l'artiste et du voyageur, 2e éd., Paris, 1860.

VIREBENT.
« Note sur divers dessins du Capitole », in: *Bulletin de la Société archéologique du Midi de la France,* t. XII, (nouvelle série, t. I), 1885, pp. 16-17.

VOLK Peter.
« Peter Anton Verschaffelts Bildnisbüsten des Kurfürsten Karl Theodor von der Pfalz », in: *Pantheon,* t. XXI, 1973, pp. 415, 418 note 22.

VOLLE Nathalie.
Voir Exposition Beauvais, Angers, Valence, 1974-1975.

VOLPE Carlo.
Voir HOFMANN Werner.

VOLTINI Francesco.
La Chiesa di San Sigismondo in Cremona, Crémone, 1984.

VOSS Hermann.
Die Malerei des Barock in Rom, Berlin, 1924.

VOSS Hermann.
Voir THIEME Ulrich, BECKER Felix.

WAAGEN Gustav Friedrich.
Treasure of art in Great Britain, Londres, 1854, t. II et III.

WAGA Halina.
« Vita nota e ignota dei Virtuosi al Pantheon, appendice (Indice delli quadri... esposti nella mostra fatta nel portico di S. Maria ad Martyres... nel corrente anno 1750) », in: *L'Urbe,* septembre-octobre 1968, p. 10.

WAKEFIELD David.
French eighteenth century painting, Londres, 1984.

WATELET Claude-Henri,
LEVESQUE Pierre-Charles.
Dictionnaire des arts de peinture, sculpture et gravure, Paris, 1792, t. IV.

WATERHOUSE Ellis K.
« Francesco Fernandi detto l'Imperiali », in: *Arte Lombarda,* t. III, 1958, pp. 101-106.

WATERHOUSE Ellis K.
« Painting in Rome in the eighteenth century », in: *Museum studies. The Art institute of Chicago,* n° 6, 1971, pp. 7-21.

WEIGEL Rudolph.
Die Werke der Maler in ihren Handzeichnungen, Leipzig, 1865.

WILDENSTEIN Georges.
« Bibliographie, livres, l'art du XVIIIe siècle », in: *GBA,* novembre 1930, p. 322.

WILDENSTEIN Daniel.
Voir ANANOFF Alexandre.

WILENSKI Reginald Howard.
French painting, Londres, 1945.

WILLAUME J.
Voir JOLLY J.-F.

WILLIAMSON George C.
Voir BRYAN Michael.

WINNER Matthias.
« Gemalte Kunsttheorie zu Gustave Courbets « allégorie réelle » und die Tradition », in: *Jahrbuch der Berliner Museen,* t. IV, 1962, pp. 157-158.

WITTKOWER Rudolf.
Art and Architecture in Italy, 1600 to 1750, Hardmondsworth, 1958.

WOERMANN Karl.
Voir WOLTMANN Alfred.

WOLTMANN Alfred,
WOERMANN Karl.
Geschichte der Malerei, Leipzig, 1888, t. III (2).

WORSDALE Derrick.
Subleyras in Rome.
1972 (thèse de l'Université de Cambridge).

WRIGHT Christopher.
Old master paintings in Britain. An index of continental old master paintings executed before c. 1800 in public collections in the United Kingdom, Londres, 1976.

ZAFRAN Eric.
Voir Exposition Atlanta, 1983.

ZANI Pietro.
Enciclopedia metodica... delle belle arti, parte prima, Parme, 1824, t. XVIII.

ZANOTTI Giovanni Pietro.
Storia dell' Accademia Clementina, Bologne, 1739.

ZERI Federico.
La Galleria Pallavicini in Roma, catalogo dei dipinti, Florence, 1959.

ZICK Gisela.
« Les oies de frère Philippe », in: *Keramos,* n° 72, 1976, pp. 17-28.

Index des prêteurs

Index des noms propres

Les renvois sont faits soit aux pages (p.) soit aux numéros des notices du catalogue (n°).
Les chiffres en italique indiquent les illustrations, ceux en caractères gras les notices entièrement consacrées au nom cité.

Table des matières

Cet ouvrage a été achevé d'imprimer
le 16 février 1987
sur les presses
de l'Imprimerie London à Paris
d'après les maquettes
de Jean Boutet
et Jean-Pierre Jauneau.

Le texte a été composé en Bembo
par l'Union Linotypiste à Paris.
Les illustrations ont été gravées
par Haudressy à Paris.

Le papier provient des papeteries Job.

Crédits photographiques:
droits réservés
Réunion des musées nationaux, Paris
Musées de la ville de Paris © Spadem, Paris 1987

Dépôt légal février 1987
ISBN 2-7118-2.088-2
8000-442